Le guide du routard

Barcelone

Directeur de collection et auteur
Philippe GLOAGUEN

Cofondateurs
**Philippe GLOAGUEN
et Michel DUVAL**

Rédacteur en chef
Pierre JOSSE

Rédacteurs en chef adjoints
**Amanda KERAVEL
et Benoît LUCCHINI**

Directrice de la coordination
Florence CHARMETANT

Directrice administrative
Bénédicte GLOAGUEN

Direction éditoriale
Catherine JULHE

Rédaction
**Olivier PAGE
Véronique de CHARDON
Isabelle AL SUBAIHI
Anne-Caroline DUMAS
Carole BORDES
André PONCELET
Marie BURIN des ROZIERS
Thierry BROUARD
Géraldine LEMAUF-BEAUVOIS
Anne POINSOT
Mathilde de BOISGROLLIER
Alain PALLIER
Gavin's CLEMENTE-RUÏZ
Fiona DEBRABANDER**

2012

hachette

Remarque importante aux hôteliers et restaurateurs

Les enquêteurs du *Guide du routard* travaillent dans le plus strict anonymat. Aucune réduction, aucun avantage quelconque, aucune rétribution n'est jamais demandé en contrepartie. Face aux aigrefins, la loi autorise les hôteliers et restaurateurs à porter plainte.

Hors-d'œuvre

Le *Guide du routard,* ce n'est pas comme le bon vin, il vieillit mal. On ne veut pas pousser à la consommation, mais évitez de partir avec une édition ancienne. Les modifications sont souvent importantes.

routard.com

✓ Rejoignez la plus grande communauté francophone de voyageurs : plus de **2 millions** de visiteurs !

✓ Échangez avec les routarnautes : forums, photos, avis d'hôtels.

✓ Retrouvez aussi toutes les informations actualisées pour choisir et préparer vos voyages : plus de 200 fiches pays, une centaine de dossiers pratiques et un magazine en ligne pour découvrir tous les secrets de votre destination.

✓ Enfin, comparez les offres pour organiser et réserver votre voyage au meilleur prix.

✓ *routard.com,* le voyage à portée de clics !

Avis aux lecteurs

Les réductions accordées à nos lecteurs ne sont jamais demandées par nos rédacteurs afin de préserver leur indépendance. Les hôteliers et restaurateurs sont sollicités par une société de mailing, totalement indépendante de la rédaction, qui reste donc libre de ses choix. De même pour les autocollants et plaques émaillées.

Mille excuses, on ne peut plus répondre individuellement aux centaines de CV reçus chaque année.

TABLE DES MATIÈRES

L'abréviation « c/ », que vous retrouverez tout au long de ce guide, signifie tout simplement « calle » ou « carrer » (sa version catalane), c'est-à-dire « rue ».

LES QUESTIONS QU'ON SE POSE LE PLUS SOUVENT 8

LES COUPS DE CŒUR DU ROUTARD 9

COMMENT Y ALLER ?

- EN TRAIN 10
- EN VOITURE 14
- EN BUS 14
- EN AVION 10
- LES ORGANISMES DE VOYAGES 18
- UNITAID 27

BARCELONE UTILE

- ABC DE BARCELONE 28
- AVANT LE DÉPART 28
- ARGENT, BANQUES, CHANGE 31
- ACHATS 33
- BARCELONE GRATUIT 33
- BUDGET 34
- CLIMAT 35
- DANGERS ET ENQUIQUINEMENTS 35
- ENFANTS 38
- FÊTES ET JOURS FÉRIÉS 39
- GÉOGRAPHIE URBAINE 40
- HÉBERGEMENT 41
- HORAIRES 43
- ITINÉRAIRES 43
- LANGUE 45
- LIVRES DE ROUTE 50
- MUSÉES ET SITES 52
- POSTE 53
- SANTÉ 54
- SITES INTERNET 54
- TABAC 55
- TÉLÉCOMMUNICATIONS, TÉLÉPHONE 56
- TRANSPORTS 57
- URGENCES 62

HOMMES, CULTURE ET ENVIRONNEMENT

- ARCHITECTURE ET DESIGN 63
- BOISSONS 65
- *CASTELLERS* 66
- CUISINE 67
- ÉCONOMIE 72
- ENVIRONNEMENT 73
- HISTOIRE 73
- HOMOSEXUALITÉ 81
- MATCH BARCELONE-MADRID 81
- MÉDIAS 82

- Votre TV en français : TV5MONDE
- Presse • Télévision • Radio
- **PERSONNAGES** 83
- **POPULATION** 87
- **RELIGIONS ET CROYANCES** 88
- **SARDANE** 89
- **SAVOIR-VIVRE ET COUTUMES** 90
- **SITES INSCRITS AU PATRIMOINE MONDIAL DE L'UNESCO** 91
- **SPORTS ET LOISIRS** 91

BARCELONE

ADRESSES ET INFOS UTILES

- **ARRIVÉE À L'AÉROPORT DE BARCELONE** 96
- **ARRIVÉES AUX AÉROPORTS DE GÉRONE ET DE REUS** 96
- **INFOS TOURISTIQUES** 97
- **AGENDAS CULTURELS** 98
- **SERVICES** 99
- **INTERNET** 99
- **REPRÉSENTATIONS DIPLOMATIQUES** 99
- **URGENCES** 99
- **LOISIRS** 100
- **TRANSPORT FERROVIAIRE** 100
- **AUTRES MOYENS DE TRANSPORT** 101
- **LOCATION DE VÉLOS, DE SCOOTERS ET DE VOITURES** 101

OÙ DORMIR ?

- **AUBERGES DE JEUNESSE** 102
- **LOCATIONS D'APPARTEMENTS** 105
- **HÔTELS ET PENSIONS** 106
  • Dans le Barri Gòtic et alentour • Dans la Ribera et El Born • Dans El Raval • Dans l'Eixample • Près de Gràcia • Du côté de Sants • Dans la Barceloneta • Dans Poble Sec, côté mer
- **OÙ CAMPER DANS LES ENVIRONS ?** 115
  • Au nord de Barcelone • Au sud de Barcelone

OÙ MANGER ?

- **BARS À TAPAS** 116
  • Dans le Barri Gòtic et alentour • Dans la Ribera et El Born • Dans le Barri Xino et El Raval • Dans l'Eixample, du côté de Sant Antoni • Dans Poble Sec • Dans l'Eixample • Dans la Barceloneta
- **RESTOS** 121
  • Dans le Barri Gòtic et alentour • Dans la Ribera et El Born • Dans El Raval • Dans l'Eixample, du côté de Sant Antoni • Dans Poble Sec • Dans l'Eixample • Sur le port • Dans la Barceloneta • Dans le Poblenou • Dans le quartier de Gràcia • Sur la colline du Tibidabo
- **OÙ PRENDRE LE PETIT DÉJEUNER ? OÙ MANGER UNE PÂTISSERIE ? OÙ DÉGUSTER UNE GLACE ?** 132
  • Dans le Barri Gòtic • Dans la Ribera et El Born • Dans El Raval • Dans l'Eixample • Dans la Barceloneta • Dans le Poblenou • Dans le quartier de Gràcia

OÙ SORTIR ?

- **OÙ BOIRE UN VERRE ?** 133
  • Dans le Barri Gòtic et alentour • Dans le Barri Gòtic, autour de la plaça Reial • Dans la Ribera et El Born • Dans le Barri Xino et El Raval • Dans l'Eixample • Dans le Poblenou • Dans le quartier de Gràcia
- **OÙ ÉCOUTER DE LA MUSIQUE LIVE ?** 141
- **LA TOURNÉE DES BOÎTES** 142
  • Dans le Barri Gòtic • Dans

l'Eixample et autour de Diagonal • À Montjuïc, dans le Poble Espanyol • Sur le Port olympique • Dans le quartier du Tibidabo

• OÙ VOIR UN SPECTACLE (OPÉRAS, CONCERTS CLASSIQUES...) ? OÙ VALSER ? 146

ACHATS

• **ALIMENTATION** 146
• **ANTIQUITÉS, BROCANTE** 148
• **DÉCO, DESIGN ET VAISSELLE** ... 148
• **LOISIRS** 148

• **MODE** 148
• **MUSIQUE** 149
• **DIVERS** 149

À VOIR

• **LE BARRI GÒTIC (BARRIO GÓTICO)** 150
• Catedral • Itinéraire gothique (ou presque !) • La plaça del Rei et ses musées : plaça del Rei, museu d'Història de la Ciutat et museu Frédéric-Marès • Autour de la cathédrale : museu Diocesà, Salvador Dalí Escultor, carrer Banys Nous et carrer de la Boquería, plaça del Pi et Mare de Déu, carrer de Petritxol, palau de la Generalital, les colonnes romaines et plaça Sant Jaume, Ajuntament et església de Santo Just i Pastor • Le Call Mayor : Centro d'interpretació del Call et Synagoga
• **LE QUARTIER DE LA RIBERA** 158
• Palau de la Música catalana • Mercat de Santa Caterina • Museu Barbier-Mueller de Art precolombi • Disseny Hub (DHUB) • Museu Picasso • Carrer de Montcada, carrer de l'Arc dels Tamborets, carrer des Ases, passeig del Born et Antic Mercat del Born • Basílica Santa María del Mar • Museu de la Xocolata
• **LE PARC DE LA CIUTADELLA** 162
• Le zoo
• **LE QUARTIER DE LA RAMBLA, LE BARRI XINO (BARRIO CHINO) ET EL RAVAL** 162
• La Rambla • Mirador de Colom • La Boquería (mercado San Josep) • Museu de l'Eròtica • Museu d'Art contemporani de Barcelona (MACBA) • Centre de Cultura contemporània de Barcelona (CCCB) • La vieille ville • Espace cultural Ample • Plaça Reial • Setba-Zona d'Art • El Barri Xino (Barrio Chino) et El Raval : carrer Hospital et rambla del Raval • Es-

glésia Sant Pau del Camp • Palau Güell • Ancien hospital de la Santa Creu • Lacapella • Antiga Casa Figueras • Barri Sant Antoni • Museu marítim • La Paral-lel
• **MONTJUÏC** 167
• Fundació Miró et le jardin de Sculptures • Museu nacional d'Art de Catalunya (MNAC) • Castell de Montjuïc • Pavelló Mies Van Der Rohe • Caixa Forum • Poble Espanyol • Les arènes • Museu del Rock
• **ITINÉRAIRE MODERNISTE** 173
• **L'EIXAMPLE (L'ENSANCHE)** 175
• Casa Batlló • Casa Milà – La Pedrera • Fundació Antoni Tàpies • Museu del Modernismo Català • Museu Taurí • Fundación Francisco Godia
• **LE NORD ET L'EST DE L'EIXAMPLE** 178
• Basílica de la Sagrada Família • Hospital de Sant Pau • Casa Vicens • Park Güell et casa-museu Gaudí
• **SUR LE PORT** 182
• Museu d'Història de Catalunya • Aquàrium
• **LA BARCELONETA** 183
• Le moll dels Pescadors, la plage de la Barceloneta et Transbordador Aereo
• **LE POBLENOU** 184
• Torre Agbar, Disseny Hub Barcelona, le parc central del Poblenou, rambla del Poblenou, carrer de Maria Aguiló, plaça de Prim et le cimetière du Poblenou
• **LE QUARTIER DE GRÀCIA** 185
• Carrer Gran de Gràcia
• **LE PALAIS ET LE MONASTÈRE DE PEDRALBES** 185
• El Palau : museu de Ceràmica,

museu de les Arts decoratives et museu Tèxtil i d'Indumentària
• Finca Güell (pavellons Güell)
• Reial Monestir de Pedralbes
• **LE TIBIDABO** 186

• Cosmo Caixa
• **LES AUTRES MUSÉES** 188
  • Museu FC Barcelona
• **LES PLAGES** 188
  • Castelldefels et Badalona

LES ENVIRONS DE BARCELONE

• **SANTA COLOMA DE CERVELLÓ** 188
  • Colónia Güell
• **MONTSERRAT** 189
  • La basilique • Le musée de Montserrat • Montserrat Portes Endins
  • Balades dans les environs : le funiculaire de Sant Joan, l'ermitage de Saint-Jérôme, l'itinéraire de Santa Cova, le chemin des Gout-

tières, l'itinéraire de Sant Joan et celui de Sant Miguel
• **TERRASSA** 193
  • Museu nacional de la Ciència i de la Tècnica de Catalunya • Conjunt monumental de les esglésies de Sant Pere
• **SANT SADURNÍ D'ANOIA** 195
  • Les caves Codorníu

QUITTER BARCELONE POUR LES BALÉARES

• **EN BATEAU** 196

LE LITTORAL BARCELONAIS

• **SITGES** 197
  • Museu Cau Ferrat • Museu Maricel • Museu romàntic • Les plages

• **VILAFRANCA DEL PENEDÈS** 201
  • Les caves Torres

• **INDEX GÉNÉRAL** **217**
• **OÙ TROUVER LES CARTES ET LES PLANS ?** **223**

☎ **112** : voici le numéro d'urgence commun à la France et à tous les pays de l'UE, à composer en cas d'accident, agression ou détresse. Il permet de se faire localiser et aider en français, tout en améliorant les délais d'intervention des services de secours.

Recommandation à nos lecteurs qui souhaitent profiter des réductions et avantages proposés dans le *Guide du routard* par les hôteliers et les restaurateurs : à l'hôtel, prenez la précaution de les demander **à l'arrivée** et, au restaurant, **au moment** de la commande (pour les apéritifs) et surtout **avant** l'établissement de l'addition. Poser votre *Guide du routard* sur la table ne suffit pas : le personnel de salle n'est pas toujours au courant et une fois le ticket de caisse imprimé, il est difficile pour votre hôte d'en modifier le contenu. En cas de doute, montrez la notice relative à l'établissement dans le guide et ne manquez pas de nous faire part de toute difficulté rencontrée.

Remerciements

– David Miró et Josefina Mariné, ainsi que toute l'équipe de Catalunya Tourisme à Paris en général, pour leur grand professionnalisme.

– Les offices de tourisme de Barcelone et leurs équipes, avec un clin d'œil particulier à Montse Planas.

– L'Office espagnol de tourisme à Paris, pour son efficacité sans faille.

Nous tenons à remercier tout particulièrement Loup-Maëlle Besançon, Thierry Bessou, Gérard Bouchu, François Chauvin, Grégory Dalex, Stéphanie Déro, Solenne Deschamps, Fabrice Doumergue, Cédric Fischer, Carole Fouque, Michelle Georget, Claude Hervé-Bazin, Emmanuel Juste, Dimitri Lefèvre, Sacha Lenormand, Fabrice de Lestang, Romain Meynier, Éric Milet, Pierre Mitrano, Jean-Sébastien Petitdemange, Thomas Rivallain, Dominique Roland et Solange Vivier pour leur collaboration régulière.

Et pour cette nouvelle collection, nous remercions aussi :

Maureen Abel
David Alon
Sarah Amoyel
Pauline Augé
Emmanuelle Bauquis
Solene de Bellefon
Gwladys Bonnassie
Jean-Jacques Bordier-Chêne
Michèle Boucher
Alain Chaplais
Stéphanie Condis
Élodie Coué
Agnès Debiage
Jérôme Denoix
Tovi et Ahmet Diler
Clélie Dudon
Sophie Duval
Clara Favini
Alain Fisch
David Giason

Adrien et Clément Gloaguen
Stéphane Gourmelen
Xavier Haudiquet
Bernard Hilaire
Sébastien Jauffret
François et Sylvie Jouffa
Laetitia Le Couédic
Solenne Leclerc
Jacques Lemoine
Valérie Loth
Jacques Muller
Caroline Ollion
Nicolas Pallier
Martine Partrat
Odile Paugam et Didier Jehanno
Delis Pusiol
Amélie Robin
Prakit Salporn
Jean-Luc et Antigone Schilling
Laura Vanzo

Direction : Nathalie Pujo
Contrôle de gestion : Héloïse Morel d'Arleux et Aurélie Knafo
Secrétariat : Catherine Maîtrepierre
Direction éditoriale : Catherine Julhe
Édition : Matthieu Devaux, Géraldine Péron, Olga Krokhina, Gia-Quy Tran, Julie Dupré, Juliette Genest, Christine de Geyer, Barbara Janssens, Anaïs Petit et Clémence Toublanc
Préparation-lecture : Magali Vidal
Cartographie : Frédéric Clémençon et Aurélie Huot
Fabrication : Nathalie Lautout et Audrey Detournay
Relations presse France : COM'PROD, Fred Papet. ☎ 01-70-69-04-69.
● *info@comprod.fr* ●
Direction marketing : Muriel Widmaier, Lydie Firmin et Claire Bourdillon
Contacts partenariats : André Magniez (EMD). ● *andremagniez@gmail.com* ●
Édition des partenariats : Élise Ernest
Informatique éditoriale : Lionel Barth
Couverture : Clément Gloaguen et Seenk
Maquette intérieure : ● *le-bureau-des-affaires-graphiques.com* ●, Thibault Reumaux et ● *npeg.fr* ●
Relations presse : Martine Levens (Belgique) et Maureen Browne (Suisse)
Régie publicitaire : Florence Brunel-Jars

Quelle est la meilleure époque pour aller à Barcelone ?

Le printemps et l'automne sont agréables ; il fait déjà doux, et vous trouverez moins de monde que l'été. Mais juillet et août restent des mois propices aux baignades (et aux soldes !), et la proximité de la mer tempère les grandes chaleurs.

Peut-on y aller avec des enfants ?

Oui, car la ville offre nombre de visites ou d'attractions qu'ils adoreront, les fantaisies de Gaudí par exemple. Mais gardez en tête que l'on se déplace beaucoup à pied, alors ne surchargez pas le programme !

La vie est-elle chère ?

Barcelone fait partie des villes les plus chères d'Espagne, en particulier pour se loger. Une chambre double dans une pension coûte entre 40 et 60 € en moyenne, mais les prix grimpent franchement lors de la Semaine sainte, l'été ou même à Noël. En revanche, on peut manger pour 10 € environ, et faire un repas complet pour 15 €.

Comment se loger bon marché ?

Les campings alentour, accessibles en bus depuis le centre-ville, mais aussi (et surtout) les auberges de jeunesse classiques ou privées (en gros, 16 à 27 € la nuit par personne selon la saison) et les petites pensions ou les petits *hostales*. Mais à moins d'y aller vraiment hors saison (en hiver), réservez pour être sûr de trouver le bonheur adapté à votre bourse.

Que mange-t-on ?

Des tapas de toutes sortes, ces petites assiettes (crudités, poissons, salades) que l'on peut manger n'importe où, n'importe quand, à des prix modiques, et leur adaptation basque, les *pinxos*, très en vogue à Barcelone. Beaucoup de fruits de mer, mais aussi toutes les délicieuses spécialités (charcuterie, fromages, etc.) de l'arrière-pays.

Comment se déplace-t-on en ville ?

De préférence en métro ou bus, mais surtout... en marchant : le centre ancien ne s'offre qu'ainsi. En fin de journée ou la nuit, vous avez toujours la solution du taxi, relativement bon marché.

Combien de jours faut-il prévoir sur place ?

Trois jours permettent déjà de se faire une idée. L'idéal serait 4 ou 5, voire 1 semaine, si vous avez envie de faire ça cool.

Que voir en priorité ?

Les incontournables : une balade sur la Rambla ; le Barri Gòtic, avec sa cathédrale et son lacis de ruelles étroites ; l'Eixample et ses superbes monuments modernistes (dont la Sagrada Família ou la casa Milà, entre autres œuvres de Gaudí) ; la colline de Montjuïc, qui abrite l'exceptionnel musée d'Art de Catalogne et la fondation Miró. Mais aussi le musée Picasso, le Musée maritime... difficile d'arrêter un choix !

Et les dangers de Barcelone ?

Le vol, la fauche, la tire : quel que soit son nom, c'est la seule chose, à part les notes un peu salées, que vous aurez à redouter, en particulier sur le passeig de Gràcia, autour de la cathédrale et, la nuit, dans le Barri Xino et autour de la Rambla à hauteur de la carrer dels Escudellers. Alors faites attention à votre sac, ce n'est pas un mythe !

♥ LES COUPS DE CŒUR DU ROUTARD

Comme un vrai Barcelonais, descendre lentement la Rambla sur le coup de 19h-20h, l'heure cruciale du *paseo* : un vrai rite social.

Prendre un grand bol d'air et de fantaisie dans le park Güell, au milieu des déglingues architecturales de Gaudí.

Déambuler tranquillement dans le Barri Gòtic, entre ruelles et placettes, le nez en l'air, pour profiter pleins feux de toutes les façades de ce quartier historique.

Tourner et retourner dans le marché de la Boquería, saliver à chaque étal jusqu'à craquer et s'attabler devant de superbes tapas en éclusant un gorgeon de blanc !

Se payer le luxe d'une petite brasse dans la Méditerranée, à la Barceloneta, après une matinée super culturelle dans un musée.

Déguster une *escalivada* (ces légumes presque confits au four) dans un petit resto typique du centre.

S'offrir une folle nuit de fiesta dans les boîtes hyper branchées de Barcelone, une ville qui ne dort jamais tout à fait !

Si le temps est dégagé, s'élancer au-dessus du port jusqu'à Montjuïc, grâce au *transbordador aereo* (un téléphérique) qui part de la tour de San Sebastià (à la Barceloneta) : panorama grandiose assuré !

Se cultiver un brin, en explorant salle après salle les merveilles romanes, gothiques et plus classiques du superbe musée national d'Art de Catalogne (MNAC pour les intimes) sur la colline de Montjuïc, et, pour les férus d'art contemporain, le MACBA, dans le sympathique quartier du Raval.

Partir sur les traces des architectes fous (Gaudí, entre autres) dans le quartier de l'Eixample. Un grand bain de couleurs, d'imagination et de liberté.

S'offrir une soirée « poissons et fruits de mer » dans la Barceloneta, ancien quartier de pêcheurs, où les restos font toujours la part belle aux produits de la grande bleue.

Pousser la balade urbaine jusqu'au quartier de Gràcia, et profiter de son ambiance de village sur les placettes où se retrouvent cadres, étudiants et artistes un peu bohèmes.

Tous les jours et à toutes les heures, du bout des lèvres et l'air de rien, à l'apéro ou en guise de dîner, déguster des tapas !

Contempler la plus belle donation de Picasso effectuée de son vivant, au musée Picasso, tout simplement.

Admirer l'imagination flamboyante de Gaudí en découvrant le temple de la Sagrada Família.

EN TRAIN

➤ **Trenhotel Elipsos Joan Miró :** tlj de Paris-Austerlitz, des Aubrais-Orléans et de Limoges. Ce train offre un service de bar et resto. Départ vers 20h40 et arrivée à Barcelone (estació de França) vers 9h30. Dessert aussi Figueres et Gérone. Retour tlj à 20h de Barcelone et arrivée à Paris-Austerlitz à 9h. Ce *Trenhotel* offre des voitures-lits : touriste T4, single et double « Affaires » (petit déj inclus), single et double « Grande Classe » (douche et w-c dans chaque cabine, dîner et petit déj inclus).

➤ Également 2 départs de Paris-Gare de Lyon en **TGV** : 7h20, correspondance vers 13h à Figueres, arrivée à Barcelona-Sants vers 14h45 ; et 15h20, correspondance vers 21h à Figueres et arrivée à Barcelona-Sants vers 22h45 (depuis Barcelona-Sants, même topo : départs à 9h et 13h, correspondance à Figueres et arrivées à Paris-Gare de Lyon respectivement vers 16h45 et 20h42). Toujours depuis Paris-Gare de Lyon, autre départ vers 11h20, mais avec 2 changements (à Perpignan et à Port Bou), donc nettement plus long. Enfin, 1 départ de nuit de Paris-Austerlitz (départ 22h56), avec correspondances au petit matin à Toulouse puis Narbonne et arrivée à Barcelona-Sants (via Passeig-de-Gràcia) vers 11h50 (c'est le plus looong !).

Pour préparer votre voyage

– **Billet à domicile :** commandez votre billet par Internet ou par téléphone au ☎ 36-35 (0,34 € TTC/mn, hors surcoût éventuel de votre opérateur), la SNCF vous l'envoie gratuitement à domicile.

– **Service « Bagages à domicile » :** la SNCF prend en charge vos bagages où vous le souhaitez, et vous les livre là où vous allez. Service disponible en France continentale, en Allemagne, en Suisse (enlèvement et livraison uniquement en gare) et au Luxembourg.

Les *passes* internationaux

Avec les **passes InterRail,** les résidents européens peuvent voyager dans 30 pays d'Europe, dont l'**Espagne.** Plusieurs formules et autant de tarifs, en fonction de la destination et de l'âge. À noter que le *pass InterRail* n'est pas valable dans votre pays de résidence. Cependant, l'*InterRail Global Pass* offre une réduction de 50 % de votre point de départ jusqu'au point frontière en France.

– Pour les grands voyageurs, l'**Inter-Rail Global Pass** est valable dans l'ensemble des 30 pays européens concernés, intéressant si vous comptez parcourir plusieurs pays au cours du même périple. Il se présente sous 5 formes au choix. 2 formules flexibles : utilisable 5 jours sur une période de validité de 10 jours (259 € pour les plus de 25 ans, 169 € pour les 12-25 ans), ou 10 jours sur une période de validité de 22 jours (respectivement 369 € pour les plus de 25 ans, 249 € pour les 12-25 ans). 3 formules « continues » : *pass* 15 jours (409 € pour les plus de 25 ans, 289 € pour les 12-25 ans), *pass* 22 jours (479 € pour les plus de 25 ans, 319 € pour les 12-25 ans), *pass* 1 mois (619 € pour les plus de 25 ans, 409 € pour les 12-25 ans). Ces 5 formules existent aussi en version 1re classe ! Nouveauté depuis 2010 : les voyageurs de plus de 60 ans bénéficient d'une réduction de 10 % sur le tarif de l'*Inter-*

Le monde à petits prix
by **AIRFRANCE** /

★ BETC EURO RSCG   Société Air France – 420 495 178 RCS Bobigny – 45 rue de Paris - 95747 Roissy-CDG CEDEX

Toutes nos offres sur **airfrance.fr**

AIRFRANCE KLM

Rail Global Pass en 1re et 2de classes (tarif *senior*).

– Si vous ne parcourez que l'Espagne, le **One Country Pass** vous suffira. D'une période de validité de 1 mois, il est utilisable, selon les formules, 3, 4, 6 ou 8 jours en discontinu : à vous de calculer avant votre départ le nombre de jours dont vous aurez besoin pour voyager : 3 jours (175 € pour les plus de 25 ans, 119 € pour les 12-25 ans, 88 € pour les 4-11 ans), 4 jours (respectivement 199, 139 et 100 €), 6 jours (259, 169 et 130 €) ou 8 jours (301, 199 et 151 €). Là encore, ces formules se déclinent en version 1re classe (mais ce n'est pas le même prix, bien sûr).

– *InterRail* vous offre également la possibilité d'obtenir des réductions ou avantages à travers toute l'Europe avec ses partenaires bonus (musées, chemins de fer privés, hôtels, etc.).

Tous ces prix sont applicables jusqu'au 31/12/11.

Pour plus de renseignements, adressez-vous à la gare ou boutique SNCF la plus proche.

Pour voyager au meilleur prix

La SNCF propose des tarifs adaptés à chacun de vos voyages.

➢ *TGV Prem's, Téoz Prem's et Lunéa Prem's :* des petits prix disponibles toute l'année. Tarifs non échangeables et non remboursables (offres soumises à conditions).

– *Prem's :* pour des prix mini si vous réservez jusqu'à 90 jours avant votre départ, à partir de 22 € l'aller en 2de classe avec TGV, 17 € en 2de classe avec Téoz et 35 € en 2de classe en couchette avec Lunéa (32 € sur Internet).

– *Prem's Dernière Minute :* des offres exclusives à saisir sur Internet. Bénéficiez jusqu'à 50 % de réduction sur des places encore disponibles quelques jours avant le départ du train.

– *Prem's Vente Flash :* des promotions ponctuelles.

– *TGV Prem's Week-End :* 25 € ou 45 € garantis en 2de classe pour des départs sur les derniers TGV du vendredi soir et du dimanche soir (une offre exclusive TGV).

➢ *Les tarifs Loisir*

Une offre pour tous ceux qui programment leurs voyages mais souhaitent avoir la liberté de décider au dernier moment et de changer d'avis (offres soumises à conditions). Tarifs échangeables et remboursables. Pour bénéficier des meilleures réductions, pensez à réserver vos billets à l'avance (les réservations sont ouvertes jusqu'à 90 jours avant le départ) ou à voyager en période de faible affluence.

➢ *Les cartes*

Pour ceux qui voyagent régulièrement, profitez de réductions garanties tout le temps avec les cartes *Enfant +, 12-25, Escapades* ou *Senior* (valables 1 an).

– Vous voyagez avec un enfant de moins 12 ans : pour 70 €, la carte **Enfant +** permet aux accompagnateurs (jusqu'à 4 adultes ou enfants, sans obligation de lien de parenté) de bénéficier de réductions allant jusqu'à 50 %, et à l'enfant titulaire de la carte de payer la moitié du prix adulte après réduction (s'il a moins de 4 ans, l'enfant voyage gratuitement).

– Vous avez entre 12 et 25 ans : avec la carte *12-25*, pour 49 €, vous bénéficiez jusqu'à 60 % de réduction et - 25 % garantis sur tous vos voyages, même au dernier moment.

– Vous avez entre 26 et 59 ans : avec la carte *Escapades,* pour 75 €, vous bénéficiez jusqu'à 50 % de réduction et - 25 % garantis sur tous vos voyages, même au dernier moment. Ces réductions sont valables pour tout aller-retour de plus de 200 km effectué sur la journée du samedi ou du dimanche, ou comprenant la nuit du samedi au dimanche sur place.

– Vous avez plus de 60 ans : avec la carte *Senior,* pour 56 €, vous bénéficiez jusqu'à 50 % de réduction et - 25 % garantis sur tous vos voyages, même au dernier moment.

➢ *Réductions spécifiques aux Trenhotels Elipsos :* des tarifications spéciales sont réservées aux détenteurs de la carte ISIC (30 % de réduc), ainsi que sur présentation du *pass InterRail* (*Global* ou *One Country,* voir ci-dessus). Et de nombreuses formules permettent d'obtenir jusqu'à 30 % de réduction : *Prem's, Mini à deux* ou *Duo* (voyage en couple), *Espace +* (en famille de 3 ou

Qui n'a pas rêvé
de voyager
dans son lit?

Ouahhh...

Piou piou
Pioupiou

SNCF

BILLET - RESERVATION
En France, à composter avant l'accès au train

02ADULTE

Départ   ► Arrivée

07/06 20H32 PARIS   ► BARCELONE   08/06 08H24
*   *   *   *

TRAIN   477 THI VOITURE 09 LIT 51,55
A UTILISER DANS CE TRAIN

Prix **********

74*€

Un billet pour vivre...

L'Expérience ELIPSOS

ELIPSOS
Trainhôtel
www.elipsos.com

4 personnes), ou à certaines périodes de la semaine (en général, du lundi au jeudi). Toutes ces offres sont soumises à conditions, et susceptibles d'être modifiées sans préavis.

Pour obtenir plus d'informations sur les conditions de réservation et d'achat de vos billets

– **Internet :** • tgv.com • corailteoz.com • coraillunea.fr • interrailnet.com • elipsos.com • voyages-sncf.com •
– **Téléphone :** ☎ 36-35 (0,34 €/mn, hors surcoût éventuel de votre opérateur).
– Également dans les gares, les boutiques SNCF et les agences de voyages agréées SNCF.

EN VOITURE

2 itinéraires possibles pour rejoindre Barcelone au départ de Paris.
➤ Sortir de Paris par la porte d'Orléans et prendre l'autoroute A 6 direction Lyon, puis l'A 7 direction Marseille. À la hauteur d'Orange, suivre l'A 9, direction Nîmes, Montpellier, Béziers, Perpignan, puis suivre Figueres, Gérone, Barcelone.
➤ À Paris, prendre l'A 10 direction Orléans, puis l'A 71 direction Bourges. À la hauteur de Vierzon, suivre l'A 20 direction Toulouse, puis l'A 61 direction Carcassonne-Narbonne. À la hauteur de Narbonne, prendre l'A 9 direction Perpignan et suivre Figueres, Gérone, Barcelone.

EN BUS

Qu'à cela ne tienne, il n'y a pas que l'avion ou le train pour voyager. On peut aussi se déplacer en bus, à condition d'avoir du temps et de ne pas être à cheval sur le confort. Il est évident que les trajets sont longs et les horaires un peu élastiques. On n'en est pas au luxe des Greyhound américains, mais, en général, les bus affrétés par les compagnies sont assez confortables : AC, dossiers inclinables (exiger des précisions avant le départ). En principe, des

arrêts toutes les 3-4h permettent de ne pas arriver avec une barbe de vieillard. Prévoyez une couverture ou un duvet pour les nuits fraîches, le Thermos à remplir de boisson bouillante ou glacée entre les étapes (on n'a pas toujours soif à l'heure dite), et aussi de bons bouquins.

▲ CLUB ALLIANCE
– Paris : 33, rue de Fleurus, 75006. ☎ 01-45-48-89-53. • cluballiancevoyages.com • Ⓜ Notre-Dame-des-Champs ou Rennes. Lun-ven 10h30-19h ; sam 13h30-19h.
Spécialiste des week-ends courts ou prolongés. Circuits économiques de 1 à 16 jours en Europe, au départ de Paris. Dessert, selon les saisons, Barcelone et la Costa Brava. Brochure gratuite sur demande.

▲ EUROLINES
☎ 0892-89-90-91 (0,34 €/mn ; lun-sam 8h-21h, dim 10h-17h). • eurolines.fr • Vous trouverez également les services d'Eurolines sur • routard.com • Eurolines propose 10 % de réduc pour les jeunes (12-25 ans) et les seniors. 2 bagages gratuits/pers en Europe et 40 kg gratuits pour le Maroc.
– Gare routière internationale à Paris : 28, av. du Général-de-Gaulle, 93541 Bagnolet Cedex. Ⓜ Gallieni.
Première compagnie low-cost par bus en Europe, Eurolines permet de voyager vers plus de 500 destinations en Europe (dont l'Espagne et Barcelone) et au Maroc avec des départs quotidiens depuis 90 villes françaises.
– Pass Eurolines : pour un prix fixe valable 15 ou 30 jours, vous voyagez autant que vous le désirez sur le réseau entre 44 villes européennes. Également un mini-pass pour visiter 2 capitales européennes (6 combinés possibles).

▲ LINEBUS
– Paris : ☎ 01-42-27-01-11. • linebus.es •
– Lyon : gare routière de Perrache (cours de Verdun), 69002. ☎ 04-72-41-72-27.
➤ Lignes régulières d'autocars pour Barcelone, Gérone, Salou et Tarragone, au départ de Paris, Avignon, Béziers, Bordeaux, Clermont-Ferrand, Lyon, Montpellier, Narbonne, Nîmes et Perpi-

gnan. Certaines liaisons s'effectuent avec des correspondances.

▲ VOYAGES 4A
Voir plus loin « Les organismes de voyages ».

EN AVION

▲ AIR FRANCE
Rens et résas au ☎ 36-54 (0,34 €/mn ; tlj 6h30-22h), sur • airfrance.fr •, dans les agences Air France (fermées dim) et dans ttes les agences de voyages.
➢ Air France dessert Barcelone au départ de Paris avec 6 à 9 vols directs/j. (la plupart au départ de Roissy-Charles-de-Gaulle 2F, quelques-uns depuis Orly-Ouest). Également Bordeaux-Barcelone (1 vol/j. sf jeu), Lyon-Barcelone (2-3 vols/j.) et Nantes-Barcelone (1-2 vols/j.).
Air France propose à tous des tarifs attractifs toute l'année. Vous avez la possibilité de consulter les meilleurs tarifs du moment sur Internet dans l'onglet « Achat & enregistrement en ligne », rubrique « Promotions ».
Le programme de fidélisation Air France-KLM permet d'accumuler des *miles* à son rythme et de profiter d'un large choix de primes. Avec votre carte *Flying Blue,* vous êtes immédiatement identifié comme client privilégié lorsque vous voyagez avec tous les partenaires.
Air France propose également des réductions jeunes. La carte *Flying Blue Jeune* est réservée aux jeunes âgés de 2 à 24 ans résidant en France métropolitaine, dans les départements d'outre-mer, au Maroc ou en Tunisie. Avec plus de 800 destinations et plus de 100 partenaires, *Flying Blue Jeune* offre autant d'occasions d'accumuler des *miles* partout dans le monde.

▲ AIR EUROPA
– Paris : 58 A, rue du Dessous-des-Berges, 75013. ☎ 01-42-65-08-00. • ai reuropa.com • Ⓜ Bibliothèque-François-Mitterrand. Bureau ouv lun-ven 9h-18h. Résas possibles par tél 24h/24.
➢ Au départ de Roissy-Charles-de-Gaulle, terminal 2F, Air Europa dessert Barcelone avec 9 vols/j., en partenariat avec *Air France.*

▲ IBERIA
Central de résas : ☎ 0825-800-965 (n° Indigo ; 0,12 €/mn). • iberia.fr •
– Paris : Orly-Ouest (hall 1) et Roissy-Charles-de-Gaulle (terminal 2D).
➢ Iberia dessert toute l'Espagne. Au départ de Paris-Orly, 7 vols/j. vers Barcelone (directs ou via Madrid). Dessert également Barcelone avec 1-2 vols/j. au départ de Marseille, 1-2 vols/j. au départ de Nice et 1 vol/sem au départ de Nantes, certains opérés par sa filiale *Air Nostrum.*

Les compagnies *low-cost*

Ce sont des compagnies dites « à bas prix ». De nombreuses villes de province sont desservies, ainsi que les aéroports limitrophes des grandes villes. Ne pas trop espérer trouver facilement des billets à prix plancher lors des périodes les plus fréquentées (vacances scolaires, week-ends...). À bord, c'est service minimum. Afin de réduire les files d'attente dans les aéroports, certaines font même payer l'enregistrement aux comptoirs d'aéroport. Pour éviter cette nouvelle taxe qui ne dit pas son nom, les voyageurs ont intérêt à s'enregistrer directement sur Internet, où le service est gratuit. La résa se fait souvent par Internet et parfois par téléphone (pas d'agence, juste un numéro de réservation et un billet à imprimer soi-même), et aucune garantie de remboursement n'existe en cas de difficultés financières de la compagnie. En outre, les pénalités en cas de changement d'horaires sont assez importantes, et les taxes d'aéroport rarement incluses. Il faut aussi rappeler que plusieurs compagnies facturent maintenant les bagages en soute ou limitent leurs poids. En cabine également, le nombre de bagages (et leur dimension) est strictement limité. À bord, tous les services sont payants (boissons, journaux...). Ne pas oublier non plus d'ajouter le prix du bus pour se rendre à ces aéroports, souvent assez éloignés du centre-ville. Au final, même si les prix de base restent très attractifs, il convient de prendre en compte tous ces frais annexes pour calculer le plus justement son budget.

LES BONNES ADRESSES DU ROUTARD

Nos meilleurs
hôtels et restos
en France

3675 établissements
de qualité sélectionnés
pour leur originalité
et leur convivialité.

- des cartes régionales
  en couleur
- des symboles, devant
  chaque établissement,
  détaillant les adresses
  avec terrasse, piscine et
  parking.

17,90 €

▲ BRUSSELS AIRLINES

En Belgique : ☎ *0902-51-600 (0,51 € l'appel, puis 0,75 €/mn) ; en Espagne :* ☎ *807-22-00-03 (0,82 €/mn) ; en France :* ☎ *0892-64-00-30 (0,34 €/ mn).* ● *brusselsairlines.fr* ●
➤ Dessert Barcelone au départ de Bruxelles avec env 4 vols/j.
La compagnie aérienne a fusionné en 2007 avec *Virgin Express*. 2 tarifications : *b-flex economy +,* pour une clientèle professionnelle, et *b-light economy,* proposant des formules *low- cost* depuis Brussels Airport vers plus de 50 destinations en Europe.

▲ EASYJET

En France : ☎ *0820-420-315 (0,12 € l'appel, puis 0,34 €/mn) ; en Suisse :* ☎ *0848-28-28-28 (0,08 Fs/mn) ; en Espagne :* ☎ *902-599-900 (0,83 €/mn).* ● *easyjet.fr* ●
➤ Dessert Barcelone au départ de Paris-Charles-de-Gaulle, Lyon, Genève et Bâle-Mulhouse.

▲ RYANAIR

En France : ☎ *0892-78-02-10 (0,34 €/ mn) ; en Belgique :* ☎ *0902-33-660 (1 €/mn) ; en Espagne :* ☎ *807-110- 182 (0,41 €/mn).* ● *ryanair.com* ●
➤ Dessert Barcelone depuis Paris-Beauvais et Bruxelles-Charleroi ; Gérone, au nord de Barcelone, au départ de Paris-Beauvais, Bruxelles-Charleroi et Karlsruhe-Baden. Dessert également Reus, au sud de Barcelone, depuis Paris-Beauvais et Bruxelles-Charleroi. Depuis l'aéroport de Gérone, bus réguliers vers Barcelone (arrivée estació del Norte, même principe dans l'autre sens ; voir « Arrivées aux aéroports de Gérone et de Reus » au début de « Barcelone. Adresses et infos utiles »). Liaison aéroport de Reus moins pratique, car beaucoup moins de bus *(rens sur* ● *igualadina.com* ●).

▲ VUELING

En France : ☎ *0899-232-400 (1,34 € l'appel, puis 0,34 €/mn) ; en Belgique :* ☎ *0902-33-429 (0,75 €/mn) ; en Espa- gne :* ☎ *807-200-100 (0,89 €/mn).* ● *vue ling.com* ●
➤ Vols tlj vers Barcelone depuis Paris (Roissy-Charles-de-Gaulle) et Bruxelles. Et liaisons régulières directes (2 à 4 vols/sem) entre Barcelone et Bor-

deaux, Nantes, Toulouse ou Genève. Depuis Barcelone, nombreuses liaisons vers les capitales régionales espagnoles.

LES ORGANISMES DE VOYAGES

– Ne pas croire que les vols à tarif réduit sont tous au même prix pour une même destination à une même époque : loin de là. On a déjà vu, dans un même avion partagé par 2 organismes, des passagers qui avaient payé 40 % plus cher que les autres. De plus, une agence bon marché ne l'est pas forcément toute l'année (elle peut n'être compétitive qu'à certaines dates bien précises). Donc, contactez tous les organismes et jugez vous-même.
– Les organismes cités sont classés par ordre alphabétique, pour éviter les jalousies et les grincements de dents.

EN FRANCE

▲ BOURSE DES VOLS / BOURSE DES VOYAGES

● *bdv.fr* ● *ou par tél au* ☎ *01-42-61- 66-61 (lun-sam 8h-20h).*
Agence de voyages en ligne, BDV.fr propose une vaste sélection de vols secs, séjours et circuits à réserver en ligne ou par téléphone. Pour bénéficier des meilleurs tarifs aériens, même à la dernière minute, le service de Bourse des Vols référence en temps réel un large panel de vols réguliers, charters et dégriffés au départ de Paris et de nombreuses villes de province. Bourse des Voyages propose des promotions toute l'année sur une large sélection de destinations (séjours, circuits...).

▲ EXPERIMENT

– *Paris :* 89, rue de Turbigo, 75003. ☎ 01-44-54-58-00. ● *experiment-fran ce.org* ● Ⓜ *Temple ou République. Lun- ven 9h-18h.*
Partager en toute amitié la vie quotidienne d'une famille, c'est ce que vous propose l'association Experiment. Cette formule de séjour en immersion totale chez l'habitant à la carte existe dans une douzaine de pays à travers le

monde (Amériques, Europe – dont l'Espagne –, Asie), avec en nouveauté la Turquie.

Experiment propose aussi des cours d'espagnol, d'anglais, de brésilien, d'allemand, d'italien, d'arabe, de russe, de chinois et de japonais dans les pays où la langue est parlée. Ces différentes formules s'adressent aux adultes comme aux adolescents.

Pour les lycéens âgés de 15 à 17 ans, il est désormais possible de suivre une partie de sa scolarité (trimestre, semestre ou année complète) dans un établissement scolaire à l'étranger : États-Unis, Irlande, Allemagne, Espagne et Italie.

En Espagne sont également proposés des jobs et des stages en entreprise *(service Départs à l'étranger : ☎ 01-44-54-58-00)* et des séjours au pair *(service Au pair : ☎ 01-44-54-58-09).*

▲ FUAJ

– Paris : antenne nationale, 27, rue Pajol, 75018. ☎ 01-44-89-87-27. Ⓜ La Chapelle, Marx-Dormoy ou Gare-du-Nord. Mar-ven 13h-17h30.
– Rens dans ttes les auberges de jeunesse, les points d'info et de résa en France, et sur le site ● fuaj.org ●

La FUAJ (Fédération unie des auberges de jeunesse) accueille ses adhérents dans 160 auberges de jeunesse en France. Seule association française membre de l'IYHF *(International Youth Hostel Federation),* elle est le maillon d'un réseau de 4 000 auberges de jeunesse réparties dans 90 pays. La FUAJ organise, pour ses adhérents, des activités sportives, culturelles et éducatives, ainsi que des rencontres internationales. Vous pouvez obtenir gratuitement les brochures *Printemps-Été, Hiver,* le dépliant des séjours pédagogiques, la carte pliable des AJ et le *Guide des AJ en France.*

▲ NOUVELLES FRONTIÈRES

Rens et résas dans tte la France : ☎ 0825-000-825 (0,15 €/mn). ● nouvelles-frontieres.fr ● Les brochures Nouvelles Frontières sont disponibles gratuitement dans les 300 agences du réseau, par tél et sur Internet.

Nombreuses formules : vols sur *Corsairfly,* la compagnie de Nouvelles Frontières, au départ de Paris et de pro-

vince, et sur toutes les compagnies aériennes régulières ; circuits aventure ou organisés ; séjours en hôtels, en hôtels-clubs et en résidences ; week-ends, formules à la carte...

▲ PARTIRENEUROPE.COM

– Grenoble : 45, rue Lesdiguières, 38000. ☎ 04-76-47-19-18. ● partireneurope.com ● Lun-ven 9h-12h30, 14h-18h30 (17h30 ven).

Une agence dynamique qui organise des séjours économiques en Europe et en Russie dans les grandes capitales européennes au départ de 30 villes de France. Plusieurs formules d'hébergement, de la cité U aux hôtels 3 étoiles. Départs toute l'année et pour des concerts et des festivals rock en Europe. Nouveau : départs possibles chaque semaine avec des formules bus + hôtels dans les capitales européennes.

▲ PROMOVACANCES.COM

Les offres Promovacances sont accessibles sur ● promovacances.com ● ou au ☎ 0899-654-850 (1,35 € l'appel, puis 0,34 €/mn) et dans 10 agences situées à Paris et à Lyon.

N° 1 français de la vente de séjours sur Internet, Promovacances a fait voyager plus de 2 millions de clients en 10 ans. Le site propose plus de 10 000 voyages actualisés chaque jour sur 300 destinations : séjours, circuits, week-ends, thalasso, plongée, golf, voyages de noces, locations, vols secs... L'ambition du voyagiste : prouver chaque jour que le petit prix est compatible avec des vacances de qualité. Grâce aux avis clients publiés sur le site et aux visites virtuelles des hôtels, vous réservez vos vacances en toute tranquillité.

▲ PROMOVOLS

Infos et résas : ● promovols.com ● ou ☎ 0899-01-01-01 (1,35 €/mn). Lun-ven 9h-19h, sam 10h-18h.

Spécialiste de la vente de billets d'avions sur Internet, Promovols vous propose une vaste sélection de vols réguliers, charters et dégriffés au départ de Paris et de la plupart des villes de province. Grâce à son moteur de réservation très performant, cette agence de voyages en ligne vous garantit les meilleurs prix du marché quelle que soit votre destination.

Promovols propose également un très large choix d'hôtels, séjours et circuits à prix extrêmement compétitifs sur plus de 200 destinations.

▲ VOYAGES 4A

– Tarnos : 306, rue de l'Industrie, 40220. Rens et résas : ☎ 05-59-23-90-37. ● voyages4a.com ● Lun-ven 9h30-12h, 14h-18h.

Spécialiste des voyages en autocar à destination de toutes les grandes cités européennes. Week-ends, séjours et circuits en bus toute l'année, grands festivals et événements européens, formules pour tout public, individuel ou groupe, au départ de toutes les grandes villes de France.

▲ VOYAGES-SNCF.COM

Voyages-sncf.com, acteur majeur du tourisme français qui recense 9 millions de visiteurs par mois, propose d'acheter en ligne des billets de train, d'avion, des chambres d'hôtel, des locations de voitures, de vacances, et des séjours clés en main ou Alacarte®, ainsi que des spectacles, des excursions et des visites de musées. Un large choix et des prix avantageux sont offerts toute l'année, pour tous types de voyages dans le monde entier : SNCF, 180 compagnies aériennes, 84 000 hôtels référencés et les principaux loueurs de voitures.

Leur site ● voyages-sncf.com ● permet d'accéder tous les jours, 24h/24, à plusieurs services : envoi gratuit des billets à domicile, Alerte Résa pour être informé de l'ouverture des résas et profiter du plus grand choix, calendrier des meilleurs prix (TTC), mais aussi des offres de dernière minute et des promotions...

Pratique : ● voyages-sncf.mobi ●, le site mobile pour réserver, s'informer et profiter des bons plans n'importe où et à n'importe quel moment.

Et grâce à l'ÉcoComparateur, en exclusivité sur ● voyages-sncf.com ●, possibilité de comparer le prix, le temps de trajet et l'indice de pollution pour un même trajet en train, en avion ou en voiture.

▲ VOYAGEURS EN ESPAGNE ET AU PORTUGAL

● vdm.com ●
– Paris : La Cité des Voyageurs, 55, rue Sainte-Anne, 75002. ☎ 01-42-86-17-20. Ⓜ Opéra ou Pyramides. Lun-sam 9h30-19h.
– Également des agences à Bordeaux, Caen, Grenoble, Lille, Lyon, Marseille, Montpellier, Nantes, Nice, Rennes, Rouen, Strasbourg et Toulouse.

Le spécialiste du voyage en individuel sur mesure.

Parce que chaque voyageur est différent, que chacun a ses rêves et ses idées pour les réaliser, Voyageurs du Monde conçoit, depuis plus de 30 ans, des projets sur mesure. Les séjours proposés à travers 120 destinations sont des suggestions élaborées par nos 180 conseillers voyageurs. Spécialistes de leur pays, ils vous aideront à personnaliser les voyages présentés à travers une trentaine de brochures d'un nouveau type et sur le site internet, où vous pourrez également découvrir leurs hébergements exclusifs et consulter votre espace personnalisé.

Chacune des 15 Cités des Voyageurs est une invitation au voyage : librairies spécialisées, accessoires de voyage, expositions-ventes d'artisanat et conférences. Voyageurs du Monde est membre de l'association ATR (Agir pour un tourisme responsable) et a obtenu en 2008 sa certification Tourisme responsable AFAQ AFNOR.

Comment aller à Roissy et à Orly ?

Bon à savoir

– **Le pass Navigo** est valable pour Roissy-Rail (RER B, zones 1-5) et Orly-Rail (RER C, zones 1-4).
– **Le billet Orly-Rail** permet d'accéder sans supplément aux réseaux métro et RER.

À Roissy-Charles-de-Gaulle 1, 2 et 3

Attention : si vous partez de Roissy, pensez à vérifier de quelle aérogare votre avion décolle car la durée du trajet peut considérablement varier en fonction de cette donnée.

TRANSPORTS COLLECTIFS

🚌 **Les cars Air France :** ☎ 0892-350-820 (0,34 €/mn). • cars-airfrance.com • Paiement par CB possible à bord.

Le site internet diffuse les informations essentielles sur le réseau (lignes, horaires, tarifs...), permettant de connaître l'état du trafic en temps réel, afin de mieux planifier son départ. Il propose également une boutique en ligne, qui permet d'acheter et d'imprimer les billets électroniques pour accéder aux bus.

➢ *Paris-Roissy :* départ pl. de l'Étoile (1, av. Carnot), avec un arrêt pl. de la Porte-Maillot (bd Gouvion-Saint-Cyr). Départs ttes les 20 mn, 6h-22h. Durée du trajet : 35-50 mn env. Tarifs : 15 € l'aller simple, 24 € l'A/R ; réduc enfants 2-11 ans.
Autre départ depuis la gare Montparnasse (arrêt rue du Commandant-Mouchotte, face à l'hôtel *Pullman*), ttes les 30 mn, 6h-21h30, avec un arrêt gare de Lyon (20 bis, bd Diderot). Tarifs : 16,50 € l'aller simple, 27 € l'A/R ; réduc enfants 2-11 ans.
➢ *Roissy-Paris :* les cars *Air France* desservent la pl. de la Porte-Maillot, avec un arrêt bd Gouvion-Saint-Cyr, et se rendent ensuite au terminus de l'av. Carnot. Départs ttes les 30 mn, 6h-23h, des terminaux 2A et 2C (porte C2), 2E et 2F (niveau « Arrivées », porte 3 de la galerie), 2B et 2D (porte B1), et du terminal 1 (porte 34, niveau « Arrivées »). À destination de la gare de Lyon et de la gare Montparnasse, départs ttes les 30 mn, 6h-22h, des mêmes terminaux. Durée du trajet : 45 mn env.

🚌 **Roissybus :** ☎ 32-46 (0,34 €/mn). • ratp.fr • Départs de la pl. de l'Opéra (angle rues Scribe et Auber) ttes les 15 mn (20 mn à partir de 20h), 5h45-23h. Durée du trajet : 45-60 mn. De Roissy, départs 6h-23h des terminaux 1, 2A, 2B, 2C, 2D et 2F, et à la sortie du hall d'arrivée du terminal 3. Tarif : 10 €.

🚌 **Bus RATP n° 351 :** de la pl. de la Nation, 5h30-21h20. Solution la moins chère mais la plus lente. Compter en effet 1h30 de trajet. Ou *bus n° 350,* de la gare de l'Est (1h15 de trajet). Arrivée Roissypôle-gare RER.

🚃 **RER ligne B + navette :** départ ttes les 15 mn. Compter 30 mn de la gare du Nord à l'aéroport (navette comprise). Un 1er départ à 4h53 de la gare du Nord et à 5h26 de Châtelet. À Roissy-Charles-de-Gaulle, descendre à la station (il y en a 2) qui dessert le bon terminal. De là, prendre la navette adéquate. Tarif : 9,10 €.

Si vous venez du nord, de l'ouest ou du sud de la France en train, vous pouvez rejoindre les aéroports de Roissy sans passer par Paris, la gare SNCF Paris-Charles-de-Gaulle étant reliée aux réseaux TGV.

EN TAXI

Compter au moins 50 € du centre de Paris, en tarif de jour.

EN VOITURE

Chaque terminal a son propre parking. Compter 35 € par tranche de 24h. Également des parkings longue durée (PR et PX), plus éloignés des terminaux, qui proposent des tarifs plus avantageux (forfait 24h 23 €, forfait 7 à 8 j. 130 €). Possibilité de réserver sa place de parking via le site • aeroportsdeparis.fr • Stationnement au parking Vacances (longue durée) dans le P3 Résa (terminaux 1 et 3) situé à 2 mn du terminal 3 à pied ou le PAB (terminal 2). Formules de stationnement 1-30 j. (120-190 €) pour le P3 Résa. De 2 à 5 j. dans le PAB 12,50 € par tranche de 12h et 6 à 14 j. 25 € par tranche de 24h. Réservation sur Internet uniquement. Les P1, PAB et PEF accueillent les 2-roues : 15 € pour 24h.

COMMENT SE DÉPLACER ENTRE ROISSY-CHARLES-DE-GAULLE 1, 2 ET 3 ?

Les rames du CDG-VAL font le lien entre les 3 terminaux en 8 mn. Fonctionne tlj 24h/24. Gratuit. Accessible aux personnes à mobilité réduite. Départ ttes les 5 mn 4h-minuit, et ttes les 20 mn, minuit-4h. Desserte gratuite vers certains hôtels, parkings, gares RER et gares TGV.

À Orly-Sud et Orly-Ouest

TRANSPORTS COLLECTIFS

🚌 **Les cars Air France :** ☎ 0892-350-820 (0,34 €/mn). • cars-airfrance.com •

Tarifs : 11,50 € l'aller simple, 18,50 € l'A/R ; enfants de 2 à 11 ans 5,50 €. Paiement par CB possible dans le bus.
➤ *Paris-Orly :* départs de l'Étoile, 1, av. Carnot, ttes les 30 mn, 5h-22h40. Arrêts au terminal des Invalides, rue Esnault-Pelterie (Ⓜ Invalides), Gare Montparnasse (rue du Commandant-Mouchotte, face à l'hôtel *Pullman* ; Ⓜ Montparnasse-Bienvenüe, sortie Gare SNCF) et Porte d'Orléans (arrêt facultatif uniquement dans le sens Orly-Paris).
➤ *Orly-Paris :* départs ttes les 20 mn, 6h-23h40, d'Orly-Sud, porte L, et d'Orly-Ouest, portes B et C, niveau « Arrivées ».

🚊 *RER C + navette Orly-Rail :* ☎ 36-58 (0,23 €/mn). • transilien.com • Prendre le RER C jusqu'à Pont-de-Rungis (un RER ttes les 15-30 mn). Compter 25 mn depuis la gare d'Austerlitz. Ensuite, navette Orly-Rail pdt 15 mn pour Orly-Sud et Orly-Ouest. Compter 6,45 €. Très recommandé les jours où l'on piétine sur l'autoroute du Sud (w-e et jours de grands départs) : on ne sera jamais en retard. Pour le retour, départs de la navette ttes les 15 mn depuis la porte G à Orly-Ouest (5h40-23h14) et la porte F à Orly-Sud (4h34-23h15).

🚌 *Bus RATP Orlybus :* ☎ 32-46 (0,34 €/mn). • ratp.fr •
➤ *Paris-Orly :* départs ttes les 15-20 mn de la pl. Denfert-Rochereau. Compter 20-30 mn pour rejoindre Orly (Ouest ou Sud). La pl. Denfert-Rochereau est très accessible : RER B, 2 lignes de métro et 3 lignes de bus. Orlybus fonctionne tlj 5h35-23h, jusqu'à minuit ven, sam et veilles de fêtes dans le sens Paris-Orly ; et tlj 6h-23h20, jusqu'à 0h20 ven, sam et veilles de fêtes dans le sens Orly-Paris.
➤ *Orly-Paris :* départ d'Orly-Sud, porte H, quai 4, ou d'Orly-Ouest, porte J, niveau « Arrivées ». Compter 6,90 € l'aller simple.

🚊 *Orlyval :* ☎ 32-46 (0,34 €/mn). • ratp. fr • Ce métro automatique est facilement accessible à partir de n'importe quel point de la capitale ou de la région parisienne (RER, stations de métro, gare SNCF). La jonction se fait à Antony

(ligne B du RER) sans aucune attente. Permet d'aller d'Orly à Châtelet et vice versa en 40 mn env, sans se soucier de la densité de la circulation automobile. Compter 10,75 € l'aller simple entre Orly et Paris. Billet Orlyval seul : 8,30 €.
➤ *Paris-Orly :* départs pour Orly-Sud et Ouest ttes les 6-8 mn, 6h-22h15.
➤ *Orly-Paris :* départ d'Orly-Sud, porte J, à proximité de la livraison des bagages, ou d'Orly-Ouest, porte W du hall 2, niveau « Départs ».

EN TAXI

Compter au moins 35 € en tarif de jour du centre de Paris, selon circulation et importance des bagages.

EN VOITURE

À proximité d'Orly-Ouest, parkings P0 et P2. À proximité d'Orly-Sud, P1 et P3 (à 50 m du terminal, accessible par tapis roulant). Compter 27,50 € pour 24h de stationnement. Ces 4 parkings à proximité immédiate des terminaux proposent des forfaits intéressants : « week-end » valable du ven 0h01 au lun 23h59 (43 €) et « grand week-end » du jeu 15h au lun 23h59 (59 €). Forfaits disponibles aussi pour les P4, P5 et P7 : 15,50 € pour 24h et 1 € par jour supplémentaire au-delà de 8 j. (45 j. de stationnement max). Il existe pour le P7 des forfaits Vacances 1 à 30 j. (15-130 €). Les P4, P7 (en extérieur) et P5 (couvert) sont des parkings longue durée, plus excentrés, reliés par navettes gratuites aux terminaux. *Rens :* ☎ 01-49-75-56-50. Comme à Roissy, possibilité de réserver en ligne sa place de parking (P0 et P7) sur • aeroportsdeparis.fr • Les frais de résa (en sus du parking) sont de 8 € pour 1 j., de 12 € pour 2-3 j. et de 20 € pour 4-10 j. de stationnement pour le P0. Les parkings P0-P2 à Orly-Ouest, et P1-P3 à Orly-Sud accueillent les deux-roues : 6,20 € pour 24h.

Liaisons entre Orly et Roissy-Charles-de-Gaulle

🚌 *Les cars Air France :* ☎ 0892-350-820 (0,34 €/mn). • cars-airfrance.com • Départs de Roissy-Charles-de-Gaulle depuis les terminaux 1 (porte 34, niveau « Arrivées »), 2A et 2C (porte B1), 2B et 2D (porte C2), 2E et 2F (niveau « Arrivées », porte 3 de la galerie) vers Orly 5h55-22h30. Départs d'Orly-Sud (porte K) et d'Orly-Ouest (porte B-C, niveau « Arrivées ») vers Roissy-Charles-de-Gaulle 6h30 (7h le w-e)-22h30. Ttes les 30 mn (dans les 2 sens). Durée du trajet : 50 mn env. Tarif : 19 € ; enfants 2-11 ans : 9,50 €.

🚇 *RER B + Orlyval :* ☎ *32-46 (0,34 €/ mn).* Depuis Roissy, navette puis RER B jusqu'à Antony, et enfin Orlyval entre Antony et Orly, 6h-22h15. Tarif : 17,60 €.

– *En taxi :* compter 50-55 € en journée.

EN BELGIQUE

▲ AIRSTOP
Pour ttes les adresses Airstop, un seul numéro de téléphone : ☎ *070-233-188.* • *airstop.be* • *Lun-ven 9h-18h30, sam 10h-17h.*
– *Bruxelles :* bd E.-Jacquemain, 76, 1000.
– *Anvers :* Jezusstraat, 16, 2000.
– *Bruges :* Dweersstraat, 2, 8000.
– *Gand :* Maria Hendrikaplein, 65, 9000.
– *Louvain :* Tiensestraat, 5, 3000.
Airstop offre une large gamme de prestations, du vol sec au séjour tout compris à travers le monde.

▲ CONNECTIONS
Rens et résas : ☎ *070-233-313.* • *con nections.be* • *Lun-ven 9h-19h ; sam 10h-17h.*
Fort d'une expérience de plus de 20 ans dans le domaine du voyage, Connections dispose d'un réseau de 30 *travel shops,* dont un à Brussels Airport. Connections propose des vols dans le monde entier à des tarifs avantageux, et des voyages destinés à des voyageurs désireux de découvrir la planète de façon autonome et de vivre des expériences uniques. Connections offre aussi une gamme complète de produits : vols, hébergements, locations de voitures, autotours, vacances sportives, excursions, assurances « protections »...

▲ NOUVELLES FRONTIÈRES
• *nouvelles-frontieres.be* •
– *Nombreuses agences dans le pays, dont Bruxelles, Charleroi, Liège, Mons,* Namur, Waterloo, Wavre et au Luxembourg.
Voir texte dans la partie « En France ».

▲ SERVICE VOYAGES ULB
• *servicevoyages.be* • *22 agences dont 11 à Bruxelles.*
– *Bruxelles :* campus ULB, av. Paul-Héger, 22, CP 166, 1000. ☎ 02-650-40-20.
– *Bruxelles :* rue Abbé-de-l'Épée, 1, Woluwe, 1200. ☎ 02-742-28-80.
– *Bruxelles :* hôpital universitaire Érasme, route de Lennik, 808, 1070. ☎ 02-555-38-63.
– *Bruxelles :* chaussée d'Alsemberg, 815, 1180. ☎ 02-332-29-60.
– *Ciney :* rue du Centre, 46, 5590. ☎ 083-21-67-11.
– *Marche (Luxembourg) :* 11, av. de France, 6900. ☎ 084-31-40-33.
– *Wepion :* chaussée de Dinant, 1137, 5100. ☎ 081-46-14-37.
Service Voyages ULB, c'est le voyage à l'université. Billets d'avion sur vols charters et sur compagnies régulières à des prix compétitifs.

▲ TAXISTOP
Pour ttes les adresses Taxistop : ☎ *070-222-292.* • *taxistop.be* •
– *Bruxelles :* rue Théresienne, 7a, 1000.
– *Gent :* Maria Hendrikaplein, 65, 9000.
– *Ottignies :* bd Martin, 27, 1340.
Taxistop propose un système de covoiturage, ainsi que d'autres services comme l'échange de maisons ou le gardiennage.

▲ VOYAGEURS DU MONDE
– *Bruxelles :* 23, chaussée de Charleroi, 1060. ☎ 0900-44-500 (0,45 €/mn). • *vdm.com* •
Le spécialiste du voyage en individuel sur mesure. Voir texte « Voyageurs en Espagne et au Portugal » dans la partie « En France ».

EN SUISSE

▲ STA TRAVEL
☎ 058-450-49-49. • *statravel.ch* •
– *Fribourg :* rue de Lausanne, 24, 1701. ☎ 058-450-49-80.
– *Genève :* rue de Rive, 10, 1204. ☎ 058-450-48-00.
– *Genève :* rue Vignier, 3, 1205. ☎ 058-450-48-30.

– *Lausanne : bd de Grancy, 20, 1006.* ☎ 058-450-48-50.
– *Lausanne : à l'université, Anthropole, 1015.* ☎ 058-450-49-20.
Agences spécialisées notamment dans les voyages pour jeunes et étudiants. 150 bureaux STA et plus de 700 agents du même groupe répartis dans le monde entier sont là pour donner un coup de main *(Travel Help).*

STA propose des voyages avantageux : vols secs *(Blue Ticket),* hôtels, écoles de langues, *work & travel,* circuits d'aventure, voitures de location, etc. Délivre la carte internationale d'étudiant et la carte Jeune.

STA est membre du fonds de garantie de la branche suisse du voyage ; les montants versés par les clients pour les voyages forfaitaires sont assurés.

▲ TUI – NOUVELLES FRONTIÈRES

– *Genève : rue Chantepoulet, 25, 1201.* ☎ 022-716-15-70.
– *Lausanne : bd de Grancy, 19, 1006.* ☎ 021-616-88-91.
Voir texte « Nouvelles Frontières » dans la partie « En France ».

AU QUÉBEC

▲ INTAIR VACANCES

Membre du groupe Intair comme Exotik Tours, Intair Vacances propose un vaste choix de prestations à la carte incluant vol, hébergement et location de voitures en Europe, aux États-Unis ainsi qu'aux Antilles, au Mexique et au Costa Rica. Sa division Boomerang Tours présente par ailleurs des voyages sur mesure et des circuits organisés dans le Pacifique sud. Également au menu, des courts ou longs séjours, en Espagne (Costa del Sol) et en France (hôtels et appartements sur la Côte d'Azur et en région). Également un choix d'achat-rachat en France et dans la péninsule Ibérique.

▲ RÊVATOURS

● *revatours.com* ●
Ce voyagiste, membre du groupe Transat A.T. Inc., propose quelque 25 destinations à la carte ou en circuits organisés. De l'Inde à la Thaïlande en passant par le Vietnam, la Chine, Bali, l'Europe centrale, la Russie, des croisières sur les plus beaux fleuves d'Europe, la Grèce, la Turquie, l'Italie, la Croatie, le Maroc, l'Espagne, le Portugal, la Tunisie ou l'Égypte et l'Amérique du Sud, le client peut soumettre son itinéraire à Rêvatours, qui se charge de lui concocter son voyage. Parmi ses points forts : la Grèce avec un bon choix d'hôtels, de croisières et d'excursions, les *Fugues musicales* en Europe, la Tunisie et l'Asie. Également des programmes en Scandinavie, l'Italie en circuit, Israël pouvant être combiné avec l'Égypte et la Grèce, et aussi la Dalmatie.

▲ TOURS CHANTECLERC

● *tourschanteclerc.com* ●
Tours Chanteclerc est un tour-opérateur qui publie différentes brochures de voyages : Europe, Amérique du Nord, Amérique du Sud, Asie et Pacifique sud, Afrique et le Bassin méditerranéen en circuits ou en séjours. Il se présente comme l'une des « références sur l'Europe » avec 2 brochures : groupes (circuits guidés en français) et individuels. « Mosaïque Europe » s'adresse aux voyageurs indépendants qui réservent un billet d'avion, un hébergement (dans toute l'Europe), des excursions ou une location de voiture. Également spécialiste de Paris, le grossiste offre une vaste sélection d'hôtels et d'appartements dans la Ville Lumière.

▲ TOURSMAISON

Spécialiste des vacances sur mesure, ce voyagiste sélectionne plusieurs « Évasions soleil » (plus de 600 hôtels ou appartements dans quelque 45 destinations), offre l'Europe à la carte toute l'année (plus de 17 pays) et une vaste sélection de compagnies de croisières (11 compagnies au choix). Toursmaison concocte par ailleurs des forfaits escapades à la carte aux États-Unis et au Canada. Au choix : transport aérien, hébergement (variété d'hôtels de toutes catégories ; appartements dans le sud de la France ; maisons de location et condos en Floride), locations de voitures pratiquement partout dans le monde. Des billets pour le train, les attractions, les excursions et les spectacles peuvent également être achetés avant le départ.

▲ VACANCES AIR CANADA

● *vacancesaircanada.com* ●

Vacances Air Canada propose des forfaits loisirs flexibles (golf, croisières, voyages d'aventure, ski et excursions diverses) vers les destinations les plus populaires des Antilles, de l'Amérique centrale et du Sud, de l'Asie, de l'Europe et des États-Unis. Vaste sélection de forfaits incluant vol aller-retour et hébergement. Également des forfaits vol + hôtel ou vol + voiture.

▲ VACANCES TOURS MONT ROYAL

● *http://vacancestmr.com* ●

Le voyagiste propose une offre complète sur les destinations et les styles de voyages suivants : Europe, destinations soleils d'hiver et d'été, forfaits tout compris, circuits accompagnés ou en liberté. Au programme Europe, tout ce qu'il faut pour les voyageurs indépendants : locations de voitures, cartes de train, bonne sélection d'hôtels, excursions à la carte, forfaits à Paris, etc. À signaler : l'option achat/rachat de voiture (17 jours minimum, avec prise en France et remise en France ou ailleurs en Europe). Également : vols entre Montréal et Londres, Bruxelles, Bâle, Madrid, Malaga, Barcelone et Vienne avec *Air Transat* , les vols à destination de Paris sont assurés par la compagnie *Corsair* au départ de Montréal, d'Halifax et de Québec par *Corsairfly*. Nouvelle destination : l'Islande.

▲ VOYAGES CAMPUS / TRAVEL CUTS

● *voyagescampus.com* ●

Voyages Campus / Travel Cuts est un réseau national d'agences de voyages spécialisées pour les étudiants et les voyageurs qui disposent de petits budgets. Le réseau existe depuis 40 ans et compte plus de 50 agences, dont 6 au Québec. Voyages Campus propose des produits exclusifs comme l'assurance « Bon voyage », le programme de Vacances-Travail (SWAP), la carte d'étudiant internationale (ISIC) et plus. Ils peuvent vous aider à planifier votre séjour autant à l'étranger qu'au Canada et même au Québec.

UNITAID

UNITAID a été créé pour lutter contre le VIH/sida, le paludisme et la tuberculose, principales maladies meurtrières dans les pays en développement. UNITAID intervient dans 94 pays en facilitant l'accès aux médicaments et aux diagnostics, en en baissant les prix, dans les pays en développement. Le financement d'UNITAID provient principalement d'une contribution de solidarité sur les billets d'avion mise en place par 6 pays membres, dont la France. En France, la taxe est de 1 € sur les vols intérieurs et de 4 € sur les vols internationaux (ce qui représente le traitement d'un enfant séropositif pour 1 an). En 5 ans, UNITAID a réuni plus d'un milliard de dollars. Les financements d'UNITAID ont permis à près d'un million de personnes atteintes du VIH/sida de bénéficier d'un traitement, et de délivrer plus de 19 millions de traitements contre le paludisme. Moins de 5 % des fonds sont utilisés pour le fonctionnement du programme, 95 % sont utilisés directement pour les médicaments et les tests. Pour en savoir plus : ● *unitaid.eu* ●

ABC
DE BARCELONE

▶ *Superficie :* 101 km².
▶ *Population :* 1 622 000 hab., 4 992 000 hab. avec le grand Barcelone (estimation).
▶ *Densité de la population :* 16 060 hab./km².
▶ *Monnaie :* l'euro.
▶ *Taux de chômage :* environ 17,90 % (contre environ 21 % en Espagne fin 2011).
▶ *Statut :* capitale de la région autonome.
▶ *Président de la Catalogne :* Artur Mas i Gavarró (depuis décembre 2010).
▶ *Maire de la ville :* Xavier Trias, élu en mai 2011.
▶ *Langues parlées :* catalan, castillan.

AVANT LE DÉPART

Adresses utiles

En France

– Tourisme de la Catalogne : • catalu nyatourisme.com • Le site officiel du tourisme sur la région. S'enrichit régulièrement de brochures à télécharger.

Office espagnol de tourisme : pas d'accueil du public, mais rens touristiques lun-ven 9h-17h au ☎ 00-800-10-10-50-50 (appel gratuit), sur demande auprès de • paris@tourspain.es • ou sur • spain.info/fr • Nombreuses brochures très bien faites téléchargeables sur le site.

Point d'informations touristiques à Perpignan (66) – Casa de la Generalitat de Catalunya à Perpinyà : 1, rue de la Fusterie, 66000. ☎ 04-68-35-17-14. • p-casaperpinya@gencat.net • Lunven 9h30-13h, 14h-17h30. Ouvert au grand public : documentation et renseignements, pratique sur la route des vacances !

■ *Consulat d'Espagne :* 165, bd Malesherbes, 75017 Paris. ☎ 01-44-29-40-00. • cgesparis.org • Ⓜ Wagram ou Malesherbes. Lun-jeu 8h30-14h30 ; ven 8h30-14h ; 1er sam du mois (sf j. fériés) 8h30-12h. Autres consulats généraux à Bayonne, à Bordeaux, au Havre, à Lyon-Villeurbanne, à Marseille, à Montpellier, à Pau, à Perpignan, à Rennes, à Strasbourg et à Toulouse.

■ *Ambassade d'Espagne :* 22, av. Marceau, 75008 Paris. ☎ 01-44-43-18-00. • maec.es/embajadas/paris • Ⓜ Alma-Marceau. Lun-ven 9h-13h, 15h-18h.

■ *Location d'appartements à Barcelone :* vous trouverez une sélection d'agences (françaises ou catalanes) proposant des appartements en pleine ville dans le chapitre « Barcelone », rubrique « Où dormir ? Les locations d'appartements ».

En Belgique

🄱 *Office de tourisme d'Espagne :* rue Royale, 97, Bruxelles 1000. ☎ 02-280-19-26 ou 29. • spain.info/be • Accueil du public lun-ven 9h-14h (15h juil-août). Accueil téléphonique lun-jeu jusqu'à 17h, ven jusqu'à 15h.
■ *Turisme de Catalunya :* rue de la Loi, 227, Bruxelles 1040. ☎ 02-640-61-51. • catalunyaturisme.com • Lun-ven 9h-13h30, 14h30-18h.
■ *Consulat général d'Espagne :* rue Ducale, 85-87, Bruxelles 1000. ☎ 02-509-87-70. Fax : 02-509-87-84. • cog. bruselas@maec.es • Lun-ven 8h30-13h30 ; sam 9h-12h.
■ *Ambassade d'Espagne :* rue de la Science, 19, Bruxelles 1040. ☎ 02-230-03-40. Fax : 02-230-93-80. • emb.bru selas@maec.es •

En Suisse

🄱 *Office de tourisme d'Espagne :* ☎ 00-800-10-10-50-50 (appel gratuit). • spain.info/ch • Comme en France, renseignements très complets par téléphone, ou des brochures à télécharger sur leur site internet.
■ *Consulat général d'Espagne :* av. Louis-Casaï, 58, case postale 59, 1216 Cointrin (Genève). ☎ 022-749-14-60. • cog.ginebra@maec.es •
■ *Consulat général d'Espagne :* Marienstr., 12, 3005 Bern. ☎ 031-356-22-20. • cog.berna@maec.es •
■ *Ambassade d'Espagne :* Kalcheggweg, 24, 3000 Bern 15. ☎ 031-350-52-52. • emb.berna@maec.es • Lun-ven 8h-15h30.

Au Canada

🄱 *Bureau de tourisme d'Espagne :* 2 Bloor St West, 34th floor, suite 3402, Toronto (Ontario) M4W-3E2. ☎ (416) 961-3131. • spain.info/ca • Ⓜ Yonge-Bloor. Lun-ven 9h-15h.

■ *Consulat général d'Espagne :* 2 Bloor St East, suite 1201, Toronto (Ontario) M4W-1A8. ☎ (416) 977-1661. • cog. toronto@maec.es • Lun-ven 10h-14h30.
■ *Consulat général d'Espagne :* 1 Westmount Sq, suite 1456, Montréal (Québec) H3Z-2P9. ☎ (514) 935-5235. • cog.montreal@maec.es • Lun-ven 9h-14h.
■ *Ambassade d'Espagne :* 74 Stanley Ave, Ottawa (Ontario) K1M-1P4. ☎ (613) 747-2252. • emb.ottawa@maec. es • Lun-ven 9h-13h.

Formalités

Pensez à scanner passeport, carte de paiement, billet d'avion et *vouchers* d'hôtel. Ensuite, adressez-les-vous par e-mail, en pièces jointes. En cas de perte ou de vol, rien de plus facile pour les récupérer dans un cybercafé. Les démarches administratives en seront bien plus rapides. Merci tonton Routard !

Pour les ressortissants français, belges et suisses, la *carte d'identité* ou le *passeport* en cours de validité suffisent pour entrer sur le territoire espagnol. Les ressortissants canadiens se verront demander leur passeport en cours de validité (pour les séjours touristiques de moins de 90 jours).

Assurances voyages

■ *Routard Assurance* (c/o AVI International) : 106, rue de La Boétie, 75008 Paris. ☎ 01-44-63-51-00. • avi-interna tional.com • Ⓜ Saint-Philippe-du-Roule ou Franklin-D.-Roosevelt. Depuis 1995, *Routard Assurance*, en collaboration avec *AVI International*, spécialiste de l'assurance voyage, propose aux routards un tarif à la semaine qui inclut une assurance bagages de 2 000 € et appareils photo de 300 €. Pour les longs séjours (de 2 mois à 1 an), il existe le *Plan Marco Polo*. Également un nouveau contrat pour les seniors, en courts et longs séjours. *Routard Assurance* est aussi disponible en version « light » (durée adaptée aux week-ends et courts séjours en Europe). Vous trouverez un bulletin de souscription dans les dernières pages de chaque guide.

■ *AVA :* 25, rue de Maubeuge, 75009 *Paris.* ☎ 01-53-20-44-20. ● ava.fr ● Ⓜ Cadet. Un autre courtier fiable pour ceux qui souhaitent s'assurer en cas de décès-invalidité-accident lors d'un voyage à l'étranger, mais surtout pour bénéficier d'une assistance rapatriement, perte de bagages et annulation. Attention, franchises pour leurs contrats d'assurance voyage.

■ *Pixel Assur :* 18, rue des Plantes, 78600 Maisons-Laffitte. ☎ 01-39-62-28-63. ● pixel-assur.com ● RER A : Maisons-Laffitte. Assurance de matériel photo et vidéo tous risques dans le monde entier. Devis basé sur le prix d'achat de votre matériel. Avantage : garantie à l'année.

Carte internationale d'étudiant (carte ISIC)

Elle prouve le statut d'étudiant dans le monde entier et permet de bénéficier de tous les avantages, services, réductions étudiants du monde concernant les transports, les hébergements, la culture, les loisirs, le shopping... C'est la clé de la mobilité étudiante !

La carte ISIC donne aussi accès à des avantages exclusifs sur le voyage (billets d'avion, hôtels et auberges de jeunesse, assurances, cartes SIM, location de voitures...).

Pour plus d'informations sur la carte ISIC et pour la commander en ligne, rendez-vous sur le site ● isic.fr ●

Pour l'obtenir en France

Pour localiser le point de vente le plus proche de chez vous : ☎ 01-42-18-20-20 ou ● isic.fr ●

Se présenter au point de vente avec :
– une preuve du statut d'étudiant (carte d'étudiant, certificat de scolarité...) ;

– une photo d'identité ;
– 12 €, ou 13 € par correspondance, incluant les frais d'envoi des documents d'information sur la carte.
Émission immédiate sur place ou envoi à votre domicile le jour même de votre commande en ligne.

En Belgique

La carte coûte 12 € (+ 1 € de frais d'envoi) et s'obtient sur présentation de la carte d'identité, de la carte d'étudiant et d'une photo auprès de :

■ *Connections :* ☎ 070-23-33-13 ou 479-807-129. ● isic.be ●

En Suisse

Dans toutes les agences *STA Travel* (☎ 058-450-40-00 ou 49-49), sur présentation de la carte d'étudiant, d'une photo et de 20 Fs. Commande de la carte en ligne : ● isic.ch ● statravel.ch ●

Au Canada

La carte coûte 20 $Ca (+ 1,50 $Ca de frais d'envoi) ; elle est disponible dans les agences *Travel Cuts / Voyages Campus*, mais aussi dans les bureaux d'associations d'étudiants. Pour plus d'infos : ● voyagescampus.com ●

Carte d'adhésion internationale aux auberges de jeunesse (carte FUAJ)

Cette carte, valable dans plus de 90 pays, vous ouvre les portes des 4 000 auberges de jeunesse du réseau *Hostelling International,* réparties dans le monde entier. Les périodes d'ouverture varient selon les pays et les AJ. À noter, la carte est obligatoire pour séjourner en auberge de jeunesse, donc nous vous conseillons de vous la procurer avant votre départ.

Vous pouvez adhérer

– En ligne, avec un paiement sécurisé, sur le site ● *fuaj.org* ●
– Dans toutes les auberges de jeunesse, points d'information et de réservations en France.
– Auprès de l'antenne nationale : *27, rue Pajol, 75018 Paris.* ☎ *01-44-89-87-27.* ● *fuaj.org* ● Ⓜ *Marx-Dormoy ou La Chapelle. Horaires d'ouverture disponibles sur le site internet rubrique « Nous contacter ».*
– Par correspondance en envoyant une photocopie d'une pièce d'identité et un chèque à l'ordre de la FUAJ du montant correspondant à l'adhésion. Ajoutez 2 € de plus pour les frais d'envoi. Vous recevrez votre carte sous 15 jours.

LES TARIFS DE L'ADHÉSION 2011

– Carte internationale FUAJ moins de 26 ans : 11 €. Pour les mineurs, une autorisation parentale et la carte d'identité du parent tuteur sont nécessaires pour l'inscription.
– Carte internationale FUAJ plus de 26 ans : 16 €.
– Carte internationale FUAJ Famille : 23 €.
Seules les familles ayant un ou plusieurs enfants de moins de 16 ans peuvent bénéficier de la carte « famille » sur présentation du livret de famille. Les enfants de plus de 16 ans devront acquérir une carte individuelle.
– La carte donne également droit à des réductions sur les transports, les musées et les attractions touristiques dans plus de 90 pays. Ces avantages varient d'un pays à l'autre, ce qui n'empêche pas de la présenter à chaque occasion. Liste de ces réductions disponible sur ● *hihostels.com* ● et celle des réductions en France sur ● *fuaj. org* ●

En Belgique

La carte d'adhésion est obligatoire. Son prix varie selon l'âge : de 3 à 15 ans, 3 € ; de 16 à 25 ans, 9 € ; après 25 ans, 15 €.

■ *LAJ: rue de la Sablonnière, 28, Bruxelles 1000.* ☎ *02-219-56-76.* ● *in fo@laj.be* ● *laj.be* ●
■ *Vlaamse Jeugdherbergcentrale (VJH) : Van Stralenstraat 40, B 2060 Antwerpen.* ☎ *03-232-72-18.* ● *info@ vjh.be* ● *vjh.be* ●

– Votre carte de membre vous permet d'obtenir de 3 à 20 € de réduction sur votre première nuit dans les réseaux LAJ, VJH et CAJL (Luxembourg), ainsi que des réductions auprès de nombreux partenaires en Belgique.

En Suisse (SJH)

Le prix de la carte dépend de l'âge : 22 Fs pour les moins de 18 ans, 33 Fs pour les adultes et 44 Fs pour une famille avec des enfants de moins de 18 ans.

■ *Schweizer Jugendherbergen (SJH) : service des membres des auberges de jeunesse suisses, Schaffhauserstr. 14, 8042 Zurich.* ☎ *01-360-14-14.* ● *booking@youthhostel.ch* ● *con tact@youthhostel.ch* ● *youthhostel.ch* ●

Au Canada

Elle coûte 35 $Ca pour une durée de 16 à 28 mois et 175 $Ca pour une carte valable à vie. Gratuit pour les enfants de moins de 18 ans qui accompagnent leurs parents.

■ *Auberges de jeunesse du Saint-Laurent / St Laurent Youth Hostels : 3514, av. Lacombe, Montréal (Québec) H3T-1M1.* ☎ *(514) 731-10-15. N° gratuit (au Canada) :* ☎ *1-800-663-5777.*
■ *Canadian Hostelling Association : 205, Catherine St, bureau 400, Ottawa (Ontario) K2P-1C3.* ☎ *(613) 237-78-84.* ● *info@hihostels.ca* ● *hihostels.ca* ●

ARGENT, BANQUES, CHANGE

À titre indicatif : 1 € = 1,04 Fs = 1,41 $Ca environ.
En Espagne, l'euro (prononcer « é-ou-ro ») se décline en *euros* au pluriel, et se divise en *céntimos*.

Banques

– *Les banques* sont en principe ouvertes du lundi au vendredi de 8h30 à 14h et le samedi de 8h30 à 13h (fermées le samedi en été). Pour ceux qui sont concernés (nos amis suisses et canadiens, entre autres), les commissions sont sensiblement variables d'une banque à l'autre.

Change et distributeurs automatiques

D'une manière générale, s'abstenir de changer dans les banques situées en face des monuments et des sites touristiques.

Change possible dans la gare de Sants (Sants Estació), tous les jours (sauf le dimanche, les 1er et 6 janvier, les 25 et 26 décembre) de 8h à 22h, et à l'aéroport. Les banques *La Caixa*, ouvertes de 8h à 20h, pratiquent le change et acceptent les chèques de voyage. Sinon, il y a des *distributeurs automatiques* (cajero automático) partout qui acceptent la plupart des cartes (*MasterCard, Visa* et *Maestro*).

– Petite mesure de précaution : si vous retirez de l'argent dans un distributeur, utilisez de préférence les distributeurs attenants à une agence bancaire. En cas de pépin avec votre carte (carte avalée, erreurs de numéro...), vous aurez un interlocuteur dans l'agence, pendant les heures ouvrables du moins.

– Possibilité de changer les *chèques de voyage* en euros dans toutes les banques, moyennant une petite commission proportionnelle à la somme changée. Valeur minimale à changer : 15 €.

Cartes de paiement

Quelle que soit la carte que vous possédez, chaque banque gère elle-même le processus d'opposition et le numéro de téléphone correspondant ! Avant de partir, notez donc bien le numéro d'opposition propre à votre banque (il figure souvent au dos des tickets de retrait, sur votre contrat ou à côté des distributeurs de billets), ainsi que le numéro à 16 chiffres de votre carte. Bien entendu, conservez ces informations en lieu sûr et séparément de votre carte. Par ailleurs, l'assistance médicale se limite aux 90 premiers jours du voyage, et l'assistance véhicule aux cartes haut de gamme (renseignez-vous auprès de votre banque).

– *Carte Bleue Visa :* assistance médicale incluse ; numéro d'urgence (Europe Assistance) : ☎ (00-33) 1-41-85-85-85. ● *visa-europe.fr* ● *Pour faire opposition, contactez le numéro communiqué par votre banque.*

– *Carte MasterCard :* assistance médicale incluse ; numéro d'urgence : ☎ (00-33) 1-45-16-65-65. ● *mastercardfrance.com* ● *En cas de perte ou de vol, composez le numéro communiqué par votre banque pour faire opposition.*

– *Pour la carte American Express,* téléphonez en cas de pépin au ☎ (00-33) 1-47-77-72-00 (numéro accessible tlj 24h/24). ● *americanexpress.fr* ●

– Pour ttes les cartes émises par *La Banque postale,* composez le : ☎ 0825-809-803 (0,15 €/mn) depuis la France métropolitaine ou les DOM, et le ☎ (00-33) 5-55-42-51-96 depuis les DOM ou l'étranger.

– Également un numéro d'appel valable *pour faire opposition quelle que soit votre carte de paiement :* ☎ 0892-705-705 (serveur vocal à 0,34 €/mn). Ne fonctionne ni en PCV ni depuis l'étranger.

Dépannage d'urgence

En cas de *besoin urgent d'argent liquide* (perte ou vol de billets, chèques de voyage, cartes de paiement), vous pouvez être dépanné en quelques minutes grâce au système *Western Union Money Transfer.* Pour cela, demandez à quelqu'un de vous déposer de l'argent en euros dans l'un des bureaux *Western Union* ; les correspondants en France de *Western Union* sont *La Banque postale* (fermée sam ap-m et dim, n'oubliez pas ! ☎ 0825-00-98-98 ; 0,15 €/mn) et *Travelex* en collabo-

ration avec la *Société financière de paiements (SFDP ;* ☎ *0825-825-842 ; 0,15 €/mn).* L'argent vous est transféré en moins de 15 mn. La commission, assez élevée, est payée par l'expéditeur. Possibilité d'effectuer un transfert en ligne 24h/24 par carte de paiement (*Visa* ou *MasterCard* émise en France).
En Espagne, ses correspondants principaux sont *Correos (la poste aussi, donc,* ☎ *90-219-71-97).* Se présenter dans l'une des agences, muni d'une pièce d'identité. *À Barcelone*, agence **Western Union** centrale : *rambla Capuchinos, 41 ;* ☎ *93-412-70-41 ;* Ⓜ *Liceu ; tlj 9h30 (10h30 dim et j. fériés)-22h30. Ou à la poste centrale* **(Correos central)** *: pl. Antonio López (centre E-F4-5) ;* ☎ *93-486-80-50 ; lun-ven 8h30-21h30, sam 8h30-14h.* ● *westernunion.com* ●

ACHATS

L'époque n'est plus où l'on pouvait acheter des tas de choses pour une bouchée de pain... *O tempora, o mores...* L'Espagne, grâce à son intégration dans l'UE, a connu un développement économique important, et son niveau de vie se rapproche de celui de la France ou de la Belgique.
Deux souvenirs originaux à acheter en Catalogne : les fameuses **espadrilles lacées** (noir et blanc, ou rouge et blanc) portées par les danseurs et danseuses de sardane, et puis les ustensiles nécessaires à la préparation de la crème catalane : les petits **ramequins en terre cuite,** ainsi que le fer à brûler utilisé pour caraméliser le dessus de la crème. Plus largement, la région a une vraie tradition de céramique, et vous trouverez aisément des plats joliment rustiques à moindres frais. Toujours dans le registre culinaire, on peut rapporter du **fromage** (dans les supermarchés, on trouve des *manchegos* entiers qui supportent bien le transport – mais ils sont castillans et non catalans...), de la **charcuterie** (certains détaillants vous l'emballent sous vide), du **turrón** et de l'huile d'olive.
Il reste cependant d'autres articles à des prix intéressants. Les **chaussures,** à qualité égale, sont souvent beaucoup moins chères qu'en France. Les articles en peau, les tissus en soie, offrent un bon rapport qualité-prix. Bon à savoir également pour les filles, un certain nombre de grandes enseignes de **prêt-à-porter** sont originaires d'Espagne *(Zara),* voire de Barcelone *(Mango, Desigual).* Les prix sont un peu moins élevés qu'en France, et il y a plus de choix...
Lire plus loin la rubrique « Horaires » pour connaître ceux des magasins.

Et les soldes ?

Ils existent aussi et peuvent valoir le coup : **en janvier-février** (ils débutent juste après l'Épiphanie, le 6 janvier) et **de fin juin à fin août.** Pas de grosses démarques comme en France, mais des rabais de 10 à 25 %, ce qui, sur des prix déjà (un poil) moins élevés qu'en France, peut devenir carrément intéressant.

BARCELONE GRATUIT

Quelques musées, centres culturels, galeries ou sites sont gratuits pour tous toute l'année : le musée Caixa Forum, le park Güell, l'Ajuntament (la mairie), le palau Robert, les expos temporaires au 1er étage de la casa Milà (ou Pedrera), le Centro d'interpretació del Call, l'Espace culturel Ample, Setba-Zona d'Art, Lacapella. Ainsi que les balades dans le Barri Gòtic, dans l'Eixample de façade moderniste en façade moderniste, le spectacle des jets d'eau de Las Fonts de Montjuïc, les déambulations dans le Mercat de la Boqueria ou les sardanes endiablées (voir la rubrique « Sardane » dans « Hommes, culture et environnement »).
Tous les *musées municipaux,* quant à eux, sont gratuits le 1er dimanche du mois, à savoir : museu Picasso, museu d'Història de Catalunya, museu Barbier-Mueller,

museu Frédéric-Marès, les musées du palau Reial de Pedralbes (museu de les Arts decoratives, museu de Ceràmica, museu Tèxtil i d'Indumentària), museu de Ciències naturals, le jardin botanique, Disseny Hub (DHUB). Et en prime, la plupart d'entre eux offrent aussi l'entrée tous les dimanches après-midi à partir de 15h jusqu'à la fermeture. Bien que non municipaux, sont gratuits aussi le 1er dimanche du mois : museu nacional d'Art de Catalunya (MNAC), palau Güell, Cosmo Caixa. D'autres proposent un accès gratuit un jour précis, ou selon les horaires : CCCB (dimanche 15h-20h – à noter qu'il propose aussi un tarif réduit unique pour tous les mercredi et jeudi 20h-22h) ; museu d'Història de la Ciutat (dont le museu Monestir de Pedralbes) et Museu marítim (gratuits tous les dimanches à partir de 15h).

BUDGET

Hébergement

> **Promotion sur Internet**
> De plus en plus d'hôtels modulent les tarifs de leurs chambres sur Internet en fonction du taux d'occupation. Il y a donc les prix de base (ceux que nous indiquons) et les promos proposées sur le Net. À certaines périodes, le prix des chambres évolue en permanence, ce qui permet d'optimiser le chiffre d'affaires (comme le font les compagnies aériennes).
> Ces promotions sont extrêmement variables d'une semaine à l'autre, voire d'un jour à l'autre. Elles sont particulièrement intéressantes pour les hôtels de gamme supérieure (3 étoiles). Exemple : un établissement, qui annonce des prix officiels de 90 à 130 €, proposera les mêmes chambres entre 60 et 80 € sur son site, à certaines périodes.
> Bref, lorsque vous avez choisi votre hôtel dans votre guide préféré, allez donc faire un tour sur son site pour voir ce qu'il propose. De vraies bonnes affaires en perspective !

Sauf mention contraire de notre part, les fourchettes de prix insérées à titre indicatif dans le texte correspondent à ceux pratiqués en haute saison taxe comprise (*IVA* ; soit 8 %) et sans le petit déjeuner. Attention toutefois, la plupart des établissements affichent les prix hors taxes, et c'est au moment de payer la note que vous les retrouvez !

Il faut savoir que le concept de haute saison varie légèrement d'un établissement à un autre, et, Barcelone étant une destination très prisée, elle y dure longtemps.

– *Bon marché :* les auberges de jeunesse principalement. Compter de 15 à 30 € par personne en dortoir selon la saison, et de 30 à 55 € la chambre double.
– *Prix moyens :* de 55 à 80 € la chambre double.
– *Chic :* de 80 à 100 € la chambre double.
– *Plus chic :* de 100 à 150 € la chambre double.
– *Très chic :* plus de 150 € la chambre double.

Restos

> Le pain, au même titre que la carafe d'eau, est généralement facturé (sauf s'il est inclus dans le menu). Si on le refuse, il n'est évidemment pas compté (quoique...).

On peut évidemment manger à tous les prix. Comme dans toutes les grandes villes européennes, les sandwicheries constituent le moyen le moins onéreux pour se nourrir. Avec les tapas, les *pintxos* et autres *cazuelitas* ne sont pas beaucoup plus chers, et on a le plaisir et le dépaysement en plus. Le menu du midi en semaine est aussi un très bon plan pour se restaurer à des prix corrects (la plupart des menus oscillent entre 9 et 13 €, tout compris). Comme pour les hôtels, ne pas oublier d'ajouter au prix indiqué sur les cartes et menus la taxe *(IVA)*, qui est de 8 %, mais qui peut grimper jusqu'à 12 % dans certains restos chic.

Les fourchettes qui suivent sont calculées sur la base d'un repas pour une personne sans la boisson, mais, dans la mesure du possible, *IVA* incluse.

– *Très bon marché :* moins de 8 € (rare !).
– *Bon marché :* de 8 à 15 €.
– *Prix moyens :* de 15 à 25 €.
– *Chic :* de 25 à 40 €.
– *Très chic :* plus de 40 €.

Musées et sites

Barcelone pratique des prix raisonnables en ce qui concerne l'accès aux nourritures culturelles ; en général, de 5 à 10 € environ l'entrée des musées et sites (mais les plus chers dépassent les 15 €). Surtout, les offices de tourisme vendent différentes cartes offrant des réductions sur les principaux sites et les transports. Renseignez-vous auprès d'eux (voir aussi plus loin la rubrique « Musées et sites » pour le détail des *passes*). À Barcelone cependant, les tarifs changent fréquemment en cours d'année (souvent au 1er juillet), alors que ce guide est déjà depuis quelques mois sur les rayons de votre librairie : vérifiez donc bien les tarifs avant votre séjour, par exemple sur ● *barcelonaturisme.cat* ●

CLIMAT

Doux en hiver, chaud en été, le climat de Barcelone est typiquement méditerranéen. La moyenne du mois le plus froid, février, dépasse 10 °C, et l'été se rapproche de l'idéal avec une agréable température de 26 °C pour l'air et de 23 °C pour l'eau. Le secret de ce microclimat ? Un site abrité, entre mer et montagne, animé par un cortège de brises aux noms exotiques, le *gregal*, le *xaloc*, le *migjorn*, soufflant tantôt de la mer, tantôt de la terre, rafraîchissant au passage la plaine littorale. L'été, la brise fraîche qui monte de la mer lorsque le soleil réchauffe les collines nimbe parfois Barcelone d'un halo irréel. Alors, pour varier un peu les plaisirs, la tramontane *(tramuntana)*, vent sec du nord, se réveille de temps à autre, accélère entre les collines et déferle sur la côte avec une violence inouïe, au grand dam des pêcheurs. Mais ses sautes d'humeur sont généralement hivernales... À la belle saison, Éole a le bon goût de se tenir tranquille. Sans doute pour ne pas déplaire aux vacanciers !

– *Les meilleures périodes* pour visiter Barcelone sont le printemps et l'automne. On y bénéficie de températures agréables, sans la foule. Jusqu'en avril toutefois, il peut faire frais. Prévoir une « petite laine » pour le soir.

DANGERS ET ENQUIQUINEMENTS

Ici, comme dans toutes les grandes villes, la grande spécialité locale est le vol à la tire ! Nombreux pickpockets, redoutablement efficaces. Pour avoir assisté à la course éperdue d'une touriste dans les escaliers de la Sagrada Família derrière le type qui lui avait piqué son sac, nous pouvons vous affirmer que les voleurs ont souvent un look... de touriste (appareil photo en bandoulière, sac à dos). Et de bonnes jambes ! Malgré la présence de policiers (beaucoup sont en civil, histoire de ne pas être repérés), voici quelques conseils à ne pas négliger, sans pour autant

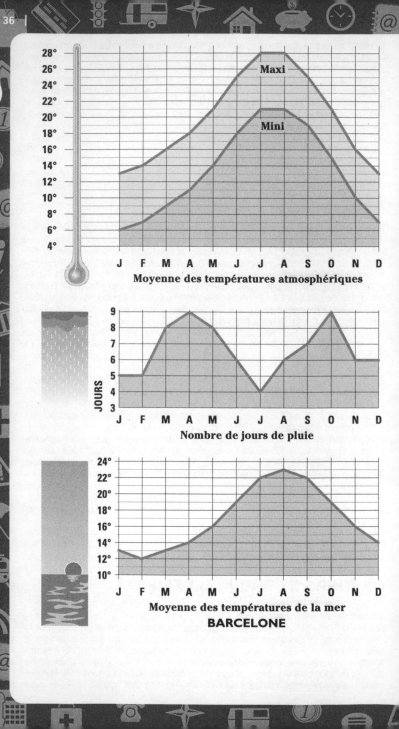

Moyenne des températures atmosphériques

Nombre de jours de pluie

Moyenne des températures de la mer

BARCELONE

sombrer dans une parano qui gâcherait le séjour. En effet, il ne faut pas oublier que l'immense majorité des touristes voyagent sans encombre.

1) *Laisser billets d'avion, passeport, objets de valeur* et une partie de son argent liquide à l'hôtel (coffre), au gérant de l'AJ ou de la pension (demander un reçu).

2) *Garder sa carte de paiement avec soi* (dans une ceinture antivol) : pour la plupart, les restos l'acceptent, et on peut retirer de petites sommes chaque jour dans les nombreux distributeurs.

3) *Ne rien porter de voyant sur soi.*

4) *Sacs à main et appareils photo* doivent être constamment portés croisés sur la poitrine pour décourager toute tentative de vol à l'arraché...

5) Enfin, *ne rien laisser dans la voiture.* Eh oui, on ne peut pas être tranquille ! Vous pouvez laisser votre voiture ouverte pour ne pas retrouver vos vitres cassées. Mais évitez de le faire avec une voiture de location, sauf si vous souhaitez avoir des problèmes d'assurance. Enfin, pour les plus paranos, enlevez la plage arrière du véhicule pour bien montrer que le coffre est vide, ça peut économiser une vitre.

Les endroits les plus « fréquentés » par les voleurs sont évidemment les hauts lieux touristiques. Ils se fondent dans la masse et détroussent en douceur les touristes confiants. Restez donc particulièrement vigilant sur la Rambla, autour de la Sagrada Família, de la plaça Reial, autour des grands monuments comme la cathédrale, sur le Port olympique, sur les plages et dans les gares.

– *De nuit,* gardez l'œil bien ouvert aussi dans le Barri Xino entre, au nord, la carrer Hospital et, au sud, la carrer Santa Madrona (juste au-dessus du Museu marítim). Après 2h30-3h du matin, lorsque les bars ont fermé leurs portes (et que la police a plié bagages), les ruelles au sud de la plaça Reial ne sont pas toujours sûres.

– Et puis refusez systématiquement et fermement les *œillets* que vous offrent de (parfois) charmantes jeunes femmes. Très douées pour vous subtiliser votre portefeuille, elles opèrent plutôt autour de la cathédrale, de la plaça del Rei et sur le passeig de Gràcia. Même chose pour les *vendeurs de cartes* (certains s'en servent pour masquer leurs mains baladeuses), et pour les cireurs de chaussures sur la Rambla, qui pratiquent des tarifs « spécial touristes »...

Piétons

Attention : à scooter (le moyen de locomotion préféré dans cette ville ensoleillée) comme en voiture, les Barcelonais démarrent en trombe. Pas au feu vert, mais juste quand le feu pour piétons passe au rouge. Il ne fait pas bon traîner sur les passages cloutés... D'un autre côté, l'automobiliste espagnol s'arrête pour marquer le feu rouge.

Automobilistes

Pour ceux qui arriveraient à Barcelone par la route, sachez que chaque année des incidents et agressions par des bandes organisées sont signalés sur les autoroutes catalanes. Ne vous effrayez pas, l'immense majorité des touristes circulent sans encombre, mais les recommandations suivantes peuvent vous éviter de donner de mauvaises idées à ces petits malins.

1) Ne vous arrêtez que sur les aires de service.
2) Sur ces aires de service, fermez bien votre voiture, branchez l'alarme et ne laissez rien de précieux en vue.
3) Méfiez-vous d'autres conducteurs qui pourraient vous signaler des incidents sur votre voiture et vous pousseraient à vous arrêter.
4) Si vous êtes en panne sur la voie d'urgence et que vous appelez une dépanneuse d'une borne, vérifiez que cette dépanneuse porte bien le symbole des *autopistas.*
5) Si vous êtes loin d'une borne et que vous avez un portable, appelez le ☎ 90-220-03-20 (Assistance autoroute A 7 ; fonctionne 24h/24, avec un service d'interprète

le matin). Vous pourrez donner votre position à votre interlocuteur grâce aux chiffres marqués sur le côté de la chaussée. Ces chiffres indiquent le numéro de l'autoroute et le point kilométrique.

ENFANTS

Barcelone est une ville qui se prête très bien aux escapades familiales. Cité dynamique, elle propose un large éventail d'activités sportives et ludiques qui conviennent aux petits et aux grands. Par ailleurs, le tissu urbain est conçu de telle manière que les rues sont souvent sûres pour les piétons. Dans l'Eixample, les trottoirs sont particulièrement larges et tiennent à distance les automobiles menaçantes. Mieux encore, dans les quartiers populaires ou plus anciens, où les rues se resserrent jusqu'à devenir un dédale de venelles, la municipalité a eu l'intelligence de rendre les voies uniquement piétonnes. Par conséquent, vos bambins n'auront pas à se soucier de la circulation, ce que savent déjà les gamins barcelonais qui galopent sur la Rambla jusqu'à une heure avancée de la nuit.

Rien ne vaut la marche pour découvrir cette ville merveilleuse. Néanmoins, lorsque les enfants sont fatigués, il est toujours possible de finir la balade en bus ou en métro. Barcelone est dotée d'un *excellent réseau de transport urbain,* qui allie confort et efficacité. Il existe aussi un bus touristique, très pratique, qui s'arrête devant tous les monuments et musées indispensables. Sinon, il reste encore la solution du vélo, très attractive, d'autant plus que Barcelone est pourvue de nombreuses pistes cyclables. Possibilité aussi de louer des rosalies, ces amusantes voitures à pédales familiales.

Voici quelques suggestions d'itinéraires, modulables selon la curiosité, le budget et l'endurance de chacun.

➢ Autant commencer par l'un des symboles les plus frappants de la ville : la *Sagrada Família.* En saison, essayez d'y aller de bonne heure afin d'éviter la foule. Si vos enfants ont le cœur bien accroché, faites-les grimper dans la flèche de la cathédrale (ascenseur obligatoire !) pour voir de près le bestiaire enchanté créé par Gaudí sur la façade : ses escargots, ses grenouilles, ses conques et autres lézards finement sculptés et impossibles à voir d'en bas. De retour sur terre, allez jeter un coup d'œil aux somptueuses *demeures modernistes du passeig de Gràcia* (notamment la *casa Amatller* et la *casa Batlló* qui semble recouverte d'écailles de poisson). Leurs lignes délirantes devraient intriguer les plus jeunes. Un peu plus loin, n'hésitez pas à pénétrer dans la célèbre *casa Milà,* appelée aussi *la Pedrera.* La visite des toits est indispensable pour observer les cheminées et les cages d'escalier revêtues de *trencadís* (mosaïques de céramique).

Consacrez enfin l'après-midi à une promenade dans le *park Güell,* avec son iguane géant en... mosaïque, encore.

➢ Employez la matinée à visiter le *Museu marítim* (partiellement fermé pour travaux), installé dans les anciens chantiers navals de Barcelone. Il abrite de belles maquettes, ainsi que différents types d'embarcations grandeur nature, dont une impressionnante galère. Le parcours est ponctué d'amusantes reconstitutions ayant pour thème la vie en mer.

L'après-midi, après une pause au *museu de la Xocolata* (oui ! un musée du Chocolat, avec des maquettes tout choco assez impressionnantes), emmenez vos enfants dans le *parc verdoyant de la Citadelle (Ciutadella)* pour y faire un petit tour de barque sur l'étang, avant de les conduire au *zoo.*

➢ Commencez la journée par le *musée d'Histoire de la Catalogne.* Les visiteurs sont invités à une remontée dans le temps extrêmement ludique, qui met l'accent sur les événements essentiels et les dates-clés de la région. Un must pour toute la famille, chacun y trouvant son compte. Profitez-en pour déjeuner au resto du musée. Installé sur le toit, il offre une vue très agréable sur les bateaux ancrés dans le port. À quelques pas du musée d'Histoire, on peut attraper le *téléphérique (funi-*

cular aeri), petite nacelle rouge se balançant au-dessus de la mer, entre la Barce-loneta et Montjuïc (sauf lorsque le temps ne s'y prête pas). Arrivés sur la colline, ceux qui en ont encore le courage peuvent grimper jusqu'au **castell de Montjuïc** pour admirer la vue sur Barcelone (possibilité de prendre un second téléphérique). Redescendez en flânant à travers les jardins, avant d'aller faire un petit tour à la **fondation Miró,** où sont exposées les sculptures bariolées et joyeuses de l'artiste.

➢ Après les musées... la **plage.** Les flancs de la ville, qui s'étire langoureusement au bord de la mer, sont ourlés de petites plages généralement propres et dotées de douches gratuites. Elles sont facilement accessibles en métro, en bus (descendre par exemple à l'arrêt Barceloneta du bus n° 17) ou à pied. Histoire de rester dans le ton, consacrez une partie de l'après-midi à la visite de l'**Aquarium,** avec son impres-sionnant tunnel à requins. Pour terminer la journée en beauté, vous pouvez embar-quer sur un catamaran qui vous fera faire une petite balade au large (attention, ce n'est pas franchement donné). Départs depuis le Maremagnum.

➢ Autre suggestion, valable pour 1 journée entière : partir à la découverte du **parc d'attractions du Tibidabo,** perché sur la colline du même nom (mais en hiver, il n'est ouvert que lors des vacances scolaires). Il est certes cher mais le prix d'entrée inclut l'accès à toutes les attractions et la chenille qui fonce à toute allure en offrant une vue extraordinaire sur la ville est un grand moment ! Pour y aller, empruntez l'antique tramway bleu, tout en bois, qui grince furieusement dans les virages et s'époumone dans les côtes ardues (le départ a lieu juste en face de la station de métro Avinguda-del-Tibidabo). Au terme de la route, un funiculaire conduit jus-qu'au parc. Autre possibilité : un bus spécial *(Tibíbus)* part de la plaça de Catalunya et dépose parents et enfants directement à l'entrée du parc.

Enfin, terminez la balade sur les collines du Tibidabo par la visite du **musée de la Science Cosmo Caixa,** un prodige d'intelligence architecturale et de pédagogie. Les enfants adoreront cet endroit unique !

FÊTES ET JOURS FÉRIÉS

Le 23 avril, on célèbre quasiment partout en Catalogne le jour du Livre (ou *Sant Jordi),* mais on a aussi en rayon la *Patum de Berga,* les carnavals, les crèches de Noël et les *pastorets,* les célébrations de Pâques (accompagnées de leurs pâtis-series, *caramelles* et *mones de Pasqua),* les luttes sanguinaires entre *Moros i Cris-tianos...* et (surtout), pour nous la plus belle : la fête de Gràcia à Barcelone, autour du 15 août, qui donne lieu à un concours de décoration des rues. Ne manquez pas non plus, à la même époque, celle du quartier de Sants, puis, du 22 au 25 septem-bre, celles du quartier de la Mercè. Le 11 septembre est le jour de la fête nationale de la Catalogne, la *Diada,* soit l'une des seules fêtes espagnoles sans origine religieuse.

Les manifestations nationales et locales

– **6 janvier :** ici, c'est le jour de l'Épiphanie *(día dels Reis)* que les bambins reçoivent leurs cadeaux. Traditionnellement, des figurants représentent les Rois mages arpentent les rues et lancent des bonbons à la foule.
– **Fin février :** carnaval du Mardi gras. On défile derrière Carnestoltes, le Monsieur Carnaval de carton-pâte. C'est aussi la fête de Santa Eulàlia, la copatronne de la ville. Le défilé en son honneur est devancé par d'énormes dragons crachant le feu.
– **Mars-avril :** la Semaine sainte et celle de Pâques sont l'occasion de grandes processions autour de la cathédrale, dans les petites rues étroites de la vieille ville. En 2012, le vendredi saint tombe le 6 avril, et le lundi de Pâques le 9 avril.
– **23 avril :** fête de Sant Jordi, saint patron de la Catalogne. C'est l'équivalent de la Saint-Valentin : les garçons offrent une rose aux filles, qui leur répondent en leur offrant un livre, car, ce jour-là, on commémore aussi l'anniversaire de la mort de

Cervantès. La Rambla est noire de monde, et l'on trouve des étalages de fleurs et de livres à tous les coins de rues.

– *1er mai :* fête du Travail. Presque tout est fermé. Très suivie en Espagne en général, à Barcelone en particulier.

– *Mai ou juin :* Pasqua Granada (c'est-à-dire lundi de Pentecôte). En 2012, c'est le 27 mai.

– *Mi-juin :* Sonar, étalée sur 3 jours (en 2012, du 14 au 16 juin), grande fête techno qui rameute les meilleurs DJs et les raveurs du monde entier (voir aussi, dans le chapitre « Barcelone », « Où sortir ? La tournée des boîtes »). Si vos congés ne tombent pas à cette période, vous pourrez toujours suivre ça en France sur Radio Nova, qui se déplace souvent pour l'occasion.

– *24 juin :* fête de la Saint-Jean (concerts, danses, feux d'artifice allumés dans tous les quartiers, dans la nuit du 23 au 24 juin). Ce jour-là, on mange la *coca de Sant Joan,* une pâtisserie à vrai dire assez étouffe-chrétien.

– *De fin juin au 15 août :* GREC, grand festival d'été de Barcelone. Nombreux spectacles dans les salles, les rues et les jardins de la ville (théâtre, musique, etc.). Institut de la culture de Barcelone (☎ 93-301-77-75. ● grec.bcn.cat ●).

– *15 août :* fête de l'Assomption (surtout à Gràcia, ne pas la rater).

– *11 septembre :* Diada, fête nationale de la Catalogne (beaucoup de restos et de musées sont fermés à cette occasion).

– *24 septembre :* fête de la Mercè, sainte patronne de Barcelone (ou plutôt copatronne, avec Santa Eulàlia). Son effigie se trouve dans l'église Nostra Senyora de la Mercè, dans la Ribera. Elle doit son titre de sainte patronne à son courage lors d'une invasion de sauterelles qu'elle a repoussées toute seule en l'an 1637 ! Pas mal de musées gratuits ce jour-là, d'autres fermés.

– *12 octobre :* fête de la Vierge du Pilar et jour de l'Hispanidad (fête nationale espagnole).

– *6 décembre :* journée de la Constitution.

– *8 décembre :* Immaculée Conception.

– *Fin décembre :* la semaine précédant Noël, c'est la kermesse de Santa Llùcia ; tout autour de la cathédrale, on trouve des stands avec des figurines représentant des scènes de la Nativité. Des files d'attente hallucinantes pour admirer le Divin Enfant ! Regardez bien les crèches d'ici : aux côtés de l'Enfant Jésus, des Rois mages, de Marie et Joseph, vous remarquerez un bonhomme déculotté et accroupi : c'est le *caganer* (littéralement, le « chieur »), une pure invention catalane ! Ce petit berger symboliserait la fertilité. Remarquez, c'est vrai qu'il engraisse la terre...

– *25 et 26 décembre :* fériés en Catalogne (beaucoup de musées et de sites sont complètement fermés, ou en ouverture réduite).

– Et puis toute l'année les *lundi, mercredi, vendredi* et *samedi* : marché aux puces, plaça de les Glòries. De 8h à 19h (20h en été).

– *Dimanche matin :* marché aux timbres et monnaies, plaça Reial, de 9h30 à 14h30. À 12h, sardanes (danses folkloriques) devant la cathédrale.

GÉOGRAPHIE URBAINE

Comme toute ville historique, Barcelone possède un cœur, la *Ciutat Vella,* vibrant, bouillonnant, cohérent, avec son lacis de ruelles imbriquées, son lot d'impasses sombres aux pavés assassins (pour les talons), ses quartiers populaires où l'on se retrouve après le travail et où le flux naturel des odeurs et des palpitations urbaines vous mènera comme une évidence. Séparés par la Rambla : le *Barri Xino ou Raval,* au sud-ouest, le *Barri Gòtic,* de loin le plus attractif mais aussi le plus touristique, au centre, et de l'autre côté de la vía Laietana, le quartier de la *Ribera,* populaire et historique (un peu moins touristique, à l'exception de la carrer Montcada, de la carrer Argentería et des abords de l'église Santa María del Mar, toute cette zone que l'on appelle *El Born*).

Plus au nord, l'***Eixample*** – du nom de l'« agrandissement » ou extension (de la ville) décidé au XIXe s –, avec ses rues tirées au cordeau, où l'on trouve la plupart des hallucinantes constructions modernistes (lire notre « Itinéraire moderniste » dans « Barcelone. À voir »). C'est aussi, entre le passeig de Gràcia et la carrer Balmes, la partie la plus commerçante de la ville. Au-dessus de ce quartier, le secteur de ***Gràcia,*** ancien village rattaché à Barcelone, plus calme, et qui, depuis quelques années, se refait une beauté. Attention, stationnement quasi impossible. Un peu plus au nord encore, la colline du ***Tibidabo*** propose attractions, funiculaire et bars panoramiques.

Au sud-est de la vieille ville, la mer Méditerranée. Une passerelle postmoderne, au pied de la statue de Colom (Christophe Colomb pour les francophones), traverse le port pour accéder au centre commercial *Maremagnum*. À l'est, la ***Barceloneta,*** le quartier des pêcheurs, qui, aujourd'hui, s'ouvre sur une jolie plage. En longeant la promenade, vous arrivez à la Vila Olímpica (Port olympique). Avant d'atteindre le Poblenou, ancien quartier industrieux qui se « balnéarise » doucement. Belle balade. Enfin, à l'ouest du port, la colline de ***Montjuïc,*** grand parc verdoyant, véritable poumon de Barcelone, qui offre, en plus de ses superbes musées, une vue admirable sur la ville. C'est là que l'on a construit une partie des installations sportives des Jeux olympiques de 1992.

> L'abréviation « c/ », que vous retrouverez tout au long de ce guide, signifie tout simplement « calle » ou « carrer » (sa version catalane), c'est-à-dire « rue ».

HÉBERGEMENT

Dans les hôtels, mais aussi dans les bars, les restos et les taxis, il existe un livre des réclamations *(el libro de reclamaciones),* visé par les inspecteurs du Turisme de Catalunya. En cas de litige, demandez ce document, et le problème s'arrangera.

Les auberges de jeunesse

Il faut saluer la Generalitat pour la place qu'elle confère aux jeunes (une fois n'est pas coutume !). D'une manière générale, les AJ sont bien tenues, à proximité du centre, et d'un rapport qualité-prix très honnête (qui rivalise souvent avec des 2-étoiles). Il n'y a pas de limite d'âge, mais les tarifs pour les plus de 25 ans sont, en général, de 4 à 5 € plus élevés dans les AJ officielles. Ces dernières exigent également une carte de membre (on peut l'acheter sur place), et on ne peut rester que cinq nuits maximum, avec toutefois la possibilité de prolonger son séjour selon les disponibilités d'accueil. Les règles sont nettement plus souples dans les AJ privées. Celles-ci ont d'ailleurs poussé aux quatre coins de la ville et sont généralement bien tenues. Nous avons sélectionné les plus centrales et agréables.
Réservez soit :
– directement à l'auberge, en réglant en général environ 25 % du prix du séjour ; c'est d'ailleurs le seul moyen pour les AJ privées ;
– en contactant l'agence centrale de résas des AJ à Barcelone : ☎ *93-483-83-63.* ● *tujuca.com* ●
Sinon, toutes les AJ privées se retrouvent sur ● *hostelworld.com* ●, et dans une moindre mesure sur ● *barcelona-on-line.com* ●
Bon à savoir également, la FUAJ propose deux guides répertoriant toutes les AJ du monde : un pour la France, un pour le reste du monde (le dernier est payant).

Les campings

À Barcelone, comme partout en Espagne, il est interdit de dormir sur la plage. Pas de camping dans la ville même, mais quelques-uns aux alentours (au nord et au sud) et notamment à Sitges, relié à Barcelone par le train (une quarantaine de kilomètres).

Les campings n'ont pas de règlement draconien, contrairement aux AJ. Les prix et les catégories sont fixés par le gouvernement ; les tarifs doivent figurer bien en évidence à l'entrée, et sont en moyenne un peu plus élevés qu'en France (voir plus bas). Et ils varient très largement selon la saison et la durée du séjour : les réductions peuvent dépasser 50 % pour des séjours au mois.

Les campings espagnols ne ressemblent pas ou peu à leurs homologues français, et ils sont en général bien équipés. Hélas, autour des grandes villes, leur implantation est souvent décevante. Plus que pour s'y reposer, les Espagnols viennent s'y divertir : piscines, terrains de sport, supérettes, jeux pour enfants, discothèques, restos... Enfin, les sanitaires ne ressemblent guère à nos blocs de béton : ici, miroirs à gogo et lavabos et douches fonctionnent plutôt bien. Souvent, en particulier le week-end, c'est très bruyant (c'est rien de le dire). Les campeurs disposent en effet, pour la plupart, d'une ou de deux télés et se couchent tard... Mais comme vous aurez appris à vivre la nuit, il n'y aura plus de problèmes !

Pensez à vous équiper de sardines très robustes. Le terrain est sec partout, parfois d'une dureté incroyable.

– **Tarifs :** ils sont affichés soit à la parcelle (comprenant une tente et une voiture), et il faudra y ajouter le nombre d'occupants de ladite parcelle, soit séparément : tente, voiture, adultes, enfants... Nous vous indiquons le plus souvent le tarif sur la base d'une tente, une voiture et deux adultes. Compter au moins 20 € par jour pour deux personnes, une tente et une voiture.

– **Un bon plan :** de plus en plus de campings s'équipent de bungalows pour quatre à six personnes. C'est assez confortable (kitchenette et salle de bains à l'intérieur), en général plus calme que le camping lui-même (les bungalows sont à part), et souvent moins cher que l'hôtel pour une famille ou un groupe de copains.

Les hôtels et *hostales*

La nouvelle classification du ministère du Tourisme met les **hostales** et les **residencias** dans la catégorie « Bon marché ». Jadis, les *fondas, casas de huéspedes, hospedajes* et *pensiones* regroupaient un peu la même chose, c'est-à-dire une sorte de pension de famille. Si vous le pouvez, visitez bien l'établissement avant de réserver. Il y a vraiment un choix pléthorique d'*hostales* à Barcelone et, comme dans beaucoup d'autres villes, si l'on s'écarte un poil du centre, les prix deviennent vite plus intéressants. Quoi qu'il en soit, tous conviendront aux routards peu regardants sur le confort mais exigeants sur les prix (quoiqu'ils aient beaucoup augmenté ces dernières années). Ils sont rarement recommandés par les offices de tourisme, car les propriétaires de ces pensions préfèrent souvent fonctionner en toute indépendance, sans avoir à payer la cotisation demandée pour figurer dans les listings. Si vous tchatchez bien l'espagnol (ou, mieux, le catalan !), négociez tout de suite le prix. Les tarifs baissent presque toujours avec la durée du séjour. En revanche, il faut parfois s'attendre à un accueil sans façon et à des réponses du genre « *lo tomas o lo dejas* » (à prendre ou à laisser).

Enfin, les **hôtels** *(hoteles),* classés de 1 à 5 étoiles. Essayez d'arriver assez tôt pour être sûr d'avoir une chambre et demandez à la visiter avant. Les prix affichés à la réception et dans les chambres sont les tarifs maximaux, et peuvent varier selon les divisions de l'année touristique : haute, moyenne et basse saisons. De plus en plus, on fait de bonnes affaires en profitant des promotions affichées sur le site internet des hôtels : les prix peuvent être carrément divisés par deux !

Pour une chambre simple, demandez une *habitació individual* ; pour une chambre double, une *habitació doble* ; et si vous voulez un grand lit, précisez *llit de matrimoni* (ou *cama de matrimonio*).

ATTENTION : en principe, les prix affichés dans les établissements sont hors taxes. Il faut ajouter une taxe *(IVA)* de 8 %.

Il existe un guide des hôtels (classés par régions et catégories, prix indiqués, ainsi que les caractéristiques) : *Guía de Hoteles de la Generalitat,* en vente dans toutes les librairies. Les offices de tourisme disposent également d'une liste plus ou moins exhaustive des hôtels et *hostales* avec les prix en cours. Demandez-la.

Dernier détail, pour les affamés du matin : dans les pensions espagnoles, c'est *bed* mais rarement *breakfast...* et si on vous propose le breakfast, il se limite en général à deux toasts avec une minidose de confiture. Mieux vaut donc aller déjeuner dans un bar ou une pâtisserie, puisque la plupart servent des menus petit déj variés. Les patrons de votre pension vous conseilleront peut-être un café dans le coin.

> Pour nos lecteurs qui souhaitent réserver leurs hébergements par courrier, nous précisons les codes postaux des établissements dans le texte de l'hôtel, logiquement à la fin de l'adresse, puisqu'il y a plusieurs arrondissements dans Barcelone. Par ailleurs, pour les environs de Barcelone, nous indiquons également le code postal général de la ville dans le bandeau de la ville. Enfin, aucun code postal n'est indiqué dans les villes ne proposant pas d'hébergement.

Location d'appartements

Un choix d'hébergement qui se développe à grande vitesse, et qui s'avère rentable pour une famille, un groupe d'amis ou même en couple, si vous avez choisi de rester 1 semaine ou plus. Pas mal d'offres promotionnelles en réservant par Internet. Forcément, tous les appartements n'étant pas sans surprise, on vous donne une sélection fiable dans « Où dormir ? ».

HORAIRES

Attention, les **horaires des repas** sont plus tardifs que ceux pratiqués en France : pour le déjeuner, de 13h à 16h ; pour le dîner, de 20h à 23h (il fait moins chaud). Quant aux **boîtes de nuit,** elles ne commencent à s'animer que vers 3h (et encore !)... Il faut avoir une santé de fer pour vivre ici ! Les **magasins** sont généralement ouverts du lundi au samedi de 9h30 ou 10h à 13h30 ou 14h, et de 16h30 ou 17h à 20h ou 20h30. Ils respectent la sacro-sainte *siesta* ! Cela dit, dans le centre de Barcelone, les grands magasins et les boutiques de chaînes sont ouverts sans interruption le midi. Dans un registre plus utile, la **poste centrale** est ouverte du lundi au vendredi de 8h30 à 21h30 et le samedi de 8h30 à 14h. Quant aux horaires des banques, voir la rubrique « Argent, banques, change » plus haut.

ITINÉRAIRES

Voici quelques idées pour guider vos pas à travers Barcelone, selon le temps dont vous disposez. Évidemment, rien ne vous oblige à suivre ces suggestions au pied de la lettre, mais, si vous choisissez cette option, vous avez des chances de découvrir l'essentiel des richesses de la ville... à notre avis !

Lire aussi plus haut la rubrique « Enfants » si vous comptez explorer Barcelone accompagnés de vos p'tits routards en herbe, et la rubrique « À voir » dans le chapitre « Barcelone » pour les accros du modernisme.

Barcelone en 1 demi-journée...

À vos marques, prêt ? Histoire d'avoir un avant-goût du modernisme, depuis la plaça de Catalunya, remontez le *passeig de Gràcia* pour jeter un œil aux belles maisons de la *Manzana de la Discordia.* Avec un peu de chance, s'il n'y a pas trop la queue, vous pourrez même visiter la *casa Batlló.* Autrement, contentez-vous de l'extérieur, et entrez dans la casa *Amatller* ; certes c'est une boutique, mais cela vous permettra d'avoir un aperçu de l'un de ces bâtiments de l'intérieur, à moindres frais et sans attente. Descendez ensuite la *Rambla* pour humer Barcelone, puis allez vous perdre dans le *Barri Gòtic,* son lacis de ruelles et sa cathédrale. Enfin, offrez-vous un déjeuner ou un dîner en bord de mer, à la *Barceloneta* par exemple...

... en 1 jour...

Attention à vos pieds et à vos chaussures, ça va chauffer !
Attaquez par la *Rambla* pour humer l'Espagne. Passez prendre rendez-vous au *palau Güell,* puis, en fonction de l'heure de la convocation, allez vous perdre dans le quartier du *Barri Gòtic,* de la cathédrale et du marché de la *Boquería.* Faites une pause déjeuner dans un resto sympa que vous aurez repéré, puis traversez la plaça de Catalunya pour atteindre le *passeig de Gràcia* et ses demeures élégantes. On consacrera l'après-midi à Gaudí : *casa Batlló,* la *Pedrera* et la *Sagrada Família.*

... en 3 jours...

Vous consacrerez le 1er jour au *Barri Gòtic,* à sa cathédrale, à ses ruelles, où vous prendrez le temps de vous perdre. Si l'histoire de l'urbanisation de la ville vous intéresse, inscrivez à votre programme le museu d'Història de la Ciutat : idéal pour mieux comprendre la géographie de la ville ! Déjeunez tôt (profitez du fait que vous n'êtes pas encore à l'heure espagnole) au marché de la *Boquería,* puis poussez vers le quartier de la *Ribera.* Profitez-en pour visiter le *musée Picasso* et le *palais de la Musique catalane* (attention, il faut avoir réservé). Là aussi, prenez le temps de flâner, de vous poser à la terrasse d'un café. Après tout ça, vous aurez bien mérité des tapas et/ou un bon dîner...
Le 2e jour peut être l'occasion d'une journée en bus touristique... Vous pourrez ainsi vous éloigner un peu du centre et enchaîner assez facilement la *Sagrada Família* et le *park Güell* (l'occasion d'un pique-nique...). Embrayez ensuite avec le *Montjuïc* et la *fondation Miró.* De là, redescendez avec le bus touristique ou le funiculaire ou, mieux encore, le téléphérique (bien que ce ne soit pas donné). Vous pourrez ainsi faire une petite balade sur la *plage* avant d'aller dîner et... dormir !
Le 3e jour, commencez la journée en prenant rendez-vous au *palau Güell* et avisez en fonction de l'heure du rendez-vous. Ce peut être, par exemple, l'occasion de visiter le *Musée maritime* ou le *musée d'Histoire de la Catalogne.* Le reste de la journée sera consacré au modernisme, au *passeig de Gràcia* (lire pour cela notre itinéraire spécial dans la rubrique « À voir » de Barcelone) et à vos centres d'intérêt.

... en 5 jours

C'est à peu de chose près le même programme, mais vous aurez plus de temps pour flâner, ouf ! Et vous pourrez profiter des fabuleux musées de la ville : MNAC, Marès, Histoire de la Catalogne, monastère de Pedralbes... et, qui sait, passer un après-midi à la plage...

LANGUE

Le *catalan,* c'est d'abord une langue. De racine latine comme le français, l'espagnol (ou *castillan*) et l'italien, il a atteint sa maturité vers le Xe s. Au cours de ces trois derniers siècles, le catalan a subi de multiples persécutions, vexations et interdictions. Rien qu'un exemple : en 1924, Gaudí fut arrêté parce qu'il parlait catalan sur la voie publique. Autonomie oblige, le castillan est désormais passé au second plan, et l'enseignement du

PARLER FRANÇAIS COMME UNE VACHE ESPAGNOLE

C'est vrai que les vaches, surtout espagnoles, parlent mal le français. Cette expression datant du XVIIe s vient en fait d'une altération du mot « basque ». Avec leur accent si particulier, on comprend mieux l'expression !

catalan est obligatoire dans les écoles. Les plaques de rues, les indications sur les plans en castillan, ont disparu (ou alors elles sont bilingues). Certaines associations, comme le *Fora Babel,* cherchent à lutter contre cette « assimilation culturelle ».
Près de 95 % des habitants de la région comprennent le catalan et près de 70 % le parlent. L'emprise de la langue dépasse les limites de la région : elle est parlée dans la quasi-totalité du pays valencien et aux îles Baléares (depuis la conquête, au XIIIe s, de Jacques Ier, roi d'Aragon et comte de Barcelone ; voir la rubrique « Histoire » dans « Hommes, culture et environnement »), en Andorre, dans une petite partie de l'Aragon, dans la ville de l'Alguer en Sardaigne, ainsi, bien sûr, qu'en France, dans le Roussillon, soit au total par plus de 10 millions de personnes. Reconnue par l'Union européenne, elle compte plus de locuteurs que le danois, le norvégien ou le finnois !
Mais l'heure du tout-catalan a peut-être sonné. Certains nationalistes catalans en voient les limites, notamment dans l'enseignement supérieur, parfois incapable d'attirer les meilleurs élèves de la péninsule ou de l'Amérique latine. Une piste qu'a su emprunter l'ex-maire de Barcelone et ex-président du gouvernement catalan, Pasqual Maragall, qui prône l'ouverture.

Vocabulaire usuel en catalan (castillan entre parenthèses)

Pour vous aider à communiquer, n'oubliez pas le *Guide de conversation du routard* en espagnol.

LES BASIQUES

oui	*sí (sí)*
non	*no (no)*
bonjour	*bon dia (buenos días)*
bonsoir	*bona tarda (buenas tardes)*
salut (salut, ça va ?)	*hola (hola ¿ qué hay ?)*
salut la compagnie	*hola, ¿ comanem ? (hola, muy buenas)*
bonne nuit	*bona nit (buenas noches)*
aujourd'hui	*avui (hoy)*
hier	*ahir (ayer)*
demain	*demà (mañana)*
ce matin	*aquest matí (esta mañana)*
ce soir	*aquesta nit (esta noche)*
au revoir	*adéu, areveure (adiós)*
à bientôt	*fins després (hasta luego)*

s'il vous plaît	*si us plau (por favor)*
merci	*gràcies (gracias)*
de rien	*de res (de nada)*
excusez-moi	*perdoni (perdone, disculpe)*
parlez-vous français ?	*¿ parla francès ? (¿ habla usted francés ?)*
comment vous appelez-vous ?	*¿ com es diu vostè ?*
	(¿ cómo se llama usted ?)
je ne comprends pas	*no ho entenc (no entiendo)*
je ne sais pas	*no ho sé (no sé)*
comment dit-on en espagnol ?	*¿ com es diu en castellà ?*
	(¿ cómo se dice en castellano ?)
quelle heure est-il ?	*¿ quina hora és ? (¿ qué hora es ?)*
je voudrais	*voldria (quisiera)*
d'accord	*d'acord (de acuerdo, vale)*
bureau de tabac	*estanc (estanco)*
poste restante	*apartat de correus (apartado de correos)*
timbre	*segell (sello)*
enveloppe	*sobre (sobre)*
tampons	*tampons (tampones)*
serviettes hygiéniques	*compreses (toallas higiénicas)*
monnaie	*canvi (cambio)*
guichet automatique	*caixer automàtic (cajero automático, bancomat)*
pas cher, bon marché	*barat (barato)*
cher	*car (caro)*
fermé	*tancat (cerrado)*
ouvert	*obert (abierto)*
férié	*día de fiesta (feriado)*

À L'HÔTEL

hôtel	*hotel (hotel)*
auberge	*alberg (albergue)*
pension	*pensió (hostal, fonda, pensión)*
garage	*garatge (garaje)*
chambre	*habitació (habitación)*
chambre double	*habitació doble (habitación doble)*
pourriez-vous me la montrer,	*¿ me la pot ensenyar, si us plau ?*
s'il vous plaît ?	*(¿ me la puede enseñar, por favor ?)*
lit	*llit (cama)*
lit à deux places	*llit de matrimoni (cama de matrimonio)*
lit bébé	*bressol (cuna)*
réservation	*reserva (reserva)*
combien par jour ?	*¿ quant per dia ? (¿ cuánto por día ?)*
service compris	*servei inclòs (servicio incluído)*
pourriez-vous me réveiller à 8h ?	*¿ podria despertar me a les vuit ?*
	(¿ puede despertarme a las ocho ?)
petit déjeuner	*esmorzar (desayuno)*
couverture	*manta (manta)*
oreiller	*coixí (almohada)*
serviette de bain	*tovallola (toalla)*
toilettes	*serveis, lavabo (servicios)*
savon	*sabó (jabón)*
salle de bains	*bany (cuarto de baño)*
douche	*dutxa (ducha)*
je voudrais la note	*el compte, si us plau (quisiera la cuenta)*

cour	*pati (patio)*
jardin	*jardí (jardín)*

AU RESTAURANT

petit déjeuner	*esmorzar (desayuno)*
déjeuner	*dinar (almuerzo)*
dîner	*sopar (cena)*
menu	*menú (menú)*
carte	*carta (carta)*
mouton	*marrà (carnero)*
agneau	*xai (cordero)*
porc	*porc (cerdo)*
bœuf	*bou (buey)*
jambon	*pernil (jamón)*
poulet	*pollastre (pollo)*
veau	*vedella (ternera)*
filet de porc	*filet de porc (solomillo de cerdo)*
côtelette	*costella, llonza (chuleta)*
rôti	*rostit (asado)*
grillé	*a la planxa (a la plancha)*
frit	*fregit (frito)*
poisson	*peix (pescado)*
fruits de mer	*marisc (mariscos)*
hors-d'œuvre	*entrants (entrantes)*
œufs	*ous (huevos)*
omelette	*truita (tortilla)*
salade	*amanida (ensalada)*
légumes	*verdura (verduras)*
dessert	*postres (postre)*
fromage	*formatge (queso)*
glace	*gelat (helado)*
vin rouge (hic !)	*vi negre (vino tinto)*
vin blanc (re-hic !)	*vi blanc (vino blanco)*
eau gazeuse/plate	*aigua amb gas/sense gas (agua con gas/sin gas)*
bière, panaché	*cervesa, clara (cerveza, clara)*
café (noir)	*cafè (café solo)*
l'addition s.v.p.	*¡ el compte, si us plau ! (¡ la cuenta, por favor !)*
garçon	*cambrer (camarero)*
assiette	*plat (plato)*
verre (pour l'eau)	*got (vaso)*
verre (pour le vin)	*copa (copa)*
couteau	*ganivet (cuchillo)*
cuillère	*cullera (cuchara)*
fourchette	*forquilla (tenedor)*
serviette	*tovalló (servilleta)*
sel	*sal (sal)*
poivre	*pebre (pimienta)*
moutarde	*mostassa (mostaza)*
huile	*oli (aceite)*
vinaigre	*vinagre (vinagre)*
beurre	*mantega (mantequilla)*
pain	*pa (pan)*
bouteille	*ampolla (botella)*

je suis végétarien(ne)	sóc vegetarià(ana) (soy vegetariano/a)
prix du marché	preu segons mercat (s/m)
	(precio según mercado)

SUR LA ROUTE

où va cette route ?	¿ on porta aquesta carreterra ?
	(¿ adónde va esta carretera ?)
est-ce la route de... ?	¿ és aquesta la carretera de... ?
	(¿ es ésta la carretera de... ?)
à combien de kilomètres ?	¿ a quants quilòmetres ?
	(¿ a cuántos kilómetros ?)
à droite	a mà dreta (a mano derecha)
à gauche	a mà esquerra (a mano izquierda)
tout droit	tot recte (todo recto)
je suis en panne	tinc una avaria (tengo una avería)
station-service	benzinera (gasolinera)
sans plomb	sense plom (sin plomo)
où y a-t-il de l'eau ?	¿ on hi ha aigua ? (¿ dónde hay agua ?)
au tournant	a la cantonada (a la vuelta de la esquina)
à côté	al costat (al lado)
loin	lluny (lejos)
plus loin	més lluny (más lejos)
près	a prop (cerca)
interdit	prohibit (prohibido)
descente	baixada (bajada)
côte	pujada (cuesta)
virage	revolt (curva)
travaux	obres (obras)
village	poble (pueblo)
feu de signalisation	semàfor (semáforo)

QUELQUES REPÈRES

rond-point	rotonda (rotonda)
chapelle	capella (capilla)
église	església (iglesia)
stop	parada (parada)
coin de rue	cantonada (esquina)
kiosque à journaux	quiosc (kiosco)
cabine téléphonique	telèfon públic (teléfono público)
impasse, ruelle	carreró (callejón)
tour	torre (torre)
entrepôt	magatzem (almacén)
zone industrielle	polígon industrial (polígono industrial)
marché	mercat (mercado)
marché aux bestiaux	mercat de bestiar (mercado de ganado)
place	plaça (plaza)
promenade	passeig (paseo)

À LA GARE

gare	estació (estación)
billet	bitllet (billete)
à quelle heure le train arrive-t-il à... ?	¿ a quina hora arriba el tren ?
	(¿ a qué hora llega el tren a... ?)
où faut-il changer de train ?	¿ on s'ha de canviar de tren ?
	(¿ dónde hay que cambiar de tren ?)

le prochain	*el proper (el próximo)*
le dernier	*l'últim (el último)*
le premier	*el primer (el primero)*
réduction	*descompte (precio reducido)*
aller simple	*senzill (sencillo)*
aller-retour	*anada i tornada (ida y vuelta)*
entrée	*entrada (entrada)*
sortie	*sortida (salida)*
correspondance	*correspondència (enlace, cambio)*
guichet	*guixeta (taquilla)*
quai	*andana (andén)*
bagages	*equipatge (equipage)*
compartiment	*compartiment (compartimiento)*
wagon	*cotxe, vagó (coche)*
couchette	*litera (litera)*
contrôleur	*revisor (revisor)*

LE TEMPS

jour	*dia (día)*
semaine	*setmana (semana)*
lundi	*dilluns (lunes)*
mardi	*dimarts (martes)*
mercredi	*dimecres (miércoles)*
jeudi	*dijous (jueves)*
vendredi	*divendres (viernes)*
samedi	*dissabte (sábado)*
dimanche	*diumenge (domingo)*
matin	*matí (mañana)*
midi	*migdia (mediodía)*
après-midi	*tarda (tarde)*
soir	*vespre (noche)*
minuit	*mitjanit (medianoche)*
heure	*hora (hora)*
quart	*quart (cuarto)*
demi	*mig, mitja (media)*
minute	*minut (minuto)*
nuageux	*ennuvolat (nuboso)*
pluie	*pluja (lluvia)*
averses	*xàfec (chubascos)*
brouillard	*boira (niebla)*

CHIFFRES

un, une	*un, una (uno, una)*
deux	*dos, dues (dos)*
trois	*tres (tres)*
quatre	*quatre (cuatro)*
cinq	*cinc (cinco)*
six	*sis (seis)*
sept	*set (siete)*
huit	*vuit (ocho)*
neuf	*nou (nueve)*
dix	*deu (diez)*
onze	*onze (once)*
douze	*dotze (doce)*
treize	*tretze (trece)*

quatorze	*catorze (catorce)*
quinze	*quinze (quince)*
seize	*setze (dieciséis)*
dix-sept	*disset (diecisiete)*
dix-huit	*divuit (dieciocho)*
dix-neuf	*dinou (diecinueve)*
vingt	*vint (veinte)*
cinquante	*cinquanta (cincuenta)*
cent	*cent (cien/ciento)*
mille	*mil (mil)*

Important : en espagnol, le *ñ* se prononce « gn », le *v* se prononce plus « b » que « v » : *España* se dit « Espagna », *cerveza* se dit « cerbesa », *Sevilla,* « Sebilla », *Valencia,* « Balencia », etc. Attention cependant, tout excès nuit. Essayez quand même de pondérer entre le « v » et le « b ». À Barcelone, c'est la même règle, mais dans certains villages, on dit « v ». À vous d'essayer !

Quant au *j,* s'il se prononce comme le « ch » allemand en castillan, c'est-à-dire comme un « r » très dur, il se prononce à la française en catalan.

Dernière petite précision, le *x* catalan se prononce comme notre « ch ». Ainsi, le mot *xarxa* (chaîne) se prononce-t-il « charcha ».

LIVRES DE ROUTE

Les trois premières œuvres ne concernent pas directement Barcelone, mais, pour ceux qui désirent mieux connaître l'Espagne, ce sont des ouvrages de référence à ne pas manquer !

– *Don Quichotte de la Manche* (1605), de Miguel de Cervantes (roman), Flammarion, coll. « GF » n°s 196 et 197, 1969 ; traduit par L. Viardot. Pour les esthètes : éd. Du Chêne, 2009 ; illustré par Salvador Dalí. La meilleure traduction étant celle de Jacqueline Schulmann aux éditions du Seuil. Roman picaresque qui nous fait voyager dans toute l'Espagne du Siècle d'or, *Don Quichotte* est également une parodie des romans de chevalerie à la mode alors. Un classique, indispensable pour quiconque aime l'Espagne... et la littérature. Sus aux moulins à vent !

LE PLAGIAT DE *DON QUICHOTTE*

À sa sortie, le roman de Cervantes connut un succès considérable. Huit ans plus tard, un auteur sans scrupule publia une suite de l'ouvrage, dans lequel il dénigrait vertement Cervantes... Certains affirment que c'est son ennemi préféré, l'écrivain Lope de Vega, qui s'y colla ! Furieux, Cervantes décida d'écrire sa suite des tribulations du chevalier, en le faisant mourir à la fin. L'histoire était donc définitivement close.

– *La Vie de Lazarillo de Tormes,* Flammarion, coll. « GF Bilingue » n° 646, 1994. Écrit par un auteur inconnu, *La Vie de Lazarillo de Tormes* n'en demeure pas moins un véritable joyau de la littérature espagnole. Cette historiette gorgée de truculence, d'intelligence vive et de bons mots fut éditée vers 1554. L'histoire est simple : un garçon est confié dès son plus jeune âge à un aveugle dont il devient le serviteur. Puis, du mendiant aveugle, il passe chez un prêtre avare, puis chez un écuyer famélique et chez un marchand d'indulgences. Au cours d'un irrésistible parcours initiatique, il devient le larbin de tout le monde et ne veut servir personne. Malicieux, il accède à la sagesse en rivalisant de cynisme et de coups bas. Peinture sociale géniale, ce pamphlet d'un sombre siècle ouvre la voie d'une tradition picaresque que Cervantes peuplera bientôt de deux grands frères de ce Lazarillo : *el señor* Quichotte et son valet Pança.

– *L'Espoir* (1937), d'André Malraux (roman), Gallimard, coll. « Folio » n° 2958, 1997. Malraux a vécu en direct les événements de la guerre d'Espagne ; de fait, son roman est aussi une sorte de chronique où la réflexion politique prend une place centrale. Face aux franquistes, il préfère très clairement l'organisation et le pragmatisme des communistes à l'utopie anarchiste. *L'Espoir,* c'est l'espoir en l'homme.

– *Hommage à la Catalogne* (1937), de George Orwell (reportage), 10/18, coll. « Domaine étranger » n° 3147, 2000 ; traduit par Y. Davet. Après avoir été policier en Birmanie, clochard à Paris, que pouvait faire un journaliste trotskiste et sincère débarqué dans la tourmente de la guerre civile espagnole pour quelques jours et quelques articles, sinon s'engager ? Orwell n'hésite pas longtemps et rendra compte de la réalité de la guerre, jusqu'à ce qu'il soit gravement blessé, puis rapatrié dans son pays après une chasse à l'homme dans Barcelone, menée par les staliniens contre les anarchistes et les trotskistes.

– *Le Labyrinthe aux olives* (1985), d'Eduardo Mendoza (polar), Le Seuil, coll. « Points » n° 460, 1998 ; traduit par F. Rosset. Ceux qui ont lu *Le Mystère de la crypte ensorcelée* connaissent déjà le héros de cette aventure burlesque, cette fois évadé d'un asile d'aliénés. Mendoza nous fait voyager dans l'Espagne contemporaine, entre Madrid et Barcelone, sur les traces d'une mallette bourrée de pesetas. Dans la même veine, *L'Artiste des dames* (2002), troisième volet de cette trilogie décalée, dans laquelle Barcelone et la Catalogne tiennent une belle place.

– *La Ville des prodiges* (1986), d'Eduardo Mendoza (roman), Points Grand Roman (2007) ; traduit par O. Rolin. Barcelone, « ville des prodiges », inspire son rythme trépidant au livre de Mendoza. Au travers de la destinée d'Onofre Bouvila, petit paysan devenu un industriel aussi riche qu'extravagant, c'est l'aventure de la ville dans le grand chantier de l'Exposition universelle de 1888.

– *Sabotage olympique* (1995), de Manuel Vásquez Montalbán, 10/18, coll. « Grands détectives » n° 3086, 1999 ; traduit par C. Bleton. Pepe Carvalho, le célèbre détective barcelonais, est engagé pour mener l'enquête sur de mystérieux saboteurs de cette grande foire que sont les Jeux olympiques de 1992. Humour et flegme... catalans sont, comme d'habitude, au rendez-vous !

– *Les Recettes de Pepe Carvalho* (1996), de Manuel Vásquez Montalbán, Christian Bourgois éditeur, 1996 ; traduit par D. Laroutis. Cent vingt recettes du détective fine bouche, avec les extraits des livres où les plats sont cités, et des explications pour, à notre tour, exécuter dans notre cuisine une symphonie pour deux aubergines, un poivron et trois tomates !

– *La Place du Diamant* (1957), de Mercè Rodoreda ; Gallimard, coll. « L'Étrangère », 1996 ; traduit par B. Lesfargues. Un roman écrit par une Barcelonaise qui obtint en 1980 le prix d'honneur des Lettres catalanes. L'histoire d'une femme du peuple, originaire du quartier de Gràcia, à Barcelone : son adolescence, son mariage, ses maternités et la mort de son mari milicien dans l'armée républicaine pendant la guerre civile. Un chef-d'œuvre de la littérature catalane.

– *Teresa l'après-midi* (1966), de Juan Marsé, Le Seuil, coll. « Points » n° 523, 1998 ; traduit par J.-M. Saint-Lu. L'histoire d'un voleur de motos qui séduit deux jeunes filles, l'une domestique dans une maison bourgeoise, l'autre fille de bonne famille. En toile de fond, les révoltes estudiantines de la Barcelone des années 1960.

– *L'Ombre du vent* (2001), de Carlos Ruíz Zafón, Le Livre de Poche n° 30473 ; traduit par François Maspero. Le jeune Daniel Sempere, fils d'un libraire, tombe sur le roman d'un auteur inconnu, Julián Carrax. Une rencontre virtuelle qui bouleverse sa vie et le lance dans d'étranges aventures à la suite et à la poursuite de son modèle, dans une Barcelone oppressée par les années Franco. Un voyage passionnant, très littéraire, mais qui relève aussi de l'enquête policière, et sur lequel les ombres de la guerre civile et du traditionalisme de la société planent sans cesse...
Le Jeu de l'ange, nouvel opus du même auteur (2009), reprend bien comme cadre et comme personnage la vibrante Barcelone du tout début du XXe s, mais sur un rythme plus poussif qui nous a moins convaincu ; les fans de *L'Ombre du vent* y retrouveront pourtant la genèse de certains personnages.

MUSÉES ET SITES

En fait, on peut classer les musées et sites en deux catégories : les sites majeurs sont tous payants et chers (de 8 à 19 € ; beaucoup proposent un jour de gratuité par mois, en général pendant la première semaine – ce jour-là, on conseille vivement d'arriver dès l'ouverture). Les musées plus mineurs sont payants mais abordables (entre 4 et 6 €). Les étudiants peuvent bénéficier de réductions mais doivent présenter leur carte. En résumé, prix comparables aux prix français. Le jour de fermeture est généralement le lundi, mais certains, comme le MACBA, sont ouverts ; bien programmer vos visites en conséquence. Attention, de nombreux musées sont ouverts seulement le matin, notamment le dimanche, ou complètement fermés les 1er et 6 janvier, 11 septembre, 25 et 26 décembre (voir, plus haut, « Fêtes et jours fériés »). En général, ces jours-là, les offices de tourisme de la ville disposent d'une fiche récapitulant les horaires modifiés de tous les sites.

Pour certains sites très fréquentés (museu Picasso, Sagrada Família, casa Batlló, palau de la Música catalana, etc.), n'hésitez pas à réserver à l'avance, sur Internet, vos billets. Certes, cela vous offre à priori un peu moins de liberté dans votre programme de visite (et se paie parfois aussi d'un supplément), mais, en période très touristique, vous gagnerez en fait du temps en évitant les longues files d'attente.

Passes et autres tickets groupés

Il est intéressant, dès qu'on arrive à Barcelone, de se procurer un *pass*. Il en existe plusieurs, à différents tarifs, plus ou moins complets. Tout dépend, finalement, de votre emploi du temps, de vos goûts et de votre frénésie culturelle. Vous trouverez toutes les infos nécessaires dans les offices de tourisme *(turisme de Barcelona),* ainsi que les *passes* en question. Vous pouvez aussi acheter la plupart d'entre eux avant même votre arrivée, et un peu moins cher, sur le site de l'office de tourisme
● *barcelonaturisme.cat* ●

– **Barcelona Card** : de 27,50 € pour 2 j. à 45 € pour 5 j. (23,50 à 35 € pour les 4-12 ans). Elle permet un accès illimité aux transports urbains (métro, bus, tramways, train pour l'aéroport, trains FGC intra-muros, trains RENFE zone 1 – banlieue, donc). Elle offre de nombreuses réductions sur des spectacles (mais aussi dans certains bars, restos...), les autres moyens de transport (*Tibibús*, téléphérique de Montjuïc, *Aerobús*...). En plus, vous obtiendrez une gratuité (dans tous les musées municipaux, mais aussi pour les Golondrinas, le Mirador de Colom) ou, plus fréquemment, un tarif réduit (de 5 à 50 % de réduction selon les sites) dans 30 des plus grands musées de la ville et une dizaine de sites (dont le palau de la Música, la casa Batlló, le musée Picasso, le zoo, l'Aquàrium, l'Imax...). C'est celle qui nous a semblé la plus complète. Elle reste très chère puisqu'il faut quand même débourser à l'entrée de chaque site ou musée.

– **Barcelona Bus Turístic** : ● *barcelonabusturistic.cat* ● *(à ne pas confondre avec la compagnie concurrente,* Barcelona City Tour, *moins intéressante). Formules 1 ou 2 j. au choix :* respectivement 23 et 30 € *(14 et 18 €* jusqu'à 12 ans). Ces bus fonctionnent 9h-20h (env 19h hors saison), et passent ttes les 10-15 mn (ou 25 mn hors saison). Même principe que la carte précédente, avec des réductions sur une vingtaine de sites, et en prime vous bénéficiez d'un accès illimité aux trois lignes de bus touristiques de la compagnie qui desservent les sites majeurs. Ça fait un peu piège à touristes (surtout à la belle saison, quand les queues aux arrêts de bus feraient fuir le plus fervent adepte des transports en commun !), mais le personnel est toujours prêt à vous aider (dans toutes les langues ou presque). Deux lignes (une rouge et une bleue) traversent toute la ville, avec des arrêts pratiquement au pied de chaque site. Également une ligne verte du côté du Port olympique et du Poble Nou. On peut monter et descendre du bus autant de fois que l'on souhaite, à n'importe quel arrêt (il en existe 44). Avantage : c'est très agréable aux beaux jours quand on peut profiter du 2e étage panoramique du bus. En plus, on peut très bien ne payer qu'une seule journée de bus (en profiter pour visiter les sites les plus éloignés, comme le park Güell) et utiliser les coupons de réduction librement (c'est-à-dire en marchant) le reste de la semaine... Là, ça devient rentable... Sans compter les piscines, la location de vélos, le téléphérique de Montjuïc et autre tramway bleu. Si vous avez l'intention de faire un marathon dans les musées, cela peut s'avérer un sérieux allié... Inconvénients : les places sont rares aux beaux jours, surtout sur l'impériale, et on ne voit presque rien quand on est à l'intérieur du bus ; et il manque aux réductions l'accès au musée Picasso.

– **Articket :** ● articketbcn.org ● On peut l'acheter aux guichets de la Caixa Catalu-nya, aux guichets des centres concernés, aux offices de tourisme de Barcelone ou sur leur site, et sur ● telentrada.com ● ou par tél (☎ 902-10-12-12). Valable 6 mois, il coûte 25 €. Il permet de visiter sept « centres » d'art à Barcelone, expositions temporaires comprises : le MNAC, le MACBA, la fondation Miró, la fondation Antoni-Tàpies, le CCCB, la fondation Caixa-Catalunya (c'est-à-dire la Pedrera) et le musée Picasso. Avantage : on s'évite les longues files d'attente.

– Si vous n'en êtes pas à votre premier séjour à Barcelone, l'**Arqueoticket,** axé sur les musées consacrés aux civilisations anciennes, peut être intéressant. Pour 14 €, cette carte, valable 1 an, permet d'accéder gratuitement à cinq musées : le musée d'Archéologie de Barcelone, le musée Barbier-Mueller d'art précolombien, le Musée égyptien, le musée d'Histoire de la ville et le Musée maritime. On se le pro-cure dans tous les offices de tourisme ou sur leur site, ou auprès des billetteries de chacun des sites.

– **La Ruta del modernisme :** la ruta recense 115 sites majeurs et propose un itiné-raire cohérent ainsi que toutes sortes de facilités pour les visiter. On peut se procurer le kit à un guichet spécial, le n° 1, de l'office de tourisme de la plaça de Catalunya (en sous-sol ; guichet ouv lun-sam 10h-19h, dim et j. fériés 10h-14h), sur ● rutadelmo dernisme.com ●, à l'hospital de la Santa Creu i Sant Pau (tlj 10h-14h) ou aux pavillons Güell (ven-lun 10h-14h). Rens : ☎ 93-317-76-52. La formule complète, à 18 €, com-prend un guide des 115 sites (avec une carte pour les situer), des coupons de réduc-tion sur les entrées des sites, ainsi qu'un petit guide des bars et restos installés dans des édifices modernistes, et un sac... pour trimballer tout ça. Pour 12 €, le guide (avec le plan) et les coupons de réduction, et c'est tout : mais c'est suffisant ! Atten-tion, un certain nombre de sites modernistes, en particulier ceux qui sont toujours en activité ou qui appartiennent à des particuliers, ne sont accessibles qu'en visites guidées à des horaires assez restreints, et la réservation est donc conseillée en pleine saison. Ça vaut donc la peine de bien planifier ces visites-là !

– Enfin, certains sites proposent des **billets combinés** : ainsi le museu Tèxtil i d'Indumentària, le museu de Ceràmica et le museu de les Arts decoratives (situés dans le palais de Pedralbes) sont accessibles avec un unique ticket ; de même, billet combiné pour le Reial Monestir de Pedralbes et le museu d'Història de la Ciutat de la plaça del Rei ; pour la Sagrada Família et la casa-museu Gaudí du park Güell ; pour le MNAC et le Poble Espanyol.

POSTE

Les timbres (segells, ou sellos en castillan) peuvent s'acheter dans les postes (cor-reus ou correos), ouvertes la plupart du temps de 9h à 14h en semaine, ou dans les bureaux de tabac (estancs ou estancos), reconnaissables à leur panonceau marron et jaune constitué d'un « T » stylisé. Tarif normal vers l'Europe : 0,65 €.

Pour les envois en poste restante (apartado de correos), indiquer : les nom et pré-nom du destinataire, Lista de correos, et la ville. Le courrier est conservé pendant 2 mois. Se munir d'une pièce d'identité pour le retirer.

En général, les services postaux sont plutôt lents et leur fiabilité n'est pas garantie à 100 %. Il n'est pas rare qu'une carte postale mette plusieurs semaines avant d'arriver à bon port.

SANTÉ

À Barcelone, pas de réel problème sanitaire, mais méfiez-vous tout de même de la chaleur et du soleil : prévoyez un chapeau, une crème solaire protectrice adaptée à votre type de peau, et pensez à boire souvent pour éviter la déshydratation.

Enfin, pour un séjour temporaire en Espagne, pensez à vous procurer la *carte européenne d'assurance maladie.* Il suffit d'appeler votre centre de Sécurité sociale (ou de vous connecter au site internet de votre centre, encore plus rapide !), qui vous l'enverra sous une quinzaine de jours. Cette carte fonctionne avec tous les pays membres de l'Union européenne (y compris les 12 petits derniers). C'est une carte plastifiée bleue du même format que la carte Vitale. Attention, elle est valable 1 an et c'est une carte personnelle (chaque membre de la famille doit avoir la sienne, y compris les enfants).

Vaccins

Aucun n'est obligatoire, mais il est préférable d'avoir son rappel antitétanique à jour, surtout si l'on fait du camping.

SITES INTERNET

● *routard.com* ● Rejoignez la plus grande communauté francophone de voyageurs ! Échangez avec les Routarnautes : forums, photos, avis d'hôtels. Retrouvez aussi toutes les informations actualisées pour choisir et préparer vos voyages : plus de 200 fiches pays, une centaine de dossiers pratiques et un magazine en ligne pour découvrir tous les secrets de votre destinations. Enfin, comparez les offres pour organiser et réserver votre voyage au meilleur prix. Routard.com, le voyage à portée de clic !

Infos et médias

● *elpais.es* ● *elmundo.es* ● Versions en ligne des grands quotidiens nationaux.
● *lavanguardia.es* ● Les nouvelles à la sauce catalane (mais aussi en castillan).
● *elperiodico.com* ● *Periódico de Catalunya,* le gros titre de la presse catalane peut aussi se consulter sur la toile.
● *paginasamarillas.es* ● L'équivalent des Pages jaunes, avec le même type de services en ligne.
● *gencat.cat* ● Le site du gouvernement autonome catalan, la Generalitat, pour être top informé sur la Catalogne et son actualité ! En catalan, en castillan et en anglais.

Artistes

● *salvador-dali.org* ● Site officiel de la fondation Gala-Salvador-Dalí. Pas tout à fait aussi délirant que le peintre, mais les bases de ce qu'il faut savoir sur Dalí ; sa biographie, celle de Gala, son égérie, les musées où sont exposées ses œuvres...
● *picasso.fr* ● Picasso, sa vie, ses œuvres... Le site officiel. Belle qualité d'images et chouette graphisme.
● *gaudidesigner.com* ● Un site clair et intéressant, en français, sur les grandes réalisations de Gaudí.
● *fundaciomiro-bcn.org* ● Le site de la fondation Miró, en anglais.

Insolite

● *custo-barcelona.com* ● Dans les années 1980, les frères Dalmau rapportent de leur voyage à travers le monde tout plein de couleurs qu'ils impriment sur des tee-shirts hors du temps, jamais vus en Espagne. Aujourd'hui, leur renommée est internationale, mais l'esprit reste le même : ne faire que des pièces uniques. Site à l'image du produit, haut en couleur !

● *chupachups.com* ● Entrez dans la saga *Chupa Chups* (la mythique sucette est née à Barcelone). Pour connaître son histoire, prendre de ses nouvelles, papoter entre gourmands sur son forum, bref... vous faire saliver ! Site plutôt sympa, plein d'interactivité, et en anglais !

Sports

● *fcbarcelona.com* ● LE site du *Barça,* avec l'historique, les vedettes, le programme des rencontres, le musée... pour les *socios* (les supporters du FC Barcelone !).

Spécial Barcelone

● *barcelonaturisme.com* ● Le site de l'office de tourisme, clair et complet, en catalan, castillan, anglais et français. Et la possibilité d'acheter en ligne et à l'avance certains des *passes* touristiques.

Voir aussi ● *bcn.cat* ●, site de la mairie de la ville, ● *turismepropbarcelona.cat* ●, sur la région de Barcelone, et ● *costadelmaresme.es* ●, spécialisé sur la côte de Barcelone-Maresme.

● *barcelona.com* ● C'est pas compliqué, (presque) tout ce qu'il faut voir ou savoir sur la capitale, des renseignements pratiques aux infos culturelles en passant par des idées de sorties. En anglais, castillan, catalan et français.

● *sonar.es* ● Faut-il encore présenter le festival Sonar ? En anglais.

● *sagradafamilia.org* ● Apprenez-en plus sur ce monument incontournable de Barcelone.

● *clubbingspain.com* ● *bcninternet.com/barcelona-nightlife* ● Comme leur nom l'indique, tous les liens pour être au courant de ce qui se passe dans les clubs.

● *gaybarcelona.net* ● Portail gay proposant actualités, reportages et adresses pour sortir.

TABAC

En Espagne, depuis le 1er janvier 2011, il est strictement interdit de fumer dans tous les lieux publics et sur les lieux de travail. Cette interdiction s'applique bien sûr à toutes les administrations publiques et entreprises privées, aux gares, aéroports, stations de métro, mais aussi aux restaurants, aux bars et aux boîtes, et aux espaces extérieurs faisant face aux écoles et hôpitaux. Petite exception à cette loi rigoureuse : les hôtels peuvent conserver 30 % de leurs chambres pour les fumeurs. Alors que l'Espagne était

> ## ON NE RIGOLAIT PAS AVEC LE TABAGISME
>
> *Rodrigo de Jerez, compagnon de Christophe Colomb, fut condamné à 10 ans de prison par l'Inquisition espagnole pour satanisme... En effet, on pensait que seul le diable pouvait sortir de la fumée par la bouche.*

l'un des pays les plus permissifs en la matière, cette nouvelle loi est l'une des plus sévères d'Europe. Elle est plutôt bien acceptée, même si elle fait grincer des dents un bon nombre de propriétaires de bars et de restos, dont le chiffre d'affaires a fort logiquement diminué. Les contrevenants se voient infliger de lourdes amendes, dont le montant augmente graduellement : 30 € à la première infraction, 600 € à la deuxième et 10 000 € à la troisième !

TÉLÉCOMMUNICATIONS, TÉLÉPHONE

Appels internationaux

– *Espagne* → *France :* 00 + 33 + numéro du correspondant à neuf chiffres (c'est-à-dire le numéro à 10 chiffres sans le 0).
– *France, Belgique, Suisse* → *Espagne :* 00 + 34 + numéro du correspondant à neuf chiffres (lignes fixes comme portables).
– *Espagne* → *Belgique :* 00 + 32 + numéro du correspondant à huit chiffres.
– *Espagne* → *Suisse :* 00 + 41 + numéro du correspondant à huit ou neuf chiffres.

Appels intérieurs

Pour les *appels locaux* (de Barcelone à Barcelone) et *nationaux* (de Barcelone à Sitges, par exemple), on compose directement le numéro complet à neuf chiffres.
– *Renseignements nationaux* (en Espagne) *:* ☎ *118-18 ou 118-88.*
– *Renseignements internationaux* (en Espagne) *:* ☎ *025.*

Cartes téléphoniques

Les cabines téléphoniques permettent d'utiliser des pièces ou une carte *(tarjeta).* Celle-ci s'achète dans tous les bureaux de tabac *(estancos),* dans les kiosques à journaux ou à la poste *(correos).* Plusieurs tarifs : de 6 à 12 €. À ce propos, *Correos* et *Telefónica* sont deux entités bien distinctes. Inutile donc de chercher un téléphone public à la poste !

PCV

– Faire le ☎ 1-008 (Europe et Afrique du Nord) ou le ☎ 1-005 (autres pays).
– D'Espagne, vous pouvez composer le service direct pour la France *(servicio directo país)* pour effectuer un appel en PCV (vers la métropole ou vers les DOM) : ☎ 90-099-00-33 si vous appelez depuis un appareil *Telefónica,* ☎ 900-990-24-42 si c'est un *Uni2.* Vous tombez alors sur *France Télécom.* La communication sera facturée à votre correspondant.
– Pour appeler en Belgique, la compagnie *Belgacom* vous propose le service *Belgique Direct* en composant le ☎ 90-099-00-32 (n° Vert) depuis l'Espagne. Une opératrice belge vous répond et vous permet, par exemple, de demander une communication en PCV en Belgique. Ce service existe dans de nombreux pays.

Autres informations utiles

– Les *téléphones portables français* passent, pour peu que vous ayez un abonnement international. Le coût des communications vers les portables est, comme chez nous, plus élevé que vers les postes fixes. Toutefois, si vous appelez ou que vous recevez un appel, les coûts de communication sont bien plus importants qu'en France. Gare à la note salée en rentrant chez vous ! Si vous êtes un fan du téléphone, on conseille donc – pour ne pas perdre contact avec votre tribu – d'acheter une carte SIM locale (réseau *Telefónica,* par exemple) dans les nombreuses boutiques spécialisées, présentes dans toutes les villes. On vous octroie alors un numéro de téléphone local (sur lequel vous pouvez être appelé) pour environ 25 €. Avant de payer, mieux vaut essayer la carte SIM du vendeur dans votre téléphone – préalablement débloqué – afin de vérifier si celui-ci est bien compatible. Pour recharger votre crédit de communication, vous achèterez des cartes un peu partout : supermarchés, tabacs, épiceries, boutiques spécialisées...
– À Barcelone et dans les grandes villes de la côte catalane, nombreux points de connexion Internet. Les grands hôtels en sont évidemment équipés, mais les cyber-

cafés sont plus sympas. Les *locutorios públicos* se développent beaucoup dans les villes : ouverts en général tous les jours et jusque tard le soir, ces petits centres de communication permettent de passer des appels internationaux à bas prix et de se connecter à haut débit pour pas cher. Souvent moins cher encore dans les quartiers étudiants. Les villes (et leurs hôtels, même modestes) mettent de plus en plus souvent en place des systèmes de connexion par wifi (avec un accès fréquemment gratuit), mais il faut alors avoir pensé à apporter son ordinateur portable...

– *Information aux citoyens :* il existe un service très pratique à Barcelone exclusivement, le ☎ 010 ; dès que vous vous posez une question d'ordre pratique (transports urbains et nationaux, dans quel magasin acheter tel objet...), composez ce numéro et, si vous parlez l'espagnol ou l'anglais, on essaiera de vous aider !

Urgence : en cas de perte ou de vol de votre téléphone portable

Suspendre aussitôt sa ligne permet d'éviter de douloureuses surprises au retour du voyage ! Voici les numéros des trois opérateurs français, accessibles depuis la France et l'étranger :

– *SFR :* depuis la France, ☎ 1023 ; depuis l'étranger, 📱 + 33-6-1000-1900.
– *Bouygues Télécom :* depuis la France comme depuis l'étranger, ☎ 0-800-29-1000 (remplacer le « 0 » initial par « + 33 » depuis l'étranger).
– *Orange :* depuis la France comme depuis l'étranger, 📱 + 33-6-07-62-64-64.
Le blocage de votre portable peut aussi se faire via Internet.

TRANSPORTS

Transports urbains à Barcelone

– *Renseignements :* ☎ 010 ou 012. ● emt-amb.com ● Un tuyau ! Il existe désormais une application pour iPhone ot autre smartphone que vous pouvez télécharger sur le site ● tmb.cat ● Vous aurez ainsi en permanence dans votre poche le plan interactif des transports barcelonais.

– Rappel : bus et métro urbains sont inclus à volonté dans la **Barcelona Card** (voir ci-dessus « Musées et sites. *Passes* et autres tickets groupés »). Par ailleurs, les transports sont gratuits pour les enfants de moins de 4 ans.

– Petit avertissement : les transports urbains sont variés et modernes, et la signalisation est en général claire. Seul risque de confusion : certaines stations comme Passeig-de-Gràcia, Plaça-de-Catalunya ou Sants, gros pôles de connexions, cumulent sur plusieurs niveaux en sous-sol plusieurs stations différentes : lignes de métro, ligne FGC et Cercanías (ou Rodalies), et même en plus les trains moyenne et longue distance en surface pour Sants.

LE MÉTRO

● tmb.cat ● Six lignes plus trois lignes de train (*Ferrocarrils de la Generalitat de Catalunya – FGC,* voir ci-dessous), numérotées et colorées, qui desservent quasiment l'ensemble des centres d'intérêt. Points de connexion des lignes importantes : Passeig-de-Gràcia, Diagonal et Catalunya. Très pratique, facile à comprendre, propre et climatisé.

– *Horaires :* fonctionne de 5h à minuit ; les vendredi et veilles de jours fériés, jusqu'à 2h ; les samedi et veilles de certains jours fériés importants (1er janvier, etc.), ouvert toute la nuit.

– *Tarifs :* à l'unité, le ticket coûte 1,45 €. Si vous êtes là pour plusieurs jours, prenez la carte *T-10,* qui donne droit à 10 trajets (8,25 €), aussi bien en métro qu'en bus et sur les trois lignes de train, y compris avec correspondance (mais pour des trajets de 1h15 maximum à chaque fois) ; sachez qu'elle peut être utilisée par plusieurs personnes à la fois. C'est sans conteste le moyen le plus commode et le moins onéreux pour se déplacer à Barcelone. Attention, la carte ne s'achète que dans les stations de métro, aux automates multilingues (ou aux guichets, mais ils tendent à disparaître). Veillez à ne pas la froisser, sinon elle ne passera plus à la machine à composter. Dans ce cas, adressez-vous au préposé qui la compostera lui-même. Pour les marathoniens du transport public, il existe des **cartes** permettant un nombre illimité de trajets en bus et métro sur 1 jour (la *T-Día*), 2, 3, 4 ou 5 jours (6,20-25 €), mais attention, c'est de date à date et non pas d'heure à heure ; 2 jours ne correspondront donc pas forcément à 48h ! D'expérience, ces cartes sont pratiquement impossibles à amortir (sauf la *T-Día* – 1 jour – et la *T-10*). Également la *T-50/30,* qui permet 50 trajets en métro pendant 30 jours et sur les deux lignes de train.

LE BUS

Plus de 80 lignes quadrillent efficacement toute la ville (plan disponible aux guichets des stations de métro, et affiché sur les arrêts d'autobus les plus importants). Les bus se distinguent par couleur et numéro. Pas toujours facile de trouver le bon. Chaque arrêt de bus affiche sur un panneau les bus qui s'y arrêtent et les trajets de chacun ; on parvient donc à s'y faire.

– **Horaires :** fonctionne de 6h30 (4h30 pour certains) à 22h (voire 30 mn plus tôt ou plus tard), y compris le dimanche. Certaines lignes fonctionnent 24h/24. Entre 22h30 et 5h (environ), les principaux trajets sont desservis par des bus nocturnes (les *Nitbus*).

– **Tarifs :** pour les cartes de transport, voir ci-dessus « Le métro ». À noter que l'on peut changer de bus avec un seul et même ticket à condition que le trajet final ne dure pas plus de 1h15.

– Il existe également deux compagnies de **bus touristiques** qui permettent, avec un forfait de 1 ou 2 journées (23 et 30 € pour les adultes, 14 et 18 € jusqu'à 12 ans), de visiter les points touristiques de son choix (voir plus haut notre rubrique « Musées et sites »).

➤ À noter : une ligne spéciale, le **Tibibús,** qui dessert le Tibidabo à partir de plaça de Catalunya. Seulement les week-ends et pendant les vacances en hiver (toutes les heures), tous les jours en juillet et août (toutes les 30 mn).

➤ **Liaisons avec l'aéroport :** *Aerobús,* départ de plaça de Catalunya *(centre F4).* Voir la rubrique « Arrivée à l'aéroport de Barcelone. Comment se rendre en ville ? » dans le chapitre « Barcelone. Adresses et infos utiles ». Aux heures de pointe, préférer le train (voir ci-dessous).

CERCANÍAS (OU RODALIES EN CATALAN)

Infos et horaires : ● renfe.es/viajeros/cercanias/barcelona ● Entre le train de banlieue pour ses destinations et le métro pour ses arrêts centraux (Plaça-de-Catalunya, Passeig-de-Gràcia, Estació-de-Sants, Arc-de-Triomf, Estació-de-França, etc.), un peu l'équivalent du RER parisien. Gérées par la RENFE, les lignes sont nommées C1, C2, etc. (attention, sur certains plans, leur numéro est précédé d'un R et non d'un C). Toutes passent par Estació-de-Sants, et desservent ensuite soit Passeig-de-Gràcia, soit Plaça-de-Catalunya.

– La ligne C2 (ou R10) dessert l'**aéroport** (la solution la plus sûre aux heures de pointe) : départs de Passeig-de-Gràcia (voir le chapitre « Arrivée à l'aéroport de Barcelone. Comment se rendre en ville ? » dans « Barcelone. Adresses et infos utiles »).

FGC

Infos et horaires : ● fgc.cat ● Entre le train de banlieue et le réseau régional, numérotées de L6 à L8, ou en R + numéro ou S + numéro. Quelques lignes intéressantes pour les visiteurs de passage. Deux terminus en pleine ville : Plaça-d'Espanya et

Plaça-de-Catalunya. De cette dernière, au sous-sol de la station, part entre autres la L7 à destination de Avinguda-del-Tibidabo (d'où vous prendrez le *Tramvia Blau*).

LE TRAMWAY

On le cite pour le principe, mais les trois lignes contournent le centre et ne desservent pas de quartiers notables pour le touriste.

LES TAXIS

Tous en jaune et noir. Ils pullulent, c'est donc en général très simple d'en attraper un dans la rue. La nuit, cherchez la lumière verte. Assez bon marché, avec un tarif de prise en charge de 2 € (4 à 5 € les jours fériés ou la nuit). Et sachez que la course minimale est à 7 €. Une course en ville vous coûtera rarement plus de 8 € ; compter minimum 20 € pour une desserte d'aéroport, dont un supplément de 3,10 € inclus. Et supplément pour les gros bagages et les animaux (ou pour le port). Curieusement, après, le prix au kilomètre est assez faible, donc durant la course cela augmente tout doucement. Très pratique pour passer d'un quartier à l'autre le soir. Infos et tarifs auprès de l'*Institut Metropolità del Taxi :* ● *taxibarcelona.cat* ● En cas de souci, réclamations au ☎ 93-223-51-51.
– *Objets perdus dans un taxi :* ☎ 90-210-15-64.

■ *Radio Taxi :* ☎ 93-225-00-00 ; *Fono   *☎ 933-300-300. Il y en a d'autres.
Taxi : ☎ 933-001-100 ; *Servi Taxi :*

Avis aux routards en voiture

Un vrai casse-tête dans le centre ! Faites très attention où vous garez votre véhicule, cela peut vous coûter très cher : la fourrière municipale est impitoyable. Une solution : le parking à la journée qui vous laisse l'esprit tranquille ; mais les tarifs sont prohibitifs ! On en trouve partout en ville, publics comme privés. Attention, ces derniers sont souvent fermés les dimanche et jours fériés ; renseignez-vous bien à votre arrivée.
– Autre solution : garer sa voiture à l'université et continuer en métro (ligne 3, station Zona-Universitaria ou Palau-Reial).

> ## VOITURE DE DROITE, VÉLO DE GAUCHE ?
>
> *Madrid, ville traditionnellement à droite, a toujours favorisé la voiture : grands parkings et voies larges. Les pistes cyclables ? Oubliées. En revanche, à Barcelone, le succès des locations de vélos est tel que l'on compte plus de 400 stations de bicyclettes. Beaucoup de Barcelonais ont même acheté leur propre vélo. À Barcelone, la mairie est socialiste...*

– À plusieurs reprises, des espèces d'embuscades sur les autoroutes ont été signalées dans la presse, à proximité de Barcelone. Si, pour une raison ou pour une autre, vous vous voyez contraint d'arrêter votre véhicule au bord de la route et de descendre, soyez vigilant (voir aussi « Dangers et enquiquinements » plus haut).

Se déplacer en Catalogne

LE TRAIN

Presque tous les trains (banlieue comprise) sont maintenant climatisés. Sur le réseau des trains de banlieue, la carte *InterRail* est globalement acceptée partout. Sur le réseau des trains grandes lignes, la carte *InterRail* et le billet BIJ sont valables (souvent avec un supplément). La réservation est obligatoire. Cependant, en Espagne, étant donné les maigres réductions accordées par la RENFE et la FEVE sur présentation de la carte *InterRail,* ce n'est pas forcément une solution intéressante.

– Comme dans nombre de pays, le tarif d'un billet de train dépend du jour et de l'heure, de la date, de la classe de réservation... Vous trouverez aussi des réductions selon l'âge (enfants et seniors en particulier). Enfin, sachez que prendre un aller-retour revient quasiment toujours moins cher que de prendre l'aller puis le retour séparément.

– Sur certaines grandes lignes intérieures, les lignes AVE en particulier, prévoyez une bonne marge pour vous rendre à la gare, car les bagages sont passés dans des machines de sécurité du même type que dans les aéroports avant d'être embarqués : cela prend forcément un peu de temps !

– **RENFE** (Red Nacional de los Ferrocarriles de España) : ☎ 902-320-320 (n° national). ● renfe.com ● Dans la plupart des gares, en plus des guichets normaux de vente, on trouve un guichet de atención al cliente. C'est le service commercial de la compagnie, auprès duquel vous pourrez obtenir toutes les informations utiles (avec ou sans couchettes, prix, départ, fréquences...). Ils sont généralement très pros et peuvent vous imprimer tout ça, histoire de vous permettre de comparer à tête reposée.

Pour réserver et retirer vos billets en France, une adresse (mais uniquement pour les trajets grandes lignes) :

■ **Iberrail France :** 57, rue de la Chaussée-d'Antin, 75009 **Paris.** ☎ 01-40-82-63-64. N° Indigo pour la province : ☎ 0825-079-200. Fax : 01-40-82-95-00. Ⓜ Trinité ou Chaussée-d'Antin. Représentant officiel de la RENFE en France. Tout se fera en français, moyennant une petite commission selon les billets !

– **Bon à savoir :** sur certaines liaisons régionales, on a également la possibilité d'utiliser le Bono 10, une carte de 10 trajets valables sur tous les trains régionaux. Par ailleurs, sur les courtes distances, le billet aller-retour en train s'avère souvent beaucoup moins onéreux que son équivalent en bus.

Enfin, il y a les Ferrocarrils de la Generalitat, pour toute la Catalogne. Rens au ☎ 93-205-15-15 ou sur ● fgc.cat ●

L'AUTOBUS

Aussi bien sur les axes majeurs que sur les routes secondaires où elles sont parfois les seules à proposer une liaison, les compagnies de bus peuvent être un bon recours pour ceux qui tiennent à économiser le plus possible sur leur transport ; le bus revient parfois plus de deux fois moins cher que le train (dans toutes les liaisons entre le Pays basque, Barcelone et Madrid, par exemple), et de manière plus originale sur les longs trajets. Comme c'est un mode de transport très utilisé, les gares routières et les compagnies de bus sont toujours très bien organisées. Cependant, malgré des bus récents et tout confort (avec AC et vidéo – uniquement les pires films des 10 dernières années), le train reste un peu plus rapide (pas toujours) et plus confortable. N'hésitez pas à comparer.

LA VOITURE

– **Attention :** comme dans toute l'Europe, en plus des deux traditionnels triangles de signalisation, un gilet fluorescent (à conserver **dans l'habitacle** à portée de la main et non dans le coffre) est obligatoire dans tous les véhicules (y compris étrangers) circulant en Espagne. Ce gilet devra être porté par tout automobiliste amené à quitter son véhicule sur le bord d'une route, sous peine d'une amende de 90 €. Ce type de gilet est en vente dans la plupart des stations-service.

Si la voiture n'est pas une bonne idée à Barcelone même, elle peut être pratique pour atteindre certains sites proches.

– Pour la plupart, les **stations-service** acceptent les cartes de paiement traditionnelles (MasterCard, Visa, Diners et parfois American Express et Maestro).

– **Les routes** sont refaites à neuf à peu près partout du nord au sud de l'Espagne. En général, d'ailleurs, le réseau est bon. À noter tout de même que les jours de pluie (oui, ça arrive), il convient de redoubler de prudence, même sur les autoroutes (signalées *A*), l'écoulement des eaux s'effectuant assez mal ; conséquence : de gros risques d'aquaplaning. Côté budget, les autoroutes sont plutôt moins chères qu'en France. Tout comme l'essence.

– **Les autovías,** qui correspondent à nos « voies express » (quatre voies avec un terre-plein central, signalées *AP*), sont comme elles gratuites.

CHARLES QUINT, UN SACRÉ ROUTARD

Son royaume était si vaste (Espagne, Pays-Bas, Autriche, Italie du Sud, Bourgogne) qu'il passa le tiers de sa vie sur son cheval. En plus, en guerre contre son ennemi François Ier, il ne pouvait pas traverser la France. Bonjour les détours ! En hiver toutefois, le roi de France lui donnait une autorisation exceptionnelle. À 56 ans, martyrisé par la goutte, il abdiqua pour s'enfermer au monastère de Yuste (en Estrémadure). Épuisé, il mourut 2 ans plus tard.

– **La limitation de vitesse** sur autoroute est de 110 km/h (et non de 130 km/h) et de 100 km/h sur 4-voies. Important également : les stops ne sont pas toujours matérialisés par une bande blanche au sol.

– Le port de la ceinture de sécurité est obligatoire pour les passagers, à l'avant comme à l'arrière.

– Le taux maximal autorisé d'alcoolémie est de 0,5 g/l (0,3 g/l pour les conducteurs possédant le permis depuis moins de 2 ans).

– Il est interdit de téléphoner au volant, même avec un kit « mains libres ».

– **Savoir-vivre au volant :** les Espagnols au volant nous ont semblé plus respectueux des autres et surtout moins hargneux et moins impatients que les Français : pas d'insultes, pas de coups d'avertisseur permanents...

– **Sécurité :** sachez que, comme partout, les vols dans les voitures arrivent, et parfois des braquages (notamment autour de Barcelone). Choisissez de préférence des parkings gardés et, surtout, ne laissez rien traîner sur les sièges ou la plage arrière. Mieux : ne laissez rien du tout ! Les bris de glace, même pour voler quelques livres, sont fréquents dans les voitures immatriculées à l'étranger. Voir nos conseils dans « Dangers et enquiquinements », plus haut.

– **Loueurs de voitures :** si vous décidez d'explorer les alentours de Barcelone en voiture, vous trouverez évidemment les principaux loueurs aux aéroports, gares, etc. Voir aussi, au début du chapitre « Barcelone », « Adresses et infos utiles. Location de vélos, de scooters et de voitures ».

■ **Auto Escape :** ☎ *0820-150-300 (n° gratuit).* ● *autoescape.com* ● *Vous trouverez également les services d'*Auto Escape *sur* ● *routard.com* ● Auto Escape *offre 5 % de remise sur la loc de voiture aux lecteurs du* Guide du routard *pour tte résa par Internet avec le code de réduc GDR5AE.* L'agence *Auto Escape* réserve auprès des loueurs de véhicules de gros volumes d'affaires, ce qui garantit des tarifs très compétitifs. Il est recommandé de réserver à l'avance.

■ **BSP Auto :** ☎ *01-43-46-20-74 (tlj).* ● *bsp-auto.com* ● Les prix proposés sont attractifs et comprennent le kilométrage illimité et les assurances. *BSP Auto* vous propose exclusivement les grandes compagnies de location sur place, assurant un très bon niveau de services. Les plus : vous ne payez votre location que 5 jours avant le départ et réduction spéciale aux lecteurs de ce guide avec le code « routard ». Et aussi :

■ **Hertz :** ☎ *0825-030-040 (0,15 €/ mn).* ● *hertz.com* ●

■ **Europcar :** ☎ *0825-358-358 (0,15 €/ mn).* ● *europcar.fr* ●

■ **Avis :** ☎ *0820-050-505 ou 0821- 230-760 (0,12 €/mn).* ● *avis.fr* ●

URGENCES

■ *Urgences européennes* (ambulances, pompiers, police) : ☎ *112.* Voici le numéro d'urgence commun à la France et à tous les pays de l'UE, à composer en cas d'accident, d'agression ou de détresse. Il permet de se faire localiser et aider en français, tout en améliorant les délais d'intervention des services de secours.

■ *Police nationale :* ☎ *091.*

■ *Secours divers :* guàrdia urbana *(police locale),* ☎ *092.*

■ *Informations médicales :* ☎ *061.*

■ En cas d'*accident de la circulation,* appeler les *Mossos d'Esquadra (équivalent catalan de la Guàrdia Civil ;* ☎ *088)* ou le *Central tráfico (*☎ *900-12-35-05).*

■ En cas de *perte* ou de *vol de l'un de vos biens,* faites une déclaration au commissariat le plus proche *(commissariat principal de Barcelone :* ☎ *93-290-30-00).* S'il s'agit d'une carte de paiement, faites immédiatement et impérativement opposition (voir plus haut la rubrique « Argent, banques, change »).

■ En cas de *gros pépin,* contactez le consulat général de France à Barcelone : ☎ *93-270-30-00. Fax : 932-70-30-49.* ● *consulfrance-barcelone.org* ● *Permanence consulaire :* 🖷 *699-30-07-49.* Voir, au début du chapitre « Barcelone », la rubrique « Adresses et infos utiles. Représentations diplomatiques » pour plus de détails.

L'abréviation « c/ », que vous retrouverez tout au long de ce guide, signifie tout simplement « calle » ou « carrer » (la version catalane), c'est-à-dire « rue ».

ARCHITECTURE ET DESIGN

Mosaïques colorées, volutes joyeuses et dragon rigolard, on pense immédiatement à Gaudí quand on évoque l'architecture de Barcelone. Mais ce créateur mystique et secret savait aussi observer et se nourrir de l'héritage du passé, qui a façonné la ville. Les ruelles médiévales, les vestiges de la muraille romaine, les cathédrales gothiques et les palais modernistes, c'est ce mélange baroque qui lui donne sa beauté insolite. De la période antique subsistent quelques vestiges de la muraille qui entourait la ville au IVe s (visibles dans le parcours souterrain du museu d'Història de la Ciutat). L'art gothique et son caractère flamboyant ont eu raison des monuments romans. En revanche, il reste dans le nord de la région de très belles églises romanes : la vieille Catalogne en dénombre environ 2 000 ! On peut admirer des fresques colorées (originales) et des peintures sur bois, des Vierge à l'Enfant et des christs sereins au musée national d'Art de Catalogne de Barcelone.

Ici, les amateurs d'art gothique seront comblés : ils découvriront les caractéristiques du *gothique catalan,* qui connut son apogée sous le règne de Jaume Ier (prononcer « Jaoumé Primèr », à la catalane !) : des églises moins hautes mais plus larges, solidement appuyées sur leurs contreforts, avec un chœur disposé au centre de la nef principale. Le toit est généralement plat, sans flèche ni pinacle – à l'exception de la cathédrale et ses trois orgueilleuses flèches dentelées. Cette dernière est à visiter absolument, avec son cloître abritant depuis des temps immémoriaux 13 oies, en hommage à sainte Eulalie, martyrisée alors qu'elle n'avait que 13 printemps. Santa María del Mar ou Santa María del Pi sont moins imposantes mais valent la visite, dans la lumière tremblotante de centaines de bougies rouges allumées par les fidèles. La *Renaissance* et le *baroque* ont en revanche laissé peu de traces à Barcelone, si ce n'est des éléments de décoration rajoutés sur des façades gothiques.

L'éclat du modernisme

Ce qui fait l'image de marque de la ville, c'est bien sûr la délirante *Sagrada Família,* la *Pedrera* et le *park Güell.* Autant d'œuvres signées Gaudí (prononcer « Gâodi ») et nées du mouvement artistique et culturel appelé ici « modernisme » ; en France, on dit Art nouveau. Les *modernistas,* c'est un mouvement d'architectes et de créateurs, né à la fin du XIXe s (un peu avant l'Art nouveau en France et le modern style en Angleterre), qui préférait les motifs mauresques et Renaissance au néoclassicisme, la simplicité de la brique à la froideur de la pierre, les motifs floraux aux frises antiques, les courbes aux lignes droites. Il y eut *Gaudí,* mais aussi *Lluís Domènech i Montaner, Puig i Cadafalch,* ou encore *Josep María Jujol,* qui dessinèrent des maisons poétiques et imaginatives. Chez Gaudí, plus que chez tout autre, les moindres détails ont leur importance, de la poignée de porte à la grille de balcon. Avec leurs mosaïques colorées et leurs formes arrondies, on dirait ces constructions sorties des contes de notre enfance, semées dans les rues de Barcelone par un Petit Poucet distrait et rêveur.

Le célébrissime bloc de maisons sur le *passeig de Gràcia,* entre le n° 35 et le n° 43, surnommé la *Manzana de la Discordia* (un jeu de mots difficile à rendre, puisque *manzana* en espagnol se traduit par « pomme » ou par « pâté de maisons »), est un bon résumé de la variété créatrice du modernisme. Les édifices y sont, à l'instar de la Pedrera, incontournables. Mais d'autres moins connus valent le détour : le palau Güell, la casa Sayrach (Diagonal, 423), propriété privée, ou la casa Berenguer (calle Diputació, 246), elle aussi privée mais transformée en bureaux (il est donc possible d'y jeter un coup d'œil). Le fabricant de chemises sur mesure *Xanco* (la Rambla, 80) ou le magasin de design contemporain *Vinçon* (passeig de Gràcia, 96), le chocolatier *Escribà* (la Rambla, 83) et l'hôtel *España* (carrer Sant Pau, 9) offrent aussi leurs volutes et leurs dorures aux curieux.

L'audace d'aujourd'hui

Voulant préserver son image de ville audacieuse et entreprenante, la métropole a investi dans des projets architecturaux d'envergure : lors de sa grande toilette pour les J.O. de 1992, 150 architectes ont planché sur 300 monuments ! À visiter, pour la démesure de son architecture et non pour son concept ludico-commercial (auquel on est plutôt allergiques), l'étonnant *Maremagnum,* un complexe en plein port, auquel on accède par une passerelle suspendue au-dessus de l'eau, avec restos géants de fruits de mer, boutiques haut de gamme, boîtes de nuit sur trois étages et minigolf en terrasse.

Dans le *Barri Xino,* un ancien quartier mal famé en pleine réhabilitation, deux bâtiments ultramodernes se côtoient : le *Centre de culture contemporaine de Barcelone (CCCB),* construit sur un ancien hospice de charité, la casa de caritat, et dessiné par Helio Piñon et Albert Viaplana ; et le *musée d'Art contemporain (MACBA),* un mini-Beaubourg tout blanc dessiné par Richard Meier, qui mêle harmonieusement lignes droites et courbes. Ceux qui s'intéressent à l'architecture contemporaine peuvent aussi aller voir le gratte-ciel couché de Rafael Moneo, au bout de l'avenue Diagonal, le Théâtre national de Catalogne, de style néoclassique, conçu par Ricardo Bofill, près de la plaça de les Glòries Catalanes, les deux immenses tours, la Mapfre et l'hôtel *Arts* qui répondent aux flèches de la Sagrada Família, ainsi que la baleine de bronze de Frank Gehry, tous les trois en bordure du Port olympique.

Et parmi les plus récentes et qui firent beaucoup jaser, la *torre Agbar,* conçue par l'architecte français Jean Nouvel (créateur également du parc del Poblenou, à quelques enjambées), et l'hôtel *W* (œuvre cette fois-ci du Catalan Ricardo Bofill) dont la masse imposante se dresse à la pointe de la Barceloneta.

Design

Branchée et inventive, Barcelone aime le design. Cette créativité a certainement une origine historique : puisqu'ils furent pendant longtemps interdits de commerce avec le Nouveau Monde, les Catalans durent produire leurs propres richesses. Dépourvue de matières premières, la région se spécialisa dans l'industrie de transformation : verre, textile, céramique, cuir, bois, métal, etc. Le concept d'œuvre totale, inventé par le modernisme, qui estimait qu'un architecte devait pouvoir concevoir non seulement la maison, mais aussi son mobilier, a certainement joué aussi un rôle dans ce bouillonnement créatif. Barcelone compte sept écoles de design ou organismes, dont la FAD *(Foment de les Arts decoratives),* née en 1903, la plus prestigieuse et la plus ancienne. Elle décerne un prix chaque année au meilleur dessinateur.

Tous les 2 ans, au mois d'avril, a lieu dans la ville le *Printemps du design,* un circuit de galeries, boutiques et bars qui exposent les dernières inventions du cru. *Xavier*

Mariscal, qui crée B.D., céramiques, affiches, logos, etc., est un bon exemple de designer à la mode barcelonaise : il signe aussi des lampes et des tabourets rigolos et pleins de couleur. On peut citer également *André Ricard,* qui magnifie l'ouvre-boîte et le déodorant ! Comme autrefois à l'époque moderniste, les designers d'aujourd'hui travaillent le bois, la céramique et le verre, mais aussi le plastique et le carton. Leurs outils ? La poésie et l'humour !
– Exemple révélateur de l'imagination en matière de design, le groupe familial *Tragaluz* met l'accent sur le style et la personnalité de ses établissements : l'hôtel *Omm* (chic et très cher) ou les restaurants design comme le *Tragaluz* (dans l'Eixample) et l'*Agua* (le long de la plage), mentionnés dans notre guide, valent à ce titre le détour.
– La plupart des hôtels design de Barcelone offrent des tarifs assez élevés (plus de 100 € la chambre double), comme l'un de nos coups de cœur, l'hôtel *Banys Orientals.*

BOISSONS

Non alcoolisées

– *La orxata* (prononcer « horchata »), que l'on traduit, à tort, par orgeat, est une des boissons les plus rafraîchissantes qui soient. D'origine valencienne, elle est très populaire dans toute l'Espagne. On en repère les points de vente, qui fleurissent partout en été, aux grosses centrifugeuses blanches. Mais si l'orgeat est une boisson à base d'amandes, la *orxata* est fabriquée avec le suc des tubercules et des tiges de la *chufa* (en français, le souchet jaune), une sorte de papyrus qui pousse dans les marais du Guadalquivir. Bon et rafraîchissant, avec une texture qui rappelle celle du lait (en plus farineux quand même). La recette semble héritée des Arabes. Il existe aussi des *horchatas* d'amandes et d'orge – et même de riz – au Mexique.
– On trouve aussi le *granistsa* (ou *granizado* en castillan) : du jus de citron ou d'orange, ou du café avec de la glace pilée dans de grosses centrifugeuses. Sucré, glacé et pas cher.
– *Le café* est de tous les petits déjeuners. Les Espagnols l'apprécient particulièrement au lait *(café con leche)* – lait chaud ou lait froid, à vous de choisir. Si vous le voulez noir, demandez un *café solo* – ou un *cortado* si vous le préférez juste avec une touche de *leche.* Un allongé se dit *café largo,* mais les Espagnols ne l'aiment guère, ce traître à son espèce... Et puis : *café helado* (glacé) ou *café con hielo* (servi chaud mais avec un verre rempli de glaçons).
– Autre incontournable espagnol depuis la découverte des Amériques, le *chocolat chaud* ne ressemble pas au nôtre. Ici, ce n'est pas un breuvage clairet à l'eau, mais une boisson riche et nourrissante, épaissie à la fécule, dense en arômes, faite tout exprès pour y tremper les fameux *churros,* ces beignets allongés du petit déj. Un régal quand c'est bien fait, mais point trop n'en faut ! À noter, pour la petite histoire, que les Espagnols ont dû obtenir une dérogation de l'UE pour continuer à épaissir leur chocolat avec de la fécule de maïs par exemple...

Alcoolisées

– *La bière (cerveza) :* la boisson la plus répandue, certes ! Pour vous éviter des déconvenues, sachez que dans un bar, *una cerveza* est une bière en bouteille (*un quinto* = 20 cl ; *una mediana* = 33 cl), une bière à la pression se dit *una caña* (25 cl), *un tubo* (33 cl), ou *un tanque* ou *una jarra* (50 cl).
– *Le vin :* le berceau de la viticulture catalane se trouve à quelques kilomètres de Barcelone, dans la région du Penedès. Aux cépages traditionnels (*garnatxa, carinyena, ull de llebre,* entre autres, pour les vins rouges ; *macabeu, xarello, parellada,*

pour les blancs) se mêlent désormais des cépages européens : cabernet-sauvignon, riesling, chardonnay, gewürztraminer. Il en résulte une grande variété de crus. De manière générale, privilégiez l'appellation DO *(denominación de origen)* : si elle figure sur l'étiquette de votre bouteille, c'est un gage de qualité. Neuf crus catalans portent l'appellation DO, la région du Penedès produisant à elle seule deux millions d'hectolitres par an. On trouve des vins rouges à la belle robe sombre et au goût puissant, produits dans les montagnes au-dessus de Tarragone (Priorat), qui titrent jusqu'à 16° ! À ne pas négliger non plus, la DO Costers del Segre *(garnatxa,* cabernet, merlot, monastrell...) au nord de Lleida.

– *Le vermuth al grifo :* littéralement, « vermouth au robinet ». Il s'agit de vin cuit (en général d'Andalousie, mais pas nécessairement) macéré avec des herbes et livré dans des petits fûts avec de l'eau gazeuse. On le tire un peu comme de la bière à la pression. C'est léger, rafraîchissant, mousseux et ça n'a rien à voir avec les vermuths en bouteille. À consommer avec beaucoup de tapas, car ça monte vite à la tête.

– *Le cava :* c'est le champagne catalan, bien qu'il soit interdit d'utiliser cette appellation depuis l'entrée de l'Espagne dans l'UE. C'est donc un vin pétillant, qui fermente une seconde fois après la mise en bouteilles. Très agréable à boire, avec un côté plus fruité et plus vert que notre champagne national. Le meilleur de tous est, d'après les amateurs, le Raïmat, fabriqué à partir de chardonnay.

> ### CAVA OÙ ? ÇA VA PAS !
>
> *Miró avait dessiné l'étiquette d'une célèbre marque de cava, qui ne put être commercialisée parce que le peintre avait utilisé le mot « champagne », marque déposée et jalousement protégée par les Français. Non mais !*

Dans les linéaires, on trouve en majorité Freixenet et Codorniú dans les produits grand public.

– Enfin, ne passez pas à côté du *moscatel* (sorte de vin doux), qui se consomme exclusivement en fin de repas ou avec certains desserts, comme le *mel i mató* (voir plus loin « Desserts » dans « Cuisine. Spécialités catalanes »).

CASTELLERS

Il existe une tradition toute catalane, qui demande équilibre et sens de la solidarité, placidité et mollet d'acier : les *castells,* ou châteaux humains. Cette coutume remonterait aux croyances solaires... Cherchait-on à décrocher le soleil, comme on voudrait parfois décrocher la lune ? Elle se pratique en équipe *(colla)* et consiste à bâtir les étages d'une pyramide humaine la plus haute et la plus stable possible. Les *castellers* les plus audacieux parviennent à réaliser des tours de neuf étages ! Il existe aujourd'hui 58 équipes de *castellers,* ou « sociétés », dont certaines, comme la fameuse *colla Vella*, ont plus d'un siècle d'existence. Mais on a retrouvé à Tarragone des documents du XVIIIe s qui en parlaient ! Les règles du jeu sont simples : d'abord constituer une *pinya,* une sorte de mêlée compacte, à laquelle participe la population du village : sur cette base s'élève le château, par étages de trois ou quatre personnes, jusqu'à l'*agulla,* le pinacle, généralement représenté par un enfant.

Les plus importantes, qui raflent souvent toutes les distinctions dans les concours, sont la *colla Vella Xiquets* de Valls et la *colla Joves Xiquets* de Valls.

– Renseignez-vous à l'office de tourisme : il y a parfois en juin des *castells* à Barcelone (le 2e dimanche de juin), plaça de Catalunya ou dans les fêtes de quartier. Sinon, il vous reste à les pister à travers la région, lors des *festes majors* (fêtes locales), ou à vous scotcher devant la télé, qui en retransmet régulièrement.

CUISINE

Pas toujours évident de s'y retrouver pour un non-initié affamé. Perdu dans la jungle des *bodegas,* des *tascas* et des *marisquerías,* sans compter les horaires des repas et cette énorme variété de plats... Il faut se laisser tenter, oser plonger dans la foule à la recherche du comptoir et de ses éternels *jamones,* choisir un plat sans forcément comprendre ce qu'il y a dedans... c'est en goûtant qu'on devient connaisseur !

Dans les bars à tapas, on peut, selon son appétit ou tout simplement pour goûter à plusieurs spécialités, commander des portions de différentes tailles (voir plus loin la rubrique « Les tapas »). La clientèle s'installe au comptoir, bien que certains établissements disposent de tables dans le bar ou en terrasse. Il faut savoir que manger à table coûte beaucoup plus cher qu'au bar. Nombreux sont les établissements à combiner le bar à

UNE AUBERGE ESPAGNOLE

Autrefois, dans ces auberges, on pouvait y dormir. Par contre, la nourriture venait souvent à manquer ou était de piètre qualité. Voilà pourquoi il était conseillé de venir avec ses propres victuailles. L'expression indique aujourd'hui un lieu où l'on trouve... ce que l'on apporte.

tapas avec quelques tables façon *taberna* et une salle de resto plus chic séparée. Comme ça, il y en a pour tous les goûts et tous les budgets. La plupart proposent à l'heure du déjeuner des menus à petits prix, mais dans les restos touristiques, question cuisine, c'est souvent assez mauvais. Théoriquement, ils sont même tenus d'afficher un *menú del día.* Bon, obligés, obligés... dans le texte...

Attention à ne pas vous emmêler les pinceaux : *bocadillo* signifie sandwich, *sandwich* (en espagnol) signifiant toast ou croque-monsieur, tandis que *tostada* veut dire pain grillé.

De l'huile d'olive et de l'ail, du soleil et de la patience : voilà les principaux ingrédients de la cuisine catalane ! Cette *cuina* (nom catalan pour cuisine) a des racines phéniciennes, grecques et romaines, et l'un des premiers livres de cuisine espagnols a été écrit au XVe s, en catalan, par Rupert de Nola, cuisinier du roi Alfons el Magnànim. On trouve ici une cuisine métissée et savoureuse, qui ne craint pas de mélanger la terre et la mer, le sucré et le salé, le miel, la cannelle, les amandes, les pignons et les fruits secs. La charcuterie *(embotits)* est âpre et vigoureuse, indifféremment crue ou cuite, comme les *boutifarres (botifarra),* un boudin noir préparé avec de la viande de porc mêlée au sang, le jambon cru ou le *fuet* (saucisse sèche). La **botifarra de l'Empordà** est sucrée et parfumée de zeste de citron et de cannelle, une recette qui date du Moyen Âge. Plus on entre dans les terres, plus on rencontre sur les tables des **llonganises** (saucisses) et autres plats tenant bien au corps. Les Catalans sont également très friands de champignons, qui poussent en abondance dans la région, et d'escargots. Bref, vous l'aurez compris, ne vous évertuez pas à commander de la *paella valenciana...* La paella que l'on trouve parfois en Catalogne est aux fruits de mer. Même chose pour le gaspacho et le flamenco, qui ont autant de points communs avec l'endroit que le rap avec Nicoletta.

Spécialités catalanes

PLATS

– **Pa amb tomàquet :** tranches de pain frottées d'ail et de tomate, arrosées d'huile d'olive et salées, servies tièdes ou chaudes dans presque tous les restos, parfois en remplacement du pain ou en guise d'accompagnement. Simple et savoureux.
– **Escalivada :** servie tiède ou froide, impeccable pour accompagner charcuterie ou fromage, c'est un assortiment d'aubergines, d'oignons et de poivrons grillés et confits au four.

– *Romesco :* une sauce de Tarragone, composée de tomates, pain frit et amandes grillées, parfumée à l'ail et aux piments rouges (appelés *nyoras*), vinaigre, herbes et épices.

– *Calçotada :* une véritable institution catalane ! Au printemps, à la saison des oignons nouveaux, tous les restos de Valls et de la région font la *calçotada.* Au menu : les *calçots,* c'est-à-dire des oignons nouveaux grillés au feu de sarments, qu'il faut littéralement « décalotter » de leur peau première et déguster religieuse-ment (c'est délicieux), trempés dans la fameuse sauce *romesco.* Ensuite, *botifarra* et *llonganissa* (saucisses) avec des haricots secs et côtes d'agneau grillées. Le tout arrosé de vin de Tarragone, le priorat. Pour terminer ces agapes, crème catalane avec l'incontournable *cava,* puis café, cognac et… *puro* (cigare). À l'heure actuelle, avec l'usage de la congélation, la *calçotada* se sert toute l'année, car on congèle les *calçots* (oignons) au moment de la récolte. Dernière chose, ce repas nécessite un bavoir pour chaque convive et des serviettes en papier. Mais on s'amuse bien !

– *Conill amb cargols :* lapin cuit dans une sauce très parfumée avec des escargots.

– *Eisqueixada :* délicieuse salade à base de morue dessalée, accompagnée de tomates, oignons…

– *Botifarra amb fesols :* saucisse catalane accompagnée de haricots blancs, sou-vent au menu dans les Pyrénées et servie avec l'*allioli*.

– *Sarsuela :* un plat dont l'origine remonte à la fin du XIXe s, à base de poissons à chair ferme revenus à l'huile d'olive, puis mitonnés avec tomates concassées, ail, oignons, cannelle, *jérez,* laurier et paprika. À la fin, on flambe au rhum ou au brandy et on ajoute langoustines, calamars, moules et petites palourdes.

– *Suquet de peix :* bouillabaisse locale à base presque exclusivement de poissons de roches.

– *Fideuà :* un plat qui ressemble à la paella (même type de cuisson), avec crevet-tes, langoustines et poulet, poivrons et tomates, mais dans lequel les pâtes (une sorte de vermicelles) remplacent le riz. On déguste ce plat tout le long de la côte méditerranéenne, jusqu'à Valence.

– *Mar i muntanya :* figure du renouveau catalan, il s'agit d'une cuisine moderne mariant la terre et la mer. Toutes les combinaisons sont possibles, tel l'assemblage poulet-langoustines…

– *Parillada :* assortiment de poissons et crustacés simplement grillés *(a la plancha)* et arrosés d'huile d'olive fruitée. On trouve ce plat tout le long des côtes espagno-les. Assez cher mais souvent extraordinaire.

– *Escudella i carn d'olla :* le pot-au-feu local. Des viandes, des saucisses et des légumes cuits ensemble dans une grande marmite. Le bouillon est consommé en entrée, accompagné de pâtes. Pour Noël, il est accompagné d'une dinde farcie aux prunes, pommes, abricots, pignons et saucisse !

– *Peus de porc estofat :* pieds de porc à l'étouffée, purée d'oignons, tomates, ail, vin et *picada* (voir plus loin).

– *Arròs negre :* riz à la seiche, cuisiné avec l'encre de la bestiole (ce qui lui donne une couleur noire, d'où son nom).

– *Faves ofegades :* plat de fèves tendres aux lardons et à la *botifarra* noire et blan-che, petits pois frais et menthe.

– *Bacallà a la llauna :* morue *(bacallà)* cuite sur une plaque *(llauna)* et arrosée de sauce à l'ail, au piment et aux tomates, accompagnée de poivrons grillés.

– *Bacallà amb panses i pinyons :* morue farinée aux raisins, pignons de pin, sauce tomate et œuf mollet.

– *Mariscada :* plateau de fruits de mer, où les langoustines et crevettes (et homard, s'il y en a) sont passés à la poêle, avec de l'huile d'olive et de l'ail.

– *Daurada a la sal :* daurade en croûte de sel.

– *Niu :* morue séchée, entrailles de morue et petits oiseaux (pour les courageux seulement !).

– *Picada :* sauce préparée avec des amandes, de l'ail, des pignons, des noix, des noisettes, du pain et du persil, le tout pilé dans un mortier avec de l'huile.

– **Sofregit** (*sofrito* en castillan) *:* sauce à base de tomates et oignons hachés menu et frits dans l'huile d'olive.
– **Samfaina :** ratatouille catalane.
– **Tiró amb naps :** canard aux navets.
– **Coca de recapte :** tourte maison composée d'un lit d'oignons, d'aubergines, de piments rouges pelés...
– **Cassola del tros :** civet de porc confit, de lapin, d'escargots accompagnés de pommes de terre, épinards, poivrons grillés... hmm !
– **Allioli :** ici, on le prépare avec de l'huile d'olive et de l'ail, sans jaune d'œuf.
– **Xató :** plat typique, originaire de Sitges, que d'autres villes ont repris en l'arrangeant « à leur sauce ». À base de salade accompagnée de morue, de thon et d'olives, le *xató* est souvent servi avec la sauce *romesco*. Il fait l'objet d'une fête populaire, la Xatonada, célébrée dans plusieurs villes, dont Sitges bien sûr, pendant son festival en février. Démonstration à l'appui des spécialistes en la matière, les *xatoneros* !

DESSERTS

– **Crema catalana :** notre crème brûlée nationale s'est inspirée de la catalane ! Précisons quand même que la recette originale est beaucoup plus savoureuse, et parfumée à l'anis, à la cannelle ou à la vanille.
– **Mel i mató :** fromage blanc de brebis qui a la texture de la ricotta italienne et est arrosé de miel.
– **Pastisset :** gâteau moelleux à l'anis.
– **Menjar blanc :** à base d'amandes et de cannelle.
– Et encore les *braços de gitanos,* les *becs d'Arbeca* et les *cremes cremades* des grands-mères.

Autres spécialités culinaires nationales

– **La tortilla :** omelette servie froide ou chaude, le plus souvent avec pommes de terre *(patatas),* voire aux fines herbes, aux queues d'écrevisses (rare), au chorizo ou encore aux oignons, tomates, lardons, petits pois, etc.
– **Le cocido :** sorte de pot-au-feu avec plus ou moins de variantes, servi en plat de résistance.
– Côté douceurs, les **churros,** ces bâtons de pâte à crêpes frits, les **porras** (gros *churros*) et les **buñuelos** (beignets) sont probablement les meilleures pâtisseries de la péninsule. Trempés (sans honte) dans le traditionnel chocolat chaud bien épais, c'est le petit Jésus en culotte de velours ! Autres délices, le plus souvent à base de lait et d'œufs : la **leche frita,** sorte de béchamel sucrée et épaisse d'origine andalouse, refroidie puis coupée en gros carrés frits dans l'huile et ensuite saupoudrés de sucre ; le **tocino del cielo** (gâteau aux cheveux d'ange) ; les **natillas,** crème anglaise épaisse et parfumée à la cannelle ou au citron ; l'**arroz con leche** (riz au lait) ; les **torrijas,** l'équivalent de notre pain perdu...

Les tapas

D'où vient la tradition des tapas ? Sachez que dans les couloirs de la rédaction du *Guide du routard,* une querelle fait rage. Un peu similaire à celle des Anciens et des Modernes. Les anciens affirment que l'origine des tapas est d'émanation royale. En effet, pour lutter contre l'alcoolisme, un roi, dont on a oublié le nom, aurait obligé les débits de boissons à poser une assiette avec un en-cas sur le verre de vin. Les modernes, eux, soutiennent que les tapas auraient été créées dans un dessein uniquement utilitariste, pour éviter que les mouches ne tombent dans le verre de vin. Comme ça faisait un peu tristoune, une soucoupe vide, on ajouta une olive pour faire joli. Dans une théorie comme dans l'autre, *tapar* signifiant « boucher », l'en-cas prit rapidement le nom de *tapas*.

À Barcelone (comme dans le reste de l'Espagne d'ailleurs), tous les bars, populaires ou branchés, proposent des tapas mais ne l'affichent pas forcément. Demander « *¿ de tapeo, qué hay ?* ». Parmi les nombreuses spécialités, voici les plus courantes : le *pa amb tomàquet* est basique mais il peut s'accompagner d'*escalivades* (légumes confits), de *pebrots* (poivrons ou *pimientos* en castillan), d'*anxoves* (anchois ou *boquerones*). On trouve aussi des olives, des portions de *bacallà* (morue ou *bacalao*), des parts de *tortilla* (délicieuse omelette aux pommes de terre et oignons), des *buñuelos* (beignets aux légumes, au fromage, à la saucisse...), des *amanides* (salades ou *ensaladas*) aux riz, poivrons, fruits de mer *(mariscades),* etc. La simple salade de tomates et petits morceaux de fromage, arrosée d'huile d'olive, est délicieuse. Sans oublier les assortiments de charcuterie ou de fromages. On peut, selon l'importance de son appétit ou tout simplement pour goûter à plusieurs spécialités, commander *una tapa* (une toute petite portion), *una mitja ració* (une demi-assiette ou *media ración*) ou *una ració* (une assiette entière ou *ración*). Autrefois, le prix des tapas était compris avec la boisson. Mais aujourd'hui, les tapas sont facturées à part, à l'exception des olives et cacahuètes servies parfois gracieusement avec la bière.

Si c'est la première fois que vous débarquez en Espagne, vous vous demanderez probablement pourquoi le soir, quel que soit le jour, les bars sont bondés. Tout simplement parce que les Espagnols ont l'habitude de téléphoner à leurs potes pour « aller de tapas en tapas » *(ir de tapas).* Ils se donnent tous rendez-vous dans leur bar favori et parcourent les *mesones* au gré de leurs envies et des spécialités des maisons. Ici, *morcillas,* là, *tortillas.* On mange debout en s'essuyant le coin du bec avec les serviettes en papier cigarette ; c'est souvent moins formel qu'un resto où l'on doit s'asseoir et attendre les plats, faire risette au serveur, se faire servir du vin. Pour les néophytes, il ne faut pas avoir peur d'insister auprès des serveurs : ils sont souvent débordés, et il leur arrive d'oublier carrément la commande.

– À Barcelone, nombre de bars branchés servent maintenant des *pintxos,* sorte de tapas nouvelle version, souvent sous forme de petits canapés, percés d'une petite pique en bois. Chauds ou froids, ils arrivent au bar sur de grands plateaux, et c'est à chacun de se servir. Une fois rassasié, vous réglez l'addition *(la cuenta)* en annonçant vous-même le nombre de *pintxos* consommés (en gros, chaque *pintxo* coûte entre 1 et 2 €, parfois quelques centimes de plus pour les préparations chaudes ou plus élaborées). Gardez précieusement les piques plantées dans les *pintxos,* le calcul sera plus facile. C'est quand même très beau la confiance...

La charcuterie ibérique

L'Espagne est célèbre pour ses jambons depuis la plus haute Antiquité. Si le *Serrano* est un bon jambon de montagne, à l'ancienne, on est très loin du trésor gastronomique que peut être le jambon ibérique. Le porc ibérique est une race rustique, proche du sanglier, élevé en liberté dans le Sud-Ouest espagnol, dans la *Dehesa.* Assez loin, donc, de Barcelone et de la Catalogne. Pourtant, pas un resto, pas un bar à tapas digne de ce nom n'oublierait d'inscrire ce pur délice à sa carte. Se nourrissant de glands et d'herbes sauvages, sa chair et sa graisse ont un parfum et un fondant exceptionnels. Il n'a pas d'équivalent, et certains le considèrent d'ailleurs comme le meilleur jambon du monde... On l'appelle aussi communément *pata negra* (allusion à la race de porc) ou *jabugo* (du nom d'un des villages producteurs). Sa qualité est certifiée par le label *Real Ibérico* ; le terme *bellota* désigne le top du top... Comme ailleurs, ce cochon avait failli disparaître au profit de races plus productives. Il représente aujourd'hui plus de 5 % du cheptel, et son goût incomparable fait sans cesse de nouveaux adeptes... Le pari semble gagné.

Après 2 ans de longue maturation, le jambon est enfin prêt à être dégusté, à température ambiante, coupé à la main, en tranches fines, en le laissant fondre dans la bouche afin de bien s'imprégner des parfums.

Ce jambon haut de gamme est bien sûr hors de prix. Si vous voulez rester sage, vous pouvez aussi vous rabattre sur l'épaule, bien moins chère... Souvent décriée, la chair peut en être tout aussi savoureuse.

Le porc ibérique ne produit pas seulement d'excellents jambons. On trouve également du *lomo* (filet mignon de porc fumé), du chorizo et toutes sortes de saucisses et saucissons... Là aussi, la différence est nette.

Et on mange où ?

Voici, en résumé, les différents établissements que vous rencontrerez...
Parmi les *bars,* plusieurs variétés :
– *tasca :* bar dédié aux tapas, on mange accoudé au comptoir ;
– *cervecería :* bar à bières ;
– *bodega :* cave à vins ;
– *taberna :* taverne.
Parmi les *restaurants,* on distingue :
– *mesón :* resto fonctionnant sous la même enseigne qu'un bar mitoyen, normalement assez bon marché et préparant une cuisine typique ;
– *comedor :* salle à manger dans un établissement hôtelier ou dans un bar. Un peu le même principe que le *mesón* ;
– *marisquería :* resto de poisson ;
– *restaurante :* on trouve de tout sous cette dénomination, du plus simple au plus chic et gastronomique. Plus c'est cher, moins il y a de chance d'y trouver un comptoir à tapas.

On s'explique : les *cerveseries (cervecerías),* comme leur nom l'indique, servent de la bière *(cerveza),* mais aussi toutes sortes de boissons, sodas, cafés, vins, etc., comme d'ailleurs les *tabernas* (tavernes) et les *tascas* (snack-bars). On y propose aussi les fameuses tapas (voir ci-dessus). Le plus agréable : s'asseoir à la *barra* (le comptoir) et choisir de visu parmi les merveilles qui vous attendent. Enfin, les *entrepans* (ou *bocadillos*), ces sandwichs au chorizo, au jambon ou au fromage que l'on mange froids ou chauds, ont le mérite de tenir au corps et de freiner (pour combien de temps encore ?) l'invasion des hamburgers. On se répète, ne pas confondre *bocadillo* avec *sándwich* (en espagnol), signifiant toast ou croque-monsieur, ni avec *torrada* (ou *tostada*), qui signifie pain grillé.

Pour un repas complet, on ira dans un *restaurante* ; pour un repas de fruits de mer, dans une *marisquería.* Le *mesón* ou la *casa* servent une cuisine familiale : elle est au resto ce que la pension est à l'hôtel. La *bodega* est un bar à vins, le *chiringuito* une gargote en bord de mer, et la *fonda* une auberge.

Les *granges* (ou *granjas*) sont des sortes de petits cafés, où les Catalans viennent prendre le goûter : on y déguste chocolat chaud à la cannelle, thé ou café, *churros* (beignets), *tortells* (beignets à la crème) ou *coques* (de grandes langues plates, ornées de pignons, de fruits confits ou de sucre) et d'autres pâtisseries suivant l'époque – chaque fête a son gâteau.

Enfin, une dernière remarque sur laquelle on aurait bien voulu faire l'impasse... Nombreuses sont les lettres des lecteurs nous indiquant une nette dégradation dans la qualité de la nourriture et surtout dans le service. Force est de constater que dans cette ville commerçante et habituée à accueillir plus de touristes qu'elle ne compte d'habitants, la courtoisie fait souvent défaut. Et si derrière une décoration fort plaisante se cache hélas une nourriture quelque peu industrialisée, de même les beaux sourires des serveurs et serveuses philippins ou latino-américains masquent une gestion tyrannique des patrons locaux.

ÉCONOMIE

La Catalogne fait preuve d'un dynamisme envié dans la péninsule. Ne dit-on pas que les Catalans sont capables de transformer des cailloux en pains, à force de travail ? Au point qu'on les juge parfois un peu trop durs à la tâche et âpres au gain...

Mais, comme toute l'Espagne, la Catalogne subit de plein fouet la crise sociale et économique actuelle. En 2 ans, le taux de chômage est passé de 8 % (en 2008) à plus de 17 % (contre plus de 20 % en moyenne en Espagne – l'un des taux les plus élevés de l'Union européenne)... le tout dans un climat social morose. Du coup, afin de rassurer les marchés après l'appel de la France et de l'Allema-

OÙ EST PASSÉ LE POGNON ?

Les conquistadors espagnols rapportèrent d'Amérique des trésors considérables à leur mère patrie. À part à Séville et dans quelques cathédrales, on se demande pourquoi ces richesses ont laissé si peu de traces. Eh bien, ces grands navigateurs étaient des parvenus ; ils dépensèrent leur fortune en soieries et en épices, les produits de luxe de l'époque. Le grand bénéficiaire fut donc la Chine, et non pas l'Espagne.

gne, l'Espagne, via ses députés, est le premier pays de l'UE à inscrire dans sa Constitution, en septembre 2011, une « règle d'or » de stabilité budgétaire. Non sans protestations de la part de la population... La Catalogne reste cependant la première région économique d'Espagne, réalisant ainsi plus de 18 % du PIB national, bien que la récession économique et mondiale touche plus durement la Catalogne que le reste de l'Espagne, déjà elle-même plus affectée que ses voisins européens. Crise de l'immobilier, éclatement de la bulle financière, hausse du chômage et des prix, autant de préoccupations qui monopolisent le devant de la scène médiatique en Catalogne.

Dur, dur ! Car l'Espagne affiche un recul de sa production industrielle de 22 % depuis 2008, alors que le pays était un des moteurs de la croissance européenne ! L'industrie de la Catalogne était son fer de lance, puisqu'elle générait 22,1 % de la valeur ajoutée brute (VAB) de la région en 2008, contre 17,5 % pour l'Espagne tout entière. Construction automobile, électronique, chimie et agroalimentaire constituent le fleuron de la région, qui mise sur des activités à haute valeur ajoutée. Le textile reste présent malgré la crise du secteur. Et depuis quelques années, l'aéronautique occupe une place de plus en plus importante dans le tissu économique catalan. Les services représentent plus de 63 % de l'activité, l'industrie et le bâtiment 34,2 %, et l'agriculture moins de 2,5 %. Sous l'impulsion de capitaines d'industrie plus européens qu'espagnols, la Catalogne s'est associée, d'une part, au Languedoc-Roussillon et à la région Midi-Pyrénées pour former une eurorégion. Elle a, d'autre part, constitué avec la Lombardie, la région Rhône-Alpes et avec le Land de Bade-Wurtemberg le club des « Quatre moteurs pour l'Europe ». Grâce à sa situation géographique, à ses infrastructures et à ses partenariats intra-européens, la Catalogne s'est transformée en une véritable plaque tournante pour l'économie espagnole. Côté échanges extérieurs, la France occupe la première place de sa liste de clients, la deuxième place de fournisseur et la troisième en investissement. Et la Communauté autonome accueille de très nombreuses entreprises étrangères.

La région, et Barcelone en particulier, se réjouit de son raccordement au réseau ferré européen à grande vitesse, puisque le TGV arrive désormais jusqu'à Figueres. Enfin, n'oublions pas que vous contribuez à grossir les recettes touristiques catalanes, même si vous touchez du doigt l'inflation locale, un vrai « point noir ». En 2010, la Catalogne était la troisième destination touristique espagnole après les Baléares et l'Andalousie, avec près de 13,1 millions de visiteurs étrangers, dont environ 21 % de touristes français.

ENVIRONNEMENT

La Catalogne, à l'instar de la majorité des régions et des pays côtiers, souffre de ce que l'on appelle la *littoralisation* des hommes et des activités : la tendance humaine à habiter et à travailler en bord de mer. Et Barcelone (qui concentre la moitié des sept millions d'habitants de la Communauté autonome), coincée entre mer et montagne, doit régler les problèmes liés à la *surconcentration* et à la compétition pour l'espace entre les activités industrielles, les infrastructures de transport et l'agriculture, qui ne peut faire le poids. L'agriculture périurbaine irriguée du delta du Llobregat recule donc devant les assauts de la métropole, et a perdu une bataille décisive avec la création de l'aéroport. Au nord de la ville, la production de légumes et de fleurs se réfugie sur les versants des collines et montagnes côtières, chassée de l'étroite plaine littorale par l'expansion des stations touristiques.

Autre point noir, la pénurie d'eau qui menace toute l'autonomie. Les solutions envisagées rivalisent d'imagination : désalinisation, réutilisation, mais surtout mise en place d'un transvasement de l'eau du Rhône, sur lequel les esprits se chamaillent. La gestion de l'eau représente ici près de 57 % des investissements réalisés en matière d'environnement ! Côté développement durable et énergies renouvelables, la prise de conscience est avérée. En 2000, Barcelone joue les précurseurs. Par arrêté municipal, tout nouveau bâtiment appelé à consommer plus de 2 000 l d'eau chaude par jour est tenu d'installer des chauffe-eau solaires. Une mesure adoptée depuis par 25 municipalités catalanes. Cela n'a pas empêché qu'au printemps 2008 la pénurie était telle que les Catalans ont dû importer de l'eau depuis Marseille, par bateau...

Enfin, en matière de tri sélectif des déchets, chapeau ! Barcelone s'est même progressivement équipée de bornes de collecte des déchets par tuyaux pneumatiques, procédé qui a l'immense avantage d'être entièrement souterrain.

HISTOIRE

Quelques dates

– **Néolithique :** des peuplades proto-ibériques, sans doute venues d'Afrique, s'établissent dans le sud et l'est de l'Espagne.

– **550 av. J.-C. :** civilisation des Ibères ; ces derniers reçoivent l'influence culturelle des Phéniciens et des Grecs.

– **202 av. J.-C. :** occupation romaine.

– **484 apr. J.-C. :** le royaume des Wisigoths s'étend sur toute l'Espagne.

– **711 :** premières invasions des Maures d'Afrique du Nord.

– **756 :** le calife de Damas s'établit à Cordoue et sera l'artisan du rayonnement de la civilisation arabe en Espagne.

– **1000-1500 :** les royaumes chrétiens du nord de la péninsule reprennent progressivement possession des territoires perdus : c'est la « Reconquête » sur l'Espagne musulmane.

– **1469 :** mariage de Ferdinand d'Aragon et d'Isabelle de Castille, les fameux « Rois Catholiques ». Réunion des deux puissants royaumes longtemps rivaux.

– **1478-1479 :** mise en place de l'*Inquisition* par Tomás de Torquemada, qui subsista même après sa disparition dans les pays voisins jusqu'à une époque encore récente, mais sous une forme plus politique.

– **1492 :** chute du royaume d'Al Andalus après la prise de Grenade le 2 janvier 1492. Dans le même temps, découverte de l'Amérique par Christophe Colomb pour le compte des Rois Catholiques. Expulsion des juifs « pour protéger l'unité religieuse de l'Espagne » (200 000 environ partent pour l'Afrique du Nord, l'Italie et l'Empire ottoman). À son retour du Nouveau Monde, Christophe Colomb se rend à Barcelone où résident les souverains (d'où la colonne de Colomb sur le port).

– *1512 :* la Navarre est absorbée par la Castille.

– *1516-1556 :* règne de l'empereur Charles Quint (Charles Ier pour les Espagnols), petit-fils d'Isabelle la Catholique. Domination d'un immense empire, tant en Europe qu'en Amérique, « où jamais le soleil ne se couche ».

– *1588 :* désastre de l'Invincible Armada, ruine de la marine espagnole.

– *1656 :* Velázquez peint *Les Ménines* et la famille de Philippe IV.

– *1700 :* avènement au trône d'Espagne de Philippe V, petit-fils de Louis XIV, à l'origine de la guerre de Succession d'Espagne (1701-1714) – qui se termine à la signature du traité d'Utrecht, par la perte des Pays-Bas et du royaume de Naples.

– *1714 :* le 11 septembre, la ville de Barcelone plie devant Philippe V, et la Catalogne perd son indépendance.

– *1808 :* Napoléon nomme son frère Joseph roi d'Espagne, surnommé « Pepe Botella ». Madrid, occupée par les troupes françaises, se soulève. Début de la guerre d'Indépendance.

– *1813 :* victoire de l'armée anglo-portugaise de Wellington, jointe aux Espagnols. Ferdinand VII retrouve le trône d'Espagne.

– *1814-1833 :* morcellement de l'empire espagnol d'Amérique en États indépendants.

– *1898 :* intervention américaine à Cuba et perte de Porto Rico et des Philippines.

– *1902-1931 :* règne d'Alphonse XIII, marqué par un renouveau économique et un régime dictatorial (entre 1923 et 1930) sous l'autorité de Primo de Rivera.

– *1931 :* aux élections municipales, la gauche l'emporte dans les grandes villes et réclame la république. Abdication du roi.

– *1935 :* constitution du *Frente Popular,* regroupant syndicats et partis de gauche.

– *1936 :* les élections de février sont un succès pour le *Frente Popular.* Très vite se dessine une réaction ; à l'assassinat du chef de l'opposition monarchiste José Calvo Sotelo, l'armée du Maroc, dirigée par le général Francisco Franco, donne le signal du soulèvement. C'est le début de la guerre civile, qui durera 3 ans. L'Espagne va devenir un banc d'essai pour les grandes puissances, qui offrent une aide importante aux deux parties.

– *1939 :* Barcelone est prise par les nationalistes. Le gouvernement républicain, qui s'y était replié, se réfugie en France. Le 28 février, chute de Madrid, dernier bastion de la résistance républicaine.

– *1969 :* le général Franco désigne officiellement son successeur en la personne du prince Juan Carlos, petit-fils d'Alphonse XIII.

– *1975 :* mort de Franco, le 20 novembre. Le 22 novembre, Juan Carlos devient roi d'Espagne.

– *1977 :* reconnaissance officielle du Parti communiste espagnol (PCE).

– *1978 :* la nouvelle Constitution d'un État espagnol, « social et démocratique », entre en vigueur.

– *1982 :* victoire du PSOE (socialiste), Felipe González devient Premier ministre.

– *1986 :* entrée de l'Espagne dans la Communauté économique européenne.

UN HYMNE SANS PAROLE

Depuis la fin de la dictature, l'hymne national – la Marcha Real *– se retrouve sans parole. Ces mots, appris par cœur par tous les écoliers du royaume depuis 1761, symbolisaient trop le franquisme. Sans oublier que l'Espagne possède quatre langues officielles, et ici, on ne rigole pas avec les nationalismes.*

– *1992 :* Exposition universelle à Séville (d'avril à octobre) ; Jeux olympiques à Barcelone (juillet).

– *1996 :* après 13 années de pouvoir, défaite du socialiste Felipe González face à José María Aznar, du Parti populaire (droite). Le nouveau Premier ministre négocie le soutien des nationalistes et surtout des Catalans menés par Jordi Pujol, qui n'hésite pas à comparer son idée de la Catalogne avec le Québec...

– **Octobre 1997 :** mariage de l'infante d'Espagne avec un handballeur. Tout fout l'camp !

– **1999 :** visite officielle de Jacques Chirac à Madrid. Les vieilles querelles napoléo-niennes sont enfin digérées. « Il n'y a plus de Pyrénées », titre le quotidien catalan *La Vanguardia.*

– **Mars 2003 :** José María Aznar entraîne le pays dans le conflit irakien, malgré une très forte opposition populaire.

– **Novembre 2003 :** Jordi Pujol, chef du gouvernement de la Catalogne depuis 23 ans, passe la main. Le 16 novembre, à la tête d'une alliance de gauche « plu-rielle », le leader socialiste et ancien maire de Barcelone, Pasqual Maragall, rem-porte la majorité des suffrages. Vieux routard de la politique (il a été maire de Bar-celone de 1982 à 1997) et fédéraliste convaincu, il souhaite avant tout renforcer encore le rôle de la Catalogne dans la politique nationale.

– **2004 :** à la veille des élections législatives espagnoles, en mars, un terrible atten-tat fait 192 morts et près de 2 000 blessés dans des trains de banlieue de Madrid. Le PSOE gagne les élections et José Luis Zapatero devient Premier ministre du nouveau gouvernement. En mai, il n'y a plus de soldats espagnols en Irak. Noces royales du prince Felipe de Bourbon (le fils de Juan Carlos Ier et donc le futur roi d'Espagne) et de Letizia Ortiz, une charmante journaliste.

– **2005 :** l'Espagne vote « oui » lors du référendum sur la Constitution européenne. En juin, une loi légalise le mariage homosexuel, ainsi que l'adoption d'enfant par des couples de même sexe. En octobre, naissance de l'infante Leonor, fille de Felipe de Bourbon et de Letizia Ortiz.

– **2006 :** le gouvernement entre en négociation avec l'ETA ; une trêve, fragile mais bien réelle, est décidée. Dans le même temps, débat houleux sur le nouveau statut d'autonomie de la Catalogne, qui divise et mine une Espagne soucieuse de son unité. En juillet, un texte élargissant l'autonomie de la Catalogne est finalement approuvé par référendum local. Commémoration des 70 ans de la guerre civile espagnole, alors que, peu à peu, le pays commence à regarder en face cette his-toire encore très douloureuse, et envisage de dédommager les victimes.

– **2007 :** rupture de la trêve avec l'ETA suite à l'attentat à l'aéroport de Barajas en janvier. Commémoration des 30 ans du retour à la démocratie (le 15 juin 1977). En octobre, polémique nationale : 498 religieux nationalistes sont béatifiés, au titre de « martyrs » de la guerre civile. Le Vatican a beau parler de « réconciliation », cela évoque cependant, aux yeux des Espagnols, le soutien de l'Église à Franco... sur-tout en cette année d'anniversaire de la démocratie (30 ans déjà !).

– **2008 :** en mars, le PSOE de Zapatero gagne les élections générales. Suite des victoires : l'Espagne remporte la 13e édition du championnat d'Europe de football (Euro 2008) en juin. Et, comme on dit en espagnol « *no hay 2 sin 3* », à 22 ans, Rafael Nadal devient le n° 1 mondial en tennis. Cependant, le pays tout entier s'enfonce dans la crise : immobilière d'abord, économique ensuite...

– **2009 :** comme partout, le fait majeur, c'est la crise ! En moins de 1 an, l'Espagne double son taux de chômage... Tous les secteurs sont touchés, et le gouvernement peine à lutter. La Catalogne, principale région industrielle, notamment dans le sec-teur automobile, et très active dans la construction immobilière, n'échappe pas au naufrage. Rafael Nadal gagne 1 an mais perd son titre de n° 1... Seule éclaircie au tableau, le club de foot du FC Barcelone remporte son 19e titre de champion d'Espagne et sa 3e Ligue des Champions.

– **2010 :** la crise se décline désormais en d'autres termes : l'Espagne se retrouve classée parmi les pays à risque par les agences de notation anglo-saxonnes. Et comme d'habitude, l'opium des peuples vient consoler les hommes. La Coupe du monde fait décoller les achats d'écrans plasma, et l'Espagne devient championne du monde de foot pour la première fois de son histoire !

– **2011 :** toujours en pleine crise, l'Espagne voit proliférer à la fin du printemps des mouvements spontanés, apolitiques, appelant à l'émergence d'une autre société. Les socialistes sortent rincés des élections municipales et régionales : ils perdent notamment la mairie de Barcelone et la communauté de Castille-La-Mancha, deux de ses bastions historiques, qui étaient à gauche depuis près de 30 ans. Fin juillet, cédant à la pression, Zapatero annonce des élections anticipées dès novembre pour élire un nouveau gouvernement. En septembre, le parlement de Catalogne interdit la corrida, et, rayon de soleil sportif, l'Espagne confirme sa suprématie sur le basket en Europe en conservant son titre conquis en 2009. Octobre est plus sombre : les agences de notation américaines abaissent la note de l'Espagne...

Barcelone, la ville d'Hamilcar ?

Barcelone est l'une des plus anciennes villes d'Espagne : la légende chuchote même que c'est Hercule qui l'aurait fondée. Plus sérieusement, on ignore si Barcelone était habitée avant la période romaine, mais certains historiens émettent l'hypothèse de l'établissement d'un camp vers 230 av. J.-C. par le Carthaginois Hamilcar Barca (le papa du célèbre Hannibal), sur la colline de Montjuïc. C'est lui qui aurait donné son nom à la ville.

Les Romains fondent en tout cas une ville autour du mont Taber, au Ier s av. J.-C. : les vestiges de la muraille et des colonnes, que l'on voit dans le Barri Gòtic actuel, montrent que cette colonie, qui avait pour nom Barcino, était assez importante. La ville était prospère, tirant ses revenus de la pêche et de la production agricole.

Les invasions

Rome tremble ? Voici les Alamans et les Francs qui arrivent pour chasser ses légions ; entre 260 et 270 apr. J.-C., Barcelone et Tarragone sont dévastées. Pendant un siècle et demi, la Catalogne est envahie et occupée successivement par des hordes de « barbares » en provenance du nord ou de l'est ; barbares germaniques (les *Suèves*) ou originaires d'Asie centrale : Alains, Vandales (qui donneront son nom au sud du pays, la Vandalousie, l'Andalousie actuelle). Puis les *Wisigoths* déboulent en 413, repoussant les Suèves vers l'ouest (le Portugal actuel) et les Vandales (dans lesquels s'étaient fondu les Alains) en Afrique du Nord. En 711, un jeune guerrier berbère, Tarik, franchit le détroit qui désormais portera son nom (Gibraltar, de l'arabe *Djebel Tarik,* la montagne de Tarik) et entame sa progression vers le nord. En 715, c'est au tour des musulmans de s'approprier Barcelone, en la rebaptisant au passage Barjalonah. Puis le roi franc Louis le Pieux s'empare de la ville en 801. Les Carolingiens vont établir un réseau de comtés, avec à leur tête des vassaux originaires de la région. Barcelone devient une ville frontière dans la Marche d'Espagne, cette *zone tampon* au sud des Pyrénées, destinée à servir de bouclier en cas d'éventuelles invasions.

Naissance d'une autonomie

Attardons-nous sur un personnage important et, pour tout dire, assez rigolo. C'est le fils du comte d'Urgell, nommé Guifré el-Pilòs, c'est-à-dire *Guifre le Velu* (qui portait remarquablement son nom avec son corps couvert de poils à la mode préhistorique...). Né en 865, ce joyeux drille conquiert avec ses frères les bastions catalans voisins, dont Barcelone. Il crée de nombreuses fondations religieuses dans la ville et la région.

En 988, Borrell II, comte de Barcelone, décide de rompre avec le régime de vassalité qui le liait jusque-là à Hugues Capet, roi des Francs. C'est le premier acte d'autonomie catalane ! Son comté agit alors en toute indépendance, en resserrant les liens avec les comtés voisins. Au XIIe s, le mariage de *Raymond Béranger IV,* comte de Barcelone, avec Pétronille d'Aragon donne naissance à la Confédération catalo-aragonaise.

Durant le règne de Jacques Ier (1213-1276), la Confédération devient une grande puissance méditerranéenne : elle annexe en effet Majorque en 1229, Valence en 1238, la Sicile en 1282, la Corse en 1297. Voilà d'ailleurs pourquoi on parle le catalan dans les îles Baléares et à Valence. Au XIVᵉ s, il y aura aussi l'annexion de la Sardaigne (1323) et des territoires grecs d'Athènes et Néopatrie (1387). Puis c'est Naples qui tombe dans l'escarcelle de la Confédération. En fait, chaque possession garde son autonomie et ses institutions. Ce qui fait la richesse de la région, ce sont les échanges commerciaux des marchands catalans avec les pays du nord de la Méditerranée, mais aussi l'Afrique et le Proche-Orient. C'est sous le règne de Pierre III le Cérémonieux, à la fin du XIVᵉ s, que se forme la **Gene-**

LA SAINTE (?) INQUISITION

Cette redoutable machine à tuer n'est pas une invention espagnole. Face à la montée des hérésies qui refusaient l'autorité papale, le pape Grégoire IX utilisa, dès 1183, les dominicains pour tenir ces tribunaux religieux. Il s'agissait de torturer pour faire avouer et condamner au bûcher. Les victimes comptaient plutôt des femmes (les moines étaient plutôt misogynes) et des riches (l'Église récupérait leurs biens !).

ralitat, organisme délégué des *Cortes* (assemblées) : elle exerce des fonctions exécutives en matière de droit, de politique et de finances.

L'autonomie s'est aussi affirmée avec la Reconquête. La présence musulmane fut de courte durée en Catalogne et n'a pas concerné les vallées pyrénéennes. Ces dernières participèrent activement à la Reconquête. Si on a retenu les grands noms, ce furent souvent les seigneurs locaux qui s'illustrèrent dans l'entreprise. Ainsi les comtes d'Urgell, qui reprirent Balaguer, frontière nord d'Al Andalus.

Le déclin

C'est vers la moitié du XVᵉ s que deux événements historiques marquent le déclin de la Catalogne. En 1469, le mariage d'Isabelle de Castille et de Ferdinand d'Aragon annonce un début d'unité entre les deux royaumes les plus prospères de l'Espagne, la Castille et la Confédération catalo-aragonaise. Et la découverte de l'Amérique a pour conséquence de déplacer les échanges commerciaux vers l'Atlantique, au détriment de la Méditerranée. Or, la monarchie interdit à ses sujets catalans le commerce avec l'Amérique : ils se trouvent alors exclus de juteuses opérations économiques et financières. Malgré tout, jusqu'à la fin du XVIIᵉ s, la Generalitat parvient à maintenir sa souveraineté politique et juridique : la Catalogne conservera jusqu'au début du XVIIIᵉ s une monnaie, une langue et un système fiscal à part.

En 1640 éclate la **revolta dels Segadors** *(révolte des Moissonneurs),* premier épisode d'une guerre contre le roi d'Espagne qui durera 12 ans et se terminera quand la Catalogne, exsangue, déposera les armes. En 1705, elle est impliquée dans un conflit international : la guerre de Succession au trône d'Espagne. En effet, à la mort de Charles II, deux prétendants se disputent la Couronne : Philippe d'Anjou, petit-fils de Louis XIV, et l'archiduc Charles d'Autriche. Les Catalans soutiennent ce dernier les armes à la main, et essuient une sérieuse défaite lors du siège de Barcelone en septembre 1714. Philippe d'Anjou est intronisé roi d'Espagne sous le nom de Felipe V et instaure le décret de Nova Planta, un ensemble de décrets qui abolissent les structures juridiques et administratives de la Catalogne. Il supprime la Generalitat et érige un énorme fort, la Ciutadella, pour surveiller la ville. Le catalan est interdit dans l'administration, la justice et l'enseignement, au profit du castillan. La Catalogne, bon gré mal gré, est soumise à la monarchie espagnole.

Croissance industrielle... et misère ouvrière

Malgré tout, Barcelone ne perd pas courage : une croissance s'amorce, et l'on construit en 1753 le quartier ouvrier de la Barceloneta. En 1778, la levée de l'interdiction de commercer avec l'Amérique stimule l'économie de la ville. Au début du XIXe s, la **guerra del Francès** (la « guerre du Français », le Français en question étant, bien sûr, Napoléon) marque douloureusement la ville et la région. Vers 1830, Barcelone développe l'industrie du liège tandis que la viticulture prend son essor, avant que les guerres dites « carlistes » ne freinent une nouvelle fois le développement économique de la région. Les « carlistes » sont les partisans de Charles de Bourbon, qui se proclame héritier de son frère Ferdinand VII, puisque celui-ci n'a qu'une fille, Isabelle. À la mort du roi, la guerre civile éclate, les carlistes contre les pro-isabelliens. Il faut attendre 1839 pour que les droits de la reine soient officiellement reconnus.

DES BANQUEROUTES SURPRENANTES

Au XVIe s, grâce à l'afflux d'or et d'argent, l'Espagne est le pays le plus riche du monde. Mais Philippe II, fils de Charles Quint, dépense sans compter : construction de palais et, surtout, des guerres sans fin contre les Ottomans, les Français, les Flamands... Son « invincible Armada » sera défaite par les Anglais. De nombreux navires transportant les trésors sud-américains seront interceptés par les corsaires. Et par trois fois, malgré ses revenus insensés, le roi ne pourra payer ses dettes.

L'industrialisation de la Catalogne reprend son essor, on rapporte d'Angleterre de nouvelles machines à tisser, les machines à vapeur prennent le relais des chevaux. Mais on vit très mal dans les quartiers populaires. Les salaires sont beau être plus élevés qu'à Madrid, les ouvriers vivent dans des logements insalubres et exigus, les enfants sont mal nourris et mal soignés : les multiples révoltes qui éclatent régulièrement sont généralement réprimées dans le sang. En 1843, Barcelone sera bombardée du haut de la colline de Montjuïc, après plus de 2 mois de grèves et de manifestations menées entre autres par les anarchistes. À côté de cela, les industriels comme **Eusebi Güell,** le mécène de Gaudí, tentent d'inventer des systèmes un peu plus humains pour les ouvriers. Ils créent des *colònies industrials.* Celle de Güell est située à Santa Coloma de Cervelló, sur les rives du Llobregat, et a été construite en partie par Gaudí. L'usine, les maisons des ouvriers, l'église, l'école et la maison du directeur sont réunies à l'intérieur d'une même enceinte, et les enfants bénéficient d'un enseignement gratuit.

Extension et Exposition universelle

Au milieu du XIXe s, la superficie de Barcelone était de 427 ha tandis que Paris s'étendait sur 7 802 ha et Londres sur 31 685 ha. Une petite ville comme Florence disposait d'une surface 10 fois plus grande que Barcelone ! La population augmentant de 28 % par an, le problème de l'habitat devint une effrayante réalité sociale. Les gens vivaient entassés dans des taudis insalubres. Il fallait d'urgence agrandir la ville. Comment ? Des projets grandioses jaillirent des esprits les plus exaltés.

Un concours destiné à ébaucher les plans futurs de la ville est ouvert en 1859. C'est finalement le projet d'Idelfons Cerda qui est retenu pour **l'Eixample** (l'Extension). Avec son quadrillage régulier, il était, sur le papier, aéré par des jardins publics et des parcs. Hélas, la spéculation immobilière aidant, les espaces verts furent peu à peu grignotés pour faire place à de superbes maisons bourgeoises, parfois de style moderniste. La ville en profita pour accueillir l'Exposition universelle de 1888, une folie financière qui faillit la laisser sur la paille, Madrid ayant accordé une subvention dérisoire à sa vieille rivale. L'avingunda del Paral-lel, le monument à la gloire de Christophe Colomb, et l'Arc de triomphe sont édifiés également à cette époque.

La Renaixença

Sur cette lancée, Barcelone va mieux : elle exporte du vin et du liège un peu partout dans le monde. Les bénéfices de ces ventes sont investis dans l'industrie textile, qui devient le moteur de l'économie catalane. Mais, surtout, un mouvement littéraire et social naît au milieu du XIXᵉ s : la Renaixença, en même temps que le romantisme européen. Il verra fleurir des poèmes, des journaux et des magazines, écrits en catalan, les intellectuels donnant ses lettres de noblesse à une langue qui n'était jusque-là que parlée, car interdite dans l'enseignement et l'administration. C'est le réveil de la « catalanitude ». Le mouvement se veut aussi social, allant de pair avec l'émergence de syndicats. Un vent de progrès souffle sur la Catalogne. C'est aussi la naissance du modernisme, ce mouvement artistique dont Barcelone a été le plus beau théâtre (voir plus haut la rubrique « Architecture et design »).

Anarchie, grèves et coup d'État

Mais revenons aux anarchistes. Il semble que les Catalans aient été séduits par leurs thèses, bien plus que par celles des socialistes : leur volonté d'autonomie trouvait un écho dans le projet anarchiste de municipalités indépendantes et souveraines. Jusqu'au début du XXᵉ s, la ville sera le théâtre d'attentats anarchistes : on la surnomme même « la Rose de Feu » à cause des explosions et bombes en tout genre. Précisons qu'il faudra attendre 1907 pour que la journée de travail des femmes soit réduite à 11h et que l'emploi des enfants de moins de 10 ans soit interdit. Le prolétariat de Barcelone augmente : la ville passe de 115 000 habitants en 1800 à 500 000 en 1900, accueillant les paysans pauvres de Catalogne et d'autres régions d'Espagne, sans compter les quelques immigrants de Cuba et Porto Rico dépossédés par les États-Unis qui s'étaient emparés des dernières colonies espagnoles. En 1909, Madrid décidant une nouvelle mobilisation des Barcelonais pour aller rétablir l'ordre au Maroc, le peuple se révolte et c'est la *Semana trágica (Semaine tragique)* : des dizaines d'édifices religieux sont saccagés, et plusieurs ouvriers exécutés en représailles.

En 1914 est créée la *mancomunitat de Catalunya,* qui réunit les quatre provinces catalanes, un parlement sans pouvoir réel qui exige néanmoins la création d'un État catalan au sein d'une fédération espagnole. Des grèves terribles éclatent dans les années 1919-1920, à tel point que l'état de guerre est déclaré à Barcelone et que 229 personnes y trouvent la mort. Le coup d'État du capitaine général de Catalogne, Miguel Primo de Rivera, impose une dictature de 7 ans à l'Espagne tout entière. Il interdit la *mancomunitat,* le puissant syndicat anarchiste CNT, et même le football-club de Barcelone (!), symbole de la « catalanitude ». C'est lui qui appuie la candidature de la ville pour accueillir une nouvelle Exposition universelle, qui a lieu à Montjuïc en 1929. L'effarant Palau nacional, édifice néoclassique immense et pompeux, est édifié en un temps record pour accueillir les cérémonies d'ouverture. On en fera plus tard le museu nacional d'Art de Catalunya.

La guerre civile

À la chute de Rivera en 1930, et après la formation de la seconde république d'Espagne en 1931, les nationalistes catalans de gauche (ERC), conduits par Francesc Macià, un personnage populaire et charismatique surnommé Avi (grand-papa) par les Catalans, et Lluís Companys, proclament la république de Catalogne ! Un nouveau gouvernement régional, la Generalitat, est créé. Mais il s'agit

L'ESCADRILLE ESPAÑA

Les forces antifranquistes n'ayant pas d'aviation, Malraux s'engagea vite dans la guerre d'Espagne. En quelques semaines, il récupéra 25 avions pour créer l'escadrille España, aidé par un inconnu, un certain Jean Moulin. Ne sachant pas piloter, Malraux savait cependant commander et surtout convaincre. Il participa directement à 65 opérations aériennes. Respect.

d'un monstre de papier. Madrid tient encore les rênes du pouvoir. Ce n'est pas encore, loin s'en faut, l'autonomie tant désirée. À la mort du président Macià, c'est **Lluís Companys** qui lui succède et proclame à nouveau l'État catalan de la fédération espagnole. Madrid répond en condamnant les membres de la Generalitat à 35 ans de prison. Lorsque le Front populaire remporte les élections, en 1936, la Generalitat est restaurée, et les prisonniers libérés : la Catalogne bénéficie, pour peu de temps, d'une réelle autonomie.

Mais Franco, qui a soulevé l'armée d'Afrique au Maroc, et rallié à lui nombre de places militaires en Espagne, dont celle du quartier de Pedralbes, à Barcelone, étouffe ce fragile espoir dans l'œuf. En mars 1938, les nationalistes franquistes lancent une offensive en Aragon, et le front de l'Èbre devient le théâtre de batailles sanglantes et atroces. Mal armées, mal équipées, les forces catalanes en déroute abandonnent la ville fin 1938 aux nationalistes.

L'ère Franco

Deux cent mille Catalans choisissent l'exil, près de 200 000 autres sont tués lors d'une impitoyable répression. Companys, réfugié en France, sera livré aux autorités espagnoles par la Gestapo et fusillé sur la colline de Montjuïc. L'ère Franco signifie un sévère tour de vis pour les Catalans : le catalan est banni des écoles, interdit dans la rue ; même la sardane est prohibée. Toutefois, les Catalans ne sont pas tous hostiles au régime franquiste : de nombreuses familles de la bourgeoisie adoptent le castillan, et l'Église coopère le plus souvent. Parmi les opposants, le docteur Jordi Pujol, emprisonné en 1960 pour avoir chanté un air catalaniste au cours d'une visite de Franco à Barcelone. Trois ans plus tard, il fonde une banque pour soutenir l'économie catalane.

Pendant les dernières années du régime franquiste, l'opposition s'organise : l'**assemblea de Catalunya** est créée en 1971. Les militants se réunissent pour scander « Amnistie, Liberté, Autonomie » et chanter à pleins poumons la chanson de Lluís Llach, *L'Estaca* (« Le Pieu »). Mais c'est la maladie, et non les opposants, qui aura raison du vieux dictateur : il s'éteint le 20 novembre 1975.

FRANCO EST NUL !

Pour sa succession, le dictateur se méfiait de Juan de Bourbon, le roi en titre, à cause de ses idées démocratiques. Il préféra donc son fils, Juan Carlos, et son éducation fut assurée par des professeurs bien franquistes. L'élève cacha bien son jeu et Juan Carlos lui succéda donc à sa mort. En instaurant la démocratie, le jeune roi tourna définitivement la page noire du franquisme.

La révolution olympique

Le second événement qui va bouleverser la vie des Catalans a lieu 7 ans plus tard. En 1982, Barcelone est choisie pour accueillir les Jeux olympiques de 1992. Pour la ville, c'est l'occasion de se faire connaître des investisseurs, de construire des hôtels et d'améliorer les voies d'accès. Le slogan *Barcelona, posa't guapa* (« Barcelone, fais-toi belle ») s'affiche partout, et la ville tout entière résonne de coups de truelle et de marteaux piqueurs. Elle ravale ses façades, nettoie ses rues, ses plages, réorganise et agrandit son port. Comme une cocotte sans couvercle, la métropole bouillonne d'une intense activité culturelle et artistique. D'ailleurs, pour la plupart, les maisons d'édition (plus de 700) et studios d'enregistrement espagnols ont leur siège à Barcelone – et non à Madrid.

Autre conséquence des Jeux olympiques : le développement du tourisme. Durant 15 jours, Barcelone s'offre une vitrine médiatique inégalable. Les images de fête retransmises à travers le monde entier suffisent alors à en faire en quelques années une destination touristique urbaine incontournable, au même titre que Londres,

Florence ou Amsterdam. Depuis, la capitale catalane continue d'exprimer son dynamisme au travers de nombreuses manifestations. Après avoir célébré Gaudí
en 2002, Dalí et le Forum en 2004, 2005 et 2006 furent consacrées à la gastronomie, et 2007 aux sciences et au sport.

L'autonomie, enfin !

Aujourd'hui, l'Espagne est divisée en 17 « régions et nationalités autonomes »
(comunidades autónomas) qui disposent, grâce, notamment, à la pression des Basques et des Catalans, du droit de se gouverner. Si le gouvernement autonome de la
Catalogne (la Generalitat) a les mains libres pour la culture, l'urbanisme, le commerce, le tourisme et les affaires sociales, il partage le pouvoir en ce qui concerne
les transports et l'énergie, par exemple. Il perçoit directement des impôts spécifiques, plus un tiers de l'impôt sur le revenu auprès de l'État. Une autonomie encore
renforcée par l'adoption par référendum, en 2006, d'un nouveau statut.
Mais cette autonomie a encore franchi un pas avec la création de l'eurorégion Pyré-
nées-Méditerranée regroupant les régions Midi-Pyrénées, Languedoc-Roussillon,
Catalogne et les îles Baléares. La signature en 2008 de la convention du Groupement européen de coopération territoriale permet même, désormais, à la Catalogne de mettre en œuvre des projets de coopération territoriale cofinancés par
l'Union européenne. L'un des exemples les plus marquants sera, dans les années à
venir, la construction du premier eurocampus. Plus de 500 000 étudiants, répartis
dans 22 universités, bénéficieront d'une synergie commune, unique en Europe.
Une belle auberge espagnole !

HOMOSEXUALITÉ

Sous Franco, pas question d'être homosexuel(le) – ou du moins de s'afficher
comme tel(le). Aujourd'hui, avec le retour de la démocratie, les relations homo-
sexuelles sont légales dans la péninsule Ibérique, du moment que les partenaires
sont âgés de 16 ans au moins. La Catalogne, comme toujours progressiste, avait
voté une loi en 1998 qui reconnaissait les couples gays ou lesbiens, même si le
droit catalan n'accordait pas aux homosexuels la possibilité de se marier ni d'adop-
ter des enfants. Avec la nouvelle loi proposée par le gouvernement de José Luis
Zapatero, votée début 2005, même la tolérance catalane est largement dépassée :
il s'agit d'une légalisation totale du mariage homosexuel, offrant aux couples du
même sexe exactement les mêmes droits qu'aux autres, en matière de succession, de retraite, de veuvage, de nationalité, d'adoption, etc. Une vraie révolution,
alors que jusqu'en 1978 l'homosexualité était encore un délit passible de prison.
Pour en revenir à la Catalogne, Barcelone est un endroit apprécié des homos, qui y
trouvent bon nombre de bars et boîtes gays très tendance. La ville s'est d'ailleurs
imposée comme l'une des principales destinations homos en Europe.
Quelques guides spécialisés et gratuits pour ceux qui veulent tout savoir sur la vie
gay barcelonaise : le *Barcelona Gay* gratuit, en espagnol et en anglais, édité par
l'office de tourisme, ou encore le *Gaycelona* disponible dans tous les bars, boutiques et boîtes. Sinon, le *Nois* (« garçon » en catalan), une revue assez complète qui
recense les lieux spécialisés (bars, restos, boîtes, saunas, boutiques, etc.) ; en catalan (courage !) et en anglais.

MATCH BARCELONE-MADRID

Comme toutes les vieilles querelles, l'antagonisme Barcelone-Madrid remonte à la
nuit des temps. En 1640, Barcelone se soulève déjà contre la tentative de centra-

lisation de l'État de Felipe IV. Au XIXᵉ s, le pouvoir bombarde la ville à plusieurs reprises du haut du château et de la citadelle du Montjuïc, symboles toujours détestés des Barcelonais.

Madrilènes fainéants, vivant aux crochets du pays, contre Barcelonais égoïstes et radins mais vivant de leur travail, l'antipathie a parfois quelque chose de pathologique. Et l'ère de Franco n'a rien arrangé. Les Catalans paranos soupçonnèrent longtemps Madrid de vouloir transformer la province en une terre de paysans et de bergers pour éviter toute contestation… Inutile de dire qu'on en est loin !

De tout temps, les clubs de foot furent à couteaux tirés : dans les années 1920, le stade de Barcelone est fermé parce qu'on y chante l'hymne national catalan. Et le Barça n'a jamais pardonné au Real de lui avoir piqué, dans les années 1950, un joueur de légende, l'Argentin Di Stefano, qui permit à la capitale de rafler la Coupe d'Europe des clubs champions 5 années de suite (de 1956 à 1960)…

Aujourd'hui, Barcelone se plaint du peu d'empressement de Madrid à l'aider à éponger ses dettes des Jeux olympiques, et à investir dans les infrastructures (aéroport, etc.). Quant à certains Madrilènes « expatriés » à Barcelone, ils pestent de voir leurs enfants obligés d'apprendre le catalan à l'école. Et les deux villes se tirent la bourre comme des gamins pour savoir qui immatricule le plus de voitures par an !

MÉDIAS

Votre TV en français : TV5MONDE

TV5MONDE est reçue partout dans le monde par câble, satellite et sur IPTV. Voyage assuré au pays de la francophonie avec films, fictions, divertissements, sport, informations internationales et documentaires.

En voyage ou au retour, restez connecté ! Le site internet • tv5monde.com •, son application iPhone et sa déclinaison mobile • m.tv5monde.com • offrent de nombreux services pratiques et permettent de prolonger ses vacances à travers des blogs et des visites multimédia.

Demandez à votre hôtel sur quel canal vous pouvez recevoir TV5MONDE, et n'hésitez pas à faire vos remarques sur le site • tv5monde.com/contact •

Presse

Les deux grands quotidiens nationaux, *El Mundo* (1,2 à 1,3 million de lecteurs), de sensibilité libérale droitière, et *El País* (2 millions), plus à gauche, n'atteignent ces chiffres de diffusion que grâce à leurs éditions régionales (15 pour le premier, 7 seulement pour le second). Dans tous les cas, ils sont désormais dépassés par certains gratuits, au premier titre desquels *20 Minutos* (2,4 millions de lecteurs). Dans les hôtels, les restos, les campings, les quotidiens régionaux se taillent la part du lion, et, le plus souvent, on ne trouve qu'eux. Mais ils dépassent rarement les 200 000 exemplaires et ne s'intéressent guère qu'à l'actualité d'une ou deux provinces. D'où une foultitude de titres. Pour la plupart, ils traitent avec soin des nouvelles internationales (surtout européennes, en fait) et nationales, mais y ajoutent d'innombrables pages locales. Pour le voyageur, ce peut être une aubaine : le moindre événement, le moindre concert, la moindre foire artisanale ou le moindre marché est signalé. Ajoutons les annonces publicitaires, les agendas culturels souvent très détaillés (cinés, spectacles…), les pages TV… Bref, une mine d'infos, même si, il faut bien le dire, elle est encore plus conservatrice que la presse régionale française.

Le poids lourd de la presse catalane, c'est le *Periodico de Catalunya,* avec 240 000 exemplaires et deux éditions, l'une en catalan et l'autre en castillan. Ce qui n'empêche pas de trouver une multitude de titres locaux en catalan, dont la diffusion ne dépasse pas le périmètre d'une ville.

Côté magazines, la presse people caracole en tête derrière le vétéran *¡ Hola !* et ses 730 000 exemplaires. Les concurrents sont nombreux : *Semana, Diez minutos, ¿ Qué me dices ?...* La presse people espagnole fouille nettement moins dans les poubelles que ses homologues européens. Certes, on y parle des top models et de Caroline de Monaco, mais, ce qui plaît aux Espagnols, ce sont les infos (pas les ragots) sur les toreros, les grands chanteurs de flamenco et les rejetons de la noblesse (la famille royale d'Espagne en particulier). Bref, la tendance serait plus *Point de vue* que *Gala*. Et quand la fille de la duchesse d'Albe épouse le fils d'un grand torero remarié avec une chanteuse de flamenco, c'est du délire ! En fait, c'est un bon moyen d'entrer dans la société espagnole par la (toute petite) porte.

Télévision

Une surprise : les petits tirages de la presse TV. *Teleprograma,* le leader, plafonne à 250 000 exemplaires. Les Espagnols regarderaient-ils peu la télé ? Certes non. Dans les bars, les restos, les campings, il y a toujours une télé allumée, de préférence à fond. C'est même une des plaies des campings espagnols. Mais la télé espagnole est simple : sports, séries, jeux, journaux télévisés, corridas et quelques rares films. Dans l'intervalle, des débats pour passer le temps.

TVE 1 et TVE 2 sont des télés d'État, complétées par une offre de chaînes régionales assez peu regardées, sauf au Pays basque. Du côté des chaînes privées, on trouve Antena 3, Cuatro (version gratuite de Canal +), Telecinco (Tele 5, chaîne des reality-shows, des jeux et des potins) et La Sexta, ainsi que Digital + (payante, nom espagnol de Canal +). Les horaires des programmes sont indiqués dans le journal local, donc pas besoin de journal spécialisé. Sachez que les journaux télévisés suivent l'heure des repas (15h et 21h sur TVE 1). Ce qui plaît le plus aux Espagnols à part le foot, les corridas et le cyclisme, ce sont les émissions « people » (décidément, c'est leur truc) comme *Gente* sur TVE 1. Soyez certain que le patron du petit bistrot dans lequel vous dînez tranquillou va zapper d'un match de foot à une course cycliste, même de seconde catégorie, avant de vous infliger les liaisons de la chanteuse Isabel Pantoja avec le maire de Marbella et la fin de la superbe corrida de Valence.

Radio

De ce côté-là, c'est un peu le bazar. Des centaines de miniradios inondent la bande FM. Pour écouter de la musique locale, c'est l'aubaine, sauf en voiture car le *cantaor* au *duende* fabuleux se trouve soudain remplacé par un débat sur la culture des olives au détour d'une colline. Une valeur sûre : Radio Clásica.

PERSONNAGES

– *Ferran Adrià (né en 1962) :* parcours singulier pour ce « cybersorcier des fourneaux » ! Après avoir fait la plonge dans un resto d'Ibiza, puis rassasié le mess des garnisons de Carthagène, avant d'atterrir au resto *El Bulli* (à Cala Montjoi, près de Roses, désormais fermé) à 22 ans, il œuvre maintenant à Barcelone. Vingt-quatre mois après ses débuts, il se rend compte que faire de la cuisine, ce n'est pas reproduire mais créer. Depuis, il ne cesse d'innover en commençant par tout déconstruire : aliments, cuisson, saveurs, textures, odeurs, formes. Grâce à l'informatique, chaque composant est entré dans une base de données qui lui permet de jouer à l'infini avec les mariages : risotto de seiche crue à l'encre et citron confit, noix de macadamia en poudre avec son sorbet de litchis et vinaigre, soupe de concombre et croquant de yaourt... Son nom est souvent associé à la cuisine moléculaire. « Il est le seul à inventer une cuisine que je ne sais pas faire », a dit Joël Robuchon à son sujet.

– *Ricardo Bofill* (né en 1939) : cet architecte surdoué et séduisant a dessiné le nouvel aéroport de Barcelone, le Palais national des congrès à Madrid, le quartier d'Antigone à Montpellier, la place de Catalogne ou encore celle du Marché-Saint-Honoré à Paris, et aussi des HLM qui ont des airs de châteaux forts. Il aime les villes néo-antiques, les immeubles à colonnes et les décors de théâtre dans lesquels on peut habiter. Il crée le *Taller de Arquitectura* en 1963, un atelier qui compte aujourd'hui une quarantaine de personnes. Pour lui, « l'architecture est un combat contre le destin : elle doit arrêter le temps ou y périr... ».

– *Montserrat Caballé* (née en 1933) : la cantatrice barcelonaise s'est révélée aux yeux du public néophyte par son duo avec Freddie Mercury, le chanteur défunt du groupe Queen. Sa grande technique vocale, la versatilité de sa tessiture et sa prestance lui ouvrent bien des rôles, des romantiques primesautières aux sombres vengeresses. *La Tosca* de Puccini, *Aïda* de Verdi ou encore *Salomé* à l'Opéra de Vienne en 1959. Mais c'est *Lucrèce Borgia*, au Carnegie Hall de New York, en 1965, qui la consacre véritablement auprès du public.

– *Pau Casals* (1876-1973) : violoncelliste, compositeur et chef d'orchestre né à El Vendrell, près de Tarragone. Avant l'âge de 12 ans, il quitte sa ville natale pour Barcelone, où il suit pendant 5 ans les cours de l'école municipale de musique. C'est là qu'il découvre les *Six suites pour violoncelle seul* de Bach, qui vont bouleverser sa vie. Il les lit, les relit des heures entières, les travaille pendant 12 ans avant de les jouer en concert, puis les fait découvrir au monde entier. En 1939, il fuit le régime franquiste et s'installe à Prades, dans les Pyrénées-Orientales, donnant des concerts au profit des réfugiés espagnols. Il refusera longtemps de jouer à l'étranger tant que les grandes nations n'auront pas aidé l'Espagne à retrouver sa liberté... Le festival créé à Prades en 1950 par Pau Casals, qui porte son nom, réunit les plus grands musiciens de son époque (Yehudi Menuhin, Isaac Stern...) et attire les plus grands ensembles classiques.

– *La Chupa Chups* : c'est au milieu du XIXe s que Josep Bernat, un petit confiseur de Barcelone, invente le bonbon-caramel, une boule de sucre caramélisé. Dans les années 1950, son petit-fils Enric rachète la société *Granja Asturias,* productrice de pâtes de fruits, et commande une étude de marché : si les enfants raffolent de ses bonbons, les mamans les apprécient beaucoup moins, vu qu'ils salissent les mains et les habits de leurs chers petits ! Il trouve la solution : piquer ses caramels sur un bâtonnet. La première sucette est lancée sous le nom de « Gol », à cause de sa forme de ballon de foot, avant de s'appeler *Chups,* nom trouvé par une agence de pub locale en 1958. Dalí dessinera son logo, la célébrissime marguerite, et les amateurs la rebaptiseront « Chupa » (tétine, en espagnol). La petite sucette ronde, suçotée par des générations entières de gourmands, vendue dans 164 pays (y compris la Chine et la Russie), atteint des ventes spectaculaires (environ 40 milliards par an !).

– *Salvador Dalí* (1904-1989) : né à Figueres, dans la province de Gérone, Dalí a une dette particulière envers Barcelone, car c'est dans cette ville qu'il montera ses premières expos, chez le galeriste Dalmau. Il y rencontre Miró, de 8 ans son aîné, qui le prend sous son aile. À Paris, il est sous son parrainage amical, et celui de Picasso. Miró lui fait connaître les surréalistes, dont Dalí deviendra une figure de proue... avant de se

LE SECRET DE DALÍ

Pour sa moustache, Dalí s'inspira de Vélasquez, qu'il admirait puisque riche, célèbre et vénéré par les puissants. En fait, pour l'allonger, il ajoutait des cheveux collés avec de la cire. Grâce à cette moustache, personne ne l'oubliait, même avant qu'il soit célèbre.

fâcher avec eux ! Outre la peinture, le maître de l'excentricité touche à tout : il coécrit des scénarios avec Luis Buñuel *(Un chien andalou),* se lance dans des happenings, tourne une pub pour les pralinés Lanvin (grand moment de télé)... mais reste inlassablement fidèle à sa femme, sa muse, Gala. Contrairement à Picasso ou à Miró, il ne critiquera jamais ouvertement le pouvoir franquiste et fera même, à la fin de sa vie, un éloge du Caudillo. D'ailleurs, voici en quels termes Dalí parlait de Picasso : « Picasso est espagnol. Moi aussi. Picasso est un génie. Moi aussi. Picasso est communiste. Moi non plus ! » L'État espagnol est devenu à sa mort son héritier universel, un héritage estimé à quelque 850 millions de francs de l'époque. Le Teatre-Museu de la ville de Figueres, où il naquit et passa ses dernières années, est le musée le plus visité d'Espagne après le Prado, et représente une des étapes du « triangle dalínien » en Catalogne.

– *Salvador Espriu (1913-1985) :* né à Santa Coloma de Farners (Gérone), il fut l'une des plumes catalanes parmi les plus emblématiques du XXe s. Profondément marqué par la mort subite de son frère et de sa sœur, tenaillé lui-même par la rage du sursitaire (il échappe à la grande faucheuse à l'âge de 10 ans), la mort et le repli sur soi émailleront la première partie de son œuvre. Puis l'auteur parvient à se défaire de cette obsession et appelle à la lutte, notamment contre le franquisme. Son message d'espoir connaîtra un retentissement considérable en Catalogne. Cette citation, extraite de *La Peau de taureau,* recueil de poèmes édité en 1960, reflète sa pensée : « Les hommes ne peuvent être s'ils ne sont pas libres. »

– *Antoni Gaudí (1852-1926) :* il paraît que Picasso le détestait. Aujourd'hui, le peintre n'apprécierait guère de voir que les œuvres de l'architecte sont devenues les emblèmes de Barcelone (qui plus est largement fêté en 2002 pour le 150e anniversaire de sa naissance) ! Gaudí étudia l'architecture et la philosophie, ce qui explique cette fusion de la technique et du spirituel. Il dépassa rapidement le rationalisme d'un Viollet-le-Duc pour se lancer dans une œuvre de visionnaire qui inquiéta quelque peu ses contemporains. Il puisa dans toutes les sources offrant l'occasion d'enrichir son inspiration : architecture du passé, procédés techniques et utilisation des matériaux, exploitation de toutes les possibilités du végétal, pour aboutir à des formes dynamiques et originales, audacieuses pour l'époque, et qui font de lui l'un des plus grands architectes de tous les temps. Est-ce un hasard si trois de ses œuvres, le palau Güell, le park Güell et la casa Milà (connue comme la Pedrera), ont été classées Biens culturels du Patrimoine mondial ? Celui qui devait mourir en 1926 sous les roues d'un tramway consacra les dernières années de sa vie à son chef-d'œuvre inachevé, la Sagrada Família, allant même jusqu'à dormir sur le chantier ! Comme les cathédrales de naguère, la construction de la Sagrada risque de durer encore un bon demi-siècle, d'autant plus que les plans ont disparu dans un incendie. La couverture de la nef est toujours en cours de réalisation et si l'entrée principale fait partie des projets les plus immédiats, on n'en est pas encore là ! Pendant longtemps encore, on la visitera dans la poussière et les étincelles des soudeurs. Le nouveau pape Benoît XVI étudie le dossier de béatification de Gaudí, qui n'était certes pas un saint, mais qui mena une vie ascétique orientée vers le dépouillement individuel.

– *Lluís Llach (né en 1948) :* les Catalans disent de ce chanteur sexagénaire qu'il a le *duende,* un frisson dans la voix, un supplément d'âme qui touche et donne la chair de poule. Il a toujours milité pour la Catalogne autonome et chanté en catalan (Franco avait interdit de parler la langue en public... mais avait oublié de la prohiber dans les chansons !). Chanter, c'est donc une manière de résister (ce qui n'évita pas à Lluís Llach de s'exiler une première fois à Paris en 1970, puis à Londres en 1974 après avoir été déclaré « chanteur interdit »). *L'Estaca* (« Le Pieu ») devient l'hymne de la résistance antifranquiste. Lluís Llach a un jour refusé un contrat mirifique de CBS qui lui demandait de chanter en castillan. Depuis, il est devenu une vraie gloire pour les Catalans, attirant 100 000 personnes au stade Nou Camp et jouant à guichets fermés. Et, en 1999, l'Unesco lui décerne le titre d'« Artiste pour la paix ».

– *Sergi Lopez (né en 1965) :* acteur fétiche de Manuel Poirier (depuis 1992, il a tourné plusieurs films avec le réalisateur de *Western*), Sergi Lopez est avant tout catalan et fier de l'être. Dans ses films, il ne perd jamais une occasion de clamer son identité : « Je suis catalan, pas espagnol. » Sa brillante prestation dans *Harry, un ami qui vous veut du bien*, de Dominik Moll, fut à juste titre récompensée par le césar du meilleur acteur en 2001. Aussi à l'aise dans la peau des gentils que dans celle des méchants, il ne cesse de tourner ! Il s'est même récemment lancé au théâtre, dans un one-man-show.

– **Xavier Mariscal** (né en 1950) : il est né à Valence, mais son cœur bat pour Barcelone ! C'est la ville qu'il adopte pour y mener une carrière de créateur tous azimuts : souvenez-vous, la mascotte Cobi, rendue célèbre lors des J.O. de 1992, c'est lui. Mais c'est lui aussi qui signe un dessin animé iconoclaste, *Los Garriris*, avec ses héros vagabonds, lui encore qui imagine un tabouret aux pieds ondulés ou une affiche à la gloire de la ville, avec ce slogan « Bar-cel-ona » (en catalan : « Bar, ciel, vague »). Et en plus, il fait partie des talents qui ont investi le Palo Alta, dans le Poble Nou, réanimant ainsi la vieille friche industrielle de Barcelone.

– **Eduardo Mendoza** (né en 1943) : les stendhaliens et les bovarystes accordent leurs goûts sur cet auteur barcelonais. Il cultive sciemment et très discrètement son image de provocateur gentleman en écrivant en castillan à l'heure où le catalan n'a jamais été autant à la mode. Titilleur professionnel mais loyal, un peu à la manière d'Albert Londres, dans *La Vérité sur l'affaire Savolta*, il s'étend à loisir sur la bourgeoisie et les anarchistes de l'année 1917. Il sait aussi souligner le fait que les fortunes colossales de la cité catalane se sont bâties sur l'indigence du petit peuple de la *Ville des Prodiges*, ou encore vitupérer la Catalogne à l'heure du franquisme (*L'Année du déluge*). Avocat en droit international, Mendoza avait également ses entrées dans les arcanes du pouvoir. Il assista, entre autres, Felipe González aux États-Unis lors de sa rencontre avec Ronald Reagan. Voir aussi notre rubrique « Barcelone utile. Livres de route ».

– **Joan Miró** (1893-1983) : il a passé son enfance carrer de Ferran, dans le centre de Barcelone, bercé par les tic-tac familiers des mécanismes chers à son horloger de père. Très vite, Miró comprend que son goût pour les formes abstraites, les explosions de couleurs, dénote et détonne ! Son passage aux cours de la Llotja, où il est mal noté par ses professeurs, en témoigne. Il rencontre Gaudí au Cercle artístic de Sant Lluc, avant de partir pour Paris, à l'instar de ses amis peintres : c'est là qu'il rencontre Picasso, de 12 ans son aîné, avant de revenir à Barcelone au début de la Seconde Guerre mondiale. Pendant la guerre civile, il se bat avec ses affiches pour seules armes, afin d'alerter l'opinion internationale, de même qu'il soutiendra la cause catalane pendant la période du franquisme.

– **Manuel Vázquez Montalbán** (1939-2003) : l'écrivain est né dans une Barcelone qui se remettait tout juste des drames de la guerre civile. Son père étant originaire de Galice, Montalbán écrit en castillan, la langue de sa famille, mais reste un ardent défenseur de la culture catalane, avec « une certaine distance émotionnelle » en plus. Journaliste, poète, romancier et même chroniqueur gastronomique, il s'engage en politique aux côtés du PSUC (parti socialiste unifié catalan à sensibilité communiste). Il reçoit quelques-uns des plus grands prix littéraires, comme le Planeta (équivalent du Goncourt français) en 1979 et le Grand Prix de littérature policière en 1981. Son héros fétiche, Pepe Carvalho, connaît Barcelone comme sa poche, et son péché mignon, entre deux enquêtes désabusées, est de mitonner quelque succulente recette catalane ou de partir en balade autour du monde... Tout comme Montalbán, qui s'est d'ailleurs éteint à l'aéroport de Bangkok. Voir aussi notre rubrique « Barcelone utile. Livres de route ».

– **José Montilla** (né en 1955) : ancien ministre de José Luis Zapatero, il est, depuis 2006, le président de la Generalitat, le gouvernement autonome de Catalogne. Petite anecdote : Montilla n'est pas catalan ! Et pourtant cela ne l'empêche pas d'être extrêmement engagé pour la communauté. Il se dit lui-même « andalou d'origine mais catalan par conviction »...

– **Pablo Picasso** (1881-1973) : Picasso est né à Málaga, en Andalousie, mais sa première expo, il la monte à Barcelone, sur les murs du café *Els Quatre Gats*, un peu l'équivalent de notre *Chat Noir* montmartrois. Lorsque le jeune Pablo arrive à Barcelone, il a 14 ans. Il habite alors avec ses parents carrer de la Mercé, près des quais, puis suit les cours de l'école des beaux-arts de la Llotja, où son père est professeur. On peut voir des œuvres de jeunesse, des scènes de rue, des croquis de pigeons de l'élève Picasso au musée qui porte son nom dans le quartier Ribera. Si son style s'est affirmé à Paris, Picasso a toujours aimé Barcelone, laquelle, avec ses rues vivantes, son port, ses carrioles et ses chevaux, a été sa première source d'inspiration.

– *Jordi Pujol (né en 1930) :* ce « Napoléon catalan » (selon certains), à la fois fort en gueule et rusé, fut au pouvoir durant 23 ans. Mais il était connu bien avant : en 1960, devant le Caudillo, il se fait remarquer en chantant le *Cant de la Senyera* (l'hymne au drapeau catalan). Franco n'a pas l'humeur badine, et Pujol écope de 7 ans de prison avec quelques sévices en prime, histoire de lui faire ravaler son insolence. Il ne purge pas sa peine jusqu'au bout et reprend son « activité » de résistant au sein de la *Banque catalane* fondée par son père en 1959. Son leitmotiv ? *Fer país,* « construire le pays », sous-entendu le pays catalan. En 1974, Pujol fonde le parti Convergència Democràtica de Catalunya qui, en 1978, devient Convergència i Unió (CIU). Dès lors, plus rien ne semble l'arrêter, pas même un scandale de malversations financières. De 1980 à 2003, il préside la Generalitat et représente, avec ses 16 députés, 5 % des voix espagnoles. C'est donc vers lui que se tournent les chefs de gouvernement pour former une nécessaire alliance. Ex-président de l'Assemblée des Régions d'Europe, cet homme de terrain a réussi à imposer, en 1983, que le catalan soit généralisé à l'ensemble de la province, et son enseignement obligatoire à l'école primaire. Il n'est pas seulement le gouverneur de Catalogne, il en est le symbole, son incarnation. En 2003, à 73 ans, il préfère se retirer du devant de la scène et passer la main à la nouvelle génération.

– *Jordi Savall (né en 1941) :* né à Igualada, dans la province de Barcelone, ce violiste (entendez par là « joueur de viole ») s'initie dès l'âge de 6 ans à la musique. Il suit des études au conservatoire de Barcelone jusqu'en 1965, et pousse jusqu'à la Schola Cantorum Basieliensis en Suisse pour compléter sa formation. Il remet alors au goût du jour la viole de gambe, instrument du XVe s tombé dans les oubliettes, et recrée, entre 1974 et 1989, un répertoire allant du Moyen Âge au XIXe s. Dès lors, les critiques internationaux sont unanimes. Considéré comme l'un des plus grands interprètes de viole de gambe, il participe activement aux bandes originales des films *Tous les matins du monde* (1992), d'Alain Corneau, *Jeanne la Pucelle* (1993), de Jacques Rivette, et *Marquise* (1997), de Vera Belmont, pour n'en citer que quelques-uns...

– *Antoni Tàpies (né en 1923) :* Tàpies et ses toiles non figuratives, ses sculptures étranges et non dénuées d'humour, sont encore une création toute barcelonaise. Dans les années 1950, ce jeune artiste était considéré comme l'héritier de Miró, car il faisait preuve, comme lui, d'un tempérament inquiet et novateur. Sa fondation, carrer Aragó, dans le quartier de l'Eixample, abrite une collection permanente, mais aussi des œuvres d'artistes contemporains, comme Miquel Barceló. On peut voir sur le passeig de Picasso, près du parc de la Ciutadella, un « Hommage de Barcelone à Pablo Picasso » signé Tàpies : un bassin rempli d'eau, avec un étrange bric-à-brac fait d'un vieux buffet, de chaises et de draps griffonnés.

– Et n'oublions pas : l'ex-directeur de l'Unesco, *Federico Mayor* ; *Joan Antonio Samaranch,* ancien directeur du CIO ; les champions de tennis *Sergi Bruguera* et *Arantxa Sánchez-Vicario* ; le ténor *José Carreras* ; *Carlos Ruíz Zafón,* auteur populaire très médiatique (voir « Livres de route » dans « Barcelone utile » plus haut).

POPULATION

Le Catalan est le résultat d'invasions successives, depuis les Phéniciens jusqu'aux Arabes, en passant par les Grecs et les Romains. Et n'oublions pas les influences glanées en Italie et en Sicile... Un peuple avec une tradition et une culture richement diversifiées. Contrairement aux Basques, les Catalans ont forgé leur identité culturelle à l'aune de leur propre histoire et non dans la recherche d'une quelconque homogénéité ethnique. Comme eux, en revanche, ce sont de grands navigateurs qui ont développé très tôt un sens aigu du commerce et de la finance ; ils parcoururent les pays méditerranéens et parfois s'y installèrent. Ce n'est d'ailleurs pas un hasard si Barcelone et Bilbao sont aujourd'hui les deux grands ports espagnols.

Si vous interrogez un Catalan sur les particularités de son peuple, il ne résiste pas bien longtemps à vous révéler le secret des gens d'ici : un savant dosage de *seny* (le bon sens) et de *rauxa* (la démesure, la folie des grandeurs). Et de vous citer Dalí, Gaudí ou Bofill comme exemples de cet étonnant cocktail qui fait tout le charme du caractère catalan !

Il vous dira encore qu'il se sent plus européen qu'espagnol. Cela dit, à côté de ces Catalans « de souche », on trouve depuis un siècle des gens venus des régions les plus pauvres de la péninsule, attirés par la richesse de la région. Ces immigrants-là ne parlaient que castillan et ont dû se mettre au catalan, parfois avec réticence.

La centralisation du pouvoir sous le régime de Franco avait fait de la Catalogne un pôle d'opposition au franquisme. Auparavant, du moins jusqu'au début du XVIIIe s, elle avait ses propres institutions, retrouvées un moment en 1931 avec la création de la Généralité de Catalogne. La mort de Franco et l'avènement d'une monarchie parlementaire allaient conduire à la renaissance de la *Generalitat*. Le statut d'octobre 1979 crée un parlement catalan qui élit le président de la *Generalitat*.

Les petites tensions entre les Catalans et le pouvoir central résultent évidemment du degré d'autonomie financière et politique que ce dernier veut bien concéder. Mais, dans l'ensemble, ça se passe plutôt bien. Et pour cause : la Catalogne est une alliée indispensable au gouvernement madrilène. Il ne faut pas oublier qu'Aznar doit sa victoire de 1996 à l'appui que lui a fourni Jordi Pujol. Et ça, Pujol l'a très bien compris et a su en jouer. Puisqu'il aidait Madrid, il en tirait tout ce qu'il pouvait. D'ailleurs, contrairement au Pays basque, la Catalogne ne prône pas l'indépendance. Elle veut (et elle a obtenu) plus d'autonomie, mais sa politique n'est pas une politique séparatiste.

RELIGIONS ET CROYANCES

À ce propos, les clichés ont la vie dure : l'Espagne apparaît pour beaucoup comme un pays très catholique, très empreint de religiosité, où toutes les femmes s'appelleraient María Dolores et les hommes Jesús ou José. Qu'en est-il réellement ?

Certes, d'après de récents sondages, 73 % (94 % officiellement) des Espagnols se reconnaissent de confession catholique, ce qui laisse peu de place pour les autres obédiences. Mais ce chiffre, qui donne l'image d'un catholicisme triomphant, cache une baisse prononcée de la fréquentation des églises, notamment lors de la messe dominicale, et surtout chez les jeunes. D'ailleurs, 22 % des Espagnols s'affirment agnostiques ou athées. Se déclarer ca-

L'AURÉOLE DES SAINTS

Partout dans la chrétienté, l'auréole est le symbole des saints. Au départ, on apposait un disque métallique, juste pour protéger la tête des statues de la chute de pierres ou de la tombée des eaux qui suintaient des plafonds. Peu à peu, les fidèles ont cru que cette protection était l'attribut de la sainteté...

tholique ne signifie cependant pas forcément avoir la foi, mais plutôt être de culture catholique et se conformer à certains rites. Et dans ce domaine, on peut affirmer que le pays demeure très traditionaliste. Le baptême, la communion, le mariage à l'église sont autant d'événements sociaux incontournables dans la vie des Espagnols. Leur fonction consiste plutôt à étaler ses richesses et impressionner sa famille et ses voisins qu'à manifester sa foi. Il suffit pour s'en convaincre de jeter un œil sur les accoutrements des communiants : costume de capitaine de frégate pour lui, le plus cher possible, robe de mariée pour elle, couverte de fanfreluches ; c'est clairement l'exhibition méditerranéenne (que l'on retrouve aussi en Italie, par exemple). Un rôle social, donc. Preuve de cette distance, peut-être, le peu de résultat des vigoureuses protestations de l'Église espagnole en 2005, au moment où la loi autorisant le mariage homosexuel était discutée... elle est bel et bien passée, cette loi !

En fait, la religion reste souvent le meilleur prétexte pour faire la fête : aux nombreux jours fériés à caractère religieux s'ajoutent les différentes fêtes des villes et des villages données en l'honneur du saint patron local, tandis que la Semaine sainte et ses processions mettent les Espagnols dans un état proche de l'hystérie collective. Une hystérie à travers laquelle se mêlent joie de vivre l'instant et authentique ferveur religieuse.

Mais si les Espagnols se retrouvent moins nombreux à la messe dominicale, l'Église reste suffisamment puissante pour s'opposer farouchement à la société civile sur le terrain social.

Et les non-catholiques dans tout ça ? Eh bien, on compte un peu moins d'un million de musulmans dans tout le pays, issus pour la plupart de l'immigration, bien que se développe un îlot de nouveaux convertis à Grenade. Les quelques protestants et mormons égarés dans le pays (environ 310 000) sont également pour moitié des immigrés, en provenance de l'Europe du Nord. Les juifs seraient environ 50 000. Quant aux sectes, elles paraissent peu implantées, et souvent liées aux mouvements d'extrême droite.

SARDANE

La sardane est la danse nationale catalane, originaire de la région de l'Empordà, au nord de la Catalogne. Spécifique au Bassin méditerranéen, elle se dansait déjà, paraît-il, chez les Étrusques et dans la Grèce antique. Codifiée par Pep Ventura au XIXe s, elle fut largement médiatisée lors de la cérémonie d'ouverture des J.O. de 1992. Rien à voir avec les démonstrations flamboyantes du flamenco : c'est une danse sobre, interprétée toutes générations confondues. Mais pas aussi simple qu'elle en a l'air, puisque tous les pas et les pointes sont comptés. Les rondes se forment à l'appel du *flabiol* (petite flûte). Puis, un à un, tous les instruments de la *cobla* (l'orchestre) le rejoignent. Les danseurs entament une série de pas vers la droite, puis en arrière, et exécutent la même chorégraphie de l'autre côté.

Au début, la danse est lente, puis la musique accélère, les pas s'enchaînent et deviennent de plus en plus compliqués, alternant sauts et mouvements des bras. Et de nouveau la musique ralentit, et on revient aux pas du début. D'autres danseurs peuvent entrer dans le cercle sans que la danse s'arrête, on leur fait simplement de la place : certains y voient un symbole de l'accueil chaleureux envers les étrangers, de l'ouverture d'esprit qui caractérisent la société catalane.

Chaque sardane est composée de deux unités mélodiques distinctes : les points courts, qui font usage de refrain comme dans une chanson, et les points longs, sorte de couplet. L'usage a voulu qu'une sardane commence par les courts (deux fois), les longs (deux fois), les courts (deux fois) et finalement les longs (quatre fois). Les seules interruptions ont lieu uniquement après le deuxième et le troisième des quatre derniers longs, par deux arrêts nommés contrepoints. Le musicien fixe le nombre de courts et de longs de chaque sardane, suivant son inspiration, mais la moyenne habituelle, imposée par le délai du temps à jouer (environ 12 mn par sardane) est de 21 à 45 courts et de 51 à 95 longs.

Pour voir danser la sardane à Barcelone

– *Plaça Catedral* : de février à juillet, le samedi à 18h30 ; de septembre à novembre, les dimanche et jours fériés à 12h.

– *Plaça Sant Jaume :* le dimanche à 18h30.
– *Parc de la Ciutadella :* de janvier à février, le dimanche à 12h ; le 1ᵉʳ dimanche de mars.
– *Parc de l'Espanya Industrial :* de mi-avril à fin septembre, le vendredi à 19h30.
– *Parc de Joan Miró :* de décembre à mars, les 2ᵉ et 4ᵉ dimanches à 12h ; en avril et d'octobre à novembre, les 1ᵉʳ et 3ᵉ dimanches à 12h.
– *Parc de les Tres Xemeneies (Poble Sec) :* de décembre à juillet, le 2ᵉ dimanche du mois à 12h.
En août, la sardane est réservée aux fêtes locales (voir « Fêtes et jours fériés » dans « Barcelone utile »).

SAVOIR-VIVRE ET COUTUMES

Quelques particularités

– Dans les hôtels comme dans les restos, il faut souvent ajouter à la note une *taxe (IVA),* qui va de 8 % (normale) à 12 % dans certains restos chic. Bon à savoir aussi, le pain est généralement facturé à Barcelone, il s'agit souvent de *pa amb tomàquet.*
– *Le pourboire* n'est pas inclus dans la note : il n'est pas obligatoire, mais il est courtois de laisser quelque chose (jusqu'à 10 % de

> ### ON SE DIT TU ?
>
> *Le tutoiement est bien plus utilisé qu'en français. Un désir d'amitié et de sympathie qui surprend quand un chauffeur de taxi vous tutoie, par exemple. Il s'agit aussi d'un rejet du formalisme. On vouvoie plutôt les supérieurs hiérarchiques ou les personnes âgées. Mais pas toujours !*

l'addition). N'oubliez pas que les salaires sont ici moins élevés qu'en France.
– Il est un rituel que l'on retrouve dans toute la péninsule Ibérique, celle du *paseo* (littéralement la « promenade »). Vers 19h-20h, avant le dîner, les Barcelonais ont l'habitude de déambuler sur la sacro-sainte Rambla jusqu'au bord de mer, en famille ou entre amis. L'élégance est de mise, chez les grands comme chez les petits. C'est un moment très convivial, souvent ponctué de retrouvailles : on croise un voisin, on dit bonjour à une cousine : « Et comment va Isabel ? », et on finit par s'asseoir sur un banc pour regarder les autres passer... Un spectacle à ne pas manquer.
– Il y a peu de *w-c publics,* mais on peut plus facilement qu'en France utiliser les w-c des cafés et restos.
– Quant à la *voiture,* les Espagnols se garent n'importe où, y compris en double ou triple file, mais jamais sur les emplacements réservés aux personnes handicapées, qu'ils respectent scrupuleusement.
– En somme, rien de bien différent de toute l'Europe : on se salue quand on se rencontre, on s'excuse quand on se bouscule et on se remercie.
– Enfin, on fait attention à sa *tenue* quand on entre dans une église (les jambes nues sont mal vues, et il vaut mieux couvrir bras et épaules).

Fêtes à toutes les sauces

De toute façon, tous les prétextes sont bons en Espagne pour organiser une fête. Bien sûr, tous les saints y passent mais aussi les escargots, les ânes, les récoltes, les taureaux ! Il y en a pour tous les goûts et pour toutes les folies. L'origine de ces fêtes est avant tout religieuse. Un catholicisme très fort a récupéré toutes les fêtes païennes pour se faire accepter et, au contraire du protestantisme de l'Europe du Nord, est resté attaché à toutes les commémorations et à tous les rites ancestraux. Une vieille formule romaine ne disait-elle pas : « Pour le peuple : du pain et des jeux » ? N'empêche que les vieilles fêtes religieuses ont considérablement dévié, au point de provoquer les critiques de l'Église.

Pour Gil Calvo, sociologue : « La base réelle [de la fête], c'est qu'il n'y a pas assez de travail pour tout le monde ; les Espagnols compenseraient donc ce manque d'activité par la fête. » Fait paradoxal, la levée de la chape de plomb franquiste n'a pas eu d'effet sur la ferveur des fêtes ; idem pour la déchristianisation de la péninsule. Preuve que ni les dictatures ni les dogmes n'ont altéré l'attachement des habitants à leurs traditions, à cette volonté de se retrouver ensemble. Comme le souligne Philippe Noury, du *Monde* : « Pas touche à des choses aussi sérieuses ! Devant les assauts de l'Europe puritaine, l'Espagne dressera encore longtemps son mur de fêtes et de beauté. »

Vie nocturne

Ici, on ne dort pas ! Pour ceux qui sont venus chercher le soleil, une surprise les attend : c'est la nuit que les villes s'éveillent vraiment. On finit même par dormir éveillé. La vie nocturne barcelonaise (et espagnole en général) est certainement l'une des plus développées d'Europe, voire du monde. La nuit, la rue appartient aux noctambules qui fourmillent dans les quartiers les plus animés. Barcelone, outre toutes les fêtes religieuses ou commémoratives, a comme particularité d'être une ville très branchée, voire *hype,* l'un des temples européens de la techno, *Sonar* oblige ; on ne compte donc plus les bars et les boîtes, et la ville attire chaque année des milliers de jeunes venus s'éclater aux rythmes des derniers DJs, dans des ambiances et des cadres aussi variés que leurs envies ! Tout cela commence fort tard (en général, pas la peine de s'y pointer avant 2h ou 3h) et se termine au petit matin, c'est logique...

SITES INSCRITS AU PATRIMOINE MONDIAL DE L'UNESCO

Organisation
des Nations Unies
pour l'éducation,
la science et la culture

En coopération avec
le centre du patrimoine mondial de l'UNESCO

Pour figurer sur la liste du Patrimoine mondial, les sites doivent avoir une valeur universelle exceptionnelle et satisfaire à au moins un des 10 critères de sélection. La protection, la gestion, l'authenticité et l'intégrité des biens sont également des considérations importantes.

Le patrimoine est l'héritage du passé dont nous profitons aujourd'hui et que nous transmettons aux générations à venir. Nos patrimoines culturel et naturel sont deux sources irremplaçables de vie et d'inspiration. Ces sites appartiennent à tous les peuples du monde, sans tenir compte du territoire sur lequel ils sont situés. Pour plus d'informations : ● *whc.unesco.org* ●

– Les œuvres d'Antoni Gaudí (1984, 2005) : *park Güell, palau Güell, casa Milà* (la Pedrera), *casa Vicens, Sagrada Família* (façade de la Nativité et crypte), *casa Batlló* et *colónia Güell* (la crypte ; à Santa Coloma de Cervelló, dans les environs de Barcelone).

– *Palau de la Música* et *hospital de Sant Pau* (1997).

SPORTS ET LOISIRS

Le football *(fútbol)*

On trouve en Espagne les plus grands stades européens, et les grands clubs sont l'orgueil des villes. Barcelone vibre au rythme du *Barça,* club de foot phare du pays et symbole de la résistance catalane face au pouvoir de Madrid. Vainqueur pour la 19e fois du championnat national (la *Liga*) en 2009 devant son éternel rival le Real Madrid, le Barça (FC Barcelone) s'enorgueillit surtout, depuis le passage d'un certain Johan Cruyff à la fin des années 1970, de proposer le football le plus spectaculaire et offensif d'Europe. Et ça marche !

Les joueurs au maillot bleu et rouge ont décroché tous les trophées européens, dont trois fois la Ligue des Champions en 1992, 2006 et 2009. Il faut dire que le Barça a toujours accueilli de grosses pointures, parmi lesquelles les Argentins Diego Maradona et Lionel Messi, le Brésilien Ronaldinho, le Camerounais Samuel Eto'o ou les Français Lilian Thuram et Thierry Henry, et on en passe. Peu de gars du pays finalement... Mais qu'importe puisque le Nou Camp et ses 99 000 places compte 150 000 *socios,* un système unique d'abonnés-actionnaires qui leur octroie par exemple le pouvoir de renvoyer leur président. Mieux qu'une cotation en bourse ! Les aficionados en quête de simplicité se rabattront sur l'autre club de la ville, l'Espanyol, peut-être moins performant mais plus authentique !

Les victoires à l'Euro 2008 et à la Coupe du monde en 2010 ont confirmé la bonne santé du football espagnol. Parmi les joueurs de la sélection, on compte un bon tiers de Catalans, mais c'est bien le drapeau national qui flottait dans les rues de Catalogne lors de ces compétitions !

BARCELONE

▶ Pour se repérer, voir le plan centre de la ville, le plan zoom et le plan des transports en commun en fin de guide.

Barcelone a toujours autant la cote. Elle ne cesse d'être plébiscitée par les touristes du monde entier venus chercher un compromis entre macadam et plage dans ce melting-pot grouillant de vie nocturne, de shopping et d'attractions culturelles. Capitale de l'une des régions les plus prospères de la péninsule, la ville a entamé le XXIᵉ s en misant sur le tertiaire et les loisirs (dont le tourisme, qui joue un rôle non négligeable). Il faut dire que, par son emplacement privilégié, Barcelone respire un air de vacances perpétuelles, avec les maisons espiègles de Gaudí cohabitant paisiblement avec l'architecture gothique, le front de mer bordé de palmiers, les bars en ébullition permanente ainsi que les multiples événements qui se succèdent du printemps jusqu'à l'automne. En résumé, une destination vivante affichant une tolérance prisée des jeunes (pas mal d'étudiants Erasmus en goguette...) et des moins jeunes qui trouvent ici une Espagne actuelle et entreprenante, moins folklorique, et volontairement à l'écart des clichés du torero jet-setteur ou de la chanteuse flamenco-punk almodovarlenne. Mais à force de vouloir plaire au plus grand nombre, ne serait-elle pas devenue trop aseptisée, trop prévisible peut-être ?

Le centre historique s'organise autour de la *Rambla*, véritable artère palpitante qui mène de la place de Catalogne au port, avec ses fleuristes, ses peintres, ses musiciens de rue et ses statues humaines. Le soir, les Barcelonais s'y livrent à leur sport national, le *paseo* : on défile sur la Rambla en admirant au passage les exploits du marionnettiste et de sa grenouille musicienne, le sosie de Christophe Colomb qui vous salue ou le chanteur de vieux tubes américains en fauteuil roulant.

Ajoutez à cela des transports en commun efficaces – dont un métro d'une simplicité élémentaire, ouvert jusqu'à 2h du mat le vendredi soir et même toute la nuit le samedi –, des merveilles architecturales signées Gaudí ou Muntaner, une pagaille de restos, cafés, terrasses et salles de concerts, des téléphériques, des funiculaires, un tramway, des bateaux, et vous aurez une idée du charme de Barcelone. Huit bâtiments sont classés au Patrimoine mondial de l'humanité par l'Unesco : un record mondial pour une seule ville ! Heureux hasard ou véritable prise de conscience de l'importance de cette architecture, tous appartiennent au mouvement moderniste : le *palais de la Musique catalane*, la *Pedrera*, la *casa Batlló*, le *park Güell*, le *palau Güell*, la *Sagrada Família*, l'*hôpital de Sant Pau* et la *casa Vicens*.

BARCELONE – PLAN D'ENSEMBLE

■ **Adresse utile**

19   Consulat général de Suisse

🛏 **Où dormir ?**

54   Urbany Hostel
57   Daily Flats
122   America 32 B & B

🍴 **Où manger ?**

280   Xiringuito Escriba
281   Els Pescadors
292   Can Punyetes
300   Cherpi
301   La Venta

🍦 **Où déguster une glace ?**

328   El Tio Che

🍷 **Où boire un verre ?**
🎵 **Où écouter de la musique live ?**

411   Los Chiringuitos
       de la plage del Bogatell
420   El Bonobo
427   Razzmattaz

🎵 **La tournée des boîtes**

437   Otto Zutz Club
438   L'Universal
450   Mirablau
453   Bikini

⊕ **Achats**

469   Les puces « Els Encants »

🎭 **À voir**

512   Casa Vicens

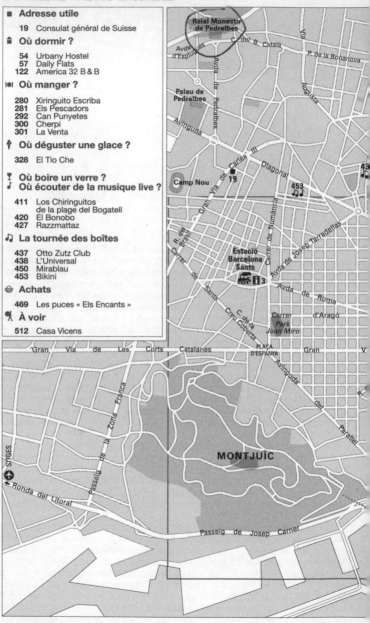

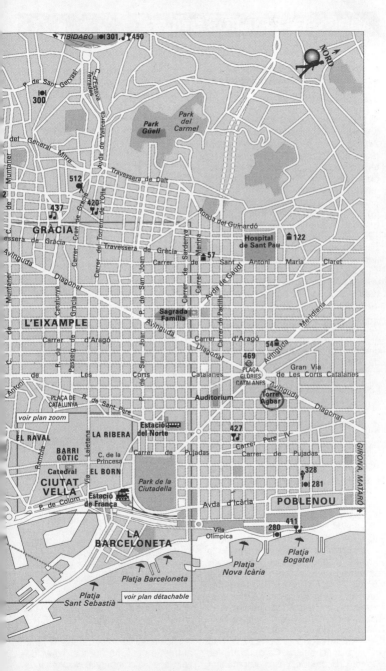

ADRESSES ET INFOS UTILES

↖ TIBIDABO ❙❖❙ 301 ♪ ▼ 450

NORD

P. de Sant Gervasi

❖ 300

del General Mitre

Terrassa d'Esteve

Avda de Vallcarca

Park Güell

Park del Carmel

❖ 512

Travessera de Dalt

C. de Muntaner

Carrer de Gràcia

Gran de Gràcia

Carrer de Torrent de l'Olla

❖ 437 ♪

❖ 420 ♪

essera de Gràcia

GRÀCIA

Ronda del Guinardó

Travessera de Gràcia

Carrer de Sardenya

Marina

Carrer de Sant

▲ 57

Hospital de Sant Pau

▲ 122

Antoni Maria Claret

Avinguda Diagonal

C. de Muntaner

de Catalunya

Passeig de Gràcia

R. de Sant Joan

Avinguda de Gaudí

Carrer de Padilla

L'EIXAMPLE

Sàgrada Família

Carrer de d'Aragó

Carrer d'Aragó

❖ 54 ▲

Meridiana

C. d'Aragó

Les Corts Catalanes

PLAÇA GLÒRIES CATALANES

❖ 469

Gran Via de Les Corts Catalanes

Avinguda

C. d'Antoni

PLAÇA DE CATALUNYA

R. de Sant Pere

Auditorium

Torre Agbar

Avinguda Diagonal

voir plan zoom

EL RAVAL

LA RIBERA

Estació del Norte 🚌

❖ 427 ♪

Carrer Pere IV

GIRONA, MATARÓ

BARRI GÒTIC

EL BORN

C. de la Princesa

Carrer de Pujadas

Carrer de Pujadas

Catedral

CIUTAT VELLA

Park de la Ciutadella

❖ 328

❖ 281

POBLENOU

Estació de França

P. de Colom

Avda d'Icària

LA BARCELONETA

Vila Olímpica

❖ 280

❖ 411 ☂

Platja Bogatell

Platja Nova Icària

Platja Barceloneta

voir plan détachable

Platja Sant Sebastià

ADRESSES ET INFOS UTILES

Arrivée à l'aéroport de Barcelone

✈ **L'aéroport :** *situé à* **El Prat de Llobregat,** *à 12 km du centre-ville.* ☎ 93-298-38-38. ● aena.es ● Récemment réorganisé, il comprend 2 terminaux : le terminal 1 (ou T1), flambant neuf et bien conçu (tout de blanc et en transparence, il est l'œuvre du célèbre architecte catalan Ricardo Bofill), et le terminal 2, qui regroupe les 3 anciens terminaux (appelés aujourd'hui T2A, T2B, T2C). Distants de 4 km, le T1 et le T2 sont reliés par une navette gratuite (indispensable pour les passagers du T1 qui souhaiteraient gagner le centre-ville en train depuis le T2). On trouve de tt dans chaque terminal, dont un office de tourisme (T1 et T2B ; *tlj 9h-21h* ; plan de la ville, etc.), une consigne *(au bout du T1 et face au T2B, à côté du parking ; 4-5 €/j. selon taille)*, des bureaux de change *(tlj 7h-22h)* et des distributeurs de billets.

Comment se rendre en ville ?

➤ **Navette Aerobús :** ☎ 93-415-60-20. ● emt-amb.com ● Navette A1 depuis le T1, et A2 depuis le T2 (arrêts aux T2A, T2B, T2C). Tlj 6h-1h ttes les 5-10 mn selon heures. Le ticket s'achète directement dans le bus au T1, dans le bus ou à un distributeur au T2. Tarif : 5,30 €. Arrêts dans l'ordre : Plaça-d'Espanya ; Gran-Vía-Urgell ; Gran-Vía-Universitat ; Plaça-de-Catalunya. Env 30-40 mn pour gagner le centre-ville.
➤ **En train :** ● renfe.com ● Depuis le T2B slt, la ligne C2 assure les liaisons directes ttes les 30 mn 5h42-23h38 (5h08-23h07 depuis Passeig-de-Gràcia). Trajet : 20-25 mn. Le plus économique : 3 € (attention, le billet A/R, moins cher, n'est valable que dans la même journée ; en revanche, inclus dans les cartes de transports *T-Día, T-10* et dans la *Barcelona Card*). Entre les T2A et T2B, prendre l'escalator menant

à la passerelle-tunnel rouge et blanc. Arrêts aux gares de Sants Estació et de passeig de Gràcia (la plus pratique car très centrale).
➤ **En bus :** possibilité de gagner la pl. d'Espanya avec la **ligne 46,** départs du T1 et du T2B les 25 mn (35 mn le w-e) tlj 5h30-0h45 (5h-23h20 depuis la pl. d'Espanya). Le ticket s'achète directement dans le bus (1,45 €). Ou *bus nocturne nº 17* pl. de Catalunya (et ronda Universitat). Ttes les nuits, départs ttes les 20 mn 22h05-5h05 depuis l'aéroport, 23h-5h depuis la pl. de Catalunya.
➤ **En taxi :** évidemment la solution la plus chère (voir plus haut numéros de téléphone et tarifs dans la rubrique « Transports. Transports urbains à Barcelone » dans « Barcelone utile »). Env 30 € depuis le T1, 25 € depuis le T2.

Arrivées aux aéroports de Gérone et de Reus

Desservis essentiellement par des compagnies *low-cost,* même si certaines, comme *Ryan Air,* arrivent aussi à El Prat de Llobregat.

✈ **Aéroport de Gérone :** *à une douzaine de km de Gérone et à une centaine de km de Barcelone.*
➤ Depuis l'aéroport, bus réguliers vers Barcelone (estació del Norte, Ⓜ Arc-de-Triomf ; centre H4) en fonction des arrivées des vols avec les compagnies *Sagalès* ● sagales.com ● ou *Barcelona Bus* ● barcelonabus.com ● pour 12 € l'aller ou 21 € l'A/R (valable 30 j.). Même principe depuis Barcelone (départ de la estació del Norte) vers l'aéroport de Gérone. Env 1h15 de trajet (en fonction du trafic).

✈ **Aéroport de Reus :** *à env 3 km de Reus, 12 km de Tarragone et 110 km de Barcelone.*
➤ Bus réguliers vers Barcelone (entre autres) en fonction des arrivées des vols, avec la compagnie *Hispano Igua-*

ladina (☎ 93-339-73-29 à Barcelone, ☎ 977-77-06-98 à Reus, ☎ 902-29-29-00 de partout ; ● igualadina.com ●). Attention, à Barcelone, arrivées et départs à la gare de bus de Sants Estació *(centre B2 ; c/ Viriato)*, et non à la estació del Norte. Compter 1h30-1h50 de trajet, et 23 € l'A/R.

Infos touristiques

Infos sur Barcelone

À noter, ces offices de tourisme ont tous un *numéro de téléphone commun :* ☎ 93-285-38-34. Et tous sont fermés les 1er et 6 janvier, et 25 décembre.

ℹ *En plein centre (centre F4, 1) :* pl. de Catalunya, 17 S (au sous-sol). ☎ 93-285-38-34. Ⓜ *Catalunya. Tlj 8h30-20h30.* Bureau spécialisé sur Barcelone, où les hôtesses, très efficaces, parlent le français. On y trouve un distributeur automatique, une boutique et un guichet spécialisé dans l'information hôtelière (possibilité de réserver une chambre « dernière minute »). Organise des visites guidées à pied de la ville (en particulier du Barri Gòtic, ainsi qu'un circuit qui vous mène sur les pas de Picasso), et également à scooter. Vend tous les forfaits et *passes* cités ci-après. Il édite plusieurs brochures thématiques (gratuites ou vendues pas bien cher et vraiment bien faites), notamment celles sur la Barcelone romaine ou gothique, avec petit historique, photos et plan. Dans les mêmes locaux en sous-sol, également un guichet spécial (le n° 1) *Ruta del modernisme (lun-sam 10h-19h, dim 10h-14h).*

ℹ *Dans le centre historique (zoom F5, 2) :* c/ de la Ciutat, 2 ; à l'angle de la pl. Sant Jaume I. Ⓜ *Jaume-I. Lun-ven 8h30-20h30 ; sam 9h-19h ; dim et fêtes 9h-14h.*

ℹ *Au Mirador de Colom (centre E6) :* pl. Portal San Pau. *Tlj 8h30-20h30 (19h nov-avr).*

ℹ *Dans la gare Barcelona-Sants (estació de Sants ; centre B2, 3) :* Ⓜ *Sants-Estació. Dans le hall. Lun-ven 8h-20h ; w-e et j. fériés 8h-14h (20h 24 juin-24 sept).* C'est là qu'arrive le train en provenance de l'aéroport, avant de continuer vers le passeig de Gràcia.

ℹ *Kiosques d'infos touristiques :* plusieurs kiosques bien répartis dans la ville, qui disposent des plans et informations les plus demandés, et vendent pour la plupart la *Barcelona Card* et le *Barcelona Bus Turístic : en face de l'entrée de la Sagrada Família (centre H2 ; juil-sept, tlj 8h30-19h30, oct-juin, tlj 9h-15h) ; sur la plaça de Espanya (centre B3 ; juil-sept, tlj 8h30-19h30, oct-juin, tlj 9h-15h) ; sur la Rambla (zoom F4 ; au niveau du n° 115 ; tlj 8h30-20h30) ; à la estació del Norte (centre H4 ; Alí Bei, 80 ; juil-sept, tlj 8h30-19h30, oct-juin, tlj 9h-15h).*

– En été, on croise souvent dans le Barri Gòtic, sur la Rambla et le passeig de Gràcia des *hôtesses en uniforme rouge* avec un badge « Turisme de Barcelona ». N'hésitez pas à vous adresser à elles.

Infos générales sur la Catalogne, Barcelone et le reste de l'Espagne

ℹ *Palau Robert (centre F2, 4) :* passeig de Gràcia, 107. ☎ 93-238-80-91. ● gencat.cat/palaurobert ● Ⓜ *Passeig-de-Gràcia ou Diagonal. Lun-sam 10h-19h ; dim et j. fériés 10h-14h30. Fermé 1er et 6 janv, et 24-25 déc.* Infos sur toute la Catalogne (Montserrat, etc.) : bien pour préparer des excursions ou des balades dans les environs. Consultation de cartes, guides, livres, dépliants touristiques, etc. En plus, le palau Robert accueille régulièrement des expos.

ℹ *À l'aéroport :* T1 et T2B. *Tlj 9h-21h. Fermé 1er janv, Vendredi saint, 1er mai, 11 sept et 25-26 déc.* Infos sur Barcelone et la Catalogne.

Infos en ligne

– *Sites internet de la ville :* il en existe 2. ● bcn.es ● est celui de la mairie. ● barcelonaturisme.cat ● est beaucoup plus complet pour le tourisme. Infos sur les hébergements, les événements ponctuels, les circuits touristiques, etc.

Cartes et *passes*

– La plupart des offices de tourisme distribuent de bons plans de la ville.

– C'est également auprès d'eux que vous vous procurerez les divers *passes* touristiques : *Barcelona Card, Articket* et *Arqueoticket*. Pour plus de détails, se reporter à la rubrique « Musées et sites. *Passes* et autres tickets groupés » dans le chapitre « Barcelone utile ».

Visites guidées

■ *L'office de tourisme* organise de nombreuses visites guidées thématiques payantes (réduc moins de 12 ans), en castillan, en catalan ou en anglais. Réservation indispensable auprès du bureau de la plaça de Catalunya, ou vente en ligne via leur site (avec réductions à la clé). Plusieurs formules, à pied, à scooter ou à vélo. Tout le détail des horaires et tarifs dans les offices de tourisme ou sur ● *barcelonaturisme.cat*
– À pied, avec guide : de 13 à 19,50 € par adulte ; Barcelone Gòtic, Barcelone et Picasso, Barcelone moderniste, Barcelone gourmet, Barcelone-Marina (départ du Mirador de Colom). Les visites sont intéressantes, mais les groupes atteignent facilement 45 personnes. Du coup, on se balade avec une oreillette et on perd en convivialité.
– À vélo : plusieurs circuits différents (en ville, dans les environs...), en anglais, en castillan ou en catalan. Vélo, casque et siège enfant sont fournis, ainsi qu'une boisson. Durée : de 1h30 à 3h. Selon durée et parcours, de 20 à 38 € par adulte (réduc 9-15 ans).
– À scooter : même principe avec un seul circuit, mais avoir minimum 21 ans et un permis voiture valable depuis 3 ans. Environ 45-50 €.
■ *Mabarcelone :* 📱 635-76-43-94 *(Bénédicte)* ou 📱 678-15-46-42 *(Ilona).* ● *contact@mabarcelone.com* ● *mabarcelone.com* ● *Tlj 9h-21h.* Résa conseillée pdt vac scol. Visites guidées thématiques, en français s'il vous plaît ! Petite agence montée par 2 jeunes Françaises dynamiques et chaleureuses, et surtout passionnées par la ville, son histoire, ses coins et ses recoins, ses habitants, ses artisans... Itinéraires en individuel ou en petit groupe (8-9 pers max) vraiment chouettes et originaux – que les thèmes soient classiques (Barri Gòtic, gastronomie, modernisme, etc.) ou plus insolites (le Raval,

tournages mythiques à Barcelone...). Les plus courts durent 2h30, les plus longs 4 ou 5h... mais tout est adaptable ! Possibilité aussi d'itinéraires sur mesure. À partir de 50 € pour 2 adultes (réduc moins de 18 ans).
■ *Itineraplus :* c/ Copons, 3. ☎ 93-342-83-33. ● *info@itineraplus.com* ● *itineraplus.com* ● Le sympathique Lluis est le seul de son équipe à parler le français. Les visites guidées, thématiques, se font donc uniquement en castillan et en anglais (la demande n'est pas encore assez forte pour constituer des groupes francophones). Compter alors 13 € par personne pour des groupes de 25 personnes maximum. Le programme des visites est disponible sur Internet. Thèmes plus ou moins insolites : Barcelone romaine, romane, gothique, Renaissance, baroque, moderniste, bohème, magique, ésotérique, guerre civile... ou à la carte dans le cadre d'une visite privée... car les plus motivés peuvent aussi réserver une visite privée (en français !) de 3h, à effectuer en petit comité ; compter alors 210 € pour 1 à 15 personnes.

Agendas culturels

– *Agenda cultural :* agenda culturel bimensuel, gratuit et très bien fait, édité par *Barcelona Turisme.* À demander dans les offices de tourisme.
– *B-guided :* le guide trimestriel payant qui fait référence, décliné en plusieurs rubriques sympas *(b-inspired, b-ing, b-wear, b-served, b-seen...).* Guide en anglais et en espagnol plutôt orienté design, zique et fringues (euh... que des fringues de marque, ¡ *claro* !). ● *b-guided.com* ●
– *Butxaca :* mensuel gratuit où l'on retrouve l'actualité culturelle de la ville (musique, théâtre, expos, ciné...). Dans les bars, boutiques, etc. ● *butxaca. com* ●
– *Modo sonoro :* mensuel gratuit indispensable pour suivre l'actualité musicale de la ville et connaître les dates de concerts. Disponible chez les disquaires et dans les bars.
– *Pilote Urbain :* mensuel gratuit et en français. Concis et plein d'infos intéressantes. ● *piloteurbain.com* ●

– Et si, malgré tous nos efforts, vous n'avez pas réussi à trouver un seul de ces gratuits, il reste *La Guia del Ocio*, l'équivalent de notre *Officiel des spectacles* parisien. En vente le jeudi. Beaucoup plus conventionnel, il va sans dire.

Services

✉ **Correos** (grande poste ; zoom F5) : pl. Antonio López, 1. ☎ 93-486-80-50. Ⓜ Barceloneta ou Jaume-I. Près du port, à l'extrémité de la vía Laietana. Lun-ven 8h30-21h30 ; sam 8h30-14h. Les autres postes ferment à 20h. Poste restante. Boîtes aux lettres extérieures à l'arrière de l'édifice (angle Laietana et c/ A. J. Baixeras). Autre *correos* pratique dans l'Eixample (centre F3) : c/ Aragó, 282. Lun-ven 8h30-20h30 ; sam 9h30-13h.

■ **Téléphone :** plein de cabines à pièces et à carte (à acheter dans les offices de tourisme, les kiosques à journaux – *quioscos* – ou les bureaux de tabac – *estancos*). Sinon, pas mal de *locutorios* (demander la liste complète à l'office de tourisme). Possibilité de PCV – *cobro revertido* – (composer le ☎ 1005 ou 1008).

■ **Laveries automatiques :** Lavaxpress, c/ Ferlandina, 34. Ⓜ Universitat. Tlj 8h-22h. Une autre adresse dans le quartier Gòtic : c/ Nou de Sant Francesc, 5 (zoom F5, **10**). Tlj 8h-22h. Et aussi **Lavomatic** (zoom G5, **11**) : Consolat del Mar, 45. Dans El Born. Lun-sam 9h-21h.

■ **Consignes :** à la gare de bus **estació del Norte** (centre H4), directement sur les quais d'accès aux bus. Tlj 5h30-1h. Env 5 €. Également, très pratique car à 2 mn de la pl. de Catalunya (centre F4, **12**) : c/ Estruc, 36. Tlj 9h-21h. Prix : 5,50 €. Et, rappel, à l'aéroport.

Internet

De moins en moins de cybercafés à Barcelone, vu que presque tous les bars et restos proposent le wifi gratuit. De plus, la plupart des AJ et certains *hostales* offrent des postes d'accès gratuit à leurs clients. Quelques lieux tout de même :

@ **Navegaweb – Locutorio Internet** (zoom F5, **13**) : la Rambla, 88-94. Tlj 10h-23h. Grand centre Internet au sous-sol d'une galerie marchande.
@ **Bornet** (zoom G5, **14**) : Barra de Ferro, 3. Ⓜ Jaume-I. Lun-ven 12h (10h mar-mer)-23h ; w-e 14h-23h. Petit centre, caché dans une ruelle, tout près du musée Picasso.
@ **Paris Locutorio** (centre E4, **15**) : Muntaner, 1. Ⓜ Universitat. Tlj 9h-2h. Ordis récents et horaires larges.

Représentations diplomatiques

■ **Consulat de France** (centre F4, **18**) : ronda Universitat, 22 B, 4°, 08007 Barcelona. ☎ 93-270-30-00. Pour obtenir des infos pratiques : ● consulfrance-barcelone.org ● Ⓜ Catalunya. Lun-ven 9h-13h (permanence l'ap-m et sam mat, mais slt pour les cas d'urgence). Le consulat peut notamment, en cas de difficultés financières, vous indiquer la meilleure solution pour que des proches vous fassent parvenir de l'argent, ou encore vous assister juridiquement en cas de problème.
■ **Consulat général de Suisse** (plan d'ensemble, **19**) : Gran Vía de Carles III, 94, 7°. ☎ 93-409-06-50. ● vertretung@bar.rep.admin.ch ● Lun-ven 9h-12h30.
■ **Consulat de Belgique** (centre G3, **20**) : Diputació, 303, 1°. ☎ 93-467-70-80. ● barcelona@diplobel.fed.be ● Lun-ven 9h-13h.
■ **Consulat du Canada** (centre F4, **21**) : pl. de Catalunya, 9. ☎ 93-412-27-36. Fax : 93-317-05-41. ● bcnla@international.gc.ca ● Ⓜ Catalunya. Lun-ven 9h-12h30.

Urgences

■ **Toutes urgences (SAMU, police, pompiers) :** ☎ 112 (accès à un opérateur français qui vous orientera).
■ **Police nationale :** ☎ 091 pour les agressions et vols, ou ☎ 092 (police municipale). Sinon, vous pouvez vous rendre au commissariat de la c/ Nou de la Rambla, 80, mais il faudra prévoir 2 à 4h d'attente.

■ *Ambulances de la Croix-Rouge :* ☎ 93-300-20-20.

■ *Secours divers :* guàrdia urbana, ☎ 092.

■ Il existe un *service d'assistance* aux victimes de vol, d'agression ou d'accident, en cas de perte des papiers, des bagages ou en cas de problème médical : *Turismo Atención* (zoom E5, **22**), la Rambla, 43. ☎ 93-256-24-30. Ce service dépend de la guàrdia urbana et est ouv tlj 24h/24.

■ *Hôpital* (dans l'Eixample ; centre E2, **23**) : *Hospital clínico,* Villarroel, 170. ☎ 93-227-54-00.

■ *Pharmacies :*
– *Farmacia Clapés Antoja :* la Rambla, 98 (juste à côté du musée de l'Érotisme). ☎ 92-301-28-43. Ouv 24h/24.
– Passeig de Gràcia, 26. ☎ 93-302-11-24. Lun-sam 8h-22h30 (minuit ven-sam).

■ Organisme d'info susceptible de vous diriger sur un hôpital : *Barcelona Centro Médico,* avda Diagonal, 612. ☎ 93-414-06-43. 📱 639-30-34-64 (24h/24). Fax : 93-414-04-57. Attention ! En urgence, la facture est parfois salée...

■ *Objets trouvés – Oficina de Troballes* (zoom F4, **16**) : pl. Carles Pi i Sunyer, 10 (ce service dépend de la mairie). ☎ 010 depuis Barcelone, ☎ 00-34-93-402-70-00 depuis la France. Lun-ven 9h-14h. Service très efficace. *Objets perdus dans le métro ou le bus :* ☎ 010 ou 93-318-70-74. *Objets perdus à l'aéroport :* ☎ 93-298-33-49. *Dans le taxi :* ☎ 90-210-15-64.

■ *Fourrière :* si vous retrouvez à la place de votre voiture un autocollant bleu triangulaire, vous n'avez plus qu'à bondir (en taxi !) à l'adresse indiquée sur ledit triangle bleu (et même en pleine nuit : la fourrière est payante à l'heure !). Quand on vous dit qu'il vaut mieux se passer de voiture à Barcelone...

Loisirs

■ *Llibreria Altaïr* (centre F3) : Gran Vía, 616. ☎ 93-342-71-70. Ⓜ Universitat ou Catalunya. Entre Balmès et rambla de Catalunya, en face du superbe cinéma Coliseum. Lun-sam 10h-20h30. Une librairie de voyage vaste et très bien approvisionnée où vous trouverez tou-

tes les cartes dont vous aurez besoin et des livres de voyage. Et si vous vous faites voler votre guide préféré, vous en retrouverez un ici.

■ *Journaux internationaux :* vous trouverez la presse étrangère du jour dans les kiosques de la plaça Catalunya et de la Rambla (ouvert quasi toute la nuit pendant l'été). Ailleurs, c'est souvent l'édition de la veille.

Transport ferroviaire

Un petit tuyau pour gagner du temps : même lorsque les départs ne se font que de Sants, on peut toujours acheter à l'avance ses billets aux guichets de passeig de Gràcia ou de estació de França : non seulement c'est plus central, mais il y a surtout beaucoup moins d'attente ! Mais ça ne vaut que pour les trajets nationaux, pas pour l'international.

■ *Infos et vente de billets RENFE :* ☎ 90-232-03-20. ● renfe.es ● Appeler au moins 24h avt pour l'achat de billets.

🚆 *Estació de Barcelona-Sants* (centre B2) : Ⓜ Sants-Estació. Vente des billets 5h15 (6h15 le w-e)-22h. Toutes les grandes lignes nationales (Madrid, Andalousie, Pays basque) et internationales (*Trenhotel Elipsos* quotidien pour Paris et Genève). C'est également de Sants que partent les *AVE* (Alta Velocidad) vers Madrid, Leida et Saragosse.

🚆 *Estació de França* (zoom G6) : Ⓜ Barceloneta. Infos et vente des billets 6h30-22h. Gare ouv 6h-23h30 ; on peut alors accéder aux guichets automatiques. Trains de et vers la France. Gare nationale et internationale (*Talgo* pour Montpellier, *Elipsos* pour Paris...).

🚆 *Passeig de Gràcia* (centre F3) : infos et vente des billets 7h-22h. Gare ouv 5h-minuit. C'est l'une des gares desservies par les *Cercanias,* c'est-à-dire les lignes régionales : vers Gérone et Port-Bou au nord et Sitges au sud, et la C10 vers l'aéroport.

🚆 *Plaça de Catalunya* (centre F4) : cette importante station de métro dessert aussi les plages et les environs de Barcelone grâce aux *Cercanias* : ligne C1, C3, C4 et C7. Trains pour Mataró, Blanes, costa del Maresme... Dessert aussi les villes frontières françaises (Puigcerdà et Latour-de-Carol) avec correspondance pour Toulouse et Paris. Ces destinations sont également desservies par la gare centrale Sants.

Autres moyens de transport

⚓ *Lignes maritimes :* rens sur place pour tt ce qui touche au transport maritime (y compris comment transporter sa voiture ou son vélo) au ☎ 93-298-60-00. Lun-ven 8h15-19h.
➢ *Vers les Baléares (Palma, Mahón, Ibiza) : Trasmediterranea* (centre E6, 24), moll de Sant Bertran. ☎ 90-245-46-45. • *trasmediterranea.es* • *Iscomar,* • *iscomar.com* • Et *Balearia,* • *balearia.com* • Également avec la compagnie *Euro-Mer,* représentant français de Gestion Naviera, *le groupement des compagnies maritimes des îles Baléares :* rens auprès d'Euro-Mer (5, quai de Sauvages, CS 100024, 34078 Montpellier Cedex 3). ☎ 04-67-65-67-30 ou 95-13. • *euromer.com* • Traversées tous les jours au départ de Barcelone (ou Valence) à des prix très compétitifs (et liaisons interîles également). Du navire classique (9h de traversée) au ferry rapide (4h30 de trajet), avec véhicule dans les 2 cas. La traversée rapide permet de courts séjours sur les îles (Majorque, Ibiza ou Formentera). Nombreuses réductions : aller-retour, jeunes, retraités, familles, réservations... *Euro-Mer* propose aussi, sur toutes les îles, des hôtels 3 ou 4 étoiles à prix intéressants. Pour plus de détails, voir le *Guide du routard Baléares.*
🚌 *Bus nationaux et internationaux : estació del Norte* (centre H4), Ali Bei, 80. ☎ 902-26-06-06. • *barcelona nord.com* • Ⓜ *Arc-de-Triomf.* Billetterie tlj 7h-21h. Consigne (sur les quais, voir plus haut « Services ») et bureau d'infos touristiques (voir plus haut « Infos touristiques »). Tous les départs et toutes les arrivées, nationaux ou internationaux, se font ici. De plus, toutes les compagnies y ont au moins un guichet (au 1ᵉʳ étage du bâtiment). L'édifice, une ancienne gare ferroviaire rénovée, est moderne, spacieux, bien organisé et central, et certains tarifs

sont imbattables. Les compagnies *Eurolines* et *Julià* proposent des billets pour des destinations européennes à des tarifs intéressants. Les navettes pour l'aéroport de Gérone (voir plus haut « Arrivées aux aéroports de Gérone et de Reus ») arrivent et partent d'ici aussi.
✈ *Compagnies aériennes :*
– *Iberia :* ☎ 902-40-05-00 (infos et résas) ou 93-412-00-86 (groupes). Bureau en ville (centre G3) : Gran Vía de les Corts Catalanes, 629. Lun-ven 9h-18h.
– *Air France :* à l'aéroport slt. ☎ 902-20-70-90. • *airfrance.es* •
– Les compagnies *low-cost* n'ont pas de représentant en ville : guichets à l'aéroport, ou résa sur leur site internet (voir « Comment y aller ? » au début de ce guide).

Location de vélos, de scooters et de voitures

Barcelone dispose de tout un réseau de pistes cyclables qui vous emmèneront du palau de Pedralbes à Montjuïc, au parc de la Ciutadella, à la Barceloneta et aux plages au-delà de la villa Olímpica *(hors centre par H6).*
Il existe aussi un libre service de vélo, *Bicing,* moyennant un très modeste abonnement annuel, mais il faut malheureusement être résident en Espagne pour y avoir droit : les visiteurs que vous êtes ne pourront pas en profiter...

■ *Budget Bikes* (zoom G5, *25*) : pl de la Lluna, 3. ☎ 93-304-18-85. • *budget bikes.eu* • Ⓜ *Jaume-I.* Tlj 10h-20h. Compter 6 € pour 2h (min) et 16 €/j. Bon matériel, vélos en bon état et parfois accueil en français. Autres adresses en ville (mêmes horaires) : c/ Estruc, 38 (centre F4 ; presque à l'angle avec c/ Fontanella) ; Unió, 22 (zoom E5 ; près de la Rambla) ; passeig de Joan de Borbó, 80 (centre F7 ; à la Barceloneta).
■ *Barcelona Rent a Bike* (centre E4, *26*) : c/ Tallers, 45. ☎ 93-317-19-70. • *barcelonarentbikes.com* • Tt proche de la Rambla et de la pl. de Catalunya. À droite d'un petit hôtel, entrée sous le passage, c'est à gauche. Tlj 9h30-20h.

À partir de 6 € pour 2h, 12 € la demi-journée (retour le soir), 15 € pour 24h. Pas mal de vélos, bon entretien, et siège enfant sans supplément. Ils louent même des vélos pliants !

■ **Un Cotxe Menys** *(zoom G5, **27**) :* c/ Esparteria, 3. ☎ 93-268-21-05. ● *bicicletabarcelona.com* ● *En plein El Born. Tlj 10h-19h. Loc de vélos 5 €/h, 15 €/j. ou 18 € pour 24h. Un peu cher, mais bonnes bécanes. Organise aussi des visites guidées de la ville à vélo (3h et 22 €, avec 1 boisson comprise !).*

■ **Bicitram** *(zoom G5, **28**) : passeig de Picasso, 46.* 🖩 607-22-60-69. Ⓜ *Estació-de-França. Tlj 10h-20h. Vélo env 4 €/h, 17 €/j. Fournissent des chaînes et des cadenas, compris dans le prix.*

■ **Moto Rent** *(centre F3, **29**) :* c/ Bal-mes, 74.* ☎ 902-10-11-54. ● *moto-rent. com* ● *Lun-ven 9h-14h, 16h-20h ; sam 10h-14h. Compter env 25 €/j. avec kilométrage illimité, assurance, antivol et casque ; à la sem, le prix descend jusqu'à 15 €/j. Permis B nécessaire (obtenu depuis plus de 3 ans). Barcelone est la ville d'Espagne qui compte le plus de deux-roues, et il faut avouer qu'elle s'y prête bien ! Cette agence loue des scooters 125 cm³ en très bon état. En plus, le staff est super sympa.*

■ **Location de voitures Vanguard** *(centre D1, **30**) :* c/ Viladomat, 297. ☎ 93-439-38-80. ● *vanguardrent.com* ● Ⓜ *Hospital-Clínic ou Entença. Un des moins chers. Propose aussi des motos et scooters.*

OÙ DORMIR ?

Dans cette ville architouristique, la difficulté n'est pas de trouver un logement, mais d'en trouver à un prix correct ! Le succès de la ville est tel que les prix flambent parfois sans rapport avec le confort réel ou la tenue de l'établissement, en particulier dans le Barri Gòtic. Pourtant, l'offre est pléthorique. De la chambre la plus rudimentaire, où l'on s'entasse à 4 copains, à la pension bourgeoise et cossue, Barcelone offre un large éventail. Ceux qui cherchent des chambres doubles à petits prix se rabattront sur les AJ (elles en ont souvent quelques-unes, mais très demandées !) ou sur les *pensiones*. Dans les hôtels bon marché, il est vivement conseillé de visiter plusieurs chambres avant de poser ses valises. À prix équivalent, le confort n'est pas toujours le même.

Autre avertissement : en période de congés scolaires, il est franchement préférable de réserver bien à l'avance si l'on veut économiser plusieurs heures de galère. Il faut alors verser des arrhes et ne surtout pas oublier de demander un reçu.

AUBERGES DE JEUNESSE

Nous vous proposons ici des auberges situées dans le centre ou à proximité, plus quelques-unes plus excentrées mais bien desservies par les transports en commun. Toujours y arriver avant 11h. Attention, sur la Rambla, bruit perpétuel 24h/24.

■ **Albergue de la juventud Kabul** *(zoom E-F5, **40**) :* pl. Reial, 17, 08002. ☎ 93-318-51-90. ● *info@kabul.es* ● *kabul.es* ● Ⓜ *Liceu.* ♿ *Résas possibles sur Internet ; sinon, se présenter tôt le mat (pas après 11h, au mieux avt 8h). Nuitée 13-30 €/pers selon saison et nombre de pers dans la chambre, petit déj inclus. Prévoir une caution pour les clés. Dispose d'une cuisine et d'un chef qui propose (9h-22h) de bons plats, copieux et assez bon marché. Draps (payants slt la 1re nuit). Internet, wifi. La mieux située de toutes : certains dortoirs donnent sur l'une des places les plus charmantes de la ville (dommage, ce sont les plus grands). Le patron parle bien le français, comme une partie du personnel. Environ 200 lits en chambres de 2, 4 ou 8, ou en grands dortoirs de 10 et 20 (sans AC). Douche chaude, grandes consignes, laverie, bar, billard, grand écran de TV, plusieurs ordinateurs dans la salle commune. Le gros avantage sur les concurrents : on rentre à l'heure que l'on veut et on peut dormir* tard le matin ! Ambiance jeune évidemment. En revanche, évitez l'annexe, plus récente mais moins sympa.

📍 **Alberg Palau** (zoom F5, **41**) : c/ Palau, 6, 08002. ☎ 93-412-50-80. • palau@bcnalberg.com • bcnalberg.com • Ⓜ Liceu ou Jaume-I. Ouv 24h/24. Selon saison, nuitée 13-24 €/pers, petit déj compris. Consignes, cuisine complète à disposition 19h-22h. Internet, wifi. Dans une rue tranquille, une auberge bien tenue, aussi centrale que l'albergue de la juventud Kabul. Chambres de 4 à 8 personnes, salles de bains dans le patio. Salle à manger propice aux rencontres. Bon accueil.

📍 **Hostal New York** (zoom F5, **42**) : c/ d'En Gignàs, 6-8, 08002. ☎ 93-315-03-04. • newyork@bcnalberg.com • bcnalberg.com • Ⓜ Drassanes ou Jaume-I. ♿ Ouv 24h/24. En hte saison, env 27 €/pers, petit déj inclus ; hors saison, 14-25 €. Ajouter 2 € pour la loc de draps (payants slt la 1ʳᵉ nuit). Petite salle commune avec cuisine accessible 18h-22h. Internet, wifi. Réduc de 10 % sur le prix de la double sur présentation de ce guide. Peut-être pas la plus belle mais l'une des plus pratiques avec 33 chambres (99 lits). Chambres pour 2, 4, 5 ou 6 personnes très bien tenues. Prévoir un cadenas pour la consigne. Sanitaires impeccables. Terrasse sur le toit. Quelques denrées de base sont à la disposition des résidents. Accueil jovial.

📍 **Center Ramblas** (zoom E5, **43**) : c/ Hospital, 63, 08001. ☎ 93-412-40-69. • info@center-ramblas.com • center-ramblas.com • Ⓜ Liceu. ♿ (1 chambre). En face de la très belle église de l'hôpital et à deux pas de la Rambla, donc tt proche du Barri Gòtic. Affilié FUAJ : selon saison, nuitée 17-25,50 € ; petit déj et draps compris. Internet, wifi. On dort dans des dortoirs de 4 à 10 personnes. Les chambres ne sont pas très grandes, mais elles sont peintes de couleurs fraîches et gaies, et disposent de tout le confort : laverie, frigo, micro-ondes, salon TV (satellite), consigne, location de serviettes. Accueil jeune et agréable.

📍 **Equity Point – Gothic** (zoom F5, **44**) : c/ Vigatans, 5, 08003. ☎ 93-268-78-08 ou 93-231-20-45 (résas). • infogothic@equity-point.com • equity-point.com • Ⓜ Jaume-I. Ouv 24h/24. Nuitée 18-

24 €/pers avec petit déj. Internet, wifi. AJ privée : pas besoin de carte. Dans une ancienne usine textile à deux pas du musée Picasso. L'architecture change donc de l'ordinaire, tout comme l'aménagement : espace commun sympa avec une belle hauteur sous plafond, et des dortoirs de 6 à 14 lits organisés comme des ruches (les lits s'empilent jusqu'au plafond : à chacun son alvéole !). Les plus petits sont plus classiques mais tout aussi confortables. Douche sur le palier, w-c dans le dortoir. Bonne ambiance. Équipements simples (cuisine riquiqui compte tenu de la capacité de l'auberge), compensés par un vrai atout : une vaste terrasse bien aménagée sur le toit (transats, ping-pong). Très relax, comme l'accueil.

📍 **Barcelona Mar Youth Hostel** (centre E5, **45**) : c/ Sant Pau, 80, 08001. ☎ 93-324-85-30. • info@barcelonamar.com • barcelonamar.com • Ⓜ Liceu ou Parral-lel. ♿ Réception 24h/24, check-out 10h. Selon saison et nombre de pers dans la chambre, nuitée 16-27 €/pers, petit déj inclus. Loc draps + serviettes 3,50 € (couettes et couvertures à disposition). Internet, wifi. Bien située, à 300 m de la Rambla à peine et dans un quartier qui bouge, le Raval. AJ récente, avec des parties communes propres et agréables. Plusieurs dortoirs de 6 à 16 lits superposés avec rideaux pour donner l'illusion d'une relative intimité. Douches communes à l'extérieur. Chauffage et AC, salle TV, laverie, petit snack et cuisine à dispo, tout y est.

📍 **Equity Point – Centric** (centre F3, **46**) : passeig de Gràcia, 33, 08007. ☎ 93-215-65-38 ou 93-231-20-45 (résas). • info@centricpointhostel.com • centricpointhostel.com • Ⓜ Passeig-de-Gràcia. Selon période, nuitée 21-37 € en dortoir 4-12 lits, avec draps et petit déj ; doubles avec sdb min 90 €. Internet, wifi. Avec plus de 400 lits, le Centric est la principale adresse (et la plus récente) de la chaîne Equity Point à Barcelone, bourgeoisement installée dans un superbe immeuble rénové de l'Eixample. Installations modernes et de bon confort, le tout gaiement coloré : vaste salon commun avec bar et cuisine, dortoirs impeccables (avec clim, et même une salle de bains pour les plus

OÙ DORMIR ?

chers)... Les doubles sont très bien aussi, même si les prix sont élevés vu l'emplacement. Quoi d'autre ? Une terrasse pour bronzer ? C'est au dernier étage ! En revanche, sécurité oblige, on n'accède pas aux balcons depuis les chambres.

≜ *Alberguest – Alternative Creative Youth Home* (centre F3-4, **47**) : ronda Universitat, 17, 08007. ▦ 635-66-90-21. ● alvand@alberguest.com ● alternative-barcelona.com ● Sonner à l'interphone, sur le bouton comportant un rond argenté. Ouv 24h/24 ; pas de couvre-feu. Résa quasi obligatoire. Nuitée 18-35 € ; pas de petit déj. Internet (avec Mac à disposition !), wifi. Aucune enseigne tapageuse ne vient défigurer ce bel immeuble. C'est bien simple, rien ne laisse présager qu'au 1er étage se cache une auberge de jeunesse ! L'établissement, n'offrant que peu de lits, préfère fonctionner au bouche à oreille. Surtout, il revendique un esprit résolument différent. En misant sur la sûreté et la propreté, le jeune patron cherche à développer l'aspect communautaire, convivial et culturel, et propose à ses hôtes toutes sortes d'activités... Question confort : 3 dortoirs de 8 lits, clim, consigne, cuisine, distributeur de boissons fraîches, machine à laver.

≜ *Backpackers BCN Diputació* (centre G3, **48**) : c/ Diputació, 323, pral 1a, 08009. ☎ 93-488-02-80. ● boo kabed@backpackersbcn.com ● backpac kersbcn.com ● Ⓜ Tetuan ou Girona. Fermé pdt vac de Noël. Selon saison, 13,50-32,50 €/pers en dortoir 4-10 lits, ou 27-37 €/pers pour l'unique double ; petit déj inclus en hte saison. Internet, wifi. Cette toute petite auberge très chaleureuse est une excellente option : dortoirs convenables (avec double vitrage et grands casiers), salles de bains communes bien tenues, cuisine équipée, salon commun sympa (TV, DVD, jeux, etc.)... et 2 super terrasses pour fraterniser. Avec une capacité totale de moins de 30 lits, c'est impeccable pour ceux qui privilégient l'atmosphère relax aux grosses fiestas. Location de vélos.

≜ *Backpackers BCN Casanova* (centre E3, **49**) : c/ Casanova, 52, 08011. ☎ 93-566-67-25. ● bookabed@backpac kersbcn.com ● backpackersbcn.com ● Ⓜ Urgell ou Universitat. Nuitée 14-30 €/

pers en dortoir 6-9 lits, avec petit déj et draps. Internet, wifi. On a plus l'impression d'un appartement que d'une auberge : moins de 40 lits au total, répartis dans des dortoirs propres et fonctionnels, et un espace commun pas bien grand mais sympa avec son coin cuisine, son coin salle à manger et son salon. Très tranquille dans son genre. Accueil souriant.

≜ *Equity Point – Sea Youth Hostel* (centre F7, **50**) : pl. del Mar, 1-4, 08003. ☎ 93-224-70-75 ou 93-231-20-45 (résas). ● infosea@equity-point.com ● equity-point.com ● Ⓜ Barceloneta. En face de la plage de San Sebastián (réception au fond d'un bar). Nuitée 16-25 €/pers avec petit déj. Internet, wifi. Une auberge à la pointe de la Barceloneta, presque les pieds dans l'eau, face à la plage. Qui dit mieux ? Situation idéale donc, mais, pour le reste, c'est tout simple : pas d'espace commun digne de ce nom (le coin cuisine se résume à un micro-ondes et un frigo) et des dortoirs basiques de 3 à 9 lits, parfois sans fenêtre, disposant toutefois de salles de bains privées. Propre, tenu par une équipe dynamique et sympa, c'est une bonne adresse... d'autant que le bar mitoyen (direction séparée) est impeccable pour siroter un verre face à la mer.

≜ *Mediterranean Youth Hostel* (centre G3, **51**) : c/ Diputació, 335, 08009. ☎ 93-244-02-78. ● info@mediterrane anhostel.com ● mediterraneanhostel. com ● Ⓜ Girona. ⚹ Nuitée 12-28 €/pers en dortoir ; doubles 30-58 €. Internet, wifi. À deux pas du métro, cette AJ propose des dortoirs colorés de 4 à 10 lits (classiques et convenables), et quelques doubles très basiques mais dont certaines sont dotées d'un lit *matrimonial* (une rareté !). Espaces communs sympas (cuisine, salon TV avec console de jeux, et même une courette pour les fumeurs). Simple et sans prétention, mais plutôt tranquille et bonne ambiance, à l'image de l'accueil décontracté.

≜ *ABBA-Back Packers Youth Hostel* (zoom F6, **52**) : c/ de la Plata, 4, 08002. ☎ 93-319-45-45. ● info@abbayouthho stel.com ● abbayouthhostel.com ● Ⓜ Drassanes ou Barceloneta. Réception au 1er étage. Nuitée 18-35 €/pers selon saison. N'accepte que les moins de 30 ans. Internet, wifi. Une AJ affiliée au réseau officiel mais qui manque de charme, c'est le moins que l'on puisse dire. Une cinquantaine de lits répartis en dortoirs basiques de 4 à 16 lits, avec à disposition un frigo, un micro-ondes, des consignes gratuites, une laverie. Pas folichon côté déco, et confort plutôt rudimentaire et rustique, à l'image de l'accueil, mais cela reste bien situé face au port. Si c'est complet, une autre adresse en ville, juste à côté de la plaça Reial.

≜ *Alberguinn Youth Hostel* (centre B1, **53**) : c/ Melcior de Palau, 70-74, 08014. ☎ 93-490-59-65. ● alberguinn@alberguinn.com ● alberguinn.com ● Ⓜ Plaça-del-Centre. Congés : 10-26 déc. Nuitée en dortoir 6-16 lits 15-24 €/pers selon saison, avec petit déj et draps. Internet, wifi. Café ou sangria de bienvenue offert(e) en sem sur présentation de ce guide. Proche de la gare de Sants (bien pratique) et des métros, cette petite AJ nichée dans un immeuble moderne a pour elle son atmosphère conviviale : l'accueil est jeune et dynamique, et comme il n'y a que quelques dortoirs (classiques, avec casiers), on se sent vite à l'aise dans le salon commun et la cuisine. Simple et sympa.

≜ *Urbany Hostel* (plan d'ensemble, **54**) : avda Meridiana, 97, 08026. ☎ 93-245-84-14. ● info@barcelonaurbany.com ● barcelonaurbany.com ● Ⓜ Clot. À l'angle avec Consell de Cent. Nuitée en dortoir 4-8 lits 12-31 €/pers selon saison, doubles 55-92 €, avec petit déj et draps. Internet, wifi. L'avantage de cette AJ privée, bien qu'excentrée, c'est sa taille : avec ses 400 lits, vous êtes presque sûr d'y trouver de la place. Récentes, les installations sont de bonne tenue et gaiement décorées : dortoirs classiques de bon confort (coffres individuels, bonne literie et surtout avec douches et w-c privés), cuisine bien équipée à dispo, et vaste salle commune sympa (bar, TV...). En outre, pas mal de petits plus : une super terrasse (avec vue sur la torre Agbar), l'accès gratuit à un centre de sport (piscine, fitness, etc.) et plein d'animations (soirées à thème, cours de flamenco...). Équipe jeune et polyglotte.

≜ *Hostel One Barcelona Centro* (centre G4, **55**) : c/ Bailen, 7, 08010. ☎ 93-246-99-73. ● hostelonebarcelona@gmail.com ● Ouv 24h/24. Nuitée en dortoir 23-47 €/pers en été, 16-26 €/pers le reste de l'année ; double 24-50 €/pers selon saison. Internet, wifi. Une nouvelle venue dans le paysage déjà bien encombré des AJ barcelonaises. L'endroit manque encore de vécu, mais il plaira à ceux pour qui le calme est essentiel. Immeuble ancien rénové et tout repeint en blanc, dans une rue peu passante. Une soixantaine de lits répartis en dortoirs de 4 à 8 couchages – ceux sur la rue possèdent un balcon – et une chambre double avec terrasse privée. Sanitaires d'une totale propreté, cuisine à dispo. Vaut surtout le coup pour les dortoirs de 6 ou 8 lits, sinon c'est assez cher (surtout le week-end !). – Voir aussi plus loin *Duo by Somnio* (dans « Hôtels et pensions. Dans l'Eixample. De prix moyens à chic ») et la *pensión Mari-Luz* (dans « Hôtels et pensions. Dans le Barri Gòtic et alentour. Assez bon marché »).

LOCATIONS D'APPARTEMENTS

Une formule de plus en plus prisée, en couple ou en meute, d'autant plus intéressante qu'on fait des économies sur la tambouille (à tour de rôle, sinon c'est plus des vacances !). La ville de Barcelone prépare néanmoins une réglementation plus stricte. En effet, le nombre de ces locations, plus ou moins sauvages, a explosé en quelques années. Les Barcelonais ont de plus en plus de mal à se loger dans le centre, et beaucoup de ces locations se font au noir ; il devient urgent pour la municipalité d'intervenir ! C'est aussi dans l'intérêt des touristes, car beaucoup se plaignaient ces temps-ci d'arnaques et d'un manque d'hygiène. Voici quelques agences fiables.

■ *Cocoon Barcelona* (zoom G5, **56**) : passeig Picasso, 40, 08003. ☎ 93-500-50-58. ● cocoonbarcelona.com ● Ⓜ Barceloneta. Lun-ven 10h-19h ; sam 11h-15h. Résa sur Internet (surveiller les promos !). Compter 80-150 € pour 2 pers et 90-300 € pour 4-6 pers selon saison et confort. Une société sérieuse dont l'offre est très variée, du simple studio au vaste appartement pour

OÙ DORMIR ?

OÙ DORMIR ?

15 personnes. Les apparts sont situés un peu partout, dans le centre, dans l'Eixample ou proches de la plage. Standings pour toutes les bourses, mais le confort est toujours de qualité.

■ **Daily Flats** (plan d'ensemble, **57**) : c/ Marina, 366, 08025. ☎ 93-435-55-77. ● info@dailyflats.com ● dailyflats.com ● Ⓜ Sagrada-Família ou Hospital-de-Sant-Pau. Compter 80-150 € pour 4 selon standing, saison et quartier. Cette agence très pro gère des appartements modernes et vraiment très bien équipés. Ils sont situés principalement autour de la Sagrada Família, vers l'université ou près de la Rambla (beaucoup moins calme !). La location va de 1 jour à... 1 an ! Il faut procéder au check-in à leur bureau.

■ **Inside Barcelona** (zoom G5, **58**) : Esparteria, 1, 08003. ☎ 93-268-28-68. ● info@inside-bcn.com ● inside-bcn. com ● Ⓜ Jaume-I. Compter env 80-100 € pour 2 et jusqu'à 160 € pour 4. Une quarantaine d'appartements tout confort et très bien entretenus, situés dans le centre (dans El Born plus précisément, où se trouve l'agence). Minimum 3 nuits, maximum 1 mois. Standings variables, comme ailleurs, mais c'est toujours moderne et joliment décoré.

■ **Apartaments Unió** (zoom E5, **60**) : c/ Unió, 18-20, 08001. ☎ 93-317-34-63. ● info@apartamentsunio.com ● aparta mentsunio.com ● Ⓜ Liceu. Compter 65-140 €/j. pour 2 et 90-170 €/j. pour 4 selon confort et saison, draps et serviettes inclus. Loc à la journée, à la sem et au mois. Wifi. Même direction que la pensión Mari-Luz, c'est dire le sérieux de l'affaire. Du studio à l'appartement de 2 chambres avec terrasse, ces logements sont répartis dans 2 immeubles très bien situés juste derrière le théâtre Liceu. Ascenseur au n° 20 mais pas pour ceux sis au n° 18. Jolis efforts de déco et bon confort : cuisine équipée, AC et chauffage, TV, et certains appartements ont même un lave-linge. L'ensemble est impeccablement tenu, et il y fait bon vivre.

■ **Travel Solutions** : 23, rue La Condamine, 75017 Paris. ☎ 01-45-22-86-38. ● phileasfrog.com ● travel-solutions.fr ● Ⓜ La Fourche. Lun-ven 10h-19h ; sam 13h30-18h. Appartements à Barcelone pour 1-6 pers, sur la célèbre Rambla, à prix compétitifs (300 €/pers pour 1 sem), et chambres chez l'habitant, pour les adultes comme pour les plus jeunes. Loc de vacances. Également un très bel appartement aménagé en chambre d'hôtes (double env 80 €, petit déj compris) sur les hauteurs de la ville, plein de charme, avec terrasse, repas sur demande, etc. Cours de langue en écoles privées et nombreuses autres offres (hôtels, avions) sur leurs sites sécurisés.

HÔTELS ET PENSIONS

Dans le Barri Gòtic et alentour (zoom)

Bon marché (moins de 55 €)

🛏 **Pensión Mari-Luz** (zoom F5, **65**) : c/ Palau, 4, 08002. ☎ 93-317-34-63. ● in fo@pensionmariluz.com ● pensionmari luz.com ● Ⓜ Jaume-I ou Drassanes. Au 2e étage. Derrière l'hôtel de ville. Selon saison, 13-24 €/pers en dortoir 3-6 lits, doubles 35-64 € avec lavabo, 40-75 € avec sdb. Wifi. 3 dortoirs disposent de leur salle de bains. Des chambres assez petites mais claires et impeccables, avec AC et chauffage. Les salles de bains, communes le plus souvent, ont été rénovées au goût du jour avec vasques et douches à l'italienne. Vous pourrez laisser vos objets de valeur en sécurité dans des armoires fermant à clé disposées dans chaque chambre. Service de blanchisserie et frigo à disposition. Ambiance familiale, excellent accueil. Loue aussi des appartements de 2 à 6 personnes, dans la carrer Unió (voir ci-dessus « Apartaments Unió »).

🛏 **Pensió Alamar** (zoom F5, **66**) : c/ Comtessa de Sobradiel, 1, 08002. ☎ 93-302-50-12. ● info@pensioalamar. com ● pensioalamar.com ● Ⓜ Jaume-I ou Drassanes. Doubles avec sdb communes 36-45 € selon saison (22-28 € pour 1 pers) ; pas de petit déj. Dans une vieille maison. Chambres petites mais impeccables et coquettes à leur façon ; certaines ont la clim, d'autres un minuscule balcon. Cuisine, TV et machine à laver à disposition. Le patron confie volontiers les clés de la pension, afin de laisser le maximum de liberté aux oiseaux de nuit, qui seront ici aux premières loges (d'ailleurs, évitez les chambres sur rue si vous compter faire la grasse mat' !). Une bonne petite adresse, à l'ancienne...

🛏 *Hostal Fernando* (zoom F5, **67**) : c/ Ferrán, 31, 08002. ☎ 93-301-79-93. ● re servas@hfernando.com ● hfernando. com ● Ⓜ Liceu. ♿ Selon confort (sdb ou non), 21-25 €/pers en dortoir 4-8 lits, doubles avec douche 60-78 €, triples 75-90 € ; pas de petit déj. Consigne. Internet, wifi. Une bonne adresse qui mixe l'hôtel traditionnel et l'auberge de jeunesse. Les nouvelles chambres offrent un remarquable rapport qualité-prix. Sachez néanmoins qu'elles donnent sur l'une des rues les plus animées de la vieille ville. De plus, l'*hostal* accueille beaucoup de jeunes et de scolaires qui ne viennent à Barcelone ni pour réviser ni pour dormir ! Pensez donc aux boules Quies si vous avez le sommeil léger. Cuisine à disposition. Excellent accueil.

🛏 *Pensión Aris* (centre F4, **69**) : c/ Fontanella, 14, 08010. ☎ 93-318-10-17. ● re servas@pensionaris.com ● pensionaris. com ● Ⓜ Catalunya ou Urquinaona. Au 3ᵉ étage (ascenseur). Très bien placé, à deux pas de la pl. de Catalunya. Doubles 60-70 € (avec lavabo ou sdb) ; triples 70-80 € ; pas de petit déj. CB refusées. Wifi. Réduc de 10 % sur les doubles tte l'année sur présentation de ce guide. Petite pension simple et propre, aux chambres correctes et climatisées, presque gaies avec leurs couvre-lits pétaradant de rouge. Les amateurs de calme en demanderont une donnant sur le patio. Il faudra régler cash-pistache en arrivant : c'est dit poliment, et cela n'enlève rien à l'accueil sans façons, plutôt sympathique.

🛏 *Pensión Europa* (zoom F5, **70**) : c/ Boquería, 18, 08002. ☎ 93-318-76-20. ● hostalresidenciaeuropa@hotmail. com ● hostalresidenciaeuropa.com ● Ⓜ Liceu. Réception au 1ᵉʳ étage. Près de la Rambla. Selon saison, doubles 42-60 € avec lavabo, 48-70 € avec sdb. CB refusées. Wifi. Appartient à la même famille que l'*hostal-residencia Lausanne* (voir plus loin). Immeuble banal à l'intérieur comme à l'extérieur, aux chambres petites, simples et propres, et à la décoration minimaliste. Accueil gentil, un peu dépassé en pleine saison, et prix, comme souvent dans ce quartier, à géométrie aussi variable que la tête du client...

🛏 *Hostal-residencia Rembrandt* (zoom F4, **71**) : c/ Puertaferrisa, 23, 08002. ☎ 93-318-10-11. ● info@hostal rembrandt.com ● hostalrembrandt. com ● Ⓜ Liceu. Au 1ᵉʳ étage. Doubles avec lavabo 45-55 €, avec coin douche 55-65 € ; triple env 65 €. Internet, wifi. Les chambres familiales s'avèrent être un vrai bon plan car vastes et de bon confort, avec baignoire. Les sanitaires sont bien plus rudimentaires dans les chambres économiques. Trop petites pour y rester la journée, elles permettent néanmoins de loger à bon prix dans une des zones les plus centrales de la ville (une des moins calmes aussi !). Attention, les chambres côté rue n'ont pas de double vitrage.

🛏 *Pensión Sant Domènec* (zoom F5, **72**) : c/ Sant Domènec del Call, 3-5, 08002. ☎ 93-317-36-97. Ⓜ Jaume-I. Au 1ᵉʳ étage à gauche. En plein cœur du vieux quartier juif. Doubles avec lavabo env 36 €, avec sdb 45 €. Ne pas se fier au bel escalier qui arbore un superbe Sant Domènec d'azulejos ; voici l'adresse la moins chère de Barcelone (en haute saison), mais c'est aussi la plus sale ! On vous prévient, ça frôle le sordide, mais le quartier est plein de charme, et ça peut toujours dépanner !

De prix moyens à chic (55-85 €)

🛏 *Hostal Sol y K* (zoom F5, **73**) : c/ Cervantes, 2, 08002. ☎ 93-318-81-48. Urgences : 🖩 676-77-72-10 (Philippe). ● hostalsolyk@yahoo.com ● solyk. com ● Ⓜ Liceu ou Jaume-I. Au 2ᵉ étage. Congés : 15 nov-15 déc. Doubles 55-80 € ; pas de petit déj. Internet, wifi. Dans un immeuble ancien, très central (et donc au cœur de l'action !), ce vaste appartement rénové abrite une quinzaine de chambres à la décoration très soignée, dans un style épuré et design. Elles donnent pour la plupart sur les rues piétonnes, sauf 3, avec salle de bains privative, au calme sur l'arrière de l'immeuble. Propriétaires français (ils ne sont pas toujours là), accueil jovial en espagnol.

🛏 **Hotel Cantón** (zoom F5-6, **74**) : c/ Nou de Sant Francesc, 40, 08002. ☎ 93-317-30-19. ● direccion@hotelcan ton-bcn.com ● hotelcanton-bcn.com ● Ⓜ Drassanes. ♿ Double env 70 € (85 € en période de pointe) ; triple env 90 € (max 105 €) ; petit déj-buffet 5 €. Internet, wifi. Au cœur de la vieille ville mais plutôt au calme, ce discret 1-étoile cache bien son jeu ! Les chambres pimpantes, modernes et nickel, disposent toutes d'une salle de bains et d'un équipement parfait pour le prix : clim, chauffage, sèche-cheveux, coffre-fort, TV satellite et même un frigo ! Accueil chaleureux.

🛏 **Pensión Canadiense** (zoom F5, **75**) : baixada Sant Miquel, 1, 08002. ☎ 93-301-74-61. ● pension.canadiense.bcn@ gmail.com ● pensioncanadiense.com ● Ⓜ Jaume-I. Doubles avec sdb 58-72 € selon confort et saison. Wifi. Au-dessus du Gran Café, en plein quartier Gòtic, une bonne pension dans un vieil immeuble patiné par le temps. C'est le fils de la famille qui reçoit. Accueil jovial. Chambres impeccablement tenues, avec AC et chauffage en hiver. Dotées d'un balcon, elles donnent sur la carrer d'Avinyó, l'une des plus animées le soir. Une triple donne sur la cour... certes la vue est bouchée, mais elle est aussi beaucoup plus tranquille.

🛏 **Hostal-residencia Lausanne** (zoom F4, **76**) : avda Portal de l'Ángel, 24, 08002. ☎ 93-302-11-39. ● hostalresi dencialausanne@hotmail.com ● hostal residencialausanne.com ● Ⓜ Catalunya. Doubles 42-70 € selon confort (avec ou sans douche et w-c) et saison ; pas de petit déj. Internet, wifi. Mêmes propriétaires que la pensión Europa (voir plus haut). Un bel immeuble, un hall majestueux avec marbre, vitraux et céramiques, et de la lumière qui entre par un grand puits. Malgré cela, l'ensemble est sommaire, sans déco, sans vue et avec un éclairage blafard au néon... Autant dire que vous risquez d'être déçu après cette 1re forte impression. Demandez à voir plusieurs chambres, certaines sont très étroites. Un peu cher, du coup : c'est l'emplace-

ment que l'on paie. Pratique pour les adeptes de la sieste et du shopping, vous serez toujours à deux pas !

🛏 **Hostal Layetana** (zoom F5, **77**) : pl. Ramón Berenguer el Gran, 2, 08002. ☎ 93-319-20-12. ● info@hostallayetana. com ● Ⓜ Jaume-I. Au 1er étage (3e en réalité, au-dessus de l'entresuelo). Proche du métro. Doubles 55-85 € selon confort (avec ou sans sdb) et saison. Dans un bel immeuble ancien, prendre l'escalier de gauche ou l'antique ascenseur quelque peu capricieux. Certaines chambres donnent sur les murailles de la cathédrale ou sur la grande place. Grand salon et terrasse agréables. Accueil sans façons, avec quelques mots de français le matin. 2 bémols : plutôt bruyant, et ce malgré le double vitrage ; et le ménage est parfois un peu léger... 2 défauts bien barcelonais !

Chic (75-120 €)

🛏 **Bonic Barcelona** (zoom E6, **78**) : c/ Josep Anselm Clavé, 9, 08003. 📱 626-05-34-34. ● reservations@bonic-barce lona.com ● bonic-barcelona.com ● Ⓜ Drassanes. Doubles 90-95 € selon confort, petit déj inclus. Internet. Dans une rue calme à deux pas de la Rambla et du port, au 1er étage d'un immeuble de caractère, une adresse de grand charme, très centrale. À peine 8 chambres d'hôtes qui se partagent 3 salles de bains, et tenues impeccablement par Fernando et sa compagne francophone. Très jolie déco et succulent petit déj. Plein d'attentions, de bons conseils et de gentillesse ; bref, une adresse à visage humain, des prix raisonnables et des prestations dignes d'un 3-étoiles !

🛏 **Denit** (zoom F4, **79**) : Estruc, 24-26, 08002. ☎ 93-545-40-00. ● info@denit. com ● denit.com ● Ⓜ Plaça-Catalunya. Doubles 79-229 € selon taille, confort et saison ; petit déj 10 €. Grosses promos sur leur site web. Internet. Dans une ruelle étroite et rarement ensoleillée, un hôtel « borgne » entièrement rénové. S'il ne bénéficie d'aucune vue (en particulier côté cour), il est vraiment central et d'un très bon confort. Les 36 chambres de taille variable sont bien agencées et joliment design, dans des tons blancs, gris et violets. Les petites « économiques » sont riquiqui mais d'un bon rapport qualité-prix : elles conviendront parfaitement à de jeunes amoureux au budget serré.

 Hotel California (zoom F5, **80**) : Rauric, 14, 08002. ☎ 93-317-77-66. • in fo@hotelcaliforniabcn.com • hotelcali forniabcn.com • **Ⓜ** Liceu. Doubles 75-120 €, petit déj inclus. Wifi. Un grand hôtel de 42 chambres qui pourrait être conventionnel et impersonnel s'il n'avait pas été magnifiquement rénové. Les couleurs, douces et chaudes (dans les tons prune et violets), à la fois contemporaines et intemporelles, ainsi que le soin porté au confort, en font une adresse haut de gamme et de bon goût. On ne peut plus central (entre la calle d'Avinyó et la plaça Reial), les chambres donnent sur une ruelle étroite, sombre mais très calme. On ne peut pas tout avoir !

 Hotel Jardí (zoom F5, **81**) : pl. Sant Josep Oriol, 1, 08002. ☎ 93-301-59-00. • reservations@eljardi-barcelona. com • eljardi-barcelona.com • **Ⓜ** Liceu. Doubles avec sdb 60-120 € selon taille et vue ; petit déj 6 €. Internet, wifi. Très belle façade ancienne pour cet hôtel sis sur une place ravissante, qui se métamorphose en un théâtre enchanteur le soir. Chambres fonctionnelles, propres et bien équipées (TV satellite, AC...). Certaines donnent sur la basilique et sa placette. Les couchetôt préféreront les chambres sur l'arrière, moins bruyantes le soir. Au rez-de-chaussée, petit bar très sympa.

Dans la Ribera et El Born (zoom)

Bon marché (moins de 55 €)

 Pensión Francia (zoom G5, **90**) : c/ de Rera Palau, 4, 08003. ☎ 93-319-03-76. • info@milisa.cco • **Ⓜ** Barceloneta. Doubles 50-55 € avec ou sans sdb privée. CB refusées. Non loin de la plage et au cœur du quartier de la Ribera. Dans un immeuble classique, une petite pension à l'ancienne, sympa comme tout et agréable : beaucoup de lumière, très propre (y compris les dou-

ches et sanitaires communs), et bien aménagée. Les chambres sont évidemment sans chichis. Accueil très gentil.

 Pensión Lourdes (zoom G5, **91**) : c/ Princesa, 14, 08003. ☎ 93-319-33-72. • info@pensionlourdes.es • pensionlour des.es • **Ⓜ** Jaume-I. Au 1er étage. Doubles 42-55 € avec ou sans sdb privée (sanitaires sur le palier). CB refusées. Dans le secteur touristique de la Ribera. Le sympathique patron et ses employés parlent un peu le français. Très à cheval sur la propreté, ils tiennent la maison comme il faut, mais, malgré le nom du lieu, les chambres ne font pas de miracle : elles sont très simples et d'un confort basique. Celles situées près de l'entrée sont plus bruyantes mais disposent d'un balconnet... un choix cornélien : bien dormir ou prendre l'air ?

De prix moyens à chic (environ 85 €)

 Pensió 2000 (zoom F4, **93**) : c/ Sant Pere Més Alt, 6, 08003. ☎ 93-310-74-66. • infocartas@pensio2000.com • pen sio2000.com • **Ⓜ** Urquinaona. Au 1er étage. Face au palais de la Musique catalane. Double avec sdb 85 € ; petit déj 5 €. Internet, wifi. Petit déj offert ou à moitié prix (selon saison) sur présentation de ce guide. Petite adresse centrale et très bien tenue. Ambiance de pension de famille dans un salon plein de vie aux tons méditerranéens. Les chambres sont propres, simples et agréables, certaines avec balconnet sur la rue. Petit déj servi dans une courpatio accueillante.

Chic (80-110 €)

 La Casa de Marcelo (zoom G5, **92**) : c/ de Rera Palau, 2, 08003. ☎ 93-182-23-55. • casa.marcelo.barcelona@hot mail.com • casamarcelobarcelona. com • **Ⓜ** Barceloneta. Au 1er étage. Doubles 80-105 €, avec petit déj. 2 nuits min. Internet, wifi. Bienvenue chez Marcelo, un garçon adorable qui a créé avec son ami une chambre d'hôtes bien agréable : l'appartement ne manque pas de cachet (moulures, lustres à pampilles, bougies intimistes le soir...), les chambres sont plutôt coquettes (sans vue, mais calmes), les 2 salles de bains communes sont nickel, et, cerise sur le gâteau, il y a même une cuisine à disposition. Vraiment sympa.

🛏 *Hotel Banys Orientals* (zoom F-G5, **94**) : c/ Argentería, 37, 08003. ☎ 93-268-84-60. • reservas@hotelbanysorientals.com • hotelbanysorientals.com • Ⓜ Jaume-I. ♿ *Dans une rue animée jusque tard le soir. Doubles 95-110 € ; petit déj 10 €. Internet, wifi.* La décoration contemporaine et design mérite ses compliments. Du subtil camaïeu gris et mauve s'exhale un sentiment de douceur et de bien-être. Le décorateur a réussi à donner de la chaleur et du caractère à l'hôtel. Photos en noir et blanc et gravures dans les chambres, pas super grandes mais douillettes. Quant aux suites, elles sont réparties dans des annexes tranquilles à deux pas. Et, contrairement à d'autres hôtels design de Barcelone, celui-ci pratique des prix raisonnables.

Plus chic
(à partir de 110 €)

🛏 *Hotel Chic & Basic* (zoom G5, **95**) : Princesa, 50, 08003. ☎ 93-295-46-52. • born@chicandbasic.com • chicandbasic.com • Ⓜ Jaume-I ou Arc-de-Triomf. *Doubles 100-200 € selon taille et saison. Internet, wifi.* Sur la porte, l'amusante inscription « Yes, yes, it's an hotel » interpelle le promeneur. Il faut dire que l'entrée de l'hôtel est plutôt discrète. Mais à l'intérieur, jeux de lumière et architecture design sautent aux yeux dès l'accueil. Devant la porte de chaque chambre, comme un dais de protection, un rideau de cristal plastifié, qu'on retrouve à l'intérieur, entre le lit et la salle de bains. Les spots diffusent des lumières colorées, à intensité réglable. Côté basique, la déco très contemporaine et épurée a fait l'impasse sur les rangements et le mobilier. Mais les *fashionistas* trouveront l'essentiel : l'écran plat dans les chambres, une salle de gym, et un salon-bar au mobilier délirant avec boissons chaudes et froides à disposition. Préférez les chambres avec balcon.

Dans El Raval
(zoom et centre)

De prix moyens
à chic (55-85 €)

🛏 *Hostal Benidorm* (zoom E5, **100**) : rambla dels Caputxins, 37, 08002. ☎ 93-302-20-54. • info@hostalbenidorm.com • hostalbenidorm.com • Ⓜ Liceu ou Drassanes. *Sur la Rambla, à l'angle de c/ Nou de la Rambla. Doubles 55-75 € selon saison ; familiale 80 € pour 5 pers. Consignes à bagages. Internet, wifi.* S'il occupe un petit immeuble sans charme particulier, cet hôtel offre un rapport qualité-prix imbattable, surtout en ce qui concerne ses chambres familiales. 45 chambres en tout, en cours de rénovation. La nouvelle déco est sobre mais les salles de bains dernier cri. Les chambres plus anciennes restent irréprochables et plutôt gaies, ce qui est rare dans cette gamme de prix. Les plus calmes donnent sur l'arrière du palau Güell et les cheminées bariolées de Gaudí. Bonne humeur garantie dès le réveil ! Celles sur la rue peuvent s'avérer bruyantes, notamment à cause de la salle de flamenco voisine.

🛏 *Hotel Peninsular* (zoom E5, **102**) : c/ Sant Pau, 34, 08001. ☎ 93-302-31-38. • reservas@hotelpeninsular.net • hotelpeninsular.net • Ⓜ Liceu. *Doubles 70-78 €, petit déj compris ; familiales 95-120 €. CB refusées. Wifi.* Une adresse hors du commun puisqu'il s'agit d'un ancien couvent, avec un patio et des passerelles qui desservent les chambres. Pittoresque mais parfois bruyant. L'ensemble, si charmant et désuet soit-il, manque de gaieté. Sobres, les chambres restent pourtant confortables (douche ou bains, w-c et AC) et parfaitement tenues. Un bon prix pour le centre-ville.

🛏 *La Terrassa* (zoom E5, **103**) : c/ Junta de Comerç, 11, 08001. ☎ 93-302-51-74. • reservations@laterrassa-barcelona.com • laterrassa-barcelona.com • Ⓜ Liceu. *Doubles 50-80 € selon confort et saison.* Même direction que l'*Hotel Jardí*, c'est dire si la maison est tenue avec sérieux. Le confort est bien plus simple, pour ne pas dire plus rudimentaire, mais les prix sont aussi bien plus doux. Situation idéale, à quelques encablures de la Rambla mais dans une rue encore calme (notion très relative à Barcelone !)... Pas de vue particulière, y compris pour les chambres en terrasse.

Chic (70-120 €)

≜ *Hotel Ciutat Vella* (centre E4, **104**) : c/ Tallers, 66, 08001. ☎ 93-481-37-99. ● info@hotelciutatvella.com ● hotelciu tatvella.com ● Ⓜ Plaça-Catalunya ou Universitat. Doubles avec sdb 70-240 € selon confort et période ; petit déj inclus ou non selon forfait et promo en cours. Derrière une entrée plus que discrète se cache ce bel hôtel design de 40 chambres. Une déco ultramoderne qui décline le blanc, le rouge et le noir. Confort irréprochable : clim, TV LCD, coffre-fort... La plupart des chambres donnent sur la rue ; certaines, côté cour, disposent d'une belle terrasse privative. Sur le toit, solarium et jacuzzi. Eau fraîche et café à discrétion...

≜ *Hotel Curious* (zoom E4, **101**) : c/ Carme, 25, 08001. ☎ 93-301-44-84. ● hotel@hotelcurious.com ● hotelcu rious.com ● Doubles 90-120 €, petit déj compris. Grosses promos sur le site web. Internet, wifi. Encore un hôtel rénové de fond en comble... L'hôtellerie barcelonaise fait peau neuve, et c'est tant mieux ! À deux pas de la Rambla et du centre historique, cet hôtel design à taille humaine est tout ce qu'il y a de plus accueillant. Déco très étudiée sur le thème des 4 éléments (l'eau, l'air, le feu, la terre). En guise de tête de lit, une immense photo panoramique représentant Barcelone et qui donne le ton... Les chambres sont à la fois sobres et contemporaines, originales et confortables. Accueil dévoué et charmant. Petite déception néanmoins en ce qui concerne le petit déjeuner.

≜ *Hotel Chic & Basic Tallers* (centre E3-4, **105**) : c/ Tallers, 82, 08001. ☎ 93-302-51-83. ● tallers@chicandbasic. com ● chicandbasic.com ● Ⓜ Universitat ou Plaça-Catalunya. Au 2ᵉ étage. À la limite du Raval et de l'Eixample, près de l'Universitat central. Doubles 93-139 € selon taille et période. Surprenante découverte que cet immeuble bour-

geois et très ordinaire, cachant un superbe petit hôtel design à taille humaine. Il occupe un très grand appartement aux couleurs blanches, renfermant des chambres confortables à la déco minimaliste et sophistiquée. Excellent accueil par un jeune Barcelonais avenant. Une adresse moderne et jeune, vraiment dans l'esprit de Barcelone.

Plus chic (à partir de 110 €)

≜ *Jazz Hotel* (centre E4, **106**) : Pelai, 3, 08001. ☎ 93-552-96-96. ● jazz@nnho tels.es ● hoteljazz.com ● Ⓜ Universitat. Doubles 103-330 € selon période (en moyenne env 140 €). Parking. Internet, wifi. Malgré sa façade contemporaine et un peu bunker, la situation de cet hôtel moderne est on ne peut plus centrale, et le confort proposé impeccable. Plus de 100 chambres, vastes, au design sobre et à l'ambiance feutrée très reposante. Bon petit déj-buffet. Cerise sur le gâteau, une petite piscine-solarium, sur le toit ! Accueil pro.

Très, très chic et tendance (plus de 200 €)

≜ *Casa Camper* (zoom E4, **107**) : c/ Elisabets, 11, 08001. ☎ 93-342-62-80. ● barcelona@casacamper.com ● ca sacamper.com ● Ⓜ Universitat. Doubles min 215 € ; suites plus chères encore. Dans un coin du Raval branché, les 25 chambres de la *Casa Camper* sont réparties sur 6 étages et disposées de manière originale de part et d'autre de chaque couloir. Le petit salon avec balcon est situé côté rue (blanc), tandis que la chambre se trouve au calme, côté cour (rouge). Déco sobre, mais plein de détails tendance écolo (le fabricant de chaussures s'est associé à Vinçon, la référence espagnole en matière de design). Ni petit déj ni repas servis de manière traditionnelle, mais un espace snack ouvert 24h/24, gratuit et très bien fourni (salades, soupes, sandwichs, fruits frais, boissons fraîches...), à côté de la réception. Grande terrasse panoramique au 6ᵉ étage pour déguster votre butin. Accueil souriant.

Dans l'Eixample
(centre E-F-G2-3-4)

La ville « neuve » a également ses attraits (maisons de Gaudí et de ses confrères, bars et restos à la mode...), et des avantages sur la vieille ville : peu de délinquance et bien plus de calme, sauf autour du passeig de Gràcia. Cela dit, les prix sont généralement plus élevés.

Bon marché (maximum 65 €)

🏠 **Lenin Hostel** *(centre F3, 110)* : València, 278, 08007. ☎ 93-215-36-45. ● le ninhostel@imaginas.com ● Ⓜ Passeigde-Gràcia. Au 2ᵉ étage (ascenseur). Doubles 45-65 € avec ou sans sdb privée. Internet (mais capricieux). Un vaste appartement un peu décati qui tient plus de la pension que de l'hostel, tendance auberge espagnole. Les chambres avec lavabo, la plupart avec des lits jumeaux, se prolongent pour certaines d'une sorte de véranda, et les salles de bains communes, si elles semblent vieillottes, sont plutôt clean. Les doubles avec salle de bains, un peu plus récentes, présentent une géographie nettement biscornue. Pas de petit déj mais une cuisine à disposition, et une salle commune meublée de bric et de broc doublée d'une véranda (pour les fumeurs). Accueil cool, comme la clientèle.

De prix moyens à chic (60-90 €)

🏠 **Hostal Oliva** *(centre F3, 111)* : passeig de Gràcia, 32, 08007. ☎ 93-488-01-62 ou 17-89. ● info@hostaloliva.com ● hostaloliva.com ● Ⓜ Catalunya ou Passeig-de-Gràcia. Au 4ᵉ étage. Angle c/ de la Diputació. Résa impérative pdt les vac, en versant des arrhes 15 j. à l'avance. Doubles 67-87 € avec ou sans sdb privée. CB refusées. Wifi. Cette pension adorable nichée dans un immeuble ancien fort bourgeois (très belle cage d'escalier et superbe ascenseur d'un autre âge) n'a pas pris une ride. Au contraire ! Avec le temps, les gentils propriétaires améliorent leurs grandes chambres : des salles de bains toutes neuves et impeccablement tenues, des TV à écran plat, la clim, et même le double vitrage ici ou là. Chaque plafond exhibe ses moulures, et l'ensemble est meublé en style certes un peu vieillot mais charmant. Préférez les chambres donnant sur l'arrière, moins bruyantes. Salon commun agréable pour boire le café.

🏠 **Hostal San Remo** *(centre G4, 113)* : c/ d'Ausiàs Marc, 19, 08010. ☎ 93-302-19-89. ● reserves@hostalsanremo.com ● hostalsanremo.com ● Ⓜ Urquinaona. Doubles 65-70 € avec ou sans sdb privée. Certes, ce n'est pas le grand luxe, mais cette petite pension sans chichis présente bien des avantages : bien située, de faible capacité (donc conviviale), dotée de chambres simples et fonctionnelles (clim, TV, double vitrage), et très bien tenue par une dame fort sympathique (et son petit chien !). Un bon rapport qualité-prix.

🏠 **Barcelona City Hotel Universal** *(centre F3, 114)* : c/ Aragó, 281, 08009. ☎ 93-487-97-62. ● info@barcelonacity hotel.com ● barcelonacityhotel.com ● Ⓜ Passeig-de-Gràcia. Au 2ᵉ étage (ascenseur). Doubles 70-90 € (plus à certaines périodes). Internet, wifi. Petit hôtel sans grand charme mais fonctionnel, qui a l'avantage de proposer des chambres rénovées (à l'exception des salles de bains, datées), nickel et de bon confort (TV à écran plat, AC, double vitrage). Accueil efficace.

🏠 **Hostal Girona** *(centre G4, 115)* : c/ Girona, 24, 08010. ☎ 93-265-02-59. ● re serves@hostalsanremo.com ● hostalgi rona.com ● Ⓜ Tetuan. Doubles 60-90 € avec ou sans sdb. Cette adresse se distingue par son aménagement intérieur très classe, à l'image des tapis, boiseries et autres jolis meubles qui agrémentent les parties communes. Les chambres sont nettement plus simples, mais néanmoins accueillantes et de bon confort (AC, TV à écran plat). Un bémol : pas de double vitrage, et certaines sont un peu petites (les simples notamment ne valent pas le coup).

🏠 **Duo by Somnio** *(centre F2, 116)* : c/ Rosselló, 220, 08008. ☎ 93-272-09-77. ● info@hostelduo.com ● hostelduo.

com • Ⓜ *Diagonal. Doubles 60-80 € ; dortoir 20-28 €/pers. Internet, wifi. Un verre de vin offert à l'arrivée sur présentation de ce guide.* Mi-hôtel, mi-AJ, cet établissement occupe un bâtiment ancien rénové, dont on a gardé quelques moulures et dorures en souvenir du passé. Les chambres n'ont pas un charme ébouriffant, mais elles sont propres et correctement équipées. Certaines, donnant côté rue, sont agrémentées d'un bow-window. Toutes, en revanche, partagent les salles de bains communes. Nos lecteurs à petit budget seront surtout intéressés par les dortoirs mixtes de 4 lits ou par celui de 8 lits réservé aux filles, aux prix d'une AJ. Superbe terrasse à l'arrière pour prendre un bain de soleil, vaste salon climatisé (ce n'est pas le cas des chambres), et bon accueil.

De chic à plus chic (70-120 €)

🏠 *Ana's Guest House (centre G2, 117) :* avda Diagonal, 345, 08037. ☎ 93-476-11-41. • *ana@anasguesthouse. com* • *anasguesthouse.com* • Ⓜ *Verdaguer. Résa impérative. Double env 90 € avec sdb et petit déj. Séjour min 2 nuits. Wifi.* Au 1er étage d'un bel immeuble du début du XXe s avec ascenseur typique. Une *guesthouse* charmante dans un coin chic, tenue par une dame et sa fille, très accueillantes et pleines de bons conseils. Chambres toutes différentes, pas toujours très grandes mais arrangées avec goût, sobres, chaleureuses et fraîches. L'une d'entre elles dispose même d'un bow-window ouvrant sur l'avenue.

De plus chic à très chic (plus de 130 €)

🏠 *Hotel Granvía (centre F3, 118) :* Gran Vía de les Corts Catalanes, 642, 08007. ☎ 93-318-19-00 ou 93-302-50-46 (résas). • *hgranvia@nnhotels.es* • *nnhotels.es* • Ⓜ *Passeig-de-Gràcia. Doubles standard 90-150 € selon saison. Internet, wifi.* Très central. Dans un bel édifice du XIXe s, au hall d'entrée lumi-

neux et aéré, à la décoration très classique, voire surannée. Les chambres s'avèrent petites mais fort convenables, avec TV satellite. Terrasse, jardin. Accueil courtois.

🏠 *BCN Design (centre F3, 119) :* passeig de Gràcia, 29-31, 08007. ☎ 93-344-45-55. • *info@eurostarsbcnde sign.com* • *eurostarshotels.com* • Ⓜ *Passeig-de-Gràcia ou Plaça-de-Catalunya. Réception au 1er étage. Doubles en moyenne 150-200 € (mais cela peut monter jusqu'à 400 € !). Internet, wifi.* Dès l'entrée éclatante de rouge qui conduit à l'ascenseur (indispensable pour rallier la réception), le design domine. Qu'il s'agisse des chambres très chic, de la belle salle de petit déj, de l'agréable *lounge* ou des différentes terrasses (dont une avec jacuzzi), rien n'a été laissé au hasard. On aime beaucoup notamment l'idée des baignoires trônant face à la vaste baie vitrée dans les chambres supérieures. Accueil irréprochable. Cependant, les vrais amateurs de design resteront peut-être sur leur faim : l'endroit vaut surtout pour sa situation et son excellent confort.

🏠 *The 5 Rooms (centre F4, 120) :* c/ Pau Claris, 72, 08010. ☎ 93-342-78-80. • *info@the5rooms.com* • *the5 rooms.com* • Ⓜ *Plaça-de-Catalunya. Au 1er étage. Résa impérative. Doubles 146-232 € selon confort, avec petit déj-buffet. Internet, wifi.* Il s'agissait à l'origine d'un B & B élégant de 5 chambres. Il y en a désormais plus du double, avec de belles parties communes, et par conséquent la maison se définit plus comme un *boutique hotel* de 1er ordre : excellent accueil, confort irréprochable, et du charme à revendre (volumes amples, chambres hautes de plafond, excellente literie et plein de détails de bon goût). Ne pas hésiter à demander conseil sur les itinéraires en ville, Yessica est une vraie mine d'infos !

🏠 *Hotel Axel (centre E3, 121) :* c/ Aribau, 33, 08011. ☎ 93-323-93-93. • *bar celona@axelhotels.com* • *axelhotels. com* • Ⓜ *Universitat. Doubles 120-400 € selon saison et vue. Internet, wifi.* Ce bel immeuble de l'Eixample a été transformé en un hôtel à la déco contemporaine soignée (le styliste de

Kenzo a apporté sa touche), destiné à la clientèle homosexuelle tendance « hétéro *friendly* ». Cela dit, les chambres très confortables sont agrémentées de détails suggestifs... Au dernier étage, une belle piscine, un sauna et un *sky-bar* très branché. Ambiance décontractée et bon accueil.

Près de Gràcia
(plan d'ensemble)

🏠 *America 32 B & B (plan d'ensemble, 122) :* c/ América, 32, 08041. ☎ 93-436-53-16. 📱 680-95-25-41. ● info@america rica32.com ● america32.com ● Ⓜ Guinardó. Près de l'hospital de Sant Pau. Doubles 60-75 € avec ou sans sdb, et triple 85 €, petit déj-buffet inclus. Wifi. Une maison d'hôtes tenue par Fabio, un chaleureux Argentin qui a beaucoup bourlingué et qui parle un excellent français, puisqu'il a notamment vécu à Paris. Seulement 4 chambres : une avec salle de bains privée, les autres se partageant les sanitaires. Le mobilier a été chiné et restauré par ses soins, ce qui donne un côté très personnalisé aux chambres ainsi qu'aux parties communes, comme la salle à manger où est servi le petit déj. Sur le toit, une terrasse géniale envahie de plantes grasses. La situation un poil excentrée est compensée par un accès très facile en métro et par la proximité de la Sagrada Família et du park Güell. Autres avantages : le calme est garanti (chose rare à Barcelone) et le maître des lieux n'est pas avare de bons conseils pour découvrir la ville hors des sentiers battus. Une adresse qui détonne, intime et originale. De quoi vivre la ville différemment.

Du côté de Sants
(centre)

Plus chic (90-140 €)

🏠 *The Urban Suites (centre B3, 125) :* c/ Sant Nicolau, 1-3, 08014. ☎ 93-201-51-64. ● info@theurbansuites. com ● theurbansuites.com ● Ⓜ Tarragona ou Espanya. Doubles 90-140 €.

Wifi. Ces appartements de standing pour 2 à 6 personnes ont tout pour plaire : une situation intéressante (proche du métro), une déco contemporaine de bon goût (du minimalisme réussi), un confort irréprochable (clim, TV écran plat, chaîne hi-fi, cuisine équipée), et toutes sortes de petits plus, comme le parking, la buanderie ou un solarium sur le toit pour lézarder (les suites du rez-de-chaussée ont leur propre terrasse privée). Une excellente alternative à l'hôtel. Accueil souriant et efficace.

Dans la Barceloneta
(centre)

Plus chic (autour de 120 €)

🏠 *Hotel 54 (centre F7, 127) :* passeig Joan de Borbó, 54, 08003. ☎ 93-225-00-54. ● recepcion@hotel54barcelone ta.com ● hotel54barceloneta.com ● Ⓜ Barceloneta. Doubles 80-130 € (pics à certaines périodes, promos sur leur site). Internet, wifi. Cet hôtel a 2 atouts majeurs : une situation géniale (face au port de plaisance, à deux pas de la plage et à 10 mn à pied de la vieille ville) et une terrasse sur le toit, idéale pour lézarder entre 2 balades. Pour le reste, on apprécie sa taille conviviale, l'accueil efficace et la qualité des chambres contemporaines (petites mais de très bon confort, notamment dans les jolies salles de bains).

Dans Poble Sec, côté mer *(centre)*

De prix moyens à chic (55-120 €)

🏠 *Hostal BCN Port (centre E6, 129) :* avda Paral-lel, 15, 08004. ☎ 93-324-95-00. ● hostal@hostalbcnport.com ● hostalbcnport.com ● Ⓜ Drassanes. 🍴 Au 1er étage. À proximité du Musée maritime. Selon saison, doubles climatisées 59-90 € avec lavabo, 80-123 € avec sdb (surveillez les promos de dernière minute). Internet, wifi. Petit déj-buffet offert sur présentation de ce guide. Un *hostal* dans un immeuble moderne et central, dont l'avantage réside dans les installations modernes et tout confort. Les chambres ne sont pas très vastes, mais la déco aux couleurs soutenues et l'ameublement les rendent très fonctionnelles. Accueil dynamique et sympa.

Où camper dans les environs ?

Voici quelques campings, mais rien d'extraordinaire, tous ont des défauts : bruit, accueil expéditif, sanitaires moyennement entretenus... Le *Masnou* reste un moindre mal, mais mieux vaut camper à Sitges (voir « Le littoral barcelonais »).

Au nord de Barcelone

☒ 🏠 **Camping Masnou :** *ctra nacional II, km 633, 08320 El Masnou.* ☎ 93-555-15-03. ● *masnou@campingsonline. com* ● *campingsonline.com/masnou* ● *À 11 km de Barcelone, face à la plage. Pour y aller en voiture, autoroute AP 7, sortie 13 à Granollers, ou autoroute C 32, sortie 86 à Alella. De Barcelone, train Rodalies (sorte de RER ou Transilien) depuis la pl. de Catalunya, direction Mataró, jusqu'à El Masnou (env 25 mn de trajet, gare à 300 m). Ouv tte l'année. Env 32 € pour 2 pers avec tente et voiture ; quelques doubles 48 € avec sdb.* Bien placé, verdoyant et ombragé. Il semblerait que le confort et la propreté laissent parfois à désirer en haute saison. Les espaces de camping sont un peu en retrait de la nationale. Bar, resto, supérette, jeux pour enfants, billard et piscine. Très bon accueil en français.

☒ **Camping El Vedado :** *ctra Masnou à Granollers, km 7,2, 08188 Vallromanes.* ☎ 93-572-90-26. ● *info@campingelvedado.com* ● *campingelvedado. com* ● ♿. *À env 18 km de Barcelone. En voiture, belle route à travers les vignes : de Barcelone, prendre l'A 2 ou la C 32 vers le nord, et sortir à hauteur d'Alella ; de là, il reste à peu près 6 km jusqu'au camping (un peu avt Vallro-*

manes). De Barcelone, autobus L95 depuis Ronda-Universitat (attention, seuls les billets T-10 sont valables, pas les passes 2-5 j.). En hte saison, 2 bus mat et soir pour Barcelone – pl. de Catalunya (2,50 € env, 40 mn). La station de train la plus proche est Alella. Ouv mars-début nov. Env 32 € pour 2 pers avec tente et voiture ; petits bungalows en bois 4-6 pers, min 110 € pour 4 pers. Internet, wifi. Un camping populaire et à taille humaine (170 emplacements), situé en pleine nature, au milieu des bois et donc très ombragé. À 7 km de la côte. Piscine, terrains de sport et resto. Aspects négatifs : l'eau chaude est rationnée, l'entretien est franchement léger, et, l'été, les sanitaires souffrent clairement de la surocupation de l'espace.

Au sud de Barcelone

Zone très urbanisée, ne vous attendez donc pas à un calme bucolique et champêtre !
– Il y a aussi 2 campings ombragés et bien équipés à *Sitges*, à 10 km au sud de Castelldefels (voir « Le littoral barcelonais »).

☒ **Camping 3 Estrellas :** *autovía de Castelldefels, km 13,2 (ou km 186,2 de la C 31), 08850 Gavà.* ☎ 93-633-06-37. ● *info@camping3estrellas.com* ● *camping3estrellas.com* ● *En bord de plage, le long de l'autovía de Castelldefels, à env 12 km du centre-ville. De Barcelone et de la pl. d'Espanya (centre B3), C 31, direction Castelldefels/aeropuerto et prendre la sortie 13 ; ensuite, faire demi-tour en passant sur le pont. Sinon, bus L95 : ttes les 30 mn en saison 6h30-22h30 ; 20-30 mn de trajet (vérifier tt de même les horaires sur place). Ouv 15 mars-15 oct. Env 36 € pour 2 pers avec tente et voiture en hte saison. Internet.* Au milieu d'une pinède, bien entretenu (sanitaires impeccables), un immense camping bien équipé : épicerie, snack-bar, resto, grande piscine, jeux pour enfants... avec la mer toute proche. Également des mobile homes et des bungalows à louer. Un seul bémol, l'aéroport et ses nuisances sonores : il est tout proche.

OÙ MANGER ?

Bars à tapas

On trouve principalement deux sortes de bars à tapas : d'un côté les vieux de la vieille, avec comptoir en bois patiné à souhait, poutres et tonneaux, et de l'autre les petits jeunots au look design, qui jouent à fond la carte de la modernité. Côté assiette, la nouvelle tendance, ce sont les tapas « créatives » : plus élaborées, fines et inventives que les tapas à l'ancienne, et aussi plus chères, normal ! Comme souvent, vous pouvez opter pour des rations ou des demi-rations (*raciones* ou *media raciones*) et des assiettes de charcuterie ou de fromages. Barcelone étant une ville maritime, on vous conseille les tapas poissons et fruits de mer, très fraîches. Avant de sortir, commencez par dévorer la rubrique consacrée aux tapas dans « Hommes, culture et environnement. Cuisine ».

Dans le Barri Gòtic et alentour (zoom)

Assis ou debout

|●| ▼ La Pineda (zoom F5, **140**) : c/ del Pi, 16. ☎ 93-302-43-93. Ⓜ Liceu. Lun-sam 9h-15h, 18h-21h30. Tapas env 5 €, *assiette de charcuterie ou de fromages min 12 €*. Petite épicerie fine dans son jus que vous aurez vite fait de repérer grâce à l'odeur des jambons qui pendent à l'entrée. Au fond, après toutes les charcutailles, entourées de vitrines remplies de bonnes bouteilles, quelques tables accueillent les habitués, venus jouer aux dominos tout en savourant un vermouth maison. C'est l'un des rares endroits où l'on peut déguster la *butifarra d'ou*, un « saucisson d'œuf » typiquement catalan. Amusant... Remarquez la machine à couper le jambon mécanique et la vénérable caisse enregistreuse qui fait les additions depuis 1930. Une adresse authentique comme on les aime.

|●| ▼ Neri Restaurant (zoom F5, **143**) : Sant Sever, 5. ☎ 93-304-06-55. En-cas 7-17 €... servis 11h-23h ; déj léger env 20 € ; au resto, plutôt gastronomique, menus 21 € le midi en sem, 36 € les soirs et w-e, mais non servis en terrasse. Dans un recoin de la plaça Sant Felip Neri, voici sans doute la terrasse la plus intimiste, la plus romantique de Barcelone... Pas un bar à tapas à proprement parler, mais on peut à toute heure s'y régaler de quelques délicates croquettes au fromage et d'un carpaccio de poisson, tout en dégustant un bon verre de vin blanc. On aura compris qu'il s'agit plus de s'offrir un petit moment de volupté que de faire un véritable repas. Les tourtereaux aux appétits d'oiseau pourront s'en contenter... Idéal pour boire un verre.

Au comptoir

|●| ▼ Cala del Vermut (zoom F4, **144**) : c/ Magdalenes, 12. ☎ 93-317-96-23. ● info@caladelvermut.com ● Lun-sam 11h30-16h, 18h30-22h ; dim et j. fériés 12h-16h. Une jolie échoppe avec son comptoir et ses jambons suspendus. On s'y pousse du coude pour attraper son verre de vermouth maison (vin blanc pour les récalcitrants !) qu'il est d'usage d'accompagner de quelques calamars à l'encre de seiche (en conserve, mais délicieux).

|●| ▼ Irati (zoom F5, **145**) : Cardenal Casañas, 17. ☎ 90-252-05-22. ● reservas@sagardi.com ● Ⓜ Liceu. ♨ À deux pas de la Rambla, direction pl. del Pi. Ouv tlj. Fermé 1er janv et 25 déc. Pintxo min 2 € ; autres plats un peu chérots. Une taverne basque toujours bondée en soirée, fréquentée par une clientèle hétéroclite. Toutes ces petites tartines de pain recouvertes de boudin grillé, anchois, fromage, thon à la tomate... sont savoureuses. Si l'estomac vous en dit, c'est l'occasion de goûtez au *kalimotxo*, un mélange de vin et de coca (sic !) très populaire au Pays basque les jours de beuverie... Resto au fond, mais plus cher.

|●| ▼ Formatgeria La Seu (zoom F5,

146) : c/ Dagueria, 16. ☎ 93-412-65-48. ● formatgeslaseu@gmail.com ● Ⓜ Jaume-I. Mar-sam 10h-14h, 17h-20h. Congés : août. Palette 2,50 € servie 12h-14h et 17h-20h avec assortiment de 2-3 fromages du cru, toast et vin ou vermouth. Une drôle de petite adresse que nous classons dans la rubrique « Bar à tapas », bien qu'on n'y trouve pas de tapas ! Il s'agit en fait d'une microfromagerie artisanale où madame la fromagère propose à certaines heures, sur de petites palettes de peintre, des lichettes de fromage accompagnées d'un godet de vin ou de vermouth. Attention, il s'agit plus d'une dégustation que d'une véritable collation. Également des glaces au fromage pour les curieux ; amusant et original !

Dans la Ribera et El Born (zoom)

Assis ou debout

|●| ♟ *El Xampanyet* (zoom G5, *150*) : c/ Montcada, 22. ☎ 93-319-70-03. Ⓜ Jaume-I. Fermé l'ap-m, dim soir, lun et le soir des j. fériés. Congés : août. Dans la rue du musée Picasso et de la galerie Maeght, une maison connue depuis 1929 pour son cidre, son vermouth et ses tapas. La spécialité ? Les anchois, mais ils font frétiller le porte-monnaie. Au-dessus des quelques tables, azulejos et barriques tapissent les murs, gourdes en peau pendent du plafond. Bonnes tortillas, *manchego*, jambon de canard, ventrèche de thon... À déguster au comptoir pour limiter l'addition, qui grimpe d'autant plus vite que les prix ne sont pas affichés... Très sympa mais architouristique.

|●| ♟ *La Vinya del Senyor* (zoom G5, *151*) : pl. Santa María, 5. ☎ 93-310-33-79. Ⓜ Jaume-I. Tlj 12h-1h. Tapas 2-12 €. Petit bar à vins bourré de charme, où touristes et Barcelonais lèvent joyeusement le coude en picorant de délicieux morceaux de charcuterie et de fromage. Minuscule bar au rez-de-chaussée et salle de poche à l'étage, bondés le soir, ou terrasse très agréable stratégiquement située face à la superbe basilique Santa María

del Mar. Pour poser une fesse, arriver très tôt !

Au comptoir

|●| ♟ *Sagardi* (zoom G5, *152*) : c/ Argentería, 62. ☎ 93-319-99-93. ● reservas@sagardi.com ● Ⓜ Jaume-I. ♿ Ouv tlj. Fermé 1ᵉʳ janv et 25 déc. Pintxo *min* 2 €. C'est l'un des bars basques du secteur (qui fait d'ailleurs partie d'une mini-chaîne locale), avec son long comptoir où, midi et soir, les assiettes classiques de *pintxos* se succèdent. Arrosez-les donc d'un verre de cidre (dans un gros tonneau) bien rafraîchissant, et profitez de sa terrasse agréable qui le distingue des autres adresses du coin. Au fond, une partie resto (nettement plus chère) où l'on sert d'excellentes viandes grillées. Une valeur sûre.

|●| ♟ *Txacolín* (zoom G5, *153*) : Marquès de l'Argentera, 19. ☎ 93-268-17-81. Ⓜ Barceloneta. En face de la gare de França. Ouv tlj sf dim soir et lun. Pintxos 1,80-2 € *selon longueur de la pique*. Autour du gigantesque comptoir en U, employés du quartier et voyageurs en partance jouent des coudes pour accéder aux fameux *pintxos* basques. Froids, chauds, boudin, œufs brouillés, poivrons farcis, croquettes de morue, viandes marinées... Il y a vraiment du choix, renouvelé en fonction du débit, et tout est bon.

|●| ♟ *Euskal Etxea* (zoom G5, *154*) : placeta Montcada, 1-3. ☎ 93-310-21-85. ● barcelona@euskaletxeak.org ● Ⓜ Jaume-I. ♿ Tlj 10h-0h30 (1h w-e). Pintxo *min* 2 € ; resto cher. Un bar à tapas basque à la belle déco contemporaine. Le comptoir recouvert de *pintxos* n'est pas facilement accessible aux heures de pointe, mais les serveurs se baladent le plateau à la main avec de nouvelles fournées. N'hésitez pas, tout est bon et frais.

|●| ♟ *Golfo de Bizkaia* (zoom G5, *155*) : c/ Vidriera, 12. ☎ 93-268-48-88. Ⓜ Barceloneta. À l'angle avec la c/ de l'Esparteria. Tlj 9h-minuit. Pintxo *env* 2 € (selon taille de la pique). Une petite taverne basque qui sert, sur un comptoir en L, des *raciones* et *media raciones* de champignons, de coquilles Saint-Jacques et autres gambas, de boudin noir, ainsi que de très classi-

ques *pintxos*. C'est copieux, frais, et l'endroit a un succès fou le soir !

Dans le Barri Xino et El Raval *(zoom et centre)*

Assis ou debout

|●| 🍸 *Iposa* (zoom E4, *156*) : c/ Floristes de la Rambla, 14. ☎ 93-318-60-86. Ⓜ Liceu. Tlj 13h-3h. Petit menu le midi 7 € ; tapas 2-7 € dès 19h ; plats 6-12 € servis dès 21h. Au départ, on est surtout attiré par la déco joyeuse et bariolée, par les lustres fantaisistes et les peintures un peu psychédéliques aux murs. Le cadre idéal pour un apéro dans la bonne humeur ! Et puis on s'éternise, car on se sent bien parmi la clientèle jeune et relax : de fil en aiguille, l'apéro dégénère et devient dînatoire. Là, on découvre des tapas et de petits plats bien balancés, frais et savoureux, avec un zest d'inventivité : lasagnes aux épinards, nouilles au curry... Le tout dans une ambiance qui rappelle *L'Auberge espagnole*. Pas étonnant : le bar a servi de décor à ce film culte ! Et c'est l'un de nos préférés dans le quartier.

|●| 🍸 *Bar Cañete* (zoom E5, *157*) : c/ de la Unió, 17. ☎ 93-000-44-84. ● oidobar ra@antiguobarorgia.com ● Ⓜ Liceu. Tlj 12h-minuit. Tapas 3-6 € ; media raciones 7-19 €. Un bar à tapas chic, avec un staff en veste blanche et toque sur la tête. Très créatif aussi, utilisant des ingrédients sélectionnés avec soin et exigence. On s'assied le long d'un étroit comptoir qui favorise les rencontres ; car si le lieu est classe, la clientèle n'est pas bégueule. Beaucoup de fruits de mer et de poissons, mais aussi de surprenantes aubergines au miel finement ciselées, des œufs frits au foie gras, ou encore du carpaccio de magret de canard. La carte est si longue et alléchante qu'on a bien du mal à se décider ! Par chance, les serveurs vous décrivent patiemment les tapas proposées. Une excellente adresse.

|●| 🍸 *Kasparo* (zoom F4, *160*) : pl. Vicenç Martorell, 4. ☎ 93-302-20-72. Ⓜ Catalunya. Mar-sam 9h-1h. Raciones 3-11 €. Sur une placette enclavée entre la Rambla et le MACBA, quelques bars-cafés ont poussé leurs tables sous les arcades, dont le *Kasparo*, qui propose des tapas très fraîches affichées sur l'ardoise. Calme et ombre font que les Barcelonais s'y installent dès le café du matin. Service gentil et clientèle d'universitaires et de jeunes *currantes* (employés).

|●| 🍸 *Bar Lobo* (zoom F4, *161*) : Pintor Fortuny, 3. ☎ 93-481-53-46. ● barlobo@ grupotragaluz.com ● Ouv tlj. Tapas 4-15 € ; plats et raciones 8-17 € ; petits déj plutôt salés (jusqu'à 13h en sem et 14h le w-e) 8,50-11 €. Grand loft à la déco étudiée et à l'atmosphère très bobo avec sa cuisine ouverte et sa table d'hôtes. Certes les tapas sont un poil plus chères et moins copieuses que dans certaines *bodegas*, mais elles sont vraiment goûteuses tout en restant simples. Surtout, la terrasse, sur une placette piétonne, est tout ce qu'il y a de plus accueillant. Les places s'arrachent ! Service décontracté, efficace et souriant. Une bonne adresse qui a les faveurs des Barcelonais.

Dans l'Eixample, du côté de Sant Antoni *(centre C-D-E4)*

Assis ou debout

|●| 🍸 *El Museu de l'Embotit* (centre D-E4, *166*) : c/ Floridablanca, 131. ☎ 93-325-48-89. Ⓜ Urgell. À l'angle de la c/ Villaroel. Mar-sam 15h30-23h30. Congés : Semaine sainte et août. Tapas 3-7 € ; plats 10-15 €. Café offert sur présentation de ce guide. L'appellation « museu » est un peu présomptueuse pour ce qui reste un modeste bar de quartier à la charcuterie somme toute bien ordinaire. Toutefois un endroit où grignoter pour pas cher, au milieu des habitués car les touristes ne sont pas légion à s'aventurer dans le coin. On ne fera donc pas le détour, mais peut dépanner si on loge par là.

|●| 🍸 *Tickets Bar et 41°* (centre C4, *165*) : avda Paral-lel, 164. ● info@tickets bar.es ● ticketsbar.es ● Ⓜ Poble-Sec. Mar-ven 19h-23h30 ; sam 13h-15h30, 19h-23h30. Attention : résa par Internet indispensable, très, très longtemps à l'avance (plusieurs mois !). Repas env

50 €. Voici la dernière folie de Ferran Adrià, qui vient de fermer son fameux resto *El Bullí*. Au coin de la rue, le *Tickets*, un bar à tapas de haute volée où l'on sert les créations un peu folles du célèbre cuisinier d'avant-garde catalan et de son frère Albert. Le décor design est à la fois chic et cool, avec des chaises de jardin au comptoir et une cuisine ouverte à tous les regards. La porte à côté, le bar à cocktails *41°* (*mar-sam 18h-2h ; résa obligatoire là aussi*) permet aux *happy few* de déguster des snacks inspirés de la cuisine du monde, plus abordables qu'au *Tickets* et accompagnés de cocktails assez classiques, le tout dans un décor industriel avec de gros tuyaux au plafond. Le gros problème, pour l'un comme pour l'autre, c'est de pouvoir obtenir une table : seul espoir, compter sur une annulation de dernière minute et se jeter dessus ! Bien peu auront cette chance, mais cela dit, on ne pouvait pas omettre de vous parler de cette adresse.

Dans Poble Sec
(centre C-D4-5)

Au comptoir

|●| ⅄ *Quimet & Quimet* (centre D5, **180**) : poeta Cabanyes, 25. ☎ 93-442-31-42. Ⓜ Paral-lel. Tlj sf sam soir-dim 12h-16h, 19h-22h30. Congés : Semaine sainte et août. Pintxos 3-6 €. CB acceptées. Minuscule bar à tapas, au comptoir envahi de tapas aussi appétissantes à voir qu'à déguster. Tout est délicieux, jusqu'aux petites fantaisies sucrées. Murs boisés décorés d'une ribambelle de bouteilles de vin. Ça vaut vraiment la peine de venir jusqu'ici pour goûter ces tapas très fraîches. Dans la même famille depuis 4 générations, un lieu indémodable où il faut savoir jouer des coudes !

Dans l'Eixample *(centre)*

Assis ou debout

|●| ⅄ *Cervecería Catalana* (centre F2, **171**) : c/ de Mallorca, 236. ☎ 93-216-

03-68. Ⓜ Diagonal ou Passeig-de-Gràcia. Angle rambla de Catalunya et c/ de Mallorca. Tlj 12h-1h. Tapas 4-7 €. Même en ayant doublé sa capacité d'accueil, cet ancien resto de famille relooké en bar à tapas sobre et contemporain ne désemplit pas. Son secret ? Des tapas ultra-fraîches et appétissantes, pour tous les goûts et aux portions généreuses. Une rangée de tables sur le trottoir et un comptoir toujours bondé qui déborde largement dehors. Une valeur sûre. Autre adresse de la même maison : *Ciutat Comtal*.

|●| ⅄ *Paco Meralgo* (centre E2, **167**) : c/ de Muntaner, 171. ☎ 93-430-90-27. ● info@pacomeralgo.com ● Ⓜ Hospital-Clínic. Tlj 13h-16h, 20h-0h30. Tapas env 2-12 € ; plats du jour et paellas 8-18 €. L'un des meilleurs représentants de la nouvelle vague des tapas gastronomiques. Raffinées, créatives, ces tapas ne souffrent d'aucun défaut, et par bonheur, les prix restent sages. La liste des délices qu'on y déguste est longue comme les 2 bras, il serait vain de les énumérer ! Citons tout de même les excellentes langoustines *a la plancha*, les savoureuses *albondigas de sepia* ou les *croquetes de bacalao*. Miam ! Également de super desserts. L'endroit est si populaire qu'il n'est pas rare de voir une file d'attente se former sur le trottoir. Le comptoir se libère plus vite, et les serveurs ont beau se démener comme de beaux diables, la commande peut prendre du temps avant d'arriver.

|●| ⅄ *Tapaç 24* (centre F3, **170**) : Diputació, 269. ☎ 93-488-09-77. Tlj 9h-minuit. Tapas 5-16 €. En contrebas de la rue, une petite salle qui marie joyeusement tradition et modernité, depuis la déco jusque dans l'assiette. Les ardoises écrites à la craie dominent un bar à double volée, ouvert sur la cuisine. Et, tout autour, des tables aux lignes épurées et de hauts tabourets où se juchent les gourmands. Car ce bar à tapas appartient au jeune chef Carles Abellan, formé dans les cuisines d'*El Bullí*. Le but : servir du matin au soir, sans discontinuer, de bons produits traditionnels bien travaillés, rehaussés d'une touche de créativité. Plu certes, mais vraiment délic même les desserts sont « tapa

Quelques tables en terrasse en prime.

|●| ❢ *Ciutat Comtal* (centre F3, **172**) : rambla de Catalunya, 18. ☎ 93-318-19-97. ⓜ *Universitat* ou *Passeig-de-Gràcia*. À l'angle de la Gran Vía de les Corts Catalanes. Lun-ven 8h-minuit ; w-e 9h-2h. Tapas 3-7 €. C'est la même maison que la célèbre *Cervecería Catalana*. Autant dire que la panoplie de tapas étalées le long du comptoir fait tout autant monter l'eau à la bouche et mérite sa réputation : frais et bon ! Quant au cadre, il s'agit d'un bar traditionnel à peine modernisé prolongé par une agréable terrasse ombragée au milieu de la Rambla (mais beaucoup moins d'ambiance, bien sûr). Service efficace et express.

|●| ❢ *Txapela* (centre F3-4, **173**) : passeig de Gràcia, 8-10. ☎ 93-412-02-89. ⓜ *Catalunya*. Tlj 8h-1h30 (2h ven-sam). Pintxos 3-6 €. Genre de brasserie moderne avec mezzanine, dans la lignée des bars à tapas et *pintxos* des grandes artères espagnoles. Un lieu où les plus affamés se pressent dans la bonne humeur autour du comptoir ovale. Un peu banal, mais bon, rapide et pas cher.

|●| ❢ *Bar Velódromo* (centre E1, **174**) : c/ de Muntaner, 213. ☎ 93-430-60-22. ⓜ *Hospital-Clínic* ou *Diagonal*. Tlj 6h-2h. Tapas 2-8 €. Historique ! Restauré avec soin, ce vaste bar d'avant guerre joue à fond la carte rétro : on s'attable volontiers sous la verrière, à deux pas du billard, et selon l'heure on profite d'un bon petit déj, d'un sandwich, de tapas (les plats sont moins convaincants), ou bien on sirote un verre en bonne compagnie. Typique et archiclassique, c'est la carte postale de la brasserie vintage barcelonaise. Les locaux adorent.

|●| ❢ *La Pepita* (centre F-G2, **175**) : Córsega, 343. ☎ 93-238-48-93. ● lapepitabcn@gmail.com ● ⓜ *Diagonal*. Mar-ven 9h-1h30 ; sam 11h-2h30. Tapas 2-7 € ; menus 8-12 €. Bistrot simple et frais, tout en longueur, avec une poignée de tables au fond. L'avenant patron soigne sa clientèle et met un point d'honneur à retravailler à sa manière les tapas classiques et les sandwichs, ce qui l'a conduit à accoucher de la *pepita*. Qu'est-ce donc ? Un ~nre de double tartine grillée à base de

pain maison farcie au choix de viande, saumon ou légumes. Certes, c'est un peu léger, à réserver donc aux petits creux. Mais c'est très fin et ça passe tout seul, surtout accompagné d'un bon petit vin comme le maître des lieux sait les choisir.

Dans la Barceloneta *(centre G6-7 et zoom G6)*

Assis ou debout

|●| ❢ *La Cova Fumada* (centre G6-7, **181**) : c/ Baluard, 56. ☎ 93-221-40-61. ⓜ *Barceloneta*. Lun-sam 9h-15h30 (13h30 sam) ; plus jeu-ven 18h-20h30. Compter 10-15 €. Attendez-vous à un choc. Car ce bar sans enseigne (c'est inutile au vu de la foule qui patiente devant) est une relique dans son genre : passé les portes de guingois, on distingue un comptoir sans âge, la cuisine où rôtissent en direct des sardines, calamars et autres poulpes ultra-frais, et une poignée de tables bancales. L'atmosphère est aussi chaleureuse que bruyante, les serveurs écrivent l'addition directement sur le zinc, et les habitués se régalent de délicieuses tapas le verre à la main. Plus authentique, y a pas !

|●| ❢ *Els Fogons de la Barceloneta* (centre G6-7, **182**) : pl. de la Font. ☎ 93-224-26-26. ⓜ *Barceloneta*. Dans le marché de la Barceloneta, entrée par l'extérieur, côté sud. Mar-dim 9h30-minuit (16h dim). Tapas 3-12 € ; menu dégustation (de tapas) 35 €. Enchâssés dans le marché de la Barceloneta, ces fourneaux *(fogons)* ne sont rien de moins que la partie « bistrot » d'un excellent resto gastronomique qui occupe le 1er étage (on partage les mêmes toilettes !). Tapas de qualité, à déguster dans une salle contemporaine colorée, ou sur la terrasse qui s'étale sur la place. Beaucoup de fruits de mer. Également un menu du jour à prix sages (voir plus loin « Restos »).

Au comptoir

|●| ❢ *Can Paixano* (zoom G6, **183**) : Reina Cristina, 7. ☎ 93-310-08-39. ⓜ *Barceloneta*. Tlj sf dim et j. fériés

9h-22h30. Pintxos *3-6 €*. Au beau milieu d'une rue discrète, un bar pittoresque où les innombrables touristes et habitués s'empiffrent de *pintxos* et de *bocadillos* au comptoir, en accompagnant le tout d'un genre de *cava* rosé. Avec les jambons et saucisses suspendus au plafond, bonnes odeurs de charcutaille garanties ! D'ailleurs, au fond du bar, une mini-épicerie vend d'excellents produits du terroir. Super ambiance.

Restos

Barcelone se révèle être une vraie capitale gastronomique européenne. Il s'y ouvre au moins un resto par semaine ! Voici cependant quelques valeurs sûres. Nul doute que votre intuition vous en fera découvrir d'autres.

– **Conseil :** évitez les restos de la Rambla, trop exposés au flux touristique, car la qualité est rarement au rendez-vous et les prix y sont bien plus élevés qu'ailleurs.

– **Usages :** à Barcelone, comme ailleurs en Espagne, on mange tard. Pas la peine de se pointer dans un resto avant 13h-13h30 pour déjeuner, 20h-21h pour dîner. Et le soir pendant le week-end ou en période de vacances, il vaut mieux réserver pour les adresses les plus courues, sauf indication contraire dans le libellé.

Dans le Barri Gòtic et alentour (zoom)

Bon marché (7-14 €)

|●| *La Crema Canela* (zoom F5, **190**) : passatge Madoz, 6. ☎ 93-318-27-44. **Ⓜ** Liceu. Tlj 13h30-15h45, 20h-minuit. Résa conseillée. Menu env 10 € le midi ; carte 18-24 €. Un adorable resto dans l'un des passages qui mènent à la plaça Reial. Les jolies terrasses et la cuisine méditerranéenne tout en finesse (étonnamment fine pour le prix !) font les délices des Barcelonais, qui se refilent l'adresse tout en espérant la garder secrète. Parmi eux, quelques touristes ravis de s'y être hasardés. Le service est

quelque peu confus mais toujours souriant.

|●| *La Dolça Herminia* (zoom F4, **191**) : Magdalenes, 27. ☎ 93-317-06-76. **Ⓜ** Urquinaona. Tlj 13h-15h45, 20h30-23h30. Menus 10-21 € le midi en sem ; plats 7-12 €. Décor recherché, éclairages en douceur, belle mezzanine, où l'on sert une cuisine catalane correcte sans plus mais à prix franchement serrés. Le menu du déjeuner est d'un très bon rapport qualité-prix, et Barcelonais et touristes se pressent devant la porte : n'hésitez pas à faire la queue. La salle est vaste, et la mezzanine accueille également quelques tables. Service rapide et efficace.

|●| *Merca Vins* (zoom F4, **192**) : N'Amargós, 1. ☎ 93-302-60-56. Lun-ven 8h-17h. Menu 10 € le midi. Petit resto de poche sympathique et sans prétentions, discret derrière sa vitrine. On y vient pour le menu du jour économique et tout à fait correct, un vrai challenge dans le quartier ! La maison est également réputée dans tout Barcelone pour son gaspacho. Quelques tables, ou des tabourets devant le comptoir. Service agréable.

|●| *Pizzeria San Marino* (zoom F5, **193**) : c/ de la Ciutat, 12. ☎ 93-302-01-82. ● joaquinberrada@yahoo.es ● **Ⓜ** Jaume-I. Tlj 13h-16h, 20h-minuit. Pizzas 5-10 € (ttes les pizzas à 4,30 € le midi en sem). Très centrale, cette petite cantine sans prétentions comblera les routards au portefeuille dégarni (et les autres). Dans une petite arrière-salle au cadre banal, le patron, discret et sympathique, propose des plats italiens simples mais très corrects pour le prix. Clientèle tranquille d'habitués.

Prix moyens (14-25 €)

|●| *Vinateria del Call* (zoom F5, **194**) : c/ Sant Domènec del Call, 9. ☎ 93-302-60-92. ● info@lavinateriadelcall.com ● **Ⓜ** Liceu ou Jaume-I. ♿ Tt près de la pl. Sant Jaume. Tlj sf dim slt le soir à partir de 19h30. Fermé pdt les fêtes de fin d'année. Résa conseillée (téléphoner dès 18h). Carte 20-25 €. La Catalogne traditionnelle et joviale se retrouve dans ce resto que l'on pourrait qualifier de « tourustique ». Grand choix de vins et bonne cuisine locale, charcuterie, fromages et autres plats. Ici, on ne sert pas de tapas mais des *raciones* (ou *media raciones*), froides pour la plupart. L'addition dépendra de votre appétit et de votre gourmandise (bons desserts maison !). Service jeune et affable.

I⊜I *Café de l'Academia* (zoom F5, **195**) : Lledó, 1. ☎ 93-319-82-53. Ⓜ *Jaume-I ou Liceu. Près de la mairie, sur la jolie place de l'église Saint-Just. Lun-ven 9h-minuit ; repas servis 13h30-16h, 20h30-23h30. Fermé j. fériés et 3 sem en août. Résa nécessaire le soir. Menus midi 14 € à table, 9,80 € au bar ; carte env 25 €.* Un cadre rustique avec miniterrasse très agréable en été. À 10h, les gourmands qui travaillent à la mairie et à la Generalitat voisines apprécient les meilleurs sandwichs de Barcelone ou les omelettes aux épinards. Le midi, menus goûteux et simples. Bien aussi le soir, pour un repas plus intime, autour de plats plus élaborés.

I⊜I *Can Culleretes* (zoom F5, **196**) : c/ Quintana, 5 ; ruelle donnant sur la c/ de la Boqueria. ☎ 93-317-64-85. • info@ culleretes.com • Ⓜ *Liceu. Tlj sf dim soir et lun 13h30-16h, 21h-23h. Fermé 12 juil-12 août. Menus 12,50-16 € le midi en sem, 25-31 € le soir.* Le plus vieux resto de Barcelone et, paraît-il, le 2e plus vieux d'Espagne. Depuis 1786, un beau petit lieu à l'atmosphère populaire et aux murs couverts d'azulejos. Cuisine typiquement catalane, entre terre et mer. Ça pourrait être un piège à touristes, mais force est de constater qu'on y mange plutôt bien et que les habitués y viennent encore en nombre. Accueil variable mais toujours efficace.

I⊜I *La Fonda* (zoom F5, **197**) : c/ des Escudellers, 10. ☎ 93-301-75-15. Lun-ven 13h-15h45, 19h-23h30 ; w-e 13h-23h30. Menu env 19 € ; carte 16-25 €. Cadre pseudo-colonial plutôt élégant mais franchement atypique. Si l'on ajoute à cela un service assuré par un personnel tout ce qu'il y a de plus asiatique, on pourrait craindre le pire. Pourtant touristes et Barcelonais se pressent ici à égalité... tous ravis de profiter à un prix raisonnable d'un cadre propre et agréable. Il faut voir cela comme une grande cantine familiale et populaire, et ne pas s'attendre à de la grande cuisine ; l'ensemble est correct sans plus,

mais il faut avouer que c'est copieux et joliment présenté (un conseil tout de même, évitez tout ce qui est friture). Service certes rapide mais totalement confus et débordé.

I⊜I *Agut* (zoom F5, **198**) : c/ d'En Gignàs, 16. ☎ 93-315-17-09. Ⓜ *Jaume-I ou Barceloneta. Une ruelle entre Avinyó et Laietana. Tlj sf dim soir et lun jusqu'à minuit. Congés : août. Résa conseillée le soir. Menus midi max 10 € au bar et env 13 € au resto ; plats 12-35 €.* Depuis 1924, un resto fréquenté tant par les touristes que par les Barcelonais qui s'attablent souvent en famille. Vieille maison, très soignée à la fois dans le service et dans la déco : grande salle voûtée décorée de tableaux. Authentique cuisine barcelonaise, souffrant malheureusement d'irrégularité. Il faut avouer malgré tout que les fruits de mer et le poisson sont à un prix étonnant pour l'endroit. Certains serveurs parlent le français.

De chic à très chic (plus de 25 €)

Dans cette catégorie, des restos presque abordables le midi et nettement plus onéreux le soir.

I⊜I *El Gran Café* (zoom F5, **199**) : c/ d'Avinyó, 9. ☎ 93-318-79-86. Ⓜ *Liceu ou Jaume-I. Tlj 13h-23h. Menu env 11 € le midi ; entrée + plat 25 €.* Un resto qui a connu ses heures de gloire à la Belle Époque, dont il a gardé le souvenir et le décor lustré par le temps : boiseries cirées, femmes sculptées en lampadaires sur le bar, coin salon et belle cave.

I⊜I *Los Caracoles* (zoom F5, **200**) : c/ dels Escudellers, 14. ☎ 93-301-20-41. • loscaracoles@loscaracoles.es • Ⓜ *Drassanes.* ♿ *Parking gratuit 2h au n° 22 sur la Rambla. Dans la rue des restos, perpendiculaire à la Rambla. Tlj 13h15-minuit. Résa conseillée. Menus 33 € (midi)-59 € ; carte 25-70 €.* Un des restos historiques de la ville, fondé en 1835 et toujours dans la même famille. Belle cuisine ouverte, que l'on traverse pour aller dans la salle. Au passage, jetez un œil aux grandes rôtissoires où se dorent langoureusement chevreaux et cochons de lait (c'est la spécialité maison !) et aux *paelleras* culottées – les grandes poêles à paella. Splendide décoration rustico-catalane avec tonnelets peints, jambons au milieu des feuillages, photos des artistes ayant hanté les lieux. Très touristique, avec les inconvénients que cela implique... Désagréable habitude par exemple de parquer les touristes dans les salles du haut et de réserver les belles salles aux habitués et aux Catalans. La cuisine et l'accueil sont à l'avenant, irréguliers, c'est le moins que l'on puisse dire !

Dans la Ribera et El Born *(zoom)*

On vous répète qu'on aime beaucoup ce quartier, et notamment ses bonnes tables.

Très bon marché (moins de 7 €)

I●I Andreu *(zoom G5, 210)* : avda Francesc Cambó. ☎ 93-295-50-72. Ⓜ Jaume-I. Tlj 8h30-20h. Au fond d'une placette moderne donnant sur Francesc Cambó, aussitôt parallèle au marché (la placette !). Sandwichs 3,50-6,50 €. Ce sont les meilleurs sandwichs de la ville ! Bon, on exagère un peu, mais à peine. Car cette charcuterie contemporaine et très chic est l'une des succursales d'*Andreu*, connu pour ses jambons et autres charcuteries ibériques de 1er choix. On peut en acheter à la coupe, bien emballé, ou sous forme de sandwich qu'on déguste au comptoir sur un tabouret haut. Pas donné mais délicieux.

I●I Lilipep *(zoom G5, 211)* : c/ Pou de la Cadena, 8. ☎ 93-310-66-97. ● asensioguillen@hotmail.com ● Ⓜ Jaume-I. Mar-dim 10h-22h (23h ven-sam). Tapas 2-3 € ; menu env 10 € le midi. Réduc de 10 % sur le menu sur présentation de ce guide. Bien caché dans une ruelle donnant sur la carrer de la Princesa, ce petit café bohème est idéal pour une pause : des bouquins (à vendre) et des œuvres d'art (à vendre aussi) sur les rayonnages, quelques fauteuils et canapés pour se relaxer, et, à la carte, des quiches du jour, salades et autres sandwichs. Sans prétention et décontracté, comme l'accueil.

Prix moyens (14-30 €)

I●I Cuines Santa Caterina *(zoom G5, 212)* : mercat Santa Caterina, avda Francesc Cambó, 16. ☎ 93-268-99-18. ● cuinessantacaterina@grupotragaluz.com ● Ⓜ Jaume-I. Tlj 12h-16h, 20h-23h30. Carte 15-25 €. Dans l'une des ailes du marché, ce vaste resto aménagé de manière rustique propose une carte à la manière d'un tableau à double entrée. En haut, les matières premières (légumes, riz, viandes, œufs) ; à gauche, le mode de cuisson (à la méditerranéenne, à l'orientale...). Puls quelques plats locaux comme la *butifarra* avec haricots, le millefeuille de *sobrassada* (saucisson de Majorque) et fromage *mahon* (de Minorque), ou encore l'*escalivada* au fromage de chèvre. Tout est de bonne facture et frais. Comme c'est souvent bondé, le service a tendance à être rapide et efficace (ça dépote !). Les plus pressés s'accouderont au comptoir en U pour partager quelques tapas préparées sous leurs yeux : nous, c'est le coin qu'on préfère !

I●I El Atril *(zoom G5, 213)* : c/ Carders, 23. ☎ 93-310-12-20. Ⓜ Jaume-I. Mar-dim 13h-minuit. Tapas 4-8 € ; plats 12-16 €. Idéalement situé à l'angle d'une jolie place (on vous laisse imaginer l'agréable terrasse !), ce petit resto convivial a vite conquis son public grâce à des plats bien ficelés, copieux, et qui sortent parfois de l'ordinaire. Entre les classiques assiettes de (bon) jambon ibérique et de (goûteuses) tortillas se glissent quelques intrus, comme cet excellent *ceviche* ou du kangourou ! Pourquoi pas ? Accueil sympa et atmosphère chaleureuse, surtout les soirs de concert.

I●I Mundial Bar *(zoom G5, 214)* : pl. Sant Agustí Vell, 1. ☎ 93-319-90-56. Ⓜ Jaume-I. Tlj sf dim midi et soir. Carte env 20-25 €. C'est un troquet vieillot, dont la déco n'a pas dû connaître de grands bouleversements depuis son inauguration en 1925. Pittoresque donc. Mais on vient surtout pour ses très bons poissons et fruits de mer proposés en plats ou en tapas (le reste vaut moins le coup), à picorer dans une joyeuse atmosphère dans la petite salle du fond, ou à l'une des tables bistrot alignées face au comptoir. Très couru des locaux.

|●| **Pla de la Garsa** (zoom G5, 215) : Assaonadors, 13. ☎ 93-315-24-13. ● info@pladelagarsa.com ● Ⓜ Jaume-I. Entre Montcada et Comerç. Tlj 20h-1h. Fermé 10 j. en juin. Carte 20-25 €. Adorable bar-*formatgería* servant des vins et des fromages dans une toute petite salle aux tables de marbre, avec un bel escalier en colimaçon en fer forgé. On dit que cet endroit fut fondé par les anarchistes catalans : la maison actuelle fêtait en tout cas ses 30 ans en 2008 ! Spécialités de plats régionaux, charcuterie en tout genre, entrées froides, parfois un peu chichement servies (surtout dans les menus).

|●| **Marisquería La Paradeta** (zoom G5, 216) : c/ Comercial, 7. ☎ 93-268-19-39. Ⓜ Barceloneta. Le long du marché El Born (en restructuration). Mar-sam midi et soir (jusqu'à 23h30) ; dim midi slt. Compter 15-25 € (prix au poids). Le concept est simple : en fonction de l'arrivage du jour, on choisit directement sur l'étal la quantité de couteaux, langoustines, gambas et autres calamars que l'on souhaite déguster. Puis on se prononce sur l'accompagnement et le mode de cuisson : *a la plancha* ou *frito*. On s'attable alors dans la vaste salle colorée et on vous appelle dès que c'est prêt. Et on se régale ! Comme l'air est frais à l'intérieur (*mariscos* obligent), prévoir une petite laine. Des succursales à Sants et à la Sagrada Família.

|●| **La Báscula** (zoom G5, 217) : c/ dels Flassaders, 30 bis. ☎ 93-319-98-66. ● lacereriacooperativa@yahoo.es ● Ⓜ Jaume-I. Mer-dim 13h-1h (19h dim). Plats 6-9 €. Une vieille usine de friandises reconvertie en resto végétarien. Déco sympa, faite d'objets de récup' : murs colorés avec des restes de pots de peinture, tables et chaises hétéroclites, lustres kitschouilles... La cuisine n'est pas plus compliquée : plats du jour, sandwichs, crêpes, salades et tartes. Boissons très variées (*granizados*, infusions, cocktails de fruits...). Le service est débonnaire, donc mieux vaut

ne pas être pressé.

|●| **Cal Pep** (zoom G5, 218) : pl. de les Olles, 8. ☎ 93-310-79-61. Ⓜ Barceloneta. Fermé sam soir, dim, lun midi, j. fériés et août. Résa obligatoire. Compter facilement 20-25 €. Ce bistrot de quartier au cadre basique est devenu une institution. Assis en rang de comptoir, les clients se régalent de fruits de mer et poisson frais préparés sous leurs yeux. Le plaisir est donc autant visuel que gustatif ! Mais pour profiter de ces très bonnes choses, il faut faire la queue et s'acquitter d'une addition salée (car attention, les prix ne sont pas affichés). Dispose aussi d'une salle de resto, mais, franchement, on trouve ça moins sympa et bien plus cher.

De chic à très chic (30-50 €)

|●| **Comerç 24** (zoom G5, 219) : c/ Comerç, 24. ☎ 93-319-21-02. ● info@comerc24.com ● Ⓜ Arc-de-Triomf. Mar-sam midi et soir. Résa conseillée. Repas min 50 €. Voici le resto à la mode du Born, réputé pour servir dans un cadre élégant les tapas les plus inventives de la ville. Disciple du célèbre Ferran Adrià, le chef Carles Abellan mêle avec talent et imagination la tradition des tapas qu'il réinvente en les mêlant aux influences « fusion ». Des tapas sophistiquées comme des œuvres d'art en miniature ! Un régal pour la vue et pour les papilles. Les porte-monnaie plus fragiles se rabattront sur *TapaÇ 24*, adresse tout tapas du même chef (voir « Bars à tapas » plus haut).

|●| **Carballeira** (zoom F6, 220) : Reina Cristina, 3. ☎ 93-310-10-06. ● info@carballeira.com ● Ⓜ Barceloneta. Fermé lun et le soir dim et j. fériés. Plats 10-25 € ; repas env 40 € à la carte. Dans une salle placée sous le signe du grand large : maquettes de bateaux, crustacés, hublots. Spécialiste des fruits de mer et du poisson de Galice, comme le *pulpo gallego* ou la *tortilla de Betanzos*. Également des langoustes et du homard au poids. Le tout de bonne qualité et bien préparé.

|●| **7 Portes** (zoom G6, 221) : passeig d'Isabel II, 14. ☎ 93-319-30-33. ● reser

vas@7portes.com • Ⓜ *Barceloneta*. ⓧ *Service continu tlj 13h-1h. Plats 18-30 €*. Ouvert au XIXᵉ s, c'est l'un des grands classiques de Barcelone. Avec tout ce que cela implique : des queues pas possibles et une cuisine certes de qualité mais sujette, à l'occasion, à une petite baisse de régime. Quant au cadre, il est à l'ancienne, avec des tableaux, des poutres vernies et des plaques de cuivre indiquant les places des célébrités qui honorèrent les lieux de leur présence : Miró, Dalí, Picasso, la Callas et Juan Carlos !

|◉| *Espai Sucre (zoom G5, 222)* : c/ Princesa, 53. ☎ 93-268-16-30. • res taurant@espaisucre.com • Ⓜ *Arc-de-Triomf. Ouv slt le soir : mar-jeu 21h-23h30 ; ven-sam, services 20h30 puis 22h30. Fermé 15 j. en août et 15 j. à Noël. Menus 38-60 €*. Un petit resto au cadre sobre et design dont on ne sait si c'est un laboratoire d'idées ou une auberge surréaliste. Jordi Butrón est passé par les cuisines d'*El Bulli* (l'ancien resto de Ferran Adrià), et ça se sent tout de suite. Son ambition : faire du sucre son ingrédient fétiche, la base alimentaire de chaque recette figurant à la carte. Le débat sur le sucré-salé semble dès lors dépassé. Foie gras au sucre, viande au sucre, poisson au sucre... Une expérience très originale. On aime ou on n'aime pas. Pour les rétifs, quelques plats salés non sucrés !

|◉| *Senyor Parellada (zoom F-G5, 94)* : c/ Argentería, 37. ☎ 93-310-50-94. • pa rellada@senyorparellada.com • Ⓜ *Jaume-I. Tlj jusqu'à 23h. Plats 7-16 €*. L'hôtel où les compagnies maritimes logeaient autrefois leurs voyageurs renferme un resto séduisant, au cadre soigné à la fois chic et moderne (tons gris perle, beaux volumes, longues banquettes de bois évoquant les bateaux et peintures). Mais pas de confusion : la cuisine reste catalane traditionnelle, et la clientèle détendue. Bon accueil.

Dans El Raval *(zoom et centre D-E4-5)*

Bon marché (7-14 €)

|◉| *Can Lluís (centre D4, 230)* : c/ Cera, 49. ☎ 93-441-11-87. Ⓜ *Liceu ou Paral-lel. Tlj sf dim 13h30-23h. Congés : août*.

Le midi, 1ᵉʳ menu env 8 € *(il faut parfois le réclamer) ; le soir, menus 30-45 €*. Ce petit resto, aujourd'hui si pittoresque et si rétro, était l'endroit préféré de l'écrivain Vásquez Montalbán, et sa réputation a depuis longtemps dépassé les frontières du Raval. Sur le coup de 14h, une clientèle de bons vivants déboule et remplit en un clin d'œil les 2 petites salles intimes et agréables. Le menu du midi est une aubaine : plats catalans classiques et bien préparés. Le *vino de la casa*, servi à prix d'ami, permet de garder une addition raisonnable, même à la carte ; le soir, en revanche... Une valeur sûre, très appréciée des habitants du coin. Accueil enjoué.

|◉| *Ánima (zoom E4, 231)* : c/ dels Angels, 6. ☎ 93-342-49-12. • restauran teanima@yahoo.com • Ⓜ *Catalunya. Ouv lun-sam. Formule déj en sem 10 € ; plats 7-16 €. CB refusées*. Entre le MACBA et le marché de la Boquería, la rue des Anges regroupe une poignée de restos appréciés pour leurs terrasses ombragées et calmes. De tous, l'*Ánima* s'impose comme le plus contemporain par le style industriel de son architecture et par le choix d'une gastronomie « déconstruite » dans sa présentation.

|◉| *Pla dels Angels (centre E4, 232)* : c/ Ferlandina, 23. ☎ 93-329-40-47. • pla-dels-angels@semproniana.net • Ⓜ *Catalunya*. ⓧ *Ouv tte l'année, tlj. Salades et pâtes 6-8 € ; menu 10 € le midi*. Un petit resto en terrasse au pied du musée d'Art contemporain. La cuisine est fraîche, avec des produits de qualité. Dans la salle du fond, une baie vitrée donne sur une cour intérieure pavée de cailloux blancs, où se dressent quelques troncs pétrifiés.

Prix moyens (14-25 €)

|◉| *Mam I Teca (centre E4, 233)* : c/ La Lluna, 4. ☎ 93-441-33-35. • mamite cascp@hotmail.com • ⓧ *Ouv tlj sf mar et sam, le midi slt. Tapas 2-17 € ; carte env 20 €. CB refusées*. Un petit bistrot de quartier estampillé *Slow Food*. Conformément à la philosophie de ce mouvement italien militant pour la sauvegarde des patrimoines et des traditions culinaires, il propose à la carte le meilleur de la Catalogne : de savoureuses char-

cuteries introuvables, des fromages rares et puissants, et d'anciennes recettes retrouvées... le tout accompagné de verres de vins soigneusement sélectionnés eux aussi. Quelques plats du jour et une carte de spécialités comme le mémorable porc de montagne aux pois chiches. Rustique et délicieux !

I●I *En Ville* (zoom E4, **234**) : c/ Doctor Dou, 14. ☎ 93-302-84-67. ● info@envil lebarcelona.es ● Tlj 13h-16h, 20h-23h. Le midi, menu 10 € ; le soir, menu bistrot 20 € et menu brasserie 26 €. À deux pas de la folie touristique de la Rambla, voici un magnifique havre de paix, à la fois classe et printanier : fauteuils de rotin, plantes vertes, tables de marbre façon bistrot, musique jazzy, voûtes de brique au plafond et vieux miroirs aux murs. Mais c'est surtout la savoureuse cuisine méditerranéenne qui séduit la clientèle. D'inspiration franco-catalane, elle emploie de bons produits du marché. Au final, un rapport qualité-prix irréprochable, d'autant que les plats sont copieux et variés, même dans le petit menu du midi.

I●I *Organic* (zoom E5, **103**) : c/ Junta de Comerç, 11. ☎ 93-301-09-02. ● organi crestaurant@gmail.com ● Ⓜ Liceu. Tlj 12h45-minuit. Le midi, menu 12 € ; le soir, carte 15-20 € et menu 20 € avec massage inclus (sur résa). CB refusées. Un resto végétarien très tendance, dans la partie nord du quartier. Organic is orgasmic : telle est la devise du chef, qui ne mégote pas avec les sensations et les bienfaits de la cuisine végétarienne, mijotée sans sectarisme macrobiotique. Sélection stricte des produits, tous d'origine bio, pain fait maison. Présentation soignée et ambiance décontractée. Quelques annexes dans le coin, dont une au marché de la Boquería (tlj 9h-19h) et un snack sur la place de l'Arc de Sant Agustí (c/ Hospital, 45), qui sert tapas et jus de fruits.

I●I *Bar Central* (zoom E5, **235**) : marché de la Boquería, stand 494-496 (tt au fond de l'allée centrale). ☎ 93-301-10-98. Ⓜ Liceu. Tlj sf dim jusqu'à 16h. Fermé 15 j. en janv et 15 j. en juil. Formule déj 12 € ; plats 8-24 €. Notre comptoir préféré à la Boquería, pour son atmosphère familiale, la fraîcheur des produits... et le cadre du marché. D'ailleurs, les maraîchers ne s'y trom-

pent pas, et c'est bien là qu'ils se donnent rendez-vous pour le verre de blanc de 11h ! Ils l'accompagnent de coquillages, de gambas ou autres fruits de mer, de cèpes a la plancha... C'est une adresse où il faut venir tôt (ou tard, bien qu'il y ait moins de choix), par exemple le jour de votre arrivée, quand votre estomac n'est pas encore calé sur l'heure espagnole. Manger une parillada à la Boquería (et avec les doigts !) fait partie des grands bonheurs qu'offre Barcelone.

I●I *Bar Pinotxo* (zoom E5, **235**) : dans le marché de la Boquería, stand 466-470. ☎ 93-317-17-31. Ⓜ Liceu. ♿ Lun-sam 6h-16h. Congés : août. Raciones 7-12 € ; repas 20-25 €. Plus touristique mais tout aussi sympathique, le Pinotxo est si renommé que le patron vend et dédicace un livre sur l'histoire du bar, dans lequel il va jusqu'à dévoiler quelques recettes. Essayez d'avoir une place sur les grands tabourets du comptoir. Excellente cuisine catalane entre terre et mer ; mais, même ici, les coquillages ne sont pas donnés ! Un incontournable de la Boquería. Toujours bondé.

I●I ♟ *Bar Ra* (zoom E4, **236**) : pl. Gardunya, 3. ☎ 93-301-41-63. Ⓜ Liceu. Derrière le marché de la Boquería. Tlj 9h-2h. Plats 7,50-15 €. Entre les vieilles maisons du quartier, le marché et face à un parking, voici un café-resto aménagé de part et d'autre d'un passatge, dans d'anciens entrepôts en pierre rénovés. Nul rat ici, mais une jeunesse branchée (ou bohème) sur une paisible terrasse ensoleillée. Donnez votre nom au serveur et attendez sur le muret qu'il vous appelle. Réservez si vous voulez éviter d'attendre. Bons petits déj, cuisine très correcte, et comme un air de vacances le dimanche en terrasse. Service un peu stressé. La rançon de la modernité ?

De chic à très chic (plus de 25 €)

I●I *Casa Leopoldo* (centre E5, **237**) : c/ Sant Rafael, 24. ☎ 93-441-30-14. ● in fo@casaleopoldo.com ● Ⓜ Liceu. Petite rue du Barri Xino. De la Rambla, emprunter les c/ de Hospital ou de Sant

Pau jusqu'à la c/ Robador, dans laquelle donne la c/ Sant Rafael. Mar-sam 13h30-16h, 21h-23h30. Congés : Semaine sainte et août. Menus 25 € le midi en sem et 50 € le soir ; carte 50 €. La famille Gil tient ce resto depuis 1929, et toujours avec autant de succès. C'est d'ailleurs le rendez-vous des écrivains barcelonais, comme feu Montalbán et Mendoza. Grandes salles claires et agréables. Jolie déco d'azulejos avec scènes paysannes et de corrida, et tableaux évoquant le vieux Barcelone. À table, une bonne cuisine catalane et des recettes plus ou moins populaires, plus ou moins raffinées, mais toujours savoureuses, à accompagner comme il se doit du succulent *pa torrat amb tomàquet* maison. Accueil excellent, et en français.

Dans l'Eixample, du côté de Sant Antoni *(centre C-D3-4)*

|●| 𝄞 Zoologic (centre E3, **240**) : Casanova, 30. ☎ 93-453-52-49. ● info@zoologicrestaurant.com ● **Ⓜ** Universitat. Lun-sam 21h-1h. Spectacles jeu-sam vers 21h. Résa conseillée le w-e. Carte env 28 €. Un resto gay avec un personnel sympa exclusivement homosexuel, mais une clientèle des plus variée. Une longue salle aux tables sobrement alignées mais aux murs chargés d'une déco baroque, kitsch et gentiment délirante. Le long de l'allée formée par les tables, drag-queens chantant en playback, shows d'acrobates, cracheurs de feu, etc. Spectacles de pros...

Dans Poble Sec *(centre C-D4-5)*

Un quartier populaire qui mérite vraiment le détour, et une halte gastronomique en chemin vers les musées de Montjuïc (ou en en revenant)...

De prix moyens à chic (20-35 €)

|●| Taverna Can Margarit (centre C5, **245**) : c/ de la Concòrdia, 21. ☎ 93-441-67-23. ● tavernacanmargarit@hotmail.

com ● **Ⓜ** Poble-Sec. ♿ Tlj sf dim et j. fériés 21h-23h30. Congés : Semaine Sainte et août. Repas 20-25 €. Apéritif maison ou digestif offert sur présentation de ce guide. Dans cette ancienne *bodega* devenue taverne, les serveurs virevoltent entre tonneaux, tables rustiques et ustensiles agricoles. Le ton est donné : des plats traditionnels bien exécutés, du vin maison et un service avec du caractère ! Carte simple, donc, sur laquelle il faudra lorgner du côté des *chipirones* frits (calamars), des *boquerones* au vinaigre ou du lapin *(conil)* sur lit d'oignons et d'ail, la vraie spécialité du lieu. Desserts moins convaincants.
|●| Xe-Mei (centre C5, **246**) : passeig de l'Exposició, 85. ☎ 93-553-51-40. **Ⓜ** Poble-Sec. Tlj sf mar 13h30-16h30, 21h30-minuit. Fermé en août. Repas min 28 €. Ancien troquet de quartier devenu un excellent resto italien, vénétien plus exactement. Les 2 frères proprios (l'un en cuisine, l'autre en salle) ont composé le joli décor intérieur dans des tons chauds agrémentés de belles peintures. Tout est à base de produits frais. Excellents *antipasti* de la mer ; on a aussi aimé les spaghettis aux paloures et à l'encre de seiche, ou le délicieux tiramisù. Service souriant mais vite débordé.

Dans l'Eixample *(centre)*

De bon marché à prix moyens (7-25 €)

|●| Fresc Co (centre F2, **250**) : Pau Claris, 151. ☎ 93-301-68-37. ● reservas@ fresccco.es ● **Ⓜ** Passeig-de-Gràcia. Tlj 12h30-23h (minuit ven-sam). Buffet libre service midi en sem env 10 €, soir et w-e 12 €. Une grande cafétéria tout en longueur, au cadre impersonnel. Vaut surtout pour le bar à salades, frais et varié. Les plats du jour, pizzas et pâtes ne sont pas terribles. Un bon point : glaces et café à volonté. D'autres adresses en ville pour cette chaîne espagnole pas géniale mais pas chère et bien pratique.
|●| Amaltea (centre D3, **251**) : c/ Diputació, 164. ☎ 93-454-86-13. ● amaltea@ arrakis.es ● **Ⓜ** Urgell. Ouv lun-sam. Congés : 15 j. en août. Menus 9-11 € le midi en sem, env 15 € les soirs et w-e.

OÙ MANGER ?

Café ou thé offert sur présentation de ce guide. Déco simple et sympa (lambris et tables en pin, peintures murales évoquant l'Himalaya, divinités hindoues...), et ambiance apaisante pour ce resto végétarien où l'on sert une cuisine très convenable et sans fioritures. Service gentil et sans pose, en accord avec le cadre.

I●I *Etapes* (centre E3, *253*) **:** c/ d'Enric Granados, 10. ☎ 93-323-69-14. ● res taurantetapes@gmail.com ● **Ⓜ** Passeig-de-Gràcia. *Ouv tlj sf dim-lun. Menus env 17 € le midi, 25-39 € le soir. Café offert sur présentation de ce guide.* Ce petit resto au cadre contemporain élégant mérite qu'on s'y attarde : on y déguste une cuisine du jour simple, goûteuse et joliment présentée (qu'il s'agisse de la *fideu,* des cannellonis rôtis ou du hamburger... sans pain !). Soigné donc, à l'image des beaux verres à vin ou du pain posé sur de jolies ardoises. Mais pas donné si l'on se laisse sur les extras !

I●I *Can Cargol* (centre G3, *254*) **:** València, 324. ☎ 93-458-96-31. ● can cargol@hotmail.com ● **Ⓜ** Passeig-de-Gràcia. ♿ *Ouv tlj sf dim soir. Congés : 2ᵉ et 3ᵉ sem d'août. Résa conseillée le soir. Repas 20-25 €. Un chupito (digestif) offert sur présentation de ce guide.* Can Cargol signifie « Chez l'Escargot » en catalan ! Il s'agit d'une auberge de style délibérément rustique qui détonne dans la Barcelone design : pas de chichis, service rapide quoique vite débordé, mais surtout des spécialités simples et bonnes comme les escargots, et la rôtisserie de viande, ouverte sur la salle : brochettes de saucisses *Pages* (exquis), poulet, agneau. Plats copieux à prix super raisonnables et accueil sympathique : une bonne petite adresse.

De chic à très chic (plus de 25 €)

I●I *Semproniana* (centre E2, *255*) **:** Rosselló, 148. ☎ 93-453-18-20. ● sem proniana@semproniana.net ● **Ⓜ** Hospital-Clínic. Entre Aribau et Montaner. *Tlj sf dim jusqu'à 22h30. Repas 35-40 €.* Au fond d'un couloir, une salle à la déco soignée qui fait penser à un ancien atelier restauré et aménagé en resto ten-

dance. Le tout magnifié par des détails originaux et un éclairage intimiste. On y est bien assis, il y a de l'espace entre les tables... et le menu est collé sur des bouteilles. Branché, donc, mais pas superficiel, car on y sert une cuisine méditerranéenne de chef, élaborée et goûteuse.

I●I *L'Olivé* (centre E-F3, *256*) **:** c/ Balmes, 47. ☎ 93-452-19-90. **Ⓜ** Universitat ou Passeig-de-Gràcia. *Tlj sf dim soir 13h-16h, 20h30-minuit. Résa conseillée. Carte env 40 €.* Resto barcelonais renommé pour sa délicieuse cuisine. Service prévenant, clientèle chic, déco moderne, sobre et élégante. Carte bien fournie : saumon, chevreau, foie et morue à toutes les sauces, *escalivada,* crevettes et saucisses du pays. Une adresse de qualité.

I●I *Libentia* (centre H2, *258*) **:** c/ de Córsega, 537. ☎ 93-435-80-48. **Ⓜ** Sagrada-Família. *Mar-dim midi et soir. Menus 20 € (midi en sem), puis 36-42 €.* C'est la bonne adresse du secteur pour se faire plaisir, mais dans un registre gastronomique. Car le chef est plein de bonnes idées et élabore une cuisine catalane créative qui ne laisse pas indifférent. Le tout se déguste dans une salle élégante mais minuscule. C'est d'ailleurs le seul défaut du *Libentia.*

I●I *Cinc Sentits* (centre E3, *259*) **:** c/ Aribau, 58. ☎ 93-323-94-90. ● info@ cincsentits.com ● **Ⓜ** Universitat. *À l'angle de c/ d'Aragó. Ouv mar-sam. Résa obligatoire (plusieurs jours à l'avance pour le soir, car la salle n'est pas grande). Menus 30 € le midi, 49-69 € le soir.* Nouvelle cuisine qui a su s'inspirer avec intelligence de la cuisine moléculaire de Ferran Adrià. Le chef s'est associé à des producteurs catalans qui respectent les produits. Très intéressant. Le menu du midi est déjà fort correct. Déco branchée.

Sur le port (centre)

Face au port Vell, le palau de Mar, ancien entrepôt des douanes, rénové avec goût, abrite quelques restos.

Très chic (plus de 40 €)

I●I *La Gavina* (centre G6, *265*) **:** pl. Pau Vila, 1. ☎ 93-221-05-95. ● reservas@la gavina.es • Ⓜ *Barceloneta.* ⅍ *Dans le palau del Mar. Tlj 12h-23h30. Congés : vac de Noël. Carte 35-40 €. La Gavina* est un classique du port. La présentation et le service justifient les prix, d'autant que la vaste terrasse face au port, à l'écart de la circulation, est franchement très agréable. Entrées fraîches, poisson de la Méditerranée bien préparés, et bonnes paellas, dont la recette originale de la « casserole ».

I●I *Merendero de la Mari (centre G6, 266) : pl. Pau Vila, 1.* ☎ *93-221-31-41.* • *restaurant@merenderodelamari. com* • Ⓜ *Barceloneta.* ⅍ *Tlj midi et soir. Repas 30-40 €.* Installé dans les anciens entrepôts de douane en face de la marina, le *Merendero* possède aussi sa belle terrasse et une jolie salle intérieure design et feutrée. Cuisine classique et honnête : paellas, *fideua, arros negre...* Service pro.

Dans la Barceloneta
(centre G6-7)

Entre la ville et la plage, on aime bien ce quartier un peu à part pour son atmosphère encore populaire. Dommage toutefois que la plupart des adresses chic et prétendument « mythiques » abusent sur les prix, d'autant que la cuisine n'est pas toujours à la hauteur... Mais on y dégote encore des restos très honnêtes.

Bon marché (7-20 €)

I●I *Santa Marta (centre G7, 270) : c/ de Grau i Torras, 59.* ▌ *691-23-68-01.* Ⓜ *Barceloneta. À l'angle de Almirall Aixada. Tlj 10h-1h. La midi slt, en-cas et petits plats 5-8 €.* Parmi tous les établissements alignés face à la plage, ce bar très coloré et gentiment bohème fait figure d'exception : on peut enfin profiter d'une belle terrasse face à la grande bleue sans se ruiner ! Au menu, des sandwichs italiens bien bons et copieux, des salades fraîches et le plat du jour. Simple et sympa. Le soir, c'est plus festif, à l'image des DJs qui font pulser les décibels à l'occasion.

I●I *Can Maño (centre G6, 271) : c/ Baluard, 12.* ☎ *93-319-30-82.* Ⓜ *Bar-*celoneta. Congés : août. Mar-ven 8h-16h, 20h-23h ; sam 8h-17h. Repas env 10 €.* Voici la *fonda* de quartier comme on les aime ; 2 salles minuscules au cadre basique où s'entassent le comptoir, des tables en formica et la cuisine dans l'arrière-boutique. Patrons avenants et affairés, cuisine sans chichis, fraîche et savoureuse. À la carte : liste de *platos combinados,* des poissons du jour que l'on vous détaillera oralement, des salades et des légumes frais ou grillés. Avec des prix pareils, c'est vite bondé, donc s'y pointer tôt.

I●I *Kaiku (centre F7, 272) : pl. del Mar, 1.* ☎ *93-221-90-82. Au bout de la Barceloneta, sur la placette face à la mer. Tlj sf lun, le midi slt. Résa indispensable la veille. Menu en sem 11 € ; plats 12-18 €.* C'est le genre d'adresse que tout le monde recherche à la Barceloneta : face à la mer, bon, et à des prix qui ne font pas regretter d'avoir réservé. Carton plein donc, car la cuisine du jour explore tout le répertoire catalan, dans un registre simple mais frais et plein d'allant. Quant aux plats à la carte, ils recèlent de vraies bonnes surprises (poissons et riz noirs notamment). Très sympa, à l'image de l'atmosphère vivante et bruyante.

I●I ⵙ *Els Fogons de la Barceloneta (centre G6-7, 182) : pl. de la Font.* ☎ *93-224-26-26. Dans le marché de la Barceloneta, entrée par l'extérieur, côté sud. Mar-dim 9h30-minuit (16h dim). Menu env 13,50 € le midi ; raciones min 6 €.* Voir aussi la rubrique « Bars à tapas ». Outre son beau choix de tapas, ce bistrot de marché tendance « bistronomic » propose des suggestions affichées sur le tableau noir (orné d'un poulpe !) et un honnête menu le midi (boisson comprise). Vous pouvez partager quelques *raciones,* plutôt réussies, pour alléger l'addition.

Chic (plus de 30 €)

I●I *Cal Pinxo (centre G7, 275) : c/ Baluard, 124.* ☎ *93-221-50-28.* • *restaurant@pinxoplatja.com* • *Arrêt Barceloneta (le terminus) du bus n° 17. Face à la mer. Tlj 12h30-16h, 20h30-23h30. Repas 30-35 €.* C'est l'une des plus vieilles enseignes du coin. En saison, grande terrasse très prisée, presque les pieds dans l'eau. Cuisine méditerranéenne très correcte. Vous êtes devant la plage, prix en conséquence. Bon accueil.

I●I *Agua* (centre H7, **276**) : passeig Maritim, 30. ☎ 93-225-12-72. ● reservas.agua@grupotragaluz.com ● Ⓜ Ciutadella. Tlj 13h-16h (16h30 w-e), 20h-23h30 (0h30 en fin de sem). Plats 15-20 €. Sous la promenade piétonne qui domine la plage, ce resto design se prolonge par une terrasse lumineuse face à la mer, ce qui constitue son principal intérêt. Salle intérieure aux tons bleus, avec des meubles de style colonial et de grandes baies vitrées. La cuisine de la mer reste variée et correcte.

Dans le Poblenou
(plan d'ensemble)

De prix moyens
à très chic (20-45 €)

I●I *Xiringuito Escriba* (plan d'ensemble, **280**) : ronda Littoral Mar, 42. ☎ 93-221-07-29. Sur la plage del Bogatell, en plein air. Tlj en hte saison midi et soir. Plats 18-25 €. Parmi les nombreux restos alignés le long de cette plage, *Escriba* est de loin le plus connu et le plus fréquenté par les locaux. La raison ? On y propose, de l'avis général, l'une des meilleures paellas de la ville, servie dans les poêles traditionnelles... et qui a ce parfum inimitable des vacances ! Pas donné, mais la vue depuis la terrasse est tellement sympa...

I●I *Els Pescadors* (plan d'ensemble, **281**) : pl. de Prim, 1. ☎ 93-225-20-18. ● contacte@elspescadors.com ● Ⓜ Poblenou. Depuis le bord de mer, remonter c/ de Bilbao et tourner à gauche dans c/ de Perelló. Tlj midi et soir, sf Semaine sainte et vac de Noël. Plats 15-25 € ; repas 40-45 €. C'était autrefois une taverne, c'est aujourd'hui le meilleur resto de poisson du quartier. Le service est attentif, la cuisine soignée (voire inventive côté desserts), et le cadre charmant. Car la terrasse se déploie sur la célèbre, tranquille et ô combien pittoresque plaça de Prim, à l'ombre des arbres. Pas étonnant que ce soit le resto préféré des Rolling Stones (ils s'y connaissent, les bougres). On ne travaille les produits qu'en fonction de la saison. Leur spécialité : la morue.

Dans le quartier de Gràcia (centre et plan d'ensemble)

L'occasion pour vous d'aller vous y promener pour digérer. Rien de bien spectaculaire. Une atmosphère, des petits détails sympas et de très bonnes adresses.

De bon marché
à prix moyens (7-30 €)

I●I *Le Bilbao* (centre G2, **290**) : c/ del Perill, 33. ☎ 93-458-96-24. ● restaurant-bilbao.bcn@hotmail.com ● Ⓜ Diagonal. ♿ En sortant du métro, emprunter la c/ de Còrsega vers l'avda Diagonal, puis à gauche la c/ del Torrent de l'Olla ; la c/ del Perill est la 2ᵉ à droite. Ouv tlj sf dim et j. fériés ; service jusqu'à 23h. Congés : août. Plat env 15 € ; repas env 40 €. CB refusées (mais distributeur juste en face). Le resto de quartier comme on les aime, chaleureux et plein de vie. Côte à côte, hommes d'affaires, copines en virée et petits couples branchés, tous unis pour apprécier la très bonne cuisine basco-catalane du patron. Goûter au filet de taureau, spécialité du lieu, ou aux plats de poisson...

I●I *Taverna La Llesca* (centre G1, **291**) : c/ Terol, 6. ☎ 93-285-02-46. Ouv tlj sf dim. Congés : 2 sem en juil. Menu en sem 8,30 € ; carte env 15 €. Petite taverne aux microsalles en enfilade, carrelées d'azulejos. De belles tablées joyeuses et, il faut l'avouer, bruyantes, se partagent les spécialités de la maison : viandes grillées à point et *escalivada*. En soirée, arriver tôt, ou être prêt à patienter un peu ! Une des valeurs sûres du quartier.

I●I *Can Punyetes* (plan d'ensemble, **292**) : c/ de Marià Cubí, 189. ☎ 93-200-91-59. ● info@canpunyetes.com ● À l'angle de la c/ d'Amigó (estació de ferrocarril : Gràcia). Tlj 12h-16h30, 20h-1h (les fourneaux s'arrêtent un peu plus tôt). Fermé Noël et Nouvel An. Carte 20-25 €. Gentille taverne rustique. Des petits plats catalans à prix doux (genre tapas-tranches de pain grillé) et viandes cuites à la braise. Incontestablement l'endroit le plus sympa de ce quartier excentré plutôt avare en (bonnes) adresses. Il faut parfois attendre au bar avant de décrocher une table. Mais tout se passe dans la bonne humeur et l'on n'attend jamais bien longtemps... Clientèle plutôt jeune et étudiante, mais les moins jeunes semblent tout aussi ravis de l'aubaine.

|●| Envalira (centre G1, **293**) : pl. del Sol, 13. ☎ 93-218-58-13. Ⓜ Fontana. Mar-sam 13h30-16h, 21h-minuit ; dim et j. fériés 13h30-17h. Fermé sem de Pâques, août et sem de Noël. Plats 10-15 € ; repas 30 € avec boisson. Une institution familiale, bien cachée derrière sa façade opaque en plein cœur de Gràcia. L'accent n'est pas mis sur la déco, inchangée depuis l'ouverture, mais bien sur les paellas.

|●| O'Gràcia ! (centre G1, **295**) : pl. de la Revolució de Setembre de 1868, 15. ☎ 93-213-30-44. ● casabach@wana doo.es ● Ouv mar-sam. Menus 11 € le midi, 16 € le soir ; carte 25-30 €. Encore une sympathique place du quartier où déjeuner en terrasse (malgré le supplément...). Très agréables salles tout en longueur, climatisées de surcroît. Tenu par des Français qui se sont bien adaptés aux traditions culinaires catalanes.

|●| ⏺ Nou Candanchú (centre F-G1, **296**) : pl. de la Vila de Gràcia. ☎ 93-237-73-62. ● candanpedro@hotmail.com. Ⓜ Diagonal ou Fontana. Ouv tlj sf mar. Fermé de mi-août à début sept. Tapas 3-6 € ; plats 5,50-16 €. C'est le plaisir et le sport favori des habitants de Gràcia que de manger (salades, croque-salades ou steak-frites) en terrasse sur une des nombreuses petites places du quartier. Celle-ci est particulièrement calme et ombragée.

|●| La Gavina (centre F1, **297**) : Ros de Olano, 17. ☎ 93-415-74-50. Ⓜ Fontana. À deux pas de la pl. del Sol. Mar-dim jusqu'à 1h. Congés : Semaine sainte et 1re quinzaine d'août. Pizzas à partir de 4 €, mais compter plutôt 12-13 €, pas donné donc ! CB refusées. C'est, paraît-il, la pizzeria la plus connue de Gràcia. Rien de bien extraordinaire, mais une atmosphère tranquille, familiale et agréable, et des pizzas reconstituantes.

Très chic (plus de 40 €)

|●| Botafumeíro (centre F1, **298**) : Gran de Gràcia, 81. ☎ 93-218-42-30. ● info@botafumeiro.es ● Ⓜ Fontana ou Diagonal. Service continu tlj 13h-1h. Assortiments de viandes ou de poissons a la plancha 80-115 € pour 2 ; carte 27-81 €. Un des meilleurs restos de poissons et crustacés de Barcelone. De grandes salles décorées en bois clair, une atmosphère fraîche et agréable, un service impeccable. Si vous ne tenez pas particulièrement à votre intimité, on vous conseille le long comptoir au bar... très sympa, plus informel ! Superbe gran mariscada especial a la plancha pour les gloutons fortunés.

Sur la colline du Tibidabo
(plan d'ensemble)

De prix moyens à très chic (20-40 €)

|●| Cherpi (plan d'ensemble, **300**) : c/ Moragas, 21. ☎ 93-417-30-77. Ⓜ Avinguda-del-Tibidabo. Du métro, descendre Balmes puis 1re à droite. Lun-sam jusqu'à 16h. Menu env 12 €. Le vrai bistrot de quartier : pas compliqué, bourré d'habitués et bon marché. C'est tout petit (un bout de terrasse et quelques tables sur la mezzanine surplombant le bar), mais, comme le service est efficace, on n'attend pas longtemps avant de goûter le menu du jour. Simple et bon.

|●| La Venta (plan d'ensemble, **301**) : pl. Doctor Andreu. ☎ 93-212-64-55. ● la venta@restaurantelaventa.com ● Sur l'avda del Tibidabo, au pied du funiculaire. Pour s'y rendre, emprunter le vénérable Tranvía Blau ou le bus n° 195 jusqu'au terminus. Lun-sam 13h30-15h15, 21h-23h15. Fermé 1er janv et 25 déc. Résa conseillée en été. Plats 15-18 € le midi, 20-25 € le soir. Voici l'une de nos adresses préférées à Barcelone : service impeccable, cadre soigné (salles joliment décorées de céramiques et de dessins) et surtout une cuisine élaborée et savoureuse à déguster sur une terrasse dominant la ville. Prix raisonnables pour la qualité proposée.

Où prendre le petit déjeuner ? Où manger une pâtisserie ? Où déguster une glace ?

Dans le Barri Gòtic (zoom)

🍵 **Granja Dulcinea** (zoom F5, **310**) : c/ Petritxol, 2. ☎ 93-302-68-24. • granja dulcinea@gmail.com • Tlj 9h30-13h, 17h-21h. Congés en août. Dans une jolie rue du Barri Gòtic, une adresse réputée pour son chocolat chaud. C'est l'un des plus anciens salons de thé de la ville. Difficile de faire plus traditionnel ; beaucoup le considèrent comme le meilleur...

🍵 **La Granja** (zoom F5, **311**) : Banys Nous, 4. ☎ 93-302-69-75. Lun-sam 9h30-13h30, 17h-21h30 ; dim et j. fériés 17h-21h30. Encore une très jolie granja catalana (ces fameuses crèmeries) plus que centenaire (1872), au décor coquet et campagnard : tables de bistrot, boiseries et murs en antique brique rouge apparente, objets de brocante... Et le mur, au fond de la dernière salle, n'est rien d'autre qu'une partie des anciennes murailles de la ville ! Bonnes pâtisseries et, surtout, excellent chocolat. Et si vous voulez l'accompagner de churros, passez d'abord en acheter une portion, dans un cornet en papier, à la **Xurrería** voisine (au n° 8 ; tlj 8h-13h, 17h-20h) : une minuscule échoppe de quartier qui fait de la friture, et rien que de la friture ! Authenticité, fraîcheur et délice garantis...

🍵 🍫 **Caelum** (zoom F5, **312**) : c/ de la Palla, 8. ☎ 93-302-69-93. • conxita mont@yahoo.es • Ⓜ Liceu. Ouv tlj. Fermé 1 sem mi-août. Chocolat noir offert sur présentation de ce guide. Une jolie boutique qui s'avère être aussi un adorable salon de thé. On y vend gâteaux, biscuits et autres douceurs concoctés exclusivement dans une quarantaine de monastères espagnols. Ambiance recueillie devant ces délices

que l'on savoure... religieusement. Qui a dit que la gourmandise était un péché ? Les amateurs de vieilles pierres iront faire un tour au sous-sol pour admirer les vestiges des vieux bains juifs de la ville (XIIe s) : comme quoi l'empreinte religieuse, ça dure...

Dans la Ribera et El Born (zoom)

🍦 **Cremeria Toscana** (zoom G5, **315**) : c/ Canvis Vells, 2. ☎ 93-268-07-29. Ⓜ Jaume-I. Tlj 13h-minuit. On les a toutes essayées dans le secteur, aucune ne peut rivaliser avec les délicieuses glaces artisanales de la Cremeria. Il faut dire que, pour les Italiens, les glaces, c'est une histoire d'amour !

🍴 Pour les gourmands, au café du **museu de la Xocolata** (centre G5 ; Comerç, 36 ; ouv tlj sf mar ; lire aussi la rubrique « À voir ») : évidemment, d'excellents chocolats chauds (mais pas de churros !), ainsi que diverses pâtisseries et grignoteries déclinées de la fée cacao... Le cadre est en revanche tout à fait quelconque.

Dans El Raval (zoom)

🍵 **Granja M. Viader** (zoom F4, **318**) : c/ d'En Xuclà, 4-6. ☎ 93-318-34-86. • gran javiader@yahoo.es • Ⓜ Catalunya ou Liceu. Lun ap-m et mar-sam 9h-13h45, 17h-20h45. Congés : août. Chocolat env 4 €, pâtisserie 3,50 €. Tout près de la Rambla, une authentique granja catalana (crémerie-salon de thé) ouverte depuis 1870. La plus vieille laiterie de Barcelone. Vers 17h, étudiants gourmands, artistes, vieilles dames et vieux messieurs du quartier se retrouvent entre ses murs sans âge et pleins de cachet : chocolat crémeux, assiettes de fromage frais couvert de miel (mel i mató), madeleines, crèmes catalanes, mousses au chocolat... Tout est fait maison avec des produits de la ferme. Régalez-vous absolument de leche mallorquina (du lait de la ferme avec du citron et de la cannelle), excellent et très rafraîchissant. En partant, vous pouvez faire quelques emplettes : chantilly, yaourts, fromages, charcuterie de fabrication artisanale.

☙ *Christian Escribà* (zoom E5, *319*) : la Rambla, 83. ☎ 93-301-60-27. ● rambla@escriba.es ● Ⓜ Liceu. Tlj 8h30-21h. Autre adresse : Gran Vía, 546. ☎ 93-454-75-35. En fait, la maison mère ! À côté de la Boquería, la meilleure pâtisserie du coin, pas donnée mais excellente. Sa façade de mosaïques, sculptures, fer forgé, cristallerie Art nouveau, est remarquable. Au fond, un minisalon de thé pour savourer de bonnes tartes, des brioches et des croissants moelleux, des petits-fours, accompagnés d'un délicieux chocolat. En saison, ne ratez sous aucun prétexte les *bunyols de Quaresma* (beignets de Carême). Quelques tables en terrasse dans le passage, aux beaux jours.

🍴 Pensez également au **marché de la Boquería** (zoom E4-5). Rien de mieux pour commencer la journée qu'une coupe de fruits frais... Pour un en-cas plus consistant, plusieurs comptoirs proposent tortillas et autres tartines garnies dès potron-minet.

Dans l'Eixample *(centre)*

🍦 *Cremeria Toscana Muntaner* (centre E2, *322*) : c/ Muntaner, 161. ☎ 93-539-38-25. Ⓜ Hospital-Clínic. Tlj 13h-21h. Si la succursale de cette excellente *gelateria* est sans doute plus connue (car située dans El Born), la maison mère a pour elle une adorable petite salle, vraiment impeccable pour faire une pause autour d'une glace artisanale savoureuse.

Dans la Barceloneta *(centre)*

🍦 *Fratello* (centre G6, *325*) : c/ Joan de Borbó, 15. ☎ 93-221-48-39. Ⓜ Barceloneta. Tlj sf mar 10h-minuit. Bonnes crèmes glacées et sorbets à déguster tout en se promenant sur la plage (sinon, quelques tables en terrasse). Turrón très onctueux, tout comme le *dulce de leche*.

☙ *Boulangerie Baluard* (centre G6, *326*) : c/ Baluard, 38-40. ☎ 93-221-12-08. ● info@baluardbarceloneta.com ● Ⓜ Barceloneta. Tlj 8h-21h. Avec ce fournil bien visible derrière les baies vitrées, on n'a aucun doute sur la provenance du pain : préparé sur place avec principalement des produits bio ! Aux céréales, aux olives... il n'y a que l'embarras du choix si l'on projette un pique-nique à la plage. Pour le 4-heures, optez sans hésiter pour les bons pains au chocolat !

Dans le Poblenou *(plan d'ensemble)*

🍦 *El Tio Che* (plan d'ensemble, *328*) : rambla del Poblenou, 44. Ⓜ Poblenou. Tlj sf mer 10h-22h. Fondé en 1912, c'est le glacier du Poblenou. Pas pour son aspect historique, mais parce que ses glaces artisanales sont vraiment onctueuses ! Délicieuse *horchata* également, y compris sous forme de crème glacée.

Dans le quartier de Gràcia *(centre et plan d'ensemble)*

🍦 *Bellamia – Gelateria Italiana* (hors centre par G1, *330*) : pl. de la Virreina. Lun-ven 15h-1h ; w-e 13h-1h. Cannelle, pignon, amande, *crema catalana*, banane, brugnon... Cette nouvelle enseigne de glaces artisanales a eu vite fait de fidéliser sa clientèle avec ses *gelati* onctueuses et ses sorbets fruités.

OÙ SORTIR ?

OÙ SORTIR ?

Où boire un verre ?

Barcelone fonctionne au coup de cœur.

Quand un type d'établissement plaît, il y a aussitôt multiplication. La mode étant par définition éphémère, elle passe à autre chose quelques mois plus tard. Après les cafés d'inspiration new-yorkaise (pierres et tuyaux d'aération apparents, carte écrite sur l'ardoise, etc.), les cafés-bars minimalistes (tout blancs, murs nus et musique électronique) et l'arrivée du design en provenance directe de la nouvelle génération d'hôtels, bien malin qui pourrait dire quel nouveau style va faire chavirer une jeunesse barcelonaise. Voici en tout cas quelques adresses qu'on aime bien, mélange de vieux comptoirs historiques, de modes passées et de tendances actuelles. Il y en a beaucoup d'autres, éphémères, que nous ne citons pas. Il en est ainsi de cette ville qui consomme les lieux de façon gloutonne, et en crée d'autres encore plus vite... la plupart du temps dans un esprit de surenchère. Parmi les bars dernier cri, c'est un peu à celui qui saura trouver l'innovation qui collera le mieux à l'esprit du moment.

Les endroits étant innombrables et les intérêts divers, vous trouverez dans cette rubrique des adresses de jour et de soir (certaines étant d'ailleurs aussi fréquentées la journée qu'à la nuit tombée), des lieux où boire seulement et d'autres où manger aussi, des endroits où siroter un café, des bars branchés... Bref, face à l'embarras du choix, n'hésitez pas non plus à vous fier à votre intuition, faites votre propre tambouille, selon vos goûts et vos envies festives. Pour vous aider à voir un peu plus clair dans la nuit barcelonaise, nous avons classé les adresses par quartiers géographiques (eh oui, on finit par avaler des kilomètres lorsqu'on se déplace à pied) et par tranche horaire. Ah oui, dernier conseil, à partir de 2h30-3h du matin, évitez de faire un remake de *L'Auberge espagnole* (le film de Cédric Klapisch) dans les rues de la vieille ville ; sinon, des mamies exaspérées pourraient bien vous rafraîchir avec un seau d'eau ou vous couvrir de jaunes d'œufs ! Vous voilà prévenu !

Dans le Barri Gòtic et alentour *(zoom)*

Drôle de centre historique, cette Ciutat Vella, où le plus beau pavé se transforme le soir venu en cour des Miracles,

où le badaud émerveillé partage son bout de trottoir avec le fêtard éméché qui finira sa nuit échoué sur un pas de porte. Pas étonnant alors que la Rambla (en particulier à hauteur de la carrer dels Escudellers) devienne, à la sortie des bars, le lieu de tous les possibles, coupe-gorge pour certains, dépaysement ibérique pour d'autres.

Plutôt dans la journée

Un peu partout en ville, des devantures plus ou moins discrètes, plus ou moins vitaminées, où l'on peut acheter des jus de fruits ou de légumes fraîchement pressés. Parfait pour se désaltérer et faire le plein de vitamines !

Café d'Estiu (zoom F5, *350*) **:** pl. Sant Iu, 5-6, dans la cour intérieure du museu Frédéric-Marès. ☎ 93-268-25-98. Ⓜ Jaume-I. À deux pas de la cathédrale. Ouv à la belle saison (y compris pdt les travaux du musée) 10h-22h. Tel un secret bien gardé, voici un « café d'été », havre de paix avec fontaine et orangers. Idéal pour un petit déjeuner tardif, d'autant que les prix sont carrément raisonnables. Quelques petits plats également. Avec un peu de chance, on peut assister à l'un des concerts qui s'y donnent de temps en temps.

Bon Mercat (zoom F5, *351*) **:** baixada de la Llibreteria, 1-3. ☎ 93-315-29-08. Ⓜ Jaume-I. Lun-sam 8h-20h. Fermé pdt les fêtes. Près de la cathédrale et du musée de la Ville, ce torréfacteur a ouvert son point dégustation. À toute heure, l'arôme puissant vous guidera. Sélection de bons cafés de Java, Sumatra, Kenya, Jamaïque, que l'on déguste sur les tabourets hauts du comptoir en raison de l'exiguïté du lieu : seulement 2 tables. Thés agréables.

Bar Jardí (zoom F4, *352*) **:** c/ Portaferrissa, 17. Ⓜ Liceu. Lun-sam 11h-20h30. Le repère : le chameau de papier mâché, grand comme un cheval, qui rumine à l'entrée. Après, il suffit de traverser une friperie-stocks américains et de grimper quelques marches pour découvrir une oasis de paix et de tranquillité inespérée dans ce quartier épuisant. La cour extérieure, avec arbres touffus et gravier au sol, invite à prendre une bonne bouffée d'air frais. Une vraie surprise !

|●| ♆ *La Tete* (zoom F5, **353**) : c/ Comtessa de Sobradiel, 4. 📶 690-39-38-06. Ⓜ Drassanes ou Jaume-I. Lun-ven 19h-minuit ; w-e 13h-minuit. Congés : août. Salade env 7 €, sandwich max 4 €. Une jeune équipe organisée en coopérative tient ce petit salon de thé engageant, à la déco colorée et chaleureuse. Mezzanine intime meublée de chaises disparates. De belles salades, d'appétissants sandwichs et de bons jus de fruits frais.

♆ *Café Babel* (zoom F5, **354**) : Correu Vell, 14. ☎ 93-315-23-09. Tlj 13h-2h. Joli café grand comme un mouchoir de poche, qui dispose (tout comme ses voisins) d'une magnifique terrasse au pied des remparts et sous les arbres. Tapas et en-cas pour les petit creux.

Tôt ou tard

♆ *Bliss* (zoom F5, **357**) : pl. Sant Just, 4. ☎ 93-268-10-22. Ⓜ Jaume-I. Entrée par la c/ Dagueria. Tlj 9h (10h w-e)-minuit. Menus 9-12,50 € le midi en sem ; plats 8-9 €. Un petit salon de thé à la déco chaleureuse, idéal pour se reposer après quelques heures de randonnée urbaine. Des tables en bois, un coin salon avec divan et sofa pour feuilleter les magazines, et quelques tables en terrasse sur la petite place Sant Just. Sélection de pâtisseries et longue carte de thés.

♆ *Quatre Gats* (zoom F4, **358**) : c/ Montsió, 3 bis. ☎ 93-302-41-40. • 4gats@ 4gats.com • Ⓜ Catalunya. Ruelle donnant dans l'avda del Portal de l'Àngel. Tlj 10h-1h. Formule env 15 € (13h-16h), sf dim. Vénérable établissement (il a fêté ses 110 ans en 2007 !), dont Picasso illustrait les menus à l'extrême fin du XIXe s. La décoration n'a guère changé depuis cette époque : beaux carrelages, boiseries et vitraux multicolores. Pour ceux qui aiment l'atmosphère des cafés chargés d'histoire, il mérite assurément une petite escale, plutôt devant un café que face à une assiette. Éminemment touristique, on s'en doute.

♆ *Bar del Pi* (zoom F5, **359**) : pl. Sant Josep Oriol, 1. ☎ 93-302-21-23. • info@ bardelpi.com • Ⓜ Liceu. Face à la cathédrale del Pi, sur l'une de nos places préférées. Mar-sam 9h (9h30 sam)-23h ; dim 10h-22h. Fermé 3 sem janv-fév. Ce bar historique minuscule avec mezzanine est le rendez-vous de tous les artistes du quartier. Également des tapas, mais on préfère s'y contenter d'un verre. Régulièrement (en général le samedi après-midi), des peintres amateurs y exposent leurs œuvres.

|●| ♆ *Venus Delicatessen* (zoom F5, **360**) : c/ d'Avinyó, 25. ☎ 93-481-64-81. • montsecasalarcau@yahoo.es • Ⓜ Jaume-I ou Drassanes. Tlj 12h-minuit (pas de resto dim). Menu env 10 € le midi en sem ; carte 15-20 €. CB refusées. Wifi. Café offert sur présentation de ce guide. Une petite halte pendant la visite de la vieille ville, dans ce café tenu par des jeunes alternatifs à tendance végétarienne. Plats simples mais bien préparés : salades, lasagnes vég', moussaka, chili con carne, etc. On y expose des œuvres d'artistes.

♆ *Cafè de l'Òpera* (zoom E-F5, **361**) : la Rambla, 74. ☎ 93-317-75-85. • info@ cafeoperabcn.com • Ⓜ Liceu. Tlj 8h30-2h30. CB refusées. Wifi. Sur présentation de ce guide, échantillon de thé ou de café offert. Établissement très classique : fondé à la fin du XVIIIe s, il est redécoré dans le style moderniste dans les années 1930. Toujours bondé, en particulier l'été. La terrasse (un peu plus chère) au milieu de la Rambla, face au théâtre, est idéale pour en observer le mouvement incessant et déguster l'une des boissons phares (grand choix de café, *chocolate con churros* ou bière). Également des tapas classiques et correctes, servies sans discontinuer.

♆ *El Bosc de les Fades* (zoom E6, **362**) : passeig de la Banca, 7. ☎ 93-317-26-49. Ⓜ Drassanes. Tlj 14h-1h (2h w-e). Le musée de la Cire *(museu de la Cera)* abrite ce café au style fantasmagorique. Ambiance plutôt jeune et électrique. Un des incontournables de la nuit barcelonaise, et donc éminemment touristique. Forêt inquiétante la nuit, quand s'y presse une flopée d'étudiants en mal d'émotions, ce « bois des fées » redevient le jour un lieu enchanteur, féerique et bon enfant. Y passer au moins une fois pour la déco. On peut aussi y grignoter quelques sandwichs.

Plutôt le soir

♆ ♪ *Margarita Blue* (zoom F6, **364**) : c/ Josep Anselm Clavé, 6. ☎ 93-412-54-

89. Ⓜ *Drassanes. Dans le bas de la vieille ville, à une encablure du port. Tlj 19h-3h. Menus 15-24 €.* Vaste bar à l'ambiance latino, qui sert aussi une cuisine tex mex de bon aloi. Déco chaleureuse et théâtrale, comptoir qui n'en finit plus, plein de miroirs et de couleurs. De temps en temps, des spectacles sur la petite scène au fond du bar, des lectures de poésie au défilé de drag-queens en passant par des trapézistes. Musique assurée par un DJ.

🍸 **Schilling** (*zoom F5, 365*) : *Ferran, 23.* ☎ *93-317-67-87.* Ⓜ *Liceu. À mi-chemin entre la pl. Sant Jaume et la Rambla. Lun-jeu 10h-2h30 ; ven-sam 10h-3h ; dim 12h-2h.* Un café qui ne désemplit pas jusqu'à 23h et qui est, entre autres mais pas seulement, un lieu de rendez-vous *before* des homos. Un cadre très smart, des pâtisseries et des plats sur le pouce, et toujours beaucoup d'animation. Essayez de vous asseoir près des grandes baies vitrées, côté rue Ferran. Les banquettes contre le mur (tapissé de bouteilles) à droite se prêtent bien aux rencontres informelles.

🍸 🎵 **Síncopa** (*zoom F5, 366*) : *c/ d'Avinyó, 35.* Ⓜ *Jaume-I ou Drassanes. À l'angle avec la c/ Milans. Tlj 18h-2h30 (3h ven-sam).* Un petit bar chaleureux où l'on s'accoude au comptoir pour siroter un cocktail ou *una cerveza.* Ce sont Ricky et Philippe, 2 sympathiques Français, qui dirigent ce bar. Accrochés aux murs, plein d'instruments de musique donnent le ton. Certains soirs, Philippe passe aux commandes de la platine.

🍸 **Rabipelao** (*zoom F6, 367*) : *c/ de la Mercè, 26.* ☏ *646-22-22-98.* Ⓜ *Jaume-I ou Drassanes. Tlj 21h-2h (3h sam).* Shot *de bienvenue offert sur présentation de ce guide.* Microbar latino fier d'avoir survécu depuis 160 ans aux soubresauts de l'histoire espagnole. Aujourd'hui, on y vient plutôt pour ses cocktails à prix très attractifs et pour son animation digne des meilleures soirées Erasmus. Un autre morceau de bravoure...

🍸 🎵 **Bar Mariatchi** (*zoom F5, 368*) : *c/ Codols, 14.* • *mariatchi.com* • *Ts les soirs dès 18h.* Voici le tout petit bar de Manu Chao et associés, rempli de musiciens et d'artistes de tout poil. L'empreinte du chanteur est très nette ! Ambiance assurée grâce à cette clien-tèle particulièrement festive et très cosmopolite, qui parle musique, art et alter-mondialisme en buvant des verres... Un incontournable pour les amateurs de véritable ambiance de *música del barrio.*

Dans le Barri Gòtic, autour de la plaça Reial (*zoom F5*)

Haute en couleur, la plaça Reial (« Pral » pour les intimes) a une vie diurne et une vie nocturne. De jour, les clochards du quartier (et ils sont nombreux) y prennent le soleil pendant que les terrasses font le plein de touristes et de Barcelonais oisifs. Mais, attention, il y a aussi bon nombre de pickpockets à l'affût du touriste insouciant. De nuit, jusqu'à 2h30 (voire 3h le week-end), la place draine nombre de noctambules. L'animation est intense. La police est d'ailleurs très présente. Dès que les bars ferment, le quartier se vide et devient moins accueillant et un peu moins sûr.

Plutôt le soir

🍸 🎵 Les amateurs d'ambiance jazzy se doivent de sonner au n° 3 : c'est le **Pipa Club** (*zoom E-F5, 370*). ☎ *93-302-47-32.* • *bpipaclub@gmail.com* • *bpipaclub. com* • *Tlj 23h-5h.* À l'origine, un club très british de fumeurs de pipe installé dans un superbe appartement ancien. Plusieurs petits salons intimes avec de gros fauteuils bien confortables, et une ambiance débonnaire. Le « club », plutôt calme, se remplit vers 2-3h, à la fermeture des bars du quartier. Billard.

🍸 🎵 **Glaciar** (*zoom E-F5, 370*) : *pl. Reial, 3.* ☎ *93-302-11-63. Tlj 12h-2h.* Un de nos bars préférés sur la place, et un des moins chers, en plus. Belle déco intérieure, bois, poutres au plafond, photos de musiciens aux murs. Ambiance musicale de bon goût (jazz, reggae, funk...). Pour manger : gâteaux, tapas et bons sandwichs. Pour boire : un choix de 40 bières pression et de 40 bières en bouteille. Locaux, étudiants, touristes s'y retrouvent avant d'aller en boîte. Agréable terrasse.

♆ ♪ ♫ Jazz encore au n° 17 : le **Jamboree-Tarantos** (zoom E5, **371**). ☎ 93-319-17-89. ● info-jamboree@masimas.com ● masimas.com ● Concerts à partir de 21h ; entrée : 8-15 € sans conso selon jours et artistes. Entrée boîte : 5-10 € ; moins cher sur Internet. Un lieu dont la réputation n'est plus à faire. Les meilleurs jazzmen se produisent en début de soirée sous les caves voûtées du Jamboree, le Tarantos à l'étage programment des concerts de flamenco. Plus tard dans la nuit (jusqu'à 5h), les 2 clubs se métamorphosent en discothèques. Au choix : plutôt latin music, hip-hop et R'n'B au Jamboree, pop-rock et eighties au Tarantos. Musique assez commerciale mais bonne ambiance cosmopolite.

♆ ♪ ♫ L'autre côté de la place est plus rock. À l'angle de la carrer Vidre et de la carrer Heure, au n° 7 de la place, la terrasse du bar **Sidecar** (zoom F5, **372**). ☎ 93-317-76-66. ● info@sidecar.es ● sidecar.es ● Ouv lun-sam. Concerts (sf août) à partir de 22h30-23h. Entrée concert : 5-18 € selon programmation. Entrée boîte : 5 € (si vous n'avez pas assisté au concert). Rock ou variétés espagnoles commerciales (horteradas, en argot), tout se passe en sous-sol. Une fois que les musicos ont plié bagage, place à un DJ (électro, raga, drum'n'bass, funk & soul, etc.), et l'endroit se transforme en boîte de nuit.

Dans la Ribera et El Born (zoom)

Ce petit quartier qui fait bloc autour de l'église Santa María del Mar (zoom G5) est devenu l'un des principaux spots pour sortir le soir. Entre le passeig del Born, délicieusement ombragé, et les ruelles alentour, ce sont plusieurs dizaines de bars qui se partagent les faveurs des noctambules.

Plutôt dans la journée

♆ **Laie Café** (zoom G5, **375**) : c/ Montcada, 12-14. ☎ 93-295-46-57. ● botiga dhub@laie.es ● Ⓜ Jaume-I. Tlj sf lun 10h-2h. Un café-librairie de caractère qui, aux beaux jours, installe sa terrasse dans la superbe cour du XVᵉ s du museu Barbier-Mueller. Idéal pour une pause fraîcheur ou un petit déj. Petit menu pas cher également.

|●| ♆ **Café Sant Pere** (zoom G4, **378**) : Sant Pere Més Alt, 28. ☎ 93-310-70-84. Ⓜ Urquinaona. À quelques pas du palau de la Música. Fermé w-e et août. Objets anciens sortis des brocantes, vieux livres et photos sépia envahissent le moindre recoin de ce charmant café de poche. Un bon prétexte pour faire une pause agréable après la visite du palau de la Música.

♆ **Bar del Convent** (zoom G5, **376**) : pl. de l'Acàdemia (autre entrée par la c/ de Comerç, 36). Ⓜ Jaume-I. Lun-jeu 9h-22h ; ven-sam 11h-minuit. Pénétrez donc dans cet ancien couvent du XIVᵉ s reconverti en centre culturel. D'abord parce que le joli cloître mérite le coup d'œil, ensuite parce que s'y trouve un café bien agréable. Très paisible en journée. Le soir, parfois des lectures, des concerts...

♆ **Drac Café** (centre G5, **377**) : dans le parc de la Ciutadella. ☎ 93-310-76-06. Tlj sf lun 9h-21h. Quelques tables disposées tout simplement au pied du castello, à l'entrée nord du parc. Impeccable pour se réhydrater et manger un morceau dans un environnement de charme.

Tôt ou tard

♆ **L'Antic Teatre** (zoom G4, **380**) : c/ Verdaguer i Callís, 12. ☎ 93-315-23-54. ● lanticteatre@lanticteatre.com ● Ⓜ Urquinaona. À 20 m du palau de la Música. Tlj 16h-23h (23h30 ven-sam). De la rue, on ne devine pas cette oasis. Car passée la petite porte, on découvre une grande terrasse prolongée par une cour intérieure très agréable. C'est également un bel espace culturel (théâtre, marionnettes, concerts). Clientèle jeune de tous horizons, tendance cool.

♆ ♪ **Pitin Bar** (zoom G5, **381**) : passeig del Born, 34. ☎ 93-319-50-87. ● pitin bar@gmail.com ● Tlj 16h (12h w-e)-3h (minuit dim). Une des terrasses agréables, donc très courues, du passeig del Born. Au 1ᵉʳ étage, salle aux murs de brique et au plafond bas, qui donne l'impression d'être dans une cabane. Musique world et lounge.

OÙ SORTIR ?

Plutôt le soir

♥ ♪ *Miramelindo* (zoom G5, **383**) : passeig del Born, 15. ☎ 93-310-37-27. Tlj 20h-2h30 (3h ven-sam). Grande salle chaleureuse avec parquet, mezzanine, éclairage tamisé, chaises moelleuses et comptoir convivial où l'on sert toutes les variétés de cocktails classiques. Musique jazzy, salsa, et beaucoup, beaucoup de monde.

♥ ♪ *El Copetín* (zoom G5, **383**) : passeig del Born, 19. ☎ 93-319-44-96. Tlj 19h-2h (3h w-e). Lumière tamisée, tables et chaises de bistrot, musique latino-américaine (principalement cubaine). Le dimanche, tonalité plutôt Son y Boleros. Dans ce petit bar à cocktails chaleureux comme tout, tout le monde se connaît et l'ambiance est résolument décontractée. Goûtez un des 2 cocktails vedettes de la maison : le mojito et le pisco. Il y a plein de bonnes choses dedans et ça facilite le contact !

♥ ♪ *Mamainé* (zoom G5, **384**) : c/ del Rec, 59. Tlj 13h-2h30 (3h w-e). Petit bar coloré ouvert sur le passeig del Born, où l'on sirote de bons cocktails en regardant les passants sur le boulevard. Mention spéciale pour la piña colada. Musique latino-américaine.

Dans le Barri Xino et El Raval (zoom et centre)

À partir du moment où vous quittez la Rambla vers le Barri Xino, surtout si vous êtes une femme, n'y allez pas seul(e) après 22h. Ce n'est pas le Bronx non plus, donc pas de parano. En revanche, juste au nord du Barri Xino (au nord du carrer Hospital), El Raval, quartier en pleine mutation, est sans aucun doute moins craignos. D'ailleurs, le long de la carrer Joaquim Costa, plusieurs bars très tendance ont ouvert leurs portes : on n'a pas vraiment de préférence. Alors, une fois n'est pas coutume, on vous propose de vous fier à votre intuition.

Tôt ou tard

♥ ♪ *El Jardí* (zoom E5, **388**) : c/ Hospital, 56. ☎ 93-302-84-67. • info@eljardibar celona.es • Ⓜ Liceu. Ouv tte l'année, tlj au mat au soir (horaires assez aléatoires). C'est une oasis de fraîcheur, de calme et de charme qui se cache derrière le porche de cet imposant bâtiment. Le cloître et le jardin de l'ancien hospital de Santa Creu accueillent en leur sein une magnifique terrasse protégée du soleil et des intempéries (et chauffée l'hiver). On ne peut rêver cadre plus enchanteur pour boire un verre que cette cour où s'épanouissent les jacarandas et où embaument les roses et les orangers... On peut aussi s'y restaurer de quelques tapas ou de plats plus consistants, mais ce peut être décevant. Des concerts s'y déroulent régulièrement. Le soir, aux bougies, c'est carrément magique !

♥ *Carmelitas* (zoom E4, **389**) : c/ del Doctor Dou, 1. ☎ 93-412-46-84. • info@ carmelitas.biz • Ⓜ Catalunya. Tlj 12h-minuit (1h w-e). Plats 5-18 €. 2 grandes salles modernes et épurées (le dépouillement propre aux carmélites ?) aux épaisses tables blanches et aux fauteuils moelleux. Petite terrasse agréable. Pas mal de snacks, tartes et salades, et quelques bons petits plats. Clientèle mélangée, plutôt du beau monde quand même.

♥ *Bar Muy Buenas* (centre E4, **390**) : c/ Carme, 63. ☎ 93-442-50-53. Ⓜ Liceu. Lun-sam dès 17h. Menu 8 € ; plats 7-13 €. Épargné par les modes et les années, l'un des plus jolis bars modernistes de la ville, installé dans une ancienne poissonnerie. Très beau comptoir avec son rafraîchissoir à l'ancienne ; à l'époque, on faisait venir la glace des montagnes ! Ambiance feutrée et cuisine multiculturelle (à la carte : couscous, houmous, tacos...).

♥ ♪ *La Confitería* (centre D5, **391**) : c/ Sant Pau, 128. ☎ 93-443-04-58. • lacon fiteriabcn@gmail.com • Ⓜ Paral-lel. Tlj 8h30-2h (3h w-e). A eu la riche idée de conserver la superbe déco héritée de l'ancienne pâtisserie-confiserie. Quelques tables et un comptoir de bois occupent la boutique, lambrissée et coiffée d'une fresque passée de mode. Seuls les gâteaux ont disparu, remplacés par les bouteilles alignées comme à la parade. Au fond, une 2e salle plus grande, à la déco minimaliste, un brin décalée. Une clientèle estudiantine et artiste côtoie quelques habitués du quartier et de gentilles mamies. Bref, un doux mélange des genres. Bonne musique.

Plutôt le soir

♪ *London Bar* (zoom E5, *393*) : c/ *Nou de la Rambla, 34.* ☎ 93-318-52-61. • *tonoyeli@eresmas.com* • Ⓜ *Drassanes. Mar-dim 19h30-4h30 (5h ven-sam). Entrée gratuite, mais conso obligatoire.* Dans une rue large, éclairée et presque accueillante pour le quartier... 3 petites salles pleines à craquer de jeunes noctambules de tous les horizons, tendance bière. C'est un des rades qu'Hemigway et Picasso avaient l'habitude d'écumer en voisins. Jean Genet venait lui aussi y boire son café-cognac. Et ce beau monde ne serait sans doute pas dépaysé s'il lui prenait l'envie de revenir y faire un tour. Il faut dire que dans la 1ʳᵉ, le cadre Art nouveau d'origine a été judicieusement préservé. La 2ᵈᵉ salle, pas bien grande, possède une petite scène où musiciens de jazz et de blues donnent le meilleur d'eux-mêmes après minuit. Atmosphère sympa et chaleureuse.

♪ *Bar Almirall* (centre E4, *394*) : c/ de *Joaquín Costa, 33.* ☎ 93-318-99-17. Ⓜ *Universitat. Tlj 17h-2h (3h ven-sam).* Fondé en 1860, un des plus vieux estaminets de Barcelone. Aujourd'hui, tenu par un Catalan francophone, c'est un bistrot cosy et intimiste qui a conservé sa déco Art nouveau. On imagine volontiers artistes et intellectuels y refaisant le monde du début du XXᵉ s à la lueur de bougies faiblardes. Si les bougies ont disparu, la lumière est toujours aussi tamisée. Les artistes viennent encore, tout comme une clientèle jeune et décontractée qui en a fait un de ses repaires dans le quartier.

♪ *Madame Jasmine* (centre E5, *395*) : *rambla del Raval, 22.* Ⓜ *Paral-lel. Sur les ramblas canailles, en face de la statue du chat de Botero. Tlj 11h-1h30. Ambiance à partir de 19h.* Petite devanture qui ne paie pas de mine, mais intérieur haut en couleur tapissé de photos du sol au plafond. Bien pour manger un sandwich ou une salade (pas mauvais, au demeurant) et boire un pot. Clientèle

jeune et 100 % barcelonaise, musique orientale bien choisie. Un endroit *de arranque* (pour démarrer la soirée...) avant de partir à l'assaut des folles nuits du Raval.

|●| ♪ *Ultramarinos* (centre D5, *396*) : c/ Sant Pau, 126. • *pere@ultramarinos bar.com* • Ⓜ *Paral-lel. Tlj 18h-3h.* « Enfin » un bar du Raval qui ne joue pas sur les codes ethniques ni sur le vintage. Passé le long zinc, juste une petite salle et une mezzanine aux murs en brique recouverts de photos et de quelques toiles. Clientèle d'habitués, artistes et intermittents des théâtres voisins qui peuvent aussi se restaurer à toute heure d'assiettes de charcuterie et de *bocadillos*.

♪ *Marsella* (centre E5, *397*) : c/ Sant Pau, 65. Ⓜ *Liceu. Une ruelle qui longe le théâtre del Liceu, à l'angle de la c/ San Ramon (triste rue des filles de joie). Ts les soirs jusqu'à 3h.* Un vieux café au décor marqué par le temps, aujourd'hui tenu par des gays. Étrange anachronisme entre l'atmosphère de rade de marins très début XXᵉ s de l'endroit et la clientèle assez branchée, mélange de *pijos* (fils à papa) et de touristes égarés venus vivre « l'aventure ». La combinaison est amusante, et la sauce prend toujours. Avec, en prime, une spécialité incontournable : l'ersatz d'absinthe servi au comptoir.

♪ *La Concha* (zoom E5, *398*) : c/ Guardia, 14. Ⓜ *Drassanes ou Liceu. Tlj dès 17h.* Ce bar tenu par 2 sympathiques Marocains se présente comme un *chill-out* où l'on peut aussi bien déguster un thé à la menthe ou un *mojito* qu'un narghilé. Beau décor avec éclairage bien étudié et clientèle mélangée.

♪ *Café Pastis* (zoom E5, *399*) : c/ Santa Mònica, 4. ☎ 93-318-79-80. • *bar pastis.com* • Ⓜ *Drassanes. Mar-dim 19h30-2h (3h le w-e).* Depuis 1947, un bar emblématique du quartier où l'on peut goûter à l'atmosphère franchouillarde, désuète et décadente du Barri Xino. Dans cet ancien caboulot à marin où passent Brel et Édith Piaf en boucle... Fort touristique, l'addition s'en ressent. Nombreux concerts de musique française, catalane, soirées tango, etc.

♪ *Valhalla* (centre E4, *400*) : c/ Taller, 68. Ⓜ *Universitat. Tlj 18h-2h30. Entrée libre mais conso obligatoire lors des concerts.* Un café-concert de métalleux qui obéit aux lois du genre : il fait aussi sombre qu'au fond d'une mine, de gentils ours tatoués et velus descendent des bières au comptoir et une scène accueille régulièrement des groupes locaux. Le paradis pour les valeureux guerriers du rock ! Reste à savoir ce qu'Odin penserait de ce *Valhalla*-là. Voilà !

Dans l'Eixample *(centre)*

Plutôt dans la journée

🍷 @ ♿ *Laie (centre F4, 405) :* Pau Claris, 85. ☎ 93-318-17-39. • *info@laie. es* • Ⓜ *Urquinaona ou Catalunya. Lunven 9h-21h ; sam 10h-21h.* Il s'agit d'une *llibrerìa-cafè,* dont le rez-dechaussée est réservé à la boutique et l'étage au salon de thé. Les quotidiens espagnols sont à la disposition des consommateurs, ainsi qu'une petite sélection de romans français que l'on parcourt confortablement en sirotant un bon café. Borne Internet. Selon la période, concerts de jazz en semaine.

Plutôt le soir

S'il n'y a pas de quartier exclusivement gay à Barcelone, un noyau autour du croisement des carreres Consell de Cent et Casanova (communément appelé le « Gay-Xemple » dans le milieu) concentre tout de même de nombreux bars et boîtes ainsi que des boutiques ultra-spécialisées. Mais aussi des adresses *gay friendly* tolérantes.

🍷 *Premier (centre E2, 407) :* Provença, 236. ☎ 93-532-16-50. • *info@barpremier.com* • Ⓜ *Diagonal. À l'angle de la c/ d'Enric Granados. Mar-mer 11h-3h ; jeu-sam 17h-3h.* Bar-*lounge* cosy à l'ambiance très intimiste. Pour le cocktail élégant après le bureau, car bon choix d'apéritifs et d'alcools. Tapas originales. Et, enfin, 2 sympathiques patrons francophones, Jean et Yann.

🍷 *Z : eltas (centre E3, 408) :* Casanova, 75. Ⓜ *Urgell. En été, tlj 23h-3h ; en hiver, fermé lun-mar. Entrée libre.* Un bar gay au cadre et à l'ambiance sympas,

qui fait le plein jusqu'à la fermeture en fin de semaine. Pas mal de DJs s'y produisent. On vient ici pour retrouver des potes, s'échauffer sur une musique qui colle bien au lieu, avant de poursuivre en boîte. Clientèle assez mélangée (il y a même quelques filles par-ci par-là), et tout le monde y trouve sa place...

🍷 🎵 ♫ *Dietrich Gay Teatro Cafe (centre E3, 409) :* Consell de Cent, 255. Ⓜ *Universitat. Tlj 22h30-2h30 (3h ven-sam). Entrée libre.* Un bar-café-théâtre très connu. C'est d'ailleurs l'un des incontournables pour qui veut profiter de la chaleur des nuits barcelonaises... Et, donc, clientèle internationale. Il faut dire que les shows de drag-queens, à partir de 1h, bénéficient d'une certaine notoriété. Piste pour danser. De toute façon, passé 23h, vous ne pourrez plus vous asseoir.

Dans le Poblenou *(plan d'ensemble)*

Le soir

🍷 🎵 *Los Chiringuitos de la plage del Bogatell (plan d'ensemble, 411) :* sur la plage del Bogatell, en plein air. À 10 mn à pied du Port olympique en longeant la mer vers le nord. Plusieurs bars-kiosques *(chiringuitos) s'alignent face au large. Tlj en hte saison jusqu'à 1h (2-3h w-e).* Le soir, musique et ambiance dansante. Quelques tapas et sandwichs pour combler un petit creux. Idéal pour humer l'air du soir en toute tranquillité.

Dans le quartier de Gràcia *(centre et plan d'ensemble)*

Un petit village devenu, au cours du XIXᵉ s, un quartier à part entière de Barcelone. Jusque dans les années 1970, on trouvait encore des laiteries, avec une véritable étable en arrière-boutique et du lait chaud et crémeux juste après la traite. Pas de grands monuments à voir, simplement une atmosphère à savourer, une ambiance à sentir ; car Gràcia a conservé une âme de village avec ses placettes, ses églises qui sonnent les heures, sa mairie, son marché couvert, sa population d'étudiants et d'ouvriers. Beaucoup d'animation sur les places publiques à la sortie des écoles ou le soir autour de la plaça del Sol. Le temps fort étant bien sûr les fêtes du quartier, à la mi-août.

Tôt ou tard

🍷 ♪ **Café del Sol** (centre F-G1, **415**) : pl. del Sol, 16. ☎ 93-415-56-63. Ⓜ Fontana ou Diagonal. Tlj 13h-2h30 (3h w-e) ; la terrasse ferme à minuit. Sur une des places les plus emblématiques de Gràcia, où règne une douce bohème qui se mêle à une vie de quartier populaire. Les artistes en herbe peuvent y exposer peintures, sculptures et photos. C'est pourquoi on aime fainéanter à la terrasse de ce café, auquel le décor intérieur patiné donne des allures de café 1900. Mais dès la fin de l'après-midi, bien sûr, c'est archibondé.

🍷 **Virreina** (centre G1, **416**) : pl. de la Virreina, 1. ☎ 93-415-32-09. ● correu@virreinabar.com ● Ⓜ Fontana. Tlj 10h-1h (2h w-e). Pour prendre un café en terrasse avec les habitants du quartier, en observant le mouvement. Dominée par la belle église Sant-Joan, la place de la Virreina est un peu le centre symbolique de Gràcia. Le soir, le bar se remplit d'étudiants et de jeunes gens du quartier, et ça ne désemplit plus. Bons sandwichs et tapas également servis le midi.

🍷 **Ikastola** (centre G1, **417**) : c/ de la Perla, 22. Ouv 19h-minuit (1h le w-e). Ce café de quartier est prisé de la jeunesse estudiantine et bohème de Gràcia. Cadre frais, tout de bois clair, où elle vient boire un verre ou s'enfiler un délicieux sandwich ; petite cour intérieure où fumer des cigarettes qui font rigoler... Bohème, on vous dit !

Plutôt le soir

🍷 ♪ **Raïm** (centre G1, **419**) : c/ Progrés, 48. ● info@raimbcn.com ● Ⓜ Diagonal ou Joanic. Tlj 20h-2h30. Un vol direct pour La Havane au prix d'un mojito ? À Barcelone, tout est possible, mais le son des cuivres cubains vous mènera plus certainement au Raïm (« raisin » en catalan) qu'au Buena Vista Social Club.

Cette ancienne cantine ouvrière aux murs patinés par le temps vibre chaque soir au rythme de la salsa sous le regard bienveillant d'un Compay Segundo ou d'un Che Guevara de carte postale. Et, de mémoire catalane, on n'aurait jamais servi de meilleurs mojitos à Barcelone.

🍷 ♪ **El Bonobo** (plan d'ensemble, **420**) : c/ Santa Rosa, 14. ☎ 93-218-87-96. Ⓜ Fontana. À deux pas du métro, en remontant, dans une rue parallèle à la c/ Gran de Gràcia sur la droite. Lun-sam 19h-3h. Un petit bar dédié aux papes de la funk. Bien cosy et très apprécié des Catalans, qui ne s'y déplacent guère avant minuit, ce mini-dancefloor accueille régulièrement des DJs qui remixent les standards d'Aretha Franklin ou de James Brown. Le tout éclairé par les projections sur les murs des plus grands concerts de leurs idoles. Et ça groove !

Où écouter de la musique live ?

Aucun problème pour trouver, chaque soir, un bar ou une boîte de nuit qui propose un concert ! On en trouve la liste dans la plupart des petits agendas culturels distribués dans les bars. Quelques sites également bien complets : ● infoconcerts.cat ● barcelonarocks.com ● Les amateurs de jazz pourront aussi jeter un œil sur le site ● urbaanjazz.com ● ou sur celui du festival international de Jazz de Barcelona de fin octobre à fin novembre ● barcelonajazzfestival.com ●, et les autres sur ● maumaunderground.com ●

🍷 ♪ **Harlem Jazz Club** (zoom F5, **425**) : c/ Comtessa de Sobradiel, 8. ☎ 93-310-07-55. ● zingariaproduccions@yahoo.es ● harlemjazzclub.es ● Ⓜ Drassanes ou Jaume-I. Mar-dim jusqu'à 4h. En général, 1re partie à 22h30 (23h30 ven-sam), 2de partie à minuit (1h ven-sam et l'été). Fermé 15 j. en août. Entrée : 6 € en sem, 8 € le w-e (conso incluse). Dans ce café-concert, l'ambiance est décontractée, ni sélecte ni élitiste, comme c'est parfois le cas dans les clubs de jazz. Programmation à dominante jazz évidemment, blues, mais aussi musiques du monde (latino-américaine, Balkans, tango, rock acoustique, reggae, etc.).

🍴 🎵 *Razzmatazz (plan d'ensemble, 427) :* c/ Almogàvers, 122. ☎ 93-320-81-67. • inforazz@salarazzmatazz.com • salarazzmatazz.com • Ⓜ Bogatell ou Marina. Entrée : env 12-15 € (avec 1 conso) selon programme. C'est la salle de concerts la plus grande de Barcelone, où se produisent les pointures espagnoles et internationales. Abrite aussi une immense boîte de nuit avec 5 salles aux ambiances différentes : Indie rock, house, techno, électro pop et électro rock.

– Se reporter aussi à la rubrique « Où boire un verre ? Dans le Barri Gòtic, autour de la plaça Reial » ; Ⓜ Liceu. Également le *London Bar*, dans la même rubrique, « Dans le Barri Xino et El Raval » ; Ⓜ Drassanes.
– Voir ci-dessous la rubrique « La tournée des boîtes » (Luz de Gas, Antilla BCN Latin Club).

La tournée des boîtes

Ce n'est un mystère pour personne que la capitale catalane ne reste pas les deux pieds dans le même sabot quand la nuit tombe ! Les débordements des nuits barcelonaises touchent même les rivages de la Seine, puisque Paris a aussi sa mode espagnole. Les branchés attendent le week-end pour filer à Barcelone, les plus fauchés se contentent des soirées hispanisantes des clubs de la rive droite.

Des dizaines de lieux de rencontres hyper branchés sont nés sur la lancée des années *movida*. C'est à un rythme effréné que s'ouvrent et se referment les bars postmodernes, les pubs « néofroids » où la musique industriello-funky bat son plein, là où les belles gens se donnent rendez-vous. 3 mouvances principales : la zone B.C.B.G. *(pijo)* au-dessus de Diagonal et le long de Muntaner, où se rendent surtout les Barcelonais (clientèle 30 ans et plus) ; les scènes techno et groove, et les endroits gays ; enfin, le Port olympique, plus jeune (touristes et Espagnols) et débraillé. Voici un petit tour du propriétaire. Attention, certains de ces clubs

auront peut-être déjà déménagé quand vous lirez ces lignes.
– *Tarifs d'entrée et astuces :* la plupart des discothèques sont payantes, mais en se débrouillant bien on paie rarement plein tarif. Comme partout, la meilleure solution est encore de venir tôt ou bien accompagné, mais on trouvera des invitations *(flyers)* sur les comptoirs de nombreux bars, boutiques de fringues, de disques, ou même dans la rue, où l'on vous en distribuera. Mieux, si vous restez quelques jours, préinscrivez-vous sur les listes d'entrée des boîtes via Internet (surtout le week-end), par exemple sur • tillate.com • Plus simple, via Facebook, introduisez-vous dans un groupe qui vous donnera accès au piston souvent indispensable pour faire partie des happy few de la soirée à ne pas rater.

Dans le Barri Gòtic (zoom)

🎵 *New York (zoom E5, 430) :* c/ dels Escudellers, 5. ☎ 93-318-87-30. Ⓜ Drassanes. Jeu-sam 0h30-5h. Entrée : 12 € (1 boisson incluse). À deux pas de la Rambla, un ancien cabaret porno (ce fut le 1er de Barcelone !) transformé en boîte. La déco n'a pas changé : du rouge partout, des banquettes usées jusqu'à la corde. Le public underground se dandine au rythme d'une musique électro, métissée et surtout pop-rock façon « inrockuptible ».

🎵 🍴 *El Cangrejo (zoom E5, 431) :* c/ de Montserrat, 9. Ⓜ Drassanes. Ven-dim 21h-3h. Entrée gratuite mais conso obligatoire. Voici un endroit fête canaille pour les fanas d'Almodóvar ! Le kitsch est à son comble avec des tubes des années 1980 qui laissent la place (vers 1h du matin) à des spectacles de travestis chantant en play-back. C'est toujours bon enfant. La nouvelle salle au plafond insonorisé devrait permettre de prolonger les folles nuits du quartier si les voisins et la mairie décident de relâcher un peu la pression...

🎵 Également le *Jamboree-Tarantos (zoom E5, 371)* et, encore mieux, le *Sidecar (zoom F5, 372)*, qui se métamorphosent en boîtes de nuit à la fin des concerts. Voir plus haut « Où boire un verre ? Dans le Barri Gòtic, autour de la plaça Reial ».

Dans l'Eixample et autour de Diagonal (centre)

Petit rappel : c'est dans l'Eixample que se trouve aussi la majorité des boîtes gays et *gay friendly*.

♪ ♟ *Luz de Gas* (centre E1, **435**) : c/ Muntaner, 244-246. ☎ 93-209-77-11. ● luzdegas.com ● *Bus n° 7 ou Tomb-bus ; de nuit : Nitbus n° 8. Tlj 23h30-5h30 (pas de musique live en août). Entrée : 15 €.* Un ex-cabaret reconverti en disco-salle de concerts. La déco n'a pas bougé : lourdes tentures de velours grenat, plafond peint, balcons, lustres étincelants. La clientèle, très VIP, d'hommes d'affaires et de jeunes loups de la finance en vue, de stars de la TV, s'agglutine autour des divers comptoirs et de la scène. Du lundi au samedi, très bons concerts d'artistes de jazz, pop-rock, blues. Enfin, mieux vaut avoir le look B.C.B.G. de la maison.

♪ ♟ *La Fira* (centre E2, **436**) : c/ de Provença, 171. ☎ 93-323-72-71. ⓜ *Provença. Entre les c/ Aribau et Muntaner, au cœur de l'Eixample. Mar-sam 22h-3h. Entrée : 10 € avt 1h.* Une déco délirante réalisée avec des automates, des manèges, des miroirs déformants provenant des foires d'attractions du début du XXe s. Le week-end, « *La Foire* » fait le plein d'étudiants de bonne famille qui se déhanchent sur des rythmes électro. En semaine, aucune animation.

♪ *Otto Zutz Club* (plan d'ensemble, **437**) : c/ Lincoln, 15. ☎ 93-238-07-22. ● ottozutz.com ● ⓜ *Fontana ou Passeig-de-Gràcia. Mar-sam minuit-4h30 (6h jeu-sam). Entrée : 12-18 €.* Un des bars-discothèques les plus fréquentés de la ville et pourtant très sélect. Attention les yeux ! En fin de semaine, 4 salles sur 3 niveaux, pistes gigantesques, musique mi-funk, mi-industrielle, le tout distillé par une sono excellente, toujours prête à vous éclater les tympans. Les mardi et mercredi, on se contentera

du petit bar-boîte qui permet tout de même de bien s'échauffer.

♪ ♟ *L'Universal* (plan d'ensemble, **438**) : c/ de Marià Cubí, 182 bis. Ferrocarril : arrêt Gràcia. *Dans une rue parallèle à l'avda Diagonal, au nord. Lun-sam 23h-3h30 (5h30 ven-sam). Entrée payante ven-sam : 10 €.* Dans une belle villa élégante, un endroit, là encore, fréquenté par une clientèle bien propre sur elle. En semaine, seul le bar-boîte, à l'étage, est ouvert. Atmosphère *lounge* dans un décor très épuré rouge et bleu agrémenté de chandeliers. En fin de semaine, une 2de salle qui fait boîte de nuit ouvre ses portes. Musique électro et house. Très prisée par les étudiants durant l'année.

♪ *Antilla BCN Latin Club* (centre D3, **439**) : c/ d'Aragó, 141. ☎ 93-451-21-51. ● info@antillasalsa.com ● antillasalsa.com ● ⓜ *Urgell ou Hospital-Clínic. Mer-dim 23h-4h ou 5h (6h ven-sam, 1h dim). Entrée : 10 € avec 1 conso.* Pour vibrer sur des rythmes de salsa avec des groupes tous les soirs (sauf en août : la platine prend alors le relais). Tantôt assez démonstratif, tantôt plus décontracté. Du mardi au vendredi, en début de soirée, place à la *Tangoteca*, avec cours (payant, et pas donné) de tango.

♪ *Arena* (centre F3, **440**) : c/ Balmes, 32. ☎ 93-487-83-42. ● madre@arenadisco.com ● arenadisco.com ● *Au croisement des c/ Diputació et Balmes. Tlj 0h30-5h. Entrée : 6-12 €.* Une boîte célèbre chez les jeunes homos. Plusieurs salles différentes : celle dite *Madre* est la plus grande (au 32, Balmes), mais la *Classic* (entrée au 233, Diputació ; ouv slt ven-sam) accueille exclusivement les hommes. En bas des escaliers, une grande salle s'articule autour de plusieurs pistes de danse et de recoins tamisés où l'on peut se détendre sur des canapés. Un conseil, n'y allez pas avant 2-3h, il n'y a personne.

♪ *Aire* (centre E-F2, **441**) : c/ de València, 236. ☎ 93-451-84-62. ● aire@arenadisco.com ● arenadisco.com ● *Au croisement des c/ Balmes et València. Jeu-sam et veilles de fêtes 23h-3h. Entrée : 5-10 €.* L'équivalent de l'*Arena* (même propriétaire), version filles. Le public reste toutefois assez mixte (mais pour les garçons, c'est entrée sur invitation !). Déco évoquant les ambiances d'Almodóvar.

♪ *Métro Disco* (centre E3-4, *442*) : c/ de Sepúlveda, 185. ☎ 93-323-52-27.
● *metrodiscobcn.com* ● Ⓜ *Universitat.* Sur la pl. de Goya. Tlj minuit (1h lun)-5h (6h ven-sam), mais pas la peine d'y aller avt 2h30. Entrée : 10 €. Dans cette boîte *gay friendly,* ni élitiste ni *destroy,* jeunes et moins jeunes, machos ibériques et éphèbes al dente, habitués et touristes échangent des regards ardents. Atmosphère électrique qui requiert un certain entraînement. Les filles sont tolérées et, les jours de fiesta, en général le jeudi, seuls les plus résistants survivent. Le week-end, tubes kitsch dans la salle *Petarda* (traduisez : pouffiasse) !

♪ *D Boy* (centre G4, *443*) : ronda de Sant Pere, 19-21. ☎ 93-318-06-86.
● *matineegroup.com* ● Ⓜ *Urquinaona.* Jeu-sam minuit-6h. Entrée : env 20 €. Là encore, un incontournable dans le registre du *gay Barcelona.* 2 salles bourrées, mais vraiment bourrées d'*hombres* ! D'ailleurs, on ne progresse qu'en jouant du corps à corps, et cela ne dérange personne. Sur des rythmes house et deep house se déchaînent des mecs (hyper !) musclés avec tee-shirts moulants (mais plus souvent sans, d'ailleurs !) et tout droit sortis des catalogues ! L'élite gay, quoi...

À Montjuïc, dans le Poble Espanyol
(centre A-B4)

L'atmosphère bon enfant de la journée laisse étonnamment place la nuit à l'un des hauts lieux de la fiesta barcelonaise. L'endroit abrite ainsi plusieurs discothèques branchées qui profitent du décor atypique du *poble* (rubrique « À voir. Montjuïc » plus loin). Comme le billet d'entrée des boîtes permet de pénétrer dans le village, ça peut être une bonne idée de faire la visite de nuit, car le public est alors beaucoup plus percutant et l'ambiance assez magique. En juillet, la plaza Mayor accueille également d'excellents concerts d'artistes internationaux.

♪ *La Terrazza* et *Penelope* (centre A4, *445*) : ouv l'été slt, jeu-dim ; vérifier avt,

parfois ouv slt pour les soirées spéciales. Entrée : 15-20 € selon DJ. Ticket commun aux 2 boîtes, et l'on passe de l'une à l'autre aisément. *La Terrazza,* qui s'est fait une solide réputation grâce à sa programmation, accueille un public de noctambules invétérés et branchés (de 20 à 35 ans). Dans ce décor un peu magique du Poble Espanyol la nuit, voici LA boîte de Barcelone à ciel ouvert. House et techno de qualité, shows artistiques, ambiance parfois *muy caliente...* les clubbers avertis se régaleront.

♪ *The One* (centre A4, *445*) : ☎ 93-424-93-09. *Mar-dim 12h-minuit, comme bar à tapas et à cocktails ; et discothèque jeu-dim minuit-6h en été (slt ven-sam en hiver) ; les gens arrivent à partir de 2h. Boissons 5-10 €.* Décorée dans un style avant-gardiste par Javier Mariscal, répartie sur 3 étages en spirale, la discothèque débouche sur une terrasse jouissant d'une vue sur tout Barcelone. Musique house limite disco et clientèle de 25 à 40 ans.

Sur le Port olympique
(centre et plan d'ensemble)

➤ Pour s'y rendre, Ⓜ Ciutadella-Vila-Olímpica.

On aime ou on n'aime pas du tout, mais on peut y aller rien que pour le spectacle : une bonne vingtaine de bars s'alignent sur le *mol del Mestral.* Chacun de ces bars (tous les jours jusqu'à 5h) est une boîte de nuit à lui seul, et il y en a pour tous les goûts : rock, rap, techno, salsa... Avec une telle concentration d'endroits, de couleurs, de bruits différents, une ambiance saturée, c'est un des lieux où la drague est la plus favorisée ; avis aux célibataires des 2 sexes ! Chacun de ces bars possède une terrasse où l'on peut prendre un verre plus tranquillement, tout en continuant d'observer le flot continu des fêtards de tout poil, qui ne s'arrête qu'au petit jour. Là encore, pas de parano, mais la zone étant très touristique, il vaut mieux faire attention la nuit autour de la plaça dels Voluntaris : quelques vols et agressions ont été signalés, et les videurs de ces bars-boîtes ne sont pas réputés pour leur douceur.

🎵 *Club Catwalk* (centre H6, **448**) : Ramón Trias Fargas, 2-4. ☎ 93-224-07-40. • info@clubcatwalk.net • clubcat walk.net • *Entrée au niveau de la baleine. Jeu-sam minuit-6h. Entrée : 15-20 €.* Immense boîte sur 2 niveaux où les *beats* entraînent une foule hétéroclite en quête de *bump it up.* Clientèle jeune et internationale, tenue courte de rigueur ; bref, l'archétype de la boîte commerciale, mais ça marche !

🎵 Juste à côté (centre H6-7, **449**), un peu plus sélects et à la programmation plus recherchée, l'*Opium Mar* (passeig Marítim, 34 ; • info@opiummar.com • opiummar.com •) et le *CDLC* (passeig Marítim, 32 ; • info@cdlcbarcelona.com • cdlcbarcelona.com •). *Tlj 20h-6h mais ne pas y aller avt 3h pour danser.* 2 clubs aux intérieurs soignés (l'un très design, l'autre plus ethnique), avec de grands espaces et qui drainent une foule de clubbers. Même s'ils sont relookés et changent de proprio très souvent, ils restent des valeurs sûres.

Dans le quartier du Tibidabo (plan d'ensemble)

➢ Assez excentré. Pour s'y rendre, descendre à la station de métro Avinguda-del-Tibidabo et prendre le bus « Plaça-Kennedy-Funicular » (dernier départ : 22h ou 23h l'été, mais consulter les horaires, qui changent souvent). Sinon, en taxi.

🎵 🍸 *Mirablau* (plan d'ensemble, **450**) : Manuel Arnús, 2 ; en fait, pl. Doctor Ancheu. ☎ 93-418-56-67. *Tlj 11h-4h30 (5h w-e). Entrée libre.* Bar musical panoramique, le *Mirablau* a un atout considérable qu'aucune mode ne pourra détrôner : des baies vitrées sur 2 étages pour contempler Barcelone qui, la nuit, scintille de mille feux. Une vue féerique ! L'été, c'est sur la petite terrasse du jardin qu'on s'attarde. Clientèle de jeunes gens de toutes les catégories, venus goûter ces délices dans un décor postmoderne. Sympa également le midi

pour avaler un sandwich ou une salade en profitant de la vue.

La scène techno et groove

– La 2e ou 3e semaine de juin (en 2012, du 14 au 16 juin), le festival *Sonar* est l'événement de l'année pour toute l'Espagne électronique : 3 jours de fièvre musicale avec les plus grands noms de la scène internationale. Allez, emmenez vos fringues les plus terribles et lâchez-vous avec les raveurs de toute l'Europe, ça vous fera de super souvenirs. Lives et mixes de Carl Cox à Death in Vegas en passant par un certain DJ-amon de Estrasbugo, alias Laurent Garnier. Festival créé en 1994, on y dénombre chaque année des dizaines de milliers de spectateurs, sans compter le festival off. Autant vous dire qu'il faut s'y prendre à l'avance. Site très bien fait qui permet d'acheter des places, d'avoir le programme complet et de trouver un logement selon ses moyens : • sonar. es • Sur place, on peut aussi se procurer les places au CCCB ou au MACBA (Sonar de jour). Tarifs : environ 45 € le billet de jour, 65 € le billet de nuit et 165 € le *pass* 3 jours.

– Plus encore que Madrid, Barcelone est une scène de réputation internationale des musiques d'avant-garde. On ne compte plus les DJs du monde entier qui viennent se produire dans les nombreux bars et boîtes underground de la ville ; pour choisir, prenez les *flyers* dans les magasins de sapes de la carrer Portaferissa ou les journaux gratuits genre *AB*. Généralement, le *Moog*, le *Nitsa Club* et le *Bikini* présentent les meilleurs DJs et groupes live.

🎵 *Moog* (zoom E5, **451**) : c/ Arc del Teatre, 3. ☎ 93-319-17-89. • info-moog@masimas.com • masimas.com • Ⓜ Drassanes. *Situé en bas de la Rambla, à droite. Tlj 23h-5h. Entrée : 15 € avec 1 conso.*

🎵 *Nitsa Club et La 2* (centre D5, **452**) : c/ Nou de la Rambla, 113. • nitsaclub@nitsa.com • nitsa.com • Ⓜ Paral-lel. *Ouv surtout ven-sam à partir de minuit. Entrée : 13 €.* Un vrai must, dans la salle *Apolo*. Plutôt techno au *Nitsa* et pop-rock à *La 2.*

🎵 🎵 *Bikini* (plan d'ensemble, **453**) : c/ Deu i Mata, 105. ☎ 93-322-08-00. • cen tral@bikinibcn.com • bikinibcn.com • Ⓜ Les Corts. Mer-dim à partir de 1h. Entrée : 15 €. 3 salles pour les amateurs de hip-hop et de funk.

♪ ♈ **Club Soul** (zoom F5, **454**) : c/ Nou de Sant Francesc, 7. ☎ 93-302-70-26. Ⓜ Drassanes. Tlj 23h-2h30 (3h vensam). Entrée libre. Un petit endroit à l'atmosphère rougeoyante. D'abord, une 1re salle avec le bar où gigotent et discutent des artistes, des étudiants et des étrangers, tout le monde vêtu haut en couleur ; puis une petite piste où dansent les plus motivés sur du space funk, du classic groove, de la techno ou encore de la drum'n'bass. Au mur, on projette des films et séries cultes sélectionnés selon le type de musique.

Où voir un spectacle (opéras, concerts classiques...) ? Où valser ?

Pour vous informer sur les concerts de musique classique, procurez-vous le mensuel Informatiu Mùsical. On le trouve dans les offices de tourisme.

∞ **Palau de la Música catalana** (zoom F-G4) : se reporter à la rubrique « À voir ». Rens : ☎ 93-295-72-00.
∞ **Grand Théâtre Liceu** (zoom E5) : sur la Rambla. ☎ 93-485-99-00. • liceu barcelona.com • Ⓜ Liceu. Pour les passionnés d'opéra. Il se visite aussi à heu-

res fixes, sous la conduite d'un guide (rens : ☎ 93-485-99-14).
∞ **Auditorium** (plan d'ensemble) : c/ Lepant, 150. ☎ 93-247-93-00. • audito ri.cat • Ⓜ Glòries ou Marina. Inauguré en grande pompe en mars 1999 par l'orchestre symphonique de Barcelone et l'orchestre national de Catalogne, cet auditorium accueille la plupart du temps des concerts classiques. Il ouvre également certaines salles au jazz, au flamenco, au rock et même au Sonar !
∞ **Las Fonts de Montjuïc** (centre B3-4) : pl. Carles Buïgas, 1. Ⓜ Espanya. Le long de l'avda de la Reina María Cristina et des escaliers qui montent jusqu'au Palau nacional. Mai-sept, jeu-dim 21h-23h30, 5 spectacles, d'une durée de 15 mn env, ttes les 30 mn ; le reste de l'année, slt ven-sam 19h-21h. Gratuit. Conçu pour l'Exposition universelle de 1929, ce spectacle son et lumière est très réussi. Les jets d'eau jaillissent d'une multitude de fontaines, petites ou très grandes, au rythme des symphonies classiques, morceaux de rock, valses... le tout avec panorama sur Barcelone.
∞ **Sala Montjuïc** (centre B-C6) : ts les étés fin juin-début août, ciné en plein air dans la cour du château de Montjuïc, 2-3 fois/sem à 22h. Rens : ☎ 93-302-35-53. • salamontjuic.org • Entrée modique : 5 €. En général, l'ambiance commence à monter dès 21h, avec des p'tits concerts ou des apéros ! Impec' pour finir en beauté une journée de visites !

ACHATS

Dans le Barri Gòtic, l'avigunda Portal de l'Ángel et la carrer Portaferrissa sont les plus commerciales. Le samedi : bain de foule. El Born et sa prolongation la Ribera sont des quartiers un peu moins touristiques et par conséquent pleins de charme. Il faut s'y promener au hasard pour découvrir les derniers ateliers, galeries d'art, brocanteurs installés dans le secret d'une de ses ruelles. Le Barri Xino, quant à lui, est le coin des

friperies et des collectionneurs de vinyles.

Alimentation

⊛ **La Boquería** (ou **mercado San Josep** ; zoom E4-5) : lun-sam 8h-20h. Se reporter plus loin à la rubrique « À voir. Le quartier de la Rambla... ». Un des plus beaux marchés que l'on connaisse ! On y trouve tout ; fraîcheur garantie mais des prix qui ont tendance à s'envoler. Poissons à l'œil brillant et crustacés vivants, fruits parfumés et colorés, charcuteries variées à base de porc ibérique (ce qui explique en partie les prix) ; on vous recommande plus particulièrement tout ce qui est *jamón*, *llomo* et *chorizo ibéricos* dont le fameux *patanegra* andalou. Pratique, ça voyage bien, et vous pouvez tout faire emballer sous vide ! Et ça sera toujours moins cher qu'en France !

⚜ *La Botifarrería de Santa María* (zoom G5, *460*) : c/ Santa María, 4. ☎ 93-319-91-23. Ⓜ Jaume-I ou Barceloneta. Lun-ven 8h30-14h30, 17h-20h30 ; sam 8h30-15h. Une charcuterie artisanale à l'enseigne de la saucisse. On y trouve tous les classiques les plus alléchants de la cochonnaille catalane ou espagnole, et une impressionnante diversité de saucisses : farcies, blanches, noires, vertes, aux herbes, aux champignons… à pocher, à griller, etc.

⚜ *Casa Colomina* (zoom F4, *461*) : c/ Cucurulla, 2, et c/ Portaferrissa, 8. ☎ 93-317-46-81 ou 93-412-25-11. Ⓜ Liceu. Lun-sam 10h-20h30 ; dim 12h30-20h30. Deux pâtisseries voisines spécialisées dans la fabrication de *turrón*. En Espagne, il s'offre à Noël comme les chocolats en France. De la famille du nougat, à base de sucre et d'amandes, celui dit de Jijona (Xixona) a le grain fin ; celui d'Alicante contient de plus gros morceaux d'amandes. Goûtez aussi le *mazapán* (pâte d'amandes aux parfums divers). Meilleur choix en hiver, mais, en été, bonnes glaces au *turrón*.

⚜ *La Vila Viniteca* (zoom F5, *462*) : Agullers, 7-9. ☎ 90-232-77-77. Ⓜ Jaume-I ou Barceloneta. Lun-sam (sf j. fériés) 8h30-20h30. Dans un dédale de ruelles, voici une double adresse pour amateurs de vins et alcools. Au n° 7, le magasin de prestige, le plus récent, où s'entassent crus nationaux et internationaux de très haute volée. Les plus grands sommeliers espagnols s'y rendent quand ils sont de passage à Barcelone. Au n° 9, c'est l'épicerie familiale (fondée en 1932). La cave regorge de trésors vinicoles.

⚜ *El Magnífico* (zoom G5, *463*) : c/ Argentería, 64. ☎ 93-310-33-61.

Ⓜ Jaume-I. Presque en face de la pl. Santa María del Mar. Lun-sam 10h-14h, 16h30-20h. Petite maison qui a fait du café sa spécialité depuis 1919. Comme on peut acheter des *espressos* à emporter, imaginez les doux effluves qui s'échappent de cette jolie boutique très chic. Possède juste en face une autre officine, entièrement dévolue au thé : *Colonials* (c/ Argentería, 59).

⚜ *Gispert* (zoom G5, *464*) : c/ Sombrerers, 23. ☎ 93-319-75-35. Ⓜ Jaume-I. Rue qui longe la pl. Santa María del Mar. Mar-sam 10h-14h, 17h-20h. Avec ses rayonnages patinés et son comptoir hors d'âge, cette boutique fidèle au poste depuis 1851 vaut le coup d'œil. D'autant qu'on y vend de bonnes choses : du café torréfié sur place et de l'épicerie fine, principalement des produits locaux (huile d'olive, confitures, fruits secs, herbes…).

⚜ *Herboristería del Rei* (zoom F5, *465*) : Vidre, 1. ☎ 93-318-05-12. Ⓜ Liceu. À 25 m de la pl. Reial, côté nord-est. Mar-ven 16h-20h ; sam 10h-20h. Un vénérable magasin fondé en 1823, au décor intérieur remarquable : vieilles vitrines remplies de bocaux et de pots anciens, boiseries patinées par le temps, meubles à tiroirs bourrés d'herbes médicinales, de tisanes et d'épices. Notez ce buste haut perché de Linné, 1er grand classificateur universel des plantes. Autrefois fournisseurs de la cour royale, les propriétaires mettent l'accent sur la qualité et la provenance des 220 variétés de plantes séchées qu'ils vendent avec passion et jovialité dans leur beau magasin.

⚜ *Jamonísimo* (centre D2, *466*) : c/ Provença, 85. ☎ 93-439-08-47. ● jamonisimo@terra.es ● Ⓜ Hospital-Clínic. Tlj sf lun mat et dim 9h30-14h30, 17h-20h30. Certes, c'est excentré. Mais leur sélection de jambons ibériques est formidable, pour ne pas dire unique. D'ailleurs, Ferràn Adrià s'y fournit régulièrement, de même que Robuchon, Ducasse ou Bocuse. Quant aux gourmands, ils pourront s'attabler et s'offrir une assiette de dégustation (pas donné, qualité oblige).

⚜ Voir aussi *Caelum* (zoom F5, *312* ; c/ de la Palla, 8) dans la rubrique « Où prendre le petit déjeuner ? Où manger une pâtisserie ? Où déguster une glace ? Dans le Barri Gòtic ». Tout plein de douceurs, essentiellement sucrées, en provenance de divers monastères et ordres religieux du pays.

Antiquités, brocante

Une ribambelle de petites boutiques ou de vastes cavernes aux trésors se côtoient dans la minuscule carrer de la Palla (centre F4), qui donne sur la place de la Cathédrale. Bourrées d'antiquités pour les unes, plutôt version brocante pour les autres.

⊗ *Llibreria Selvaggio* (zoom F5, *468*) : Freneria, 12. ☎ 93-315-15-56. Ⓜ *Jaume-I.* Une minuscule boutique qui embaume le vieux papier et le cigare, où l'on peut dénicher des cartes postales anciennes de Barcelone, des plans, des revues, des livres parcheminés... Certains ouvrages sont en français.

⊗ *Les puces « Els Encants »* (plan d'ensemble, *469*) : pl. Glòries. Ⓜ *Les Glòries. Lun, mer et ven-sam 9h-18h* (plus tard en été). Encore quelques bonnes affaires à réaliser. Cela dit, flânez, comparez et, parfois, sachez résister...

⊗ *Marché aux timbres et pièces de monnaie* (zoom E-F5) : pl. Reial. Tte l'année, dim 10h-14h.

⊗ *Foire aux livres* (centre D4) : au mercat Sant Antoni, à l'intersection de ronda Sant Pau et Tamarit. Dim 10h-14h. Notez la structure métallique du bâtiment. Pendant les travaux de réparation du marché, la foire se tient le long de la ronda de Sant Antoni, sous une halle provisoire.

⊗ *Foire aux antiquités* (zoom F5) : pl. Nova. En face de la cathédrale. Ts les jeu.

Déco, design et vaisselle

⊗ *Vinçon* (centre F2, *472*) : passeig de Gràcia, 96. • vincon.com • Mar-sam 10h-20h30. Les amateurs de design feront une halte dans cette maison typique du passeig dont l'intérieur a été aménagé par Mariscal (le père de la mascotte des J.O.). Ce vaste supermarché de l'objet branché renferme plein de gadgets superbes et de babioles de la vie quotidienne, très mignonnes et pas forcément chères, ainsi que du matériel de bureau, objets de cuisine, mobilier, lampes, etc.

⊗ *Ganiveteria Roca* (zoom F5, *473*) : pl. del Pi, 3. ☎ 93-302-12-41. • ganiveteriaroca.cat • ganiveteriaroca. cat • Lun-ven 9h45-13h30, 16h15-20h ; sam 10h-14h, 17h-20h. Depuis 1911, une magnifique coutellerie. Plus de 9 000 références de couteaux, lames, ciseaux, rasoirs... Les amateurs apprécieront.

⊗ *ACC – Associació Ceramistes de Catalunya* (zoom E4, *474*) : c/ Doctor Dou, 7. ☎ 93-317-69-06. • ceramistes cat.org • Ce lieu associatif permet aux jeunes céramistes catalans de s'exposer... et de se vendre. Si vous n'avez pas les moyens de vous offrir ces pièces uniques, venez au moins jeter un œil à ce joli lieu artistique et inspiré.

⊗ *Art Escudellers* (zoom F5, *475*) : c/ dels Escudellers, 23-25. ☎ 93-412-68-01. Ⓜ Liceu. Tlj 11h-23h. Gigantesque magasin où l'on vend uniquement des produits artisanaux fabriqués en Espagne. Une grande majorité d'horreurs, pour être honnête, et surtout des articles vendus le double, voire le triple de leur équivalent ailleurs (comme les souvenirs de Gaudí). Quelques belles poteries sortent du lot. Également une cave avec une belle sélection de vins régionaux.

Loisirs

⊗ *Palacio del Juguete* (zoom F4, *478*) : Arcs, 8. ☎ 93-318-12-83. • palaciodeljuguete@palaciodeljuguete.net • Ⓜ Liceu. Tt près de la cathédrale, en remontant vers la pl. de Catalunya. Lun-ven 10h-13h30, 16h30-20h ; sam 10h30-20h30. Vieux magasin de jouets, style années 1950, comme on n'en trouve plus : petites voitures, trains électriques, « boîtes à meuh », soldats de plomb...

Mode

La majorité des boutiques de vêtements et chaussures est concentrée entre le passeig de Gràcia et la rambla de Catalunya. Si cela ne vous suffit pas, le *Bulevard Rosa* (centre F3, *480* ; entrée par le passeig de Gràcia, 53-55) est une galerie marchande offrant une bonne centaine de boutiques. Quant aux anciennes *arènes* de la ville (centre

C3), elles ont été brillamment transformées en galerie commerciale et accueillent de nombreux magasins de marque *(lun-sam 10h-22h)*.

🅰 **Custo** *(zoom F5, 481) :* c/ de Ferrán, 36. ☎ 93-342-66-98. Ⓜ Liceu. Lun-sam 10h-22h ; dim et j. fériés 12h-20h. Enfants terribles de la mode barcelonaise, les frères Custo sont célèbres dans le monde entier pour leurs tee-shirts colorés et rigolos... Les prix sont donc en conséquence.

🅰 **Boutiques de fringues** *(zoom F4, 352) :* Portaferrissa, 17. Ⓜ Liceu. Tlj 11h-21h. Sorte de petite galerie marchande où se succèdent les friperies à l'américaine. Fringues jeunes et branchées. Voir aussi le texte sur le *Bar Jardí* dans « Où boire un verre ? Dans le Barri Gòtic et alentour ».

🅰 **Instinto** *(zoom F5, 482) :* c/ Banys Nous, 5. ☎ 93-317-32-73. Ⓜ Liceu. Tlj 10h-20h30. C'est l'histoire de 3 copines qui dessinent des vêtements et décident d'ouvrir une boutique qui connaît aujourd'hui un joli petit succès à Barcelone. C'est bien fait, frais et enjoué, et que pour les filles.

🅰 **La Manual Alpargatera** *(zoom F5, 483) :* c/ Avinyó, 7. ☎ 93-301-01-72. Ⓜ Liceu ou Jaume I. Presque à l'angle de la c/ de Ferran. Lun-sam (sf sam oct-nov) 9h30 (10h sam)-13h30, 16h30-20h. Une boutique et fabrique artisanale d'espadrilles pour petits et grands. Les indémodables souliers en corde sont confectionnés sous les yeux des clients, puis rangés sur les étagères qui courent du sol au plafond. Qualité et solidité garanties. Faites votre choix...

🅰 **Desigual :** nombreuses boutiques en ville pour cette marque de fringues très fashionista et très colorées, pour les 2 sexes. Entre autres : c/ Capellans, 5-7 *(zoom F4, 478 ;* à deux pas de la cathédrale) ; c/ Ferrán, 51-53 *(zoom F5 ; tt près de la pl. Sant Jaume) ;* c/ Comtal *(zoom F4) ;* également un **Outlet** *(stock des collections anciennes, moins cher)* sur la Rambla, au n° 140 *(tt près de la pl. de Catalunya)* et un autre c/ Diputació, 313 *(centre G3 ; tt près de* Backpackers BCN Diputació) ; d'autres boutiques dans l'Eixample : passeig de Gràcia, 47 *(angle c/ d'Aragó),* etc.

Musique

🅰 **Wah-Wah** *(centre E4, 487) :* c/ de la Riera Baixa, 14. ☎ 93-442-37-03. Ⓜ Liceu. On peut trouver des enregistrements originaux, provenant des quatre coins du monde, de tous les grands noms du rock.

🅰 Pour les **disques d'occasion,** cette même carrer de la Riera Baixa, ou alors prenez la carrer Tallers *(1re à droite en descendant la Rambla)* et la carrer Sitges *(1re à gauche une fois sur la c/ Tallers).* Une sorte de petit musée du vinyle à ciel ouvert.

🅰 **Casa Beethoven** *(zoom E-F4-5, 488) :* la Rambla, 97. ☎ 93-301-48-26. Ⓜ Liceu. Adossé au palau de la Virreina, un discret magasin de partitions très ancien. Dans les grands cartons grenat, des chansons traditionnelles et des berceuses catalanes, des sardanes, de la musique classique. Avis aux farfouilleurs...

Divers

🅰 **La Condonería** *(zoom F5, 490) :* c/ Sant Josep Oriol, 7. Ⓜ Liceu. Sur la place de l'église de Santa María del Pi. Lun-sam 10h30-14h, 16h30-20h30. Petit magasin clair et coloré qui vend toutes sortes de préservatifs et de gadgets.

🅰 **Botiga Barça** *(centre F4, 491) :* ronda Universitat, 37. ☎ 93-318-64-77. Ⓜ Universitat. À l'angle de la rambla de Catalunya. Lun-sam 10h-22h. Eh oui, pas de doute : il s'agit bien d'une boutique officielle du Barça... Tout ce qu'il faut pour ravir les aficionados !

À VOIR

À VOIR

Avant toute visite de musées ou monuments, bien vérifier les horaires et les jours de fermeture. En général, les musées sont fermés le lundi ou le mardi, ainsi que le

dimanche après-midi ! Lors de certaines fêtes ou jours fériés, les musées et sites adoptent des horaires différents : l'office de tourisme édite alors une fiche spéciale.
– Pour les accros, quelques *passes* et tickets groupés permettent de faire des économies sur les tarifs d'entrée. Voir la rubrique « Musées et sites » dans « Barcelone utile ».

LE BARRI GÒTIC *(BARRIO GÓTICO ; zoom F4-5-6)*

Le cœur historique de la ville fut dessiné par les Romains, qui ont fondé les premières colonies sur le mont Taber (en l'an 12 av. J.-C.). Un quartier à parcourir à pied, bien sûr, à la découverte de la cathédrale, des précieux monuments médiévaux, mais aussi des vestiges romains, moins apparents, complètement intégrés dans les belles pierres ocre des palais et des demeures seigneuriales. Le Barri Gòtic, délimité par l'avinguda de la Catedral, la plaça Ramon Berenguer III, la plaça de Sant Just et la carrer de Sant Honorat, présente une remarquable homogénéité architecturale (tout au moins en apparence, comme nous le verrons plus loin). Cela n'avait pourtant rien d'évident ! Le quartier médiéval s'était en effet beaucoup dégradé après que les familles aisées ont migré vers l'Eixample à la fin du XIXᵉ s. Sa rénovation est donc très récente, du moins au regard de l'histoire de la cité. Surtout, un an de siège avait déjà détruit les deux tiers de la ville en 1714 pendant la guerre contre l'Espagne, quand le métro et le percement de la vía Laietana finirent de saccager le vieux centre (1908-1936). Sans oublier les deux ans de bombardements qui s'ensuivirent pendant la guerre civile ! La Barcelone médiévale reste malgré tout l'une des villes médiévales les mieux préservées. Le quartier est, certes, ultra-touristique, mais au détour des ruelles et venelles, on surprend des instants magiques, des tranches de vie d'une Espagne encore authentique : un prêtre endormi dans son confessionnal, un concierge tassé dans sa guérite, au fond d'un sombre hall d'immeuble, des enfants en uniforme jouant au ballon autour de la fontaine de la plaça de Sant Felip Neri, un antiquaire dans sa boutique, caressant affectueusement une Vierge polychrome du XIVᵉ s... Il faudra savoir vous perdre pour capturer vos propres instantanés, fabriquer vos propres souvenirs...

🕯🕯🕯 **Catedral** *(zoom F5) : pl. de la Seu, s/n.* ☎ *93-342-82-60.* ● *catedralbcn.org* ● *Lun-ven 8h-12h30, 17h15-19h30 ; w-e 8h-13h (13h45 dim), 17h15-20h. Attention, entrée payante (6 €) à certains horaires : lun-sam 13h-17h, dim et fêtes 14h-17h ; le billet donne alors accès à l'ensemble du site, à savoir au chœur, au cloître, au musée et aux toits. Aux horaires où l'accès à la cathédrale est gratuit, il faudra payer individuellement chacun de ces sites, ce qui n'est pas forcément rentable. Accès aux toits (terrats) : lun-ven 10h-12h, 17h15-18h, sam 10h30-12h ; entrée : 2,50 €. Accès au chœur : 2,50 €. Attention encore : interdiction de pénétrer dans la cathédrale épaules nues (à fortiori torse nu), et le short n'est toléré que par grande chaleur.*
Bâtie au XIIIᵉ s à l'emplacement d'une église romano-wisigothique. C'est en fait la troisième église (et la deuxième cathédrale) construite sur ce site. Des travaux d'excavation ont dévoilé l'existence d'une basilique datant de l'époque paléochrétienne. L'invasion arabe ne laissa rien de la construction d'origine, mais la cathédrale connut une nouvelle vie au XIᵉ s avant d'être élevée au rang de cathédrale-basilique à la fin du XIIIᵉ s. La construction dura plus de 150 ans. Les deux tours octogonales datent du XIVᵉ s. La façade n'était pas encore réalisée ! C'est pourquoi un riche industriel barcelonais du XIXᵉ s proposa de terminer cette façade d'après les plans et selon le style gothique. La dernière touche fut mise en 1913, avec l'installation de la lanterne et de la flèche. L'intérieur de la cathédrale est un exemple parfait du gothique catalan, composé de trois nefs voûtées, sombres et élégantes, une abside et un faux transept. C'est sur les bras des transepts que

s'appuient les tours octogonales. Admirez les énormes piliers, les arcs saillants, les arcs-boutants d'une évidente simplicité. Tout, dans cette grandiose réalisation, est d'une pureté conceptuelle rarement égalée.

Prenez le temps de monter (ascenseur) sur les toits. Même si la vue est un peu décevante, on découvre un aspect unique du magnifique clocher, au-dessus de la lanterne centrale.

La cathédrale possède sur son pourtour une série de chapelles secondaires, de joyaux architecturaux dont les stalles du chœur, la chaire, les fonts baptismaux, la lanterne centrale et le Christ de Lépante ne sont que des exemples. Passons en revue ces quelques merveilles.

– *Le chœur :* situé au centre de l'édifice, c'est l'un des chefs-d'œuvre qu'abrite la cathédrale. Il fut réalisé à partir de la fin du XIVe s à la demande de l'évêque Ramon d'Escales. La clôture latérale est en marbre blanc. Le chœur lui-même est en bois finement ciselé, d'une époustouflante richesse. On le doit au père Sanglada, qui sculpta la chaire ainsi que les 61 stalles du chœur. Les dossiers des sièges furent réalisés par un maître allemand. Notez les riches blasons qui les ornent : ce sont ceux des chevaliers de la Toison d'or, réunis ici par l'empereur Charles Quint en présence des rois de France, du Portugal, de Hongrie... L'arrière du chœur est d'une composition un peu lourde. On y voit notamment sainte Eulalie défendant la foi chrétienne, ainsi que saint Sévère (début du XVIe s).

– *La crypte :* située devant le chœur, sous la nef centrale, on ne peut l'admirer que de derrière la grille. C'est ici que sainte Eulalie repose en paix depuis 1939. Cette crypte, dessinée par Jaime Fabré, constitue un réel chef-d'œuvre d'équilibre architectural. Remarquez tout d'abord l'entrée en forme d'arc. En découvrant la voûte presque plate qui coiffe le tombeau de la sainte, on reste ébahi. On a le sentiment que la lourdeur de l'ensemble a comme écrasé la voûte, pourtant soutenue par 12 arcs gracieux. L'énorme clé de voûte centrale représente la Vierge et sainte Eulalie. Une merveille. Sous la clé de voûte repose le sarcophage en albâtre de la sainte, qui date du début du XIVe s.

– *Les chapelles latérales :* sur la gauche à l'entrée de la cathédrale, superbes fonts baptismaux. Énorme coupe aux arêtes hélicoïdales en marbre de Carrare (XVe s). Sur la droite, une chapelle (réservée à la prière) renferme le célèbre **Christ de Lépante**. La tradition orale du XVIe s indique que ce crucifix figurait à la proue du navire-amiral de la flotte chrétienne qui combattit la flotte musulmane dans le golfe de Lépante au XVIe s. Un peu plus loin, en revenant vers la crypte, les tombeaux du comte de Barcelone et de son épouse, fondateurs de la cathédrale romane en 1058.

– *Le cloître et le musée :* à droite du transept, on parvient au cloître par la *puerta de Sant Sever,* de style roman-lombard. Ce cloître dégage un impressionnant sentiment de sérénité, peut-être grâce à l'abondante lumière qui contraste avec l'obscurité de la cathédrale. Il fut achevé au milieu du XVe s. Deux portes superbes donnant sur l'extérieur sont à signaler : celle de la Pietà (tout de suite à gauche en venant de la cathédrale), agrémentée d'une sculpture en bois polychrome, et celle de Santa Eulàlia (qui donne sur la carrer del Bisbe), du plus pur style gothique flamboyant. Au centre, un adorable petit jardin planté de palmiers et de magnolias, et peuplé de 13 oies (régulièrement renouvelées, les « pôvres », l'afflux de touristes les stressant !). Pourquoi 13 ? En mémoire, dit-on, de Santa Eulàlia, qui avait 13 ans lors de son martyre. C'est ici que, chaque année, a lieu la *fête du Corpus Christi,* pendant laquelle une manifestation originale se déroule, celle dite de « l'œuf qui danse » : on place au sommet de la fontaine Sant Jordi une coquille d'œuf qui reste en équilibre. Au bout du cloître, une autre *chapelle* intéressante : celle de *Santa Llúcia.* C'est la seule partie romane de la cathédrale, du XIIIe s, encore conservée (même si elle fut rapportée au XIXe s).

Le *musée* et la *salle capitulaire* se trouvent à côté *(tlj 10h-19h ; entrée 2 €).* On peut y admirer une belle série de tableaux, notamment la *Pietà* de Bartolomé Bermejo, datant de la fin du XVe s, ainsi qu'une belle Vierge à l'Enfant. Et puis aussi le beau retable de saint Bernardin et l'ange gardien de Jaume Huguet (XVe s).

À VOIR

Itinéraire gothique (ou presque !)

Nous avons dit que le Barri Gòtic se distinguait par sa grande homogénéité. Et rien n'est plus vrai ! Pourtant, au risque d'en décevoir certains, cette homogénéité est relativement factice... Ce Gòtic est à bien des égards un décor d'opérette ! Ce qui n'enlève rien à son charme, au contraire... Le but était à l'époque de rendre la ville idéale, tout en sauvant un maximum d'authentiques bâtiments... Nous vous proposons donc un petit itinéraire dans ce Barri Gòtic qui vous aidera à démêler le faux du vrai... Partons donc de la *cathédrale,* authentique joyau gothique... à l'exception de sa façade principale, de la flèche et de la lanterne, érigées au début du XXe s.

Face à la cathédrale, la *place du parvis* (officiellement appelée *plaça Nova),* à l'origine bien plus petite. En 1956, on décida de reconstruire une partie de l'aqueduc romain et de rendre visible trois des 78 tours que comptait autrefois la ville. Les bombes avaient éventré Barcelone pendant la guerre civile et l'on profita du chantier pour faire des fouilles et des aménagements. Il ne faut jamais oublier que le quartier médiéval est une inextricable imbrication gothique et romaine (si les murailles furent renforcées au IVe s, elles ont gardé le même tracé) et que le quartier fut fortement rénové par les évêques au XVIIIe s. Heureusement, il reste une infinité d'éléments gothiques... certains très cachés ! Approchez-vous donc de la *porte romaine* (porta romana) à droite de la cathédrale ; c'est la mieux conservée des qua-

QUAND LA CATALOGNE S'ÉMANCIPE

Lorsqu'en 985 Barcelone est pillée sur ordre du calife Al-Mansour, le comte Borell II demande logiquement un coup de main à son suzerain, le roi des Francs Hugues Capet. Mais le roi ne daigne pas lui répondre. Borell refuse alors de renouveler son serment d'allégeance, un geste considéré comme le tout premier acte de souveraineté de la Catalogne. Pas rancuniers, de nombreux Catalans s'enrôlent comme mercenaires auprès des musulmans. Lorsqu'ils reviennent au pays, enrichis par l'or du califat, ils rapportent aussi des innovations techniques, qu'ils transmettront ensuite au reste de l'Espagne. Ces progrès permettront à la Catalogne de prendre son envol économique.

tre portes (il n'en reste plus que deux). On y voit encore le passage (aujourd'hui grillagé) réservé aux piétons. Cette entrée de la ville était placée sous la protection de saint Roch, censé éloigner la peste.

De part et d'autre de la muraille, le *palais épiscopal* (à droite) et la *casa de l'Ardiaca* (maison de l'archidiacre, à gauche). Le palais épiscopal conserve, de la construction primitive romane, une spacieuse cour intérieure à arcades. La maison de l'archidiacre est une intéressante construction, plusieurs fois remaniée, et qui mélange allègrement les styles gothique et Renaissance (XIe-XVIe s). Très jolie cour intérieure avec fontaine et palmier (avec une galerie tranquille où il fait bon lire et ne rien faire !). Juste à côté, la petite *església Santa Llùcia,* datant du XIIe-XIIIe s. Voisine de la cathédrale romane mais devenue trop petite, elle fut agrandie et se trouve donc accolée à celle-ci. On peut toujours admirer le petit porche roman à quatre voussures décorées de motifs végétaux ; l'intérieur fut détruit pendant les guerres civiles.

Continuez *carrer del Bisbe Irurita,* qui cristallise tout le charme et l'authenticité du quartier ; dans une niche, un agneau pascal avec le symbole de l'évêque. En chemin, on croise les *cases dels Canonges* (maisons des Chanoines) – bel édifice Renaissance relié au palau de la Generalitat par un pont gothique datant de... 1928 ! (assez réussi, il faut le dire) –, des renfoncements et placettes où s'installent bateleurs et autres baladins des rues, ajoutant parfois encore au charme de l'ensemble.

Tournez *carrer Montjuïc del Bisbe,* jusqu'à la ravissante *plaça Sant Felip Neri,* où fut tourné le film *Le Parfum* (réalisé par Tom Tykwer). Petite fontaine devant l'église dédiée au saint. Le palais jouxtant l'église provient de la vía Laietana et fut reconstruit ici pierre par pierre après la guerre civile par le même architecte que celui qui reconstruisit l'aqueduc. Dans un coin, à côté du resto, l'une des maisons médiévales, rapportée elle aussi, est dédiée à saint Marc, patron des cordonniers comme en témoigne la chaussure sculptée sur la façade. La belle église baroque du XVIIIe s, elle, est à son emplacement originel ; remarquez les impacts de bombes… souvenirs de la guerre civile et de l'aviation fasciste…

On est ici aux portes de la *juderia,* le *Call Mayor,* c'est-à-dire le quartier juif médiéval qui constitue une enclave (voir les détails un peu plus loin).

De retour dans la carrer del Bisbe Irurita, longez donc la belle façade gothique du *palau de la Generalitat* ; remarquez au passage le petit percepteur sculpté sur la porche indiquant que c'est là que l'on entreposait les impôts. On débouche sur la *plaça Sant Jaume* avec, juste en face, l'*hôtel de ville (ajuntament).* La grande façade date du XIXe s, mais le bâtiment est bien antérieur, comme en témoigne la façade originale en gothique flamboyant (1399) qui se trouve sur la gauche, dans la *carrer de la Ciutat.* L'agrandissement de l'hôtel de ville médiéval a détruit pas moins de deux bâtiments, dont une église templière reconstruite, là encore, pierre par pierre, un peu plus loin (tandis que son cloître fut remonté dans l'Eixample). Empruntez sur votre gauche l'étroite *carrer Hèrcules,* pour atteindre la *plaça Sant Just,* flanquée d'une *église gothique* du même nom. Sa façade est restée inachevée du fait de la peste noire (mi-XIVe s) et d'un cruel manque d'argent. L'intérieur et ses chapelles baroques sont en revanche parfaitement préservés. Ces trois derniers monuments sont détaillés un peu plus loin (« Autour de la cathédrale »).

En sortant de l'église par le fond, vous retrouvez la carrer de la Ciutat ; tournez *carrer dels Templaris* (rue des Templiers, qui possédaient cette partie de la ville), puis *carrer Ataülf.* Là, au n° 4, il reste un chapiteau roman, seul vestige d'une église qui brûla par deux fois. Un peu plus loin sur la droite, on croise la *carrer del Timó,* une minuscule ruelle en impasse. C'était, dit-on, un passage secret qui menait au Temple.

Tournez encore *carrer de Milans* avec cette place à la curieuse configuration. Ici, l'on fait une petite incursion dans le XVIIIe s : au fond d'une boutique, on aperçoit un balcon qui permettait au propriétaire de surveiller son magasin de chez lui… Typiquement barcelonais ! Vous verrez beaucoup d'installations de ce genre dans la vieille ville. On tombe ensuite sur la célèbre *carrer d'Avinyó,* que l'on descend à main gauche ; au n° 52, juste à gauche, un petit porche cache un patio avec un escalier typique des immeubles médiévaux de l'époque (bien que remanié au XVIIIe s, il a gardé sa structure d'origine).

Au débouché d'Avinyó, sur la *carrer Ample,* vous tombez sur une petite façade en gothique tardif. Il s'agit de l'*església de la Mercè,* la fameuse église déplacée (sans son cloître) depuis la place de la mairie ! Accolée depuis à cette église baroque.

Faire demi-tour dans la carrer Ample (en tournant le dos à la Mercè) pour attraper à gauche la carrer del Regomir, puis à droite la carrer Correu Vell : vous débouchez sur la jolie *plaça dels Traginers* (où l'on débarquait autrefois les marchandises arrivées par bateau !) ; sur votre gauche, remontez par la *baixada de Viladecols,* qui devient *carrer de Lledó,* l'une des rues médiévales les mieux préservées (avec la carrer Montcada, dans la Ribera). Au bout, la carrer Sant Jaume, et sur la droite, jouxtant la vía Laietana, la *plaça de l'Àngel,* autrefois porte romaine. S'enfoncer alors dans l'une des ruelles qui en partent, parallèlement à la vía Laietana, c'est faire un saut dans le temps puisqu'on longe les antiques remparts de la ville ! À droite (en tournant le dos à Laietana), en suivant la *carrer de la Tapineria,* l'ancienne rue des Cordonniers (*tapins* = chaussures), c'est la muraille romaine qui surgit, sur laquelle est encore adossée l'église royale… le tout imbriqué de restes de palais médiévaux. Les demeures plus récentes ont été dégagées pour mieux mettre en valeur les murailles. Ce qui est chose faite lorsque l'on atteint la *plaça Berenguer el Gran* (oui, oui, c'est bien la statue équestre du comte-roi Ramón

Berenguer III que vous voyez là). Bel ensemble de constructions gothiques assises sur les murailles romaines (joliment éclairées le soir, d'ailleurs).

Revenir vers la plaça de l'Àngel pour suivre sur quelques mètres la *carrer Llibreteria* (l'antique *cardo maximus,* donc la voie romaine principale), puis très vite à droite la carrer Veguer.

Arrivée, enfin, au palais du Roi, la *plaça del Rei.* Ce palais fut amélioré au XVIe s avec notamment une tour de guet. Mais c'est là que les urbanistes modernes firent leurs plus grandes prouesses ! Cette place médiévale, plus vraie que nature, n'est en réalité qu'une reconstitution... Il ne subsiste que quelques éléments d'origine, comme une partie du palau del Virrei (représentant du roi en son absence), l'église royale et quelques arcs. Les autres demeures, tel le musée d'Histoire de la ville, furent rapportées en 1930 pour fermer la place et la rendre plus pittoresque. C'est d'ailleurs à l'occasion de ces travaux que l'on découvrit la ville romaine souterraine. Pour revenir vers la cathédrale, la carrer dels Comtes longe le *museu Frédéric-Marès* (se visite, voir plus bas) : sa porte d'entrée est encore un ajout, datant cette fois-ci de la guerre civile. Pratiquement en face, sur la façade de la cathédrale, vous remarquerez une porte qui donne dans le vide : il s'agit d'un ancien passage qui menait au Palais royal. Tout autour, de belles sculptures, quelques gargouilles et des anges musiciens. Quand vous aurez fini de les admirer, vous vous retrouverez à votre point de départ !

La plaça del Rei et ses musées *(zoom F5)*

¶¶ **Plaça del Rei :** *les tickets d'entrée de ses sites sont inclus dans celui du Musée historique de la Ville (ci-dessous).* Une des plus élégantes places intérieures de Barcelone. Un bel ensemble architectural dominé par le mirador del Rei Marti, véritable gratte-ciel du XVIe s, à cinq étages et à arcades, qui offre un très beau panorama. On y trouve également la *chapelle Santa Agueda,* par laquelle il faut passer pour accéder au mirador, la *maison Padellás,* superbe demeure de style gothique catalan, qui abrite le Musée historique, ainsi que les anciennes *archivo de la Corona de Aragón* (archives de la Couronne d'Aragon), noble demeure avec fontaine glougloutante et patio (on peut d'ailleurs la traverser en journée – fermé le soir – pour gagner la carrer dels Comtes puis la plaça Sant Lu ; admirez au passage le plafond qui surplombe l'escalier).

¶¶ **Museu d'Història de la Ciutat** (MUHBA ; *Musée historique de la Ville et galerie des fouilles ; zoom F5,* **501**) : *pl. del Rei, c/ del Veguer, 2.* ☎ 93-256-21-00. ● *museuhistoria.bcn.es* ● Ⓜ *Jaume-I.* ⚒ *Mar-sam 10h-14h, 16h-19h (10h-20h en continu avr-sept) ; dim 10h-20h ; j. fériés 10h-15h. Fermé lun et les 1er janv, 1er mai, 24 juin et 25 déc. Entrée : 7 € (audioguide compris) ; réduc ; gratuit moins de 16 ans et pour ts le dim dès 15h.*

Après une présentation de l'évolution du peuplement du site actuel de Barcelone depuis la préhistoire (avec un audiovisuel intéressant), un ascenseur descend le visiteur vers la partie la plus captivante de la visite : la galerie des fouilles (les fondations de l'ancienne ville romaine) située au sous-sol. L'aménagement de ce lieu a ingénieusement conservé l'esprit du site grâce à des allées qui permettent de déambuler au-dessus des ruines d'époque romaine. De quoi prendre la mesure de l'ampleur de la ville romaine à travers les vestiges des maisons : atrium, péristyle, *cubicula,* murs et dédale des ruelles, autant de vieilles pierres qui furent réutilisées jusqu'au bas Moyen Âge. Plus saisissant encore, les vestiges des boutiques antiques où l'activité semble s'être arrêtée la veille : laveries, teintureries, piscicultures, salaisons, etc., dont on voit encore parfaitement les bassins ou l'emplacement des jarres et amphores. Notez les thermes romains et l'ensemble de sculptures récupérées de l'ancienne muraille de Barcelone. La visite se poursuit à l'étage avec une expo thématique consacrée à la Barcelone médiévale. Jeu-circuit pour les familles, malheureusement en catalan uniquement.

On remonte ensuite et l'on accède à la chapelle, où l'on peut admirer le remarquable retable de l'Épiphanie (1464), et au *salò del Tinell*. Ce salon, avec ses immenses arcs en plein cintre, est l'ancienne salle de banquet du Palais royal et mérite une visite pour ses belles fresques romanes.

🏃🏃 *Museu Frédéric-Marès* (zoom F5, **350**) **:** pl. Sant Lu, 5-6. ☎ 93-256-35-00. ● museumares.bcn.cat ● Ⓜ Jaume-I. ⚒ Mar-sam 10h-19h ; dim 11h-20h. Fermé lun et les 1er janv, 1er mai, 24 juin et 25 déc. Entrée : 4,20 € ; réduc ; gratuit moins de 16 ans, et pour ts le 1er dim du mois et le dim après 15h. Audioguide : 1 €.

L'ancien palau Reial Major, résidence barcelonaise des monarques de la couronne de Catalogne et d'Aragon du Xe au XVe s, abrite l'étonnante collection de Frédéric Marès. Sculpteur de métier, cet artiste a commencé très tôt à réunir toutes sortes d'objets et d'œuvres d'art provenant de ses voyages. Reconnaissante, la municipalité lui a prêté le bâtiment pour exposer ses collections. Une partie de la famille de Marès habite encore le *palau*. Le musée comprend deux parties, le musée d'Art religieux et le Musée sentimental.

– *Le musée d'Art religieux :* situé pour moitié au rdc et au 1er étage, dans le patio. Il renferme une petite collection de sculptures antiques, ibériques, grecques et puniques. Cependant, les plus belles pièces sont exposées dans les salles suivantes, entièrement consacrées à l'art médiéval. Belle série de Vierges polychromes du XIIe au XIVe s et de Christ en croix de la même époque. Quelques statues très expressives, notamment *Saint Jean et la Vierge* (salle 7). S'ensuit une accumulation d'innombrables Vierges à l'Enfant et de saints. Puis, descendons dans la crypte où sont exposées des sculptures sur pierre du Xe au XIIe s : sarcophages, colonnes, chapiteaux et un beau tympan figurant la sainte Famille, plus tardif (XVIe s). Le 1er étage abrite des sculptures et des peintures datant du XVe au XIXe s, dédiées à la Vierge et à la sainte Famille. Retables peints d'une grande fraîcheur. Salle 22, de beaux reliefs en marbre blanc figurant l'Annonciation, la Visitation, l'Adoration des bergers et la Présentation au temple. La visite s'achève par une riche section baroque (salles 25 à 27).

– Aux 2e et 3e étages, on accède au *Museu sentimental* (Musée sentimental). Ce musée original regroupe une impressionnante série d'objets usuels utilisés du XVIIe au XIXe s à travers le monde. Vraiment intéressant, ne le manquez pas. Ce rassemblement d'objets merveilleux de tous pays et en telle quantité est rare. En vrac, de superbes armures, des épées, mousquets et autres armes létales, une vaste collection de heurtoirs, du matériel de mesure et de pesage, des centaines de pipes et de tabatières, des horloges, des cannes, des bénitiers... Quelle profusion ! Les amateurs d'antiquités seront aux anges.

Autour de la cathédrale (zoom F4-5)

Si vous visitez la cathédrale un samedi vers 18h ou un dimanche sur le coup de 12h, vous assisterez aux **sardanes** qui sont jouées et dansées sur le parvis. Un orchestre vient spécialement, et les habitants laissent tomber leurs paniers de courses et le bébé du landau pour participer à cette joyeuse fête populaire.

Face à la cathédrale, on découvre plusieurs bâtiments civils intéressants. C'est sur cette place Neuve (la **plaça Nova**) que se tenait, au XIIIe s, un grand marché où les esclaves étaient vendus.

🏃🏃 *Museu Diocesà* (zoom F5, **502**) : avda Catedral, 4. ☎ 93-315-22-13. ● cultura.arqbcn.cat ● Ⓜ Jaume-I. ⚒ Devant la cathédrale, sur la pl. de la Seu. Mar-sam 10h-14h, 17h-20h ; dim 11h-14h. Fermé lun. Entrée : 6 € ; réduc. Ce musée d'art religieux est intégré dans la casa de Pía Almoina, une ancienne résidence de chanoines du XIe s qui fut détruite quatre siècles plus tard, puis reconstruite dans la foulée et reconvertie en soupe populaire. L'édifice fut en réalité bâti sur des fondations bien plus anciennes : celles d'une tour octogonale romaine, vestige de remparts du Ier s, dont on voit encore les soubassements à l'entrée. Le bâtiment est

À VOIR

donc tout aussi intéressant que son contenu, malgré l'adjonction d'un squelette métallique du plus mauvais effet (mais l'édifice tiendrait-il debout sans cela ?). La collection s'étale sur plusieurs étages, avec tout en haut des expos temporaires souvent passionnantes (et incluses dans le prix de la visite). Belles fresques du XIIe s représentant divers moments de la vie du Christ et l'Agnus Dei. Quelques très beaux retables, notamment celui de Sainte Agnès où l'on voit un démon arracher la langue d'un malheureux, ou encore une *Vierge de l'Humilité* très élégante malgré son teint verdâtre. Amusant retable relatant avec moult détails grotesques le martyre de saint Barthélemy, et qui se lit comme une B.D. : après avoir été battu et crucifié la tête en bas, il est écorché vif (et avec le sourire, encore !) puis décapité. Bref, des œuvres de qualité à destination des amateurs d'art religieux qui n'auraient pas été rassasiés par le museu Frédéric-Marès (voir plus haut).

🏃🎨 *Salvador Dalí Escultor (zoom F4, 500)* : *Real Círculo Artístico, c/ Arcs, 5.* ☎ 93-318-17-74. • *daliabarcelona.com* • Ⓜ *Catalunya.* ⚒ *Tlj 10h-22h. Entrée : 10 € ; réduc.* Issue de la rencontre de collectionneurs passionnés réunis en fondation, cette exposition permanente présente pas moins de 700 œuvres du génial Dalí. Pas de tableaux, surtout des dessins, des sculptures, des verreries, des gravures, des lithos et pas mal de photos. Pas de chef-d'œuvre monumental et mondialement connu, mais, pour une fois, on pénètre l'univers fantasque du peintre sans trop de difficultés. Au sous-sol, dans la 1re salle, n'hésitez pas à passer de l'autre côté du lourd rideau de velours rouge... À signaler tout de même, pour protéger la pudeur de nos chères têtes blondes, le caractère érotique d'un bon nombre de dessins. Et encore, le mot est faible, Dalí oblige !

🏃 Un entrelacs de ruelles médiévales et commerçantes. Et ce qui fut autrefois une ville dans la ville, le quartier juif (voir un peu plus loin le Call Mayor). Quelques rues emblématiques permettent de comprendre l'histoire du quartier : la *carrer Banys Nous* (zoom F5) et son prolongement la carrer de la Palla, dont le tracé épouse celui de l'ancien rempart (on en voit encore un p'tit bout d'ailleurs), et la *carrer de la Boquería (zoom F5),* dont le nom rappelle l'activité bouchère.

🏃 *Plaça del Pi (zoom F5) :* l'une des places les plus agréables de Barcelone. Son église gothique, la *Mare de Déu,* fut brûlée pendant la guerre entre l'Espagne et la France. Une plaque commémore le drame. L'intérieur est assez décevant. On y donne en revanche de bons concerts d'orgue et de musique classique.

🏃 *Carrer de Petritxol (zoom F4-5) :* encore une rue jolie et pittoresque ; au n° 5, la *Sala Parès,* la première galerie où exposa Picasso en 1901 ; l'une des plus anciennes de la ville.

🏃 *Palau de la Generalitat (zoom F5) : en principe, visites slt le jour de la Sant Jordi (23 avr), mais il est préférable de se renseigner.* Siège de l'assemblée provinciale de la région de Catalogne et de son gouvernement. La Catalogne dispose d'une large autonomie : elle a un président, des conseillers, sa propre police, son budget et sa langue. Le palais présente deux façades très différentes. Côté Bisbe Irurita, de style gothique avec de nombreuses gargouilles ; côté plaça Sant Jaume, de style classique gréco-romain d'une grande sobriété. À l'intérieur, admirez le superbe escalier gothique, entièrement sculpté, et sa galerie supérieure ornée d'élégantes et fines arcades. Remarquez également la façade de la *capella Sant Jordi* (chapelle Saint-Georges), d'un très pur gothique flamboyant. Plus haut, on trouve le curieux *patio dels Tarongers* (cour des Orangers), l'un des coins les plus tranquilles de Barcelone. Bel exemple de transition du gothique à la Renaissance. On accède ensuite au *salón del Consistori Major,* aux beaux murs décorés. Plafonds à caissons peints.

🏃 Au 10, carrer Paradis (ruelle donnant sur la plaça Sant Jaume), on trouve le Centre excursionniste de Catalogne. Entrez pour dénicher les quatre grosses *colonnes romaines,* stupéfiants vestiges de l'ancien temple d'Auguste. Enfin apparaît la *plaça Sant Jaume,* ancien forum romain, encadrée par le palais de la Generalitat et l'hôtel de ville.

🍴 **Ajuntament** *(hôtel de ville ; zoom F5)* **:** *pl. Sant Jaume. Ouv slt le w-e 10h-14h et le jour du Corpus (6 juin). Gratuit.* Sa vraie façade n'est pas celle plantée sur la place, d'un style néoclassique du XIXᵉ s assez lourd, mais celle donnant sur la carrer de la Ciutat, à gauche. Splendide façade en gothique catalan. À l'intérieur, le *salon des Cent,* grande salle voûtée qui abrita en 1373 le premier gouvernement de la ville. Splendide plafond à caissons. Noble simplicité de la décoration. *Salón de las Crónicas,* décoré de fresques évoquant les expéditions lointaines menées par les Catalans.

🍴 **Església de Sants Just i Pastor** *(zoom F5) :* c/ Hèrcules. Non loin de l'hôtel de ville. Ce serait la plus ancienne de la ville. Elle fut longtemps la paroisse des rois. Notez la curieuse façade : la tour de gauche, prévue sur les plans, ne fut jamais édifiée.

Le Call Mayor
(zoom F5)

À quelques pas de la cathédrale, en suivant les carrer Sant Sever et Sant Domènec del Call, les ruelles se font plus étroites encore, les

> ## CROIX DE BOIS, CROIX DE FER !
>
> *Derrière l'autel de l'església de Sants Just i Pastor, la chapelle Saint-Félix renferme un beau retable du XVIᵉ s. Si une personne avait fait verbalement son testament devant deux témoins, lesdits témoins n'avaient qu'à prêter serment devant l'autel de cette chapelle pour que ce testament oral soit authentifié et légal ! Une curiosité unique en Espagne, une pratique ancestrale dite « de privilège testimonial », qui resta en vigueur jusqu'à la fin du XXᵉ s.*

bâtisses plus vénérables... vous voilà au cœur de la *judería* (quartier juif) de la Barcelone médiévale, le Call Mayor (*call* signifie d'ailleurs « petite rue »). L'art médiéval catalan diffère beaucoup de celui du reste de l'Espagne, car il fut peu influencé par l'art islamique (la Catalogne ne compte que 80 ans de présence arabe). Inversement, le rôle des juifs fut beaucoup plus important sur le plan culturel, intellectuel et philosophique mais aussi économique et financier. Toujours est-il que l'on peut parler de ghetto, car on a trouvé trace de portes en fer qui fermaient le quartier chaque soir. Et les juifs, après avoir connu bien des persécutions (à leur paroxysme en 1391), furent définitivement expulsés en 1492. Chicaneries perpétrées dans le dessein inavoué d'opérations immobilières très juteuses, comme la construction au XIVᵉ s du palais de la Generalitat de Catalunya qui nécessita la destruction de plusieurs immeubles du Call Mayor. Parallèlement (et paradoxalement, oserait-on dire), le sud de la carrer Ferrán, vers la plaça Reial, vit l'émergence d'un nouveau quartier, le *Call Menor,* qui se développa afin d'accueillir les juifs chassés de France. C'est ainsi que l'on trouve carrer de Ferrán une synagogue du XIVᵉ s, surnommée d'ailleurs la Synagogue des Français et englobée depuis dans l'église Sant Jaume (on peut entrevoir le petit sanctuaire en soulevant un rideau à l'entrée de l'église).

🍴 Pour en apprendre plus, le **Centro d'interpretació del Call** *(zoom F5, **503**) :* placeta de Manuel Ribé, 3. Mer-ven 10h-14h ; sam 11h-18h ; dim 11h-15h. Gratuit. Panneaux explicatifs sur l'histoire du quartier, l'emplacement du Call Mayor à l'intérieur de l'enceinte, puis son extension vers la carrer Banys Nous (toujours ainsi nommée en référence aux « bains neufs » des ablutions rituelles), avant la création au XIIIᵉ s, hors les murs, du *Call Menor.* Le centre édite un petit fascicule (gratuit) proposant un petit circuit. Parfois des visites guidées du Call Mayor : renseignements au museu d'Història de la Ciutat, dont il dépend ; mais aux dernières nouvelles, les visites étaient exclusivement en catalan... dommage ! Et sinon, carrer Sant Honorat, boutique sur l'histoire et l'art juif, *Call Barcelona.*

🍴 Pour compléter la découverte de ce microquartier, voir aussi la minuscule **Synagoga** *(zoom F5, **504** ; c/ Marlet, 5 ; lun-ven 11h-18h, w-e 11h-13h ; dona-*

tion d'entrée : 2 €). Redécouverte au XXe s – une boutique a longtemps occupé l'endroit –, elle fut probablement en activité jusqu'à l'expulsion des juifs de Catalogne au XVe s (un document atteste de sa rénovation par le roi au XIVe s). Les fouilles archéologiques ont même révélé des vestiges de muraille romaine du IIIe s. Un tout petit lieu touchant de simplicité.

LE QUARTIER DE LA RIBERA (zoom F-G4-5)

C'est tout le quartier situé au nord-est de la vía Laietana. Grosso modo, il est délimité au nord-ouest par la carrer de Trafalgar et au nord-est par le passeig Picasso (qui longe le parc de la Ciutadella). Né de l'expansion maritime et commerciale de la ville au XIVe s, c'est un vieux quartier populaire, séparé du Barri Gòtic par la percée « haussmannienne » de la vía Laietana, ce qui l'a en partie préservé du tourisme de masse. Même lacis de ruelles médiévales, mêmes maisons hyper patinées, mêmes passages mille fois usés et voûtés, avec des détours, des coudes, des rebonds. La Ribera, c'est la Barcelone des petits métiers et des artisans, dont vous croiserez encore les chaleureuses boutiques, et également celle des jeunes créateurs de vêtements, sacs dingues et autres accessoires de mode, des boutiques alternatives et autres artistes dans les affres de la création. Le soir, dans le halo des réverbères, le quartier prend des teintes étranges, un aspect expressionniste. Population souriante et sympathique aussi, étalant parfois ses coups de gueule, ses scènes de ménage dans la rue. La vie, quoi !

On trouve de tout à la Ribera : des petits restos, des boîtes d'avant-garde, des galeries d'art, de superbes musées... Mais ne vous cantonnez pas, comme la plupart des promeneurs, au sud de la carrer Princesa, autour de la basilique Santa María del Mar et du musée Picasso, dans ce qu'on appelle aujourd'hui *El Born.* Ce coin-là, certes très séduisant et incontournable, fait désormais partie du circuit touristique classique et attire des foules innombrables. Le soir, le secteur est envahi par les jeunes Barcelonais qui prennent d'assaut les terrasses des bars branchés. N'hésitez pas par conséquent à franchir la carrer Princesa vers le nord. La carrer Cordes et ses alentours sont peut-être moins jolis que le bas du quartier, mais l'ambiance y est colorée et n'a rien sacrifié au tourisme ni à une quelconque mode. Tout y est nature, l'atmosphère et les gens. Ceux-là aiment d'ailleurs bien se retrouver en fin de semaine aux terrasses sans prétentions de la plaça Sant Agustí Vell ou des autres petites places voisines. C'est aussi dans ce quartier que les Catalans ont résisté le plus longtemps à Philippe V. La résistance continue, car les habitants protestent contre la multiplication des bars nocturnes et des nuisances qui vont avec.

🎫🎫🎫 Ⓜ *Palau de la Música catalana* (palais de la Musique catalane ; zoom F-G4) : c/ palau de la Música, 4-6. ☎ 902-47-54-85. ● palaumusica.org ● Ⓜ Urquinaona. Depuis le haut de la vía Laietana, 2e à gauche en descendant vers la mer. Visites guidées 10h-15h30 (18h Semaine sainte et août) : en catalan (2 le mat), en castillan (à la demie ttes les heures) ou en anglais (à l'heure pile ttes les heures). Résa conseillée. Durée de la visite : 50 mn. Les places sont à acheter (9h30-15h30 ; jusqu'à 18h Semaine sainte et août) à la billetterie du palais (entrée sur le flanc sud), sur leur site web ou par tél (lun-ven 9h30-14h30 slt, et pas de résa pour le jour même). Entrée : 15 € ; réduc. Photos interdites. Pour les spectacles (en général à 21h), rens et résas par tél.

> Pour éviter les files d'attente démentielles en haute saison, c'est-à-dire dès les premiers week-ends fériés et tout l'été, réservez vos entrées sur le site internet (supplément de 1 € par transaction, et non en fonction du nombre de billets).

Déclaré Patrimoine de l'humanité par l'Unesco en 1997, ce chef-d'œuvre construit entre 1905 et 1908 par Lluís Domènech i Montaner à la demande de l'Orfeó Català (le chœur catalan) est une sorte de résumé fou des délires architecturaux du début du XXe s. Brique, céramiques polychromes, fer forgé tarabiscoté et verres aux douces teintes... absolument surréaliste. D'ailleurs, lorsque la mode du modernisme s'estompa peu à peu au profit du noucentisme, il ne manqua pas de détracteurs pour dénoncer son extravagance. Certains s'efforcèrent même d'obtenir sa destruction ! La visite, malheureusement un peu faiblarde compte tenu du tarif, n'a d'autre intérêt que de pénétrer dans la formidable salle de concerts. Après avoir emprunté un bel escalier décoré avec verre et marbre, c'est le choc. Au plafond, belles décorations végétales composées de roses blanches et roses (évoquant la rose de saint Georges, patron de la Catalogne, *bis repetita*). Superbe verrière en forme de coupole inversée représentant soleil et gouttes d'eau. De chaque côté de la scène, deux piliers : celui de gauche représente Anselm Clavé, grand compositeur catalan (et fondateur de plus de 100 chœurs !), avec, au-dessus, une allégorie de son œuvre *Les Flors de Maig*. À droite, on reconnaît l'ami Ludwig et *La Chevauchée des Walkyries* de Wagner. Comme quoi, les genres musicaux peuvent cohabiter sans bémol ! D'ailleurs, la vocation du *palau* est de présenter tous les types de musique, du symphonique au jazz en passant par le flamenco.

Autour de la scène, sculptures de muses représentant la musique de différents pays. Cependant, si la composition architecturale correspondait bien aux goûts de l'époque, le malheureux architecte avait doté la salle de concerts d'une bien mauvaise acoustique. Aujourd'hui, après de nombreux aménagements discrets et efficaces, les mélomanes peuvent apprécier pleinement les prouesses musicales tout en profitant du décor.

– Très agréable petit café prolongé d'une belle terrasse.

🍴🚶 *Mercat de Santa Caterina* (*zoom G5*) *: c/ Francesc Cambó. ● mercatsantaca terina.net ● Non loin de la cathédrale et du palau de la Música. Lun 7h30-14h ; mar-mer et sam 7h30-15h30 ; jeu-ven 7h30-20h30.* Inauguré en 1848, après de longues années de service et une non moins longue période de rénovation, il fut enfin rouvert en 2005. Santa Caterina était le premier marché couvert de Barcelone consacré à la vente en gros, notamment des viandes. Enric Miralles, l'architecte chargé de la rénovation, s'est attaché à récupérer les poutres anciennes et les volumes donnés par les voûtes, ainsi qu'une partie des façades d'origine. Pour donner du relief à l'extérieur un peu plat, Miralles imagina un dôme polychrome, sorte de toit ondulé reproduisant les carrelages hexagonaux (de type tomettes) propres à la décoration catalane. Mais sa mort, survenue en 2000, mit le projet entre parenthèses. Sa femme, l'architecte italienne Benedetta Tagliabue, décida alors de reprendre tous ses travaux en cours et le finalisa en 2005. Il abrite aujourd'hui un marché d'alimentation plutôt agréable, un supermarché (bien pratique car très central ; *lun-sam 9h-21h*) et différentes boutiques.

🍴🚶 *Museu Barbier-Mueller de Art precolombí* (*musée Barbier-Mueller d'Art précolombien ; zoom G5,* **375**) *: c/ Montcada, 12-14.* ☎ 93-310-45-16. ● *barbier-muel ler.ch* ● Ⓜ *Jaume-I.* ♿ *Mar-ven 11h-19h ; w-e 11h-20h ; j. fériés 11h-15h. Fermé 1er janv, Vendredi saint, 1er mai, 24 juin et 25-26 déc. Entrée : 3,50 € ; réduc ; gratuit moins de 16 ans et pour ts 1er dim du mois.* Ce petit musée s'intéresse aux cultures préhispaniques et présente une sélection de pièces remarquables provenant de la célèbre collection Barbier Mueller de Genève. Nombreux objets d'Amérique latine (masques, armes, vêtements, mais aussi de nombreuses statues rituelles) joliment mis en valeur dans une obscurité un peu mystique. Dommage toutefois que la visite soit un peu courte. Boutique sympa au rez-de-chaussée.

– Agréable *Laie Café* dans la cour du musée (voir « Où boire un verre ? Dans la Ribera et El Born » dans « Où sortir ? »).

🚶 *Disseny Hub* (*DHUB – musée du Design ; zoom G5,* **375**) *: dans la cour du museu Barbier-Mueller.* ☎ 93-256-23-00. ● *dhub-bcn.cat* ● *Mêmes horaires que le museu Barbier-Mueller. Entrée du Laboratori de Fabricació : 5 € ; réduc ; gratuit moins de 16 ans et pour ts 1er dim du mois et dim après 15h.* En bas, une expo temporaire

À VOIR

gratuite (qui change tous les 3 ou 4 mois) dépendant du musée du Textile. À l'étage, le « laboratoire » retiendra plus votre attention, car on y suit les différentes étapes de création qui amènent à la fabrication de meubles, de vêtements ou de bâtiments du futur. De la conception numérique aux machines en passant par les matériaux, cet itinéraire au cœur du processus créatif est assez pointu et intéressera surtout les aficionados.

🎨🎨🎨 *Museu Picasso* (zoom G5) : c/ Montcada, 15-23. ☎ 93-256-30-00. ● museu picasso.bcn.cat ● Ⓜ Jaume-I. ♿ Mar-dim (et lun si j. fériés) 10h-20h. Fermé 1er janv, 1er mai, 24 juin et 25-26 déc. Entrée musée + expo temporaire : 10 € ; expo temporaire seule : 6 € ; réduc ; gratuit moins de 16 ans et pour ts 1er dim du mois, ainsi que ts les dim dès 15h, et certains j. fériés (dont 24 sept).

> Pour éviter les files d'attente démentielles en haute saison, c'est-à-dire dès les premiers week-ends fériés et tout l'été, réservez vos entrées sur le site internet : c'est le même tarif.

Installé dans un superbe ensemble de cinq palais médiévaux mitoyens communiquant entre eux (une réussite !), ce musée présente une collection fabuleuse retraçant toute la carrière de Picasso, qui offrit pour l'occasion un millier d'œuvres, 3 ans avant sa mort en 1973. Un incontournable pour comprendre l'évolution de son travail. « L'art est un mensonge qui nous permet de nous approcher de la vérité », disait Picasso. Ce qui est vrai, c'est qu'il est né à Málaga (Andalousie) le 25 octobre 1881 et que, tout petit déjà, il connut un destin extraordinaire : à sa naissance, on le crut mort-né. La sage-femme commençait même à se rhabiller, quand son oncle souffla dans le nez du bébé une bouffée de son infâme cigare, ce qui le fit tousser et pleurer ! Le père de Picasso, professeur de dessin à l'académie et peintre lui-même, lui apprit évidemment à dessiner. Une anecdote : durant le séjour de la famille à La Corogne (en Galice), peu avant Barcelone, constatant que l'adolescent peignait déjà mieux que lui, il lui offrit son chevalet, ses couleurs, ses pinceaux et sa palette... et ne toucha plus jamais à la peinture. À 14 ans, Picasso, génie précoce, entrait aux Beaux-Arts. Deux ans plus tard, il peignait son premier chef-d'œuvre, *Science et Charité...*
La visite commence, c'est logique, par une biographie et par une exposition de ses œuvres de jeunesse. On y trouve notamment la *Corrida,* un dessin exécuté à l'âge de 9 ans, mais aussi des croquis, esquisses, sanguines, lavis, carnets de voyage. Où l'on s'aperçoit que Picasso savait rudement bien dessiner (comme quoi il faut maîtriser les règles pour pouvoir mieux les transgresser !). Plus loin, une étonnante *Première Communion,* d'un classicisme à la limite du style pompier, qui surprend après les tableaux consacrés au large et aux horizons.
Évidemment, on s'attardera devant le célèbre *Science et Charité,* une œuvre d'un grand réalisme. Dans les salles suivantes, plusieurs chefs-d'œuvre de la période bleue, suivie de la période rose avec, notamment, le splendide *Portrait de la Senyora Canals.* Salles 15 et 17, on ne manquera pas les extraordinaires variations et études sur *Les Ménines* de Velázquez (58 tableaux !). Ni le célèbre *Portrait de Jaume Sabartés,* l'ami de toujours de Picasso (et initiateur du musée), déguisé en grand d'Espagne. Sans oublier

DES DEMOISELLES BIEN LÉGÈRES

Contrairement à ce que tout le monde imagine, le célèbre tableau des Demoiselles d'Avignon *(que l'on peut voir au MOMA à New York) n'a rien à voir avec la ville française. La toile cubiste qui révolutionna la peinture est en fait un vibrant hommage aux filles de joie de Barcelone qui travaillaient à l'époque dans la* carrer d'Avinyó *(Avignon en catalan), vieille rue du Barri Gòtic toute proche de l'un des ateliers du jeune Picasso...*

également la très riche collection de céramiques, offerte par la veuve de l'artiste en 1982. Enfin, pensez à lever les yeux pour admirer les plafonds des salons ou les délicates arcades des cours intérieures. Car, tout de même, vous vous baladez dans certains des plus beaux palais de la ville.

➤ **Carrer de Montcada :** cette rue historique aligne de merveilleuses demeures seigneuriales, vestiges bien conservés du XIIIᵉ au XVIIIᵉ s, époques où elle était l'une des rues les plus huppées de la ville. Ainsi, au n° 20, le *palais Dalmases* présente un splendide escalier d'honneur sculpté de style baroque et héberge un café au décor naturaliste (ouvert le soir). Au n° 25, la *maison de Cervelló,* avec sa façade gothique, qui abrite la fondation Maeght. Un peu plus loin, celle des *Comtes de Santa Coloma* avec une magnifique cour à galerie ogivale du XVᵉ s, etc.
À pied, vous ferez de délicieuses découvertes architecturales et noterez mille petits détails amusants. Comme la **carrer de l'Arc dels Tamborets,** tout en voûtes et mystérieuse, celle **des Ases,** meurtrière pour les hauts talons, le séduisant **passeig del Born,** avec ses agréables terrasses en journée (qui se « branchisent » la nuit) et ses bars de nuit. Sur ce *passeig* se déroulaient les tournois de chevaliers au Moyen Âge. Au n° 17, une superbe demeure du XIVᵉ s. Et à son extrémité, l'**Antic Mercat del Born** : une belle architecture datant de 1876, en métal et bois (pour les pare-soleil), avec un toit de tuiles rouges et noires dessinant des motifs en losange, le tout surmonté d'une sorte de clocheton. Actuellement en restauration, et ça devrait durer encore un peu, car des vestiges archéologiques ont été mis au jour en sous-sol !

🦍🦍🦍 **Basílica Santa María del Mar** *(zoom G5) : pl. de Santa María. Au bout de la c/ de Montcada. Tlj 9h (10h30 dim et j. fériés)-13h30, 16h30-20h30, sf pdt les offices religieux, bien sûr.*
Un des plus beaux exemples du style gothique catalan (XIVᵉ s). C'est d'ailleurs la seule, à Barcelone, à afficher une unité de style si remarquable. Une prouesse technique rendue possible par la courte durée du chantier, à peine 55 ans, financé par les commerçants du quartier et les marins. C'est en quelque sorte leur église... et leur fierté. Elle est bâtie sur une ancienne église paroissiale du Xᵉ s. La pureté de l'architecture étonne. Lignes simplifiées, les surfaces planes de la façade donnent de la grandeur à l'édifice, de la sérénité. Façade ouest, porche magnifique qu'encadrent de gracieuses tours octogonales dont les parties hautes sont ciselées comme de la dentelle. Admirable rosace gothique flamboyant.
À l'intérieur, même unité de style, même sentiment d'absolu. Seules quelques colonnes très espacées sont là pour soutenir l'immense voûte. Notez les beaux vitraux du *Jugement dernier* et ceux du *Couronnement de la Vierge* dans la rosace. En face de la basilique, une fontaine du XVIᵉ s. Une de nos églises préférées.

🚶 🍫 **Museu de la Xocolata** *(musée du Chocolat ; zoom G5) : Comerç, 36.* ☎ 93-268-78-78. ● *museudelaxocolata.cat* ● ♿ *Lun-sam 10h-19h ; dim 10h-15h. Entrée : 4,30 € ; réduc ; gratuit moins de 7 ans.* Un petit musée qui dépend d'une école de pâtisserie ! Plutôt de bon augure. Pour tout savoir sur le chocolat, depuis les fèves de cacao mayas et aztèques jusqu'à nos tablettes actuelles... On y apprend, par exemple, que les Mayas utilisaient les fèves comme monnaie d'échange, et que si un lapin valait autant qu'une passe avec une prostituée, un esclave coûtait... 10 fois plus cher ! Et si les moines cisterciens ont une vieille tradition de chocolatiers, c'est que les premières fèves (accompagnées de la recette de fabrication) envoyées par bateau vers le vieux continent furent adressées par le frère Jerónimo de Aguilar, compagnon du conquistador Hernán Cortés, au monastère cistercien de Piedra, en Aragón. Nombreux panneaux explicatifs (la plupart en français) et bornes interactives, ainsi que quelques diaporamas. Et, ce qui ravira les plus jeunes, de nombreuses maquettes tout chocolat, résultat de concours nationaux et internationaux, certaines assez géniales : don Quijotte, la pietà de Michel-Ange, mais aussi des scènes d'*Astérix,* de *Lucky Luke* ou de *Tintin* ! Également une boutique-café' où se repaître de... chocolat, bien sûr ! D'ailleurs, qui consomme le plus de chocolat au monde ? Les Belges, avec plus de 11 kg par an. Gourmands !

LE PARC DE LA CIUTADELLA (centre G-H5-6)

🦟 *Situé au nord-est de la Ribera, frontière de la Ciutat Vella.* Ⓜ *Arc-de-Triomf, Barceloneta ou Ciutadella.* 🕐 *Tlj de 10h au coucher du soleil.* Un des plus grands parcs de la ville, créé à l'occasion de l'Exposition universelle de 1888 et lieu de promenade des familles barcelonaises. Plusieurs bâtiments d'exposition ont été réaménagés en musées. On y trouve un arc de triomphe, une belle cascade monumentale conçue entre autres par Gaudí (alors jeune étudiant), le Musée zoologique, un jardin d'enfants avec une ludothèque, un zoo et un petit lac pour faire du canotage. Le parc est orné de belles allées plantées de palmiers, de bosquets soigneusement taillés, d'espaces verts et de parterres fleuris, le tout agencé d'une manière très conformiste. La fonction initiale de la citadelle était, pour Philippe V, de punir les Barcelonais de s'être rangés aux côtés de ses ennemis, au début du XVIIIe s, et de les surveiller. Elle fut détruite au milieu du XIXe s. C'est l'endroit rêvé pour une sieste ou un pique-nique.

🦟 🦟 *Le zoo* (centre H6) : ☎ 90-245-75-45. ● zoobarcelona.cat ● Ⓜ *Ciutadella. Tlj : de mi-mai à mi-sept, 10h-19h ; avr à mi-mai et mi-sept à fin oct, 10h-18h ; nov-mars, 10h-17h. Tlj, spectacles de dauphins (inclus dans l'entrée) à 11h30, 13h30, 16h30 et 18h ; durée : 20 mn. Entrée : 16,50 € ; 9,90 € 3-12 ans ; 8,60 € plus de 65 ans.* Cher mais immense. Il faut plusieurs heures pour faire le tour de cet espace vert très ombragé, émaillé de plans d'eau, de vraies-fausses montagnes et de volières. Quant aux animaux, ils y sont tous, ou presque : beaucoup d'espèces originaires d'Amérique latine (condor, *ñandú,* guanaco, *capibará,* jaguar...), une vaste section des singes (celle des gorilles fait toujours l'unanimité !), des éléphants, des girafes, des tigres, et même, beaucoup plus rare, des dragons de Komodo. Bonne signalétique en catalan, en castillan et en anglais, et partout des cafés et autres snacks.

LE QUARTIER DE LA RAMBLA (zoom E-F4-5-6), *LE BARRI XINO* (BARRIO CHINO) *ET EL RAVAL* (centre D-E4-5)

🦟🦟🦟 *La Rambla :* l'avenue la plus connue de Barcelone. Incroyablement animée de jour comme de nuit. En arabe, *rambla* signifie « torrent », ce qui nous rappelle qu'un cours d'eau coulait à cet endroit. Elle marque une limite historique, en rappelant que la ville médiévale s'arrêtait là.

La Rambla se descend par le milieu de l'allée centrale, d'un train de sénateur. Une fois sur le port, il est d'usage de faire demi-tour et de remonter. Tout à la fois agora, marché, dernier salon où l'on cause, gigantesque cinéma où les gens viennent se voir, la Rambla cristallise toutes les contradictions de la ville : bonheur de vivre et tensions, visages rieurs ou inquiétants, farniente aux terrasses de cafés et difficultés de circulation. Oiseaux et fleurs en rajoutent dans le bruit et la couleur. Cependant, comparé au raz-de-marée de voitures de la plaça de Catalunya, la Rambla fait presque figure d'oasis. Ne jamais oublier cependant qu'il s'agit du terrain de jeux préféré des pickpockets et que les badauds sont nombreux à se faire délester de leur appareil photo ou de leur portefeuille tandis qu'ils admirent, subjugués, les statues humaines, l'attraction emblématique de la Rambla.

Entre le *Grand Théâtre Liceu* et la bouche de métro, piétinée par des dizaines de milliers de touristes (inconscients, les malheureux !), une mosaïque de Miró.

Et puis, de part et d'autre, des quartiers qui vous aspirent immédiatement dans leur atmosphère moite, étouffante l'été... Avis aux amateurs de légendes : la *font de Canaletes,* la première fontaine après la plaça de Catalunya, sur la droite, est magique. Qui boit de son eau reviendra à Barcelone.

🦟 *Mirador de Colom* (tour de Christophe Colomb ; centre E6) : sur la pl. Portal de la Pau. Tlj 8h30-20h30. Fermé 1er janv et 25 déc. Billet : 4 € ; réduc. Un ascenseur à trois places permet de monter jusqu'à une terrasse vitrée au sommet de cette colonne de bronze et acier, coiffée d'une sculpture de Christophe Colomb, trônant à 60 m de hauteur. De là, la vue est très étendue sur le port et la ville. Le célèbre navigateur indique de façon vigoureuse la route des Indes. Après son premier voyage au cours duquel il découvrit un nouveau continent (l'Amérique), « l'amiral de la mer Océane » revint en Espagne en 1493 et se déplaça jusqu'à Barcelone pour faire son rapport aux souverains – Isabel de Castille et Ferdinand d'Aragon – qui avaient financé son voyage.

🚶🚶 *La Boqueria (aussi appelée **mercado San Josep** ; zoom E5) : entrée au n° 91 de la Rambla.* ● *boqueria.info* ● *Lun-sam 8h-20h30. Point info sur place ; petit plan du marché disponible.* Ce marché couvert est une vénérable institution et véritable spectacle pour les yeux : une structure de fer et de verre très Art nouveau, des étals colorés, des poissonnières et des bouchères vêtues de magnifiques tabliers bordés de dentelle. Vous y prendrez sans doute vos plus belles photos. Ce beau marché, très pittoresque donc, a malheureusement perdu en authenticité en devenant une des attractions préférées des touristes. Plusieurs petits comptoirs pour se restaurer dès le matin (voir plus haut la rubrique « Où manger ? ») : fruits en jus ou en salade, fruits de mer, tapas et sandwichs divers ; ou tout simplement en achetant, d'une part de la charcuterie, d'autre part du pain, pour se concocter un *bocadillo.*

🚶 *Museu de l'Eròtica (musée de l'Érotisme ; zoom F5, **506**) : la Rambla, 96 bis.* ☎ 93-318-98-65. ● *erotica-museum.com* ● ♿ *Tlj : juin-sept, 10h-21h ; oct-mai, 10h-20h. Entrée : 9 €.* L'un des musées insolites de Barcelone. Différentes représentations du *Kama-sutra*, une section sado-maso, une collection de couvertures de magazines érotiques, d'affiches de cinéma, des photographies, quelques petites sculptures... On a visité d'autres musées érotiques beaucoup plus riches et intéressants que celui-là. Entrée (très) chère pour la prestation fournie.

🚶🚶 *Museu d'Art contemporani de Barcelona (MACBA – musée d'Art contemporain de Barcelone ; centre E4) : pl. dels Àngels, 1.* ☎ 93-412-08-10. ● *macba. cat* ● Ⓜ *Catalunya ou Universitat.* ♿ *Lun-ven 11h-20h (19h30 25 sept-26 juin) ; sam 10h-20h ; dim et j. fériés 10h-15h. Fermé 1ᵉʳ janv et 25 déc. Entrée musée : 7,50 € (valable 1 mois) ; expo : 6 € ; réduc étudiants ; gratuit moins de 14 ans et plus de 65 ans. Inclus dans* Articket.
Richard Meier est l'architecte du très moderne édifice éclatant de blancheur qui abrite le MACBA. D'avant-garde, l'ouvrage laisse entrer un maximum de lumière avec élégance et permet au spectateur de circuler avec une grande commodité. L'association de lignes courbes et rectilignes donne beaucoup de légèreté à l'édifice. Le contraste entre le bâtiment et les ruelles qu'il faut emprunter pour y accéder fait l'objet de toutes les critiques comme de tous les éloges (dont le nôtre) ; et, dans tous les cas, le bâtiment mérite autant d'être vu que d'être visité pour ce qu'il abrite. En général, exposition permanente au rez-de-chaussée, et expos temporaires (souvent détonantes) dans les étages. Mais la disposition changeant très souvent, il nous est impossible d'en faire une description précise. Sachez au moins que le fonds du musée contient une sélection de peintures, photos, sculptures et vidéos des 50 dernières années. Très international, même si beaucoup d'artistes représentés sont espagnols (pour la plupart des Catalans). Minimalisme, expressionnisme abstrait et figuratif contemporain, tout est mélangé.
À l'entrée du musée, *Rinzen,* une œuvre d'Antoni Tàpies, donne le ton. Un immense sommier métallique, auquel fait face un tableau accompagné d'une file de chaises sur la terrasse, symbolise une invitation à la réflexion et à la contemplation ainsi qu'un plaidoyer contre la violence. Belle salle de lecture au 1ᵉʳ étage, et en été petite cafét' sur la terrasse du 1ᵉʳ étage.

🚶 *Centre de Cultura contemporània de Barcelona (CCCB ; centre E4) : c/ de Montalegre, 5.* ☎ 93-306-41-00. ● *cccb.org* ● ♿ *Juste derrière le musée d'Art contemporain. Mar-dim 11h-20h (22h jeu). Fermé l'ap-m 5-6 janv, 24, 26 et 31 déc, et tte la journée 1ᵉʳ janv et 25 déc. Entrée : 5 € pour 1 expo, 7 € pour 2 expos ;*

réduc ; 3 € pour ts mer non fériés et jeu 20h-22h ; gratuit moins de 16 ans, et pour ts dim 15h-20h. Inclus dans Articket. Ce centre a ouvert ses portes en 1994 dans les murs d'un ancien hospice du XVIIIe s. Présente des expos sur le concept de la ville en général (l'histoire, la société, la culture, l'urbanisme, l'architecture, etc.), sur Barcelone, ainsi que des expos temporaires très variées et interdisciplinaires. Organise aussi des conférences, des concerts, etc. Au passage, notez le beau mur de verre qui ferme un des côtés de la grande cour. Là-haut vous attend une magnifique vue sur la mer et sur la vieille ville. Belle cafét', en prime, sur une terrasse ouverte et calme.

➤ **La vieille ville** (une partie de la Ciutat Vella), entre la Rambla et le Barri Gòtic, est un réseau inextricable de ruelles poisseuses où les gargotes rivalisent pour produire l'odeur de graillon la plus forte. Les cafés s'efforcent de posséder la clientèle la plus remuante ou le juke-box le plus gueulard. Refuge des margeos, punkies de tout poil, on y parle aussi toutes les langues de la Méditerranée. Axe de Tanger bis, la carrer dels Escudellers (zoom F5) devient folle le soir venu. Point de rencontre de noctambu-

BIG BROTHER !

Il existe à Barcelone une plaça George Orwell, en hommage à son livre sur la guerre civile, Hommage à la Catalogne... Mais l'auteur de 1984 (roman sur un régime totalitaire) serait pour le moins décontenancé de voir que la place qui porte son nom détient le record de caméras de vidéo surveillance en ville ! Ironique, mais il faut avouer que la place est plutôt craignos.

les solitaires, de groupes de jeunes en goguette, de quelques clodos et... de patrouilles de police. Peut-être prendrez-vous le temps de vous y balader à la recherche de nouvelles couleurs ou de sons inédits. Le meilleur moment est, selon nous, entre 20h et 22h, lorsque les honnêtes commerçants baissent leur rideau de fer pour laisser la rue aux clients des bars.

🍴 **Espace cultural Ample** (zoom F6, 507) : Ample, 5. ☎ 93-318-24-77. ● espace-ample.com ● Mar-sam 17h-20h30. À l'intérieur, toutes sortes d'œuvres d'art très, très contemporaines (!), mais surtout un intérieur XVIIIe s typiquement barcelonais parfaitement préservé. Même la cour-jardin a gardé son style rocaille inimitable.

🍴🍴 **Plaça Reial** (zoom E-F5) : un épicentre animé du quartier. Située au milieu d'un labyrinthe de rues grouillantes et étroites, cette grande place accueille le soleil toute la journée (parfois aussi des pickpockets le soir). De sévères palais de style napoléonien s'élèvent sur de belles arcades classiques. Au centre, quelques palmiers ajoutent une note exotique à l'ensemble. Les réverbères furent dessinés par Gaudí (l'une de ses premières œuvres).
Tout autour, les centaines de chaises en aluminium des terrasses des bars-restos scintillent au soleil et invitent à s'asseoir. Le dimanche matin, grosse animation grâce au marché aux timbres et aux monnaies qui s'abrite sous les arcades.

🍴 **Setba-Zona d'Art** (zoom F5, 508) : pl. Reial, 10. ☎ 93-481-36-96. ● setba.net ● Ⓜ Liceu ou Drassanes. Mar-ven 10h-14h, 16h30-19h30 ; sam 16h30-19h30 ; dim 10h-14h. Entrée libre (sonner à l'interphone et se présenter). Encore un de ces espaces culturels et polyvalents dont Barcelone a le secret ! Ici, ce qui intéressera surtout le voyageur, c'est la rare possibilité de pouvoir admirer la plaça Reial depuis un 1er étage. L'appartement compte pas moins de sept balcons ! Plus encore, il a gardé sa décoration et son agencement d'origine. Une pépite qui ravira les amateurs d'architecture. Les fans de Lluis Llach pourront venir eux aussi s'y recueillir puisque le célèbre chanteur catalan vécut ici de longues années.

➤ **El Barri Xino** (ou **Barrio Chino** en castillan) **et El Raval :** encore considéré comme partie intégrante de la Ciutat Vella, c'était autrefois le quartier chaud, aux prostituées felliniennes, le secteur des petites gouapes, le rendez-vous des marins en goguette. Immortalisé par les romans de Francis Carco et de Pierre Mac Orlan. Une anecdote : les toreros pauvres venant aux corridas de Barcelone descendaient toujours au même hôtel dans le Barri Xino : le *Comercio*. Même lorsque le quartier et l'hôtel commencèrent à se dégrader, ils continuèrent à y descendre par superstition. En effet, une petite chapelle y était installée afin qu'ils s'y recueillent avant l'affrontement. C'est ainsi que des toreros devenus célèbres et millionnaires s'obstinaient néanmoins, dans les années 1960, à vouloir dormir au *Comercio*, tombé au rang d'hôtel de passe sordide. Il a fallu qu'il soit démoli pour que ceux-ci consentent à descendre au *Ritz*.

Aujourd'hui, ce quartier nourrit toujours les fantasmes des voyageurs atterrissant sur la planète Barcelone. Mais, attention, vous risquez de n'y croiser que des ombres et des fantômes. À l'image du musée d'Art contemporain, le quartier se modernise tout doucement : bars et cafés-concerts fleurissent, des magasins de disques vaguement alternatifs ouvrent leurs portes, des cabinets d'architecture remplacent les vieilles boutiques. Bref, tout un nouveau quartier très tendance se dessine aujourd'hui, juxtaposé à un univers de logements crasseux, aux couleurs criardes, aux néons assassins et à la pénombre moite... C'est la rencontre en un même espace de deux styles, de deux mondes : celui de la précarité et celui du progrès galopant.

Au sud de la **carrer Hospital,** il reste néanmoins des bouts de rues qui rappellent cette fiévreuse époque, et dans lesquelles se balader la nuit (soyez tout de même vigilant !) procure encore son pesant d'émotions urbaines. Mais, dans sa partie nord (El Raval), le quartier est entré dans un processus de réhabilitation, grand chantier étalé sur plusieurs années. Ce vaste programme indispensable bouleversera le caractère et la physionomie du Raval.

Un à un, les pâtés de maisons sont gagnés par la modernité, les immeubles les plus insalubres sont détruits pour être reconstruits. Ainsi a été ouverte et aménagée la **rambla del Raval,** qui aligne désormais ses terrasses de cafés sous l'ombre encore frêle de jeunes palmiers. Un marché animé s'y tient le samedi. La population du Raval, en majorité des immigrés pakistanais, indiens, maghrébins, pourra-t-elle continuer à y vivre quand les prix de l'immobilier auront flambé ?

🎏 Au bout de la carrer Sant Pau, près de l'avenida del Paral-lel, l'**església Sant Pau del Camp** (centre D-E5) : *tlj sf dim 9h-13h, 16h-19h30. Entrée : 3 €.* Un peu anachronique au milieu de la rénovation. Son nom provient des champs qui séparaient la ville ancienne de la colline de Montjuïc. Elle date du XIIe s. Le presbytère et la salle du chapitre furent édifiés un siècle plus tard. Charmant cloître à l'intérieur, agrémenté d'arcades originales polylobées.

🎏🎏🎏 Ⓡ *Palau Güell* (zoom E5) : *c/ Nou de la Rambla, 5.* ☎ *93-472-57-75.* ● *pa lauguell.cat* ● *Tlj sf lun non fériés : avr-sept, 10h-20h ; oct-mars, 10h-17h30. Fermé 1er janv, 6-13 janv et 25-26 déc. Entrée : 10 € ; réduc ; gratuit moins de 12 ans et pour ts 1er dim du mois, 23 avr et 18 mai.*

Incontournable ! Güell était un riche industriel, célèbre pour ses tissus en velours. Ce palais, qui porte décidément bien son nom, est la première grande création gaudienne, et a rouvert début 2011 après de longues années de restauration. On y retrouve tous les fastes hallucinés et l'inspiration gothique et musulmane de l'architecte. Dans la salle principale, colonnes de marbre, caissons en bois, orgue et mobilier superbe. Sur le toit, 18 cheminées (!) surréalistes dont deux doubles et 14 couvertes de céramiques.

À côté de la chapelle, une sorte de salle d'attente donnant sur la carrer Nou de la Rambla. Cette salle était le passage obligé de tout visiteur qui, confortablement installé, livrait ses impressions. Elle cache une astuce : le plafond est ajouré de jalousies qui transmettent les confidences des visiteurs jusqu'au faux plafond ! Sur la terrasse, on peut voir au sommet de la plus grande des cheminées une chauve-souris. Selon la légende, il s'agit du symbole du roi Jaume Ier, car elle avertissait le souverain de toute attaque nocturne impromptue.

À VOIR

⚶ De jour, traverser l'**ancien hospital de la Santa Creu** (zoom E4-5) : *entrée au 47, c/ del Carme ou par la c/ Hospital.* Havre de paix très agréable où ne parviennent plus les rumeurs de la ville (agréable café *El Jardí* également, voir plus haut « Où boire un verre ? Dans le Barri Xino et El Raval » dans « Où sortir ? »). C'est à l'hôpital de la Santa Creu que Gaudí fut transporté et décéda le 10 juin 1926, après avoir été renversé par un tramway. Aujourd'hui transformé en jardin où l'on peut à loisir détailler l'architecture des vieux bâtiments du XVe au XVIIe s, aménagés pour accueillir la bibliothèque de Catalogne. Dans la petite salle, très jolies voûtes gothiques. Dans la grande, patio à galerie : superbes azulejos à l'entrée. C'est tout le quartier qui était autrefois couvert de couvents, et les religieuses y côtoyaient (déjà) les prostituées... Voir l'ancien couvent de la Misericordia, où l'on abandonnait les orphelins ; on peut encore observer le petit trou pour l'offrande sur la place voisine (en face du bar *Kasparo*, voir plus haut « Où manger ? Bars à tapas. Dans le Barri Xino et El Raval »), et même le tourniquet où l'on abandonnait les enfants.

⚶ **Lacapella** (zoom E4, **509**) : *Hospital, 56.* ☎ 93-442-71-71. ● *bcn.cat/lacapella* ● *Mar-sam 12h-14h, 16h-20h ; dim 11h-14h. Entrée gratuite.* La chapelle de l'ancien hôpital de la Santa Creu, datant du XVe s, a été réhabilitée et accueille ce centre d'art contemporain étonnant et détonnant. Si vous ne craquez pas pour l'expo en cours, vous serez sans doute envoûté par la magie et l'étrange solennité des lieux.

⚶ Au n° 83 de la Rambla, l'**Antiga Casa Figueras** (zoom E5, **319**). L'ancienne épicerie à la superbe façade de mosaïques et de sculptures est aujourd'hui une pâtisserie de renom (*Christian Escribà* – voir plus haut « Où prendre le petit déjeuner ? Où manger une pâtisserie ? Où déguster une glace ? El Raval » dans « Où manger ? »).

➤ **Barri Sant Antoni** (*quartier Saint-Antoine ; centre C-D3-4*) **:** pour les marcheurs urbains, autour de la ronda de Sant Antoni s'étend un quartier populaire assez animé, possédant une vie et un caractère propres. Notez l'architecture moderniste du *mercat de Sant Antoni* (angle Tamarit et ronda de Sant Pau), actuellement fermé pour travaux. Marché aux livres le dimanche matin. Pendant la rénovation du bâtiment, un marché provisoire se tient sur la toute proche Ronda de Sant Antoni.

⚶⚶ **Museu marítim** (*Musée maritime ; centre E6*) : *avda de les Drassanes.* ☎ 93-342-99-20. ● *mmb.cat* ● Ⓜ *Drassanes.* ♿ *Au pied de la tour de Colomb. Tlj 10h-20h. Fermé 1er et 6 janv, et 25-26 déc. Entrée : 2,50 € (Santa Eulália inclus) ; réduc moins de 16 ans, étudiants, etc. ; gratuit pour ts dim à partir de 15h (sf j. fériés), ainsi que 18 mai et 24 sept. Audioguide en français compris dans le prix d'entrée. ATTENTION, en rénovation : travaux jusqu'à fin 2013 ; seules 40 % des salles restent ouv à la visite pour des expositions temporaires (d'où le prix réduit) ; l'expo permanente est fermée. Le billet inclut la visite du vaisseau* Santa Eulàlia *(tlj sf lun).*

Musée installé dans les anciens chantiers navals de Barcelone, qui ont réussi à traverser le temps depuis le XIIIe s sans dommage (les seuls en Europe). À la fin du XIXe s, les autorités de l'époque voulurent détruire ces merveilles d'architecture. Heureusement, une forte mobilisation les sauva, et le musée fut inauguré en 1941. C'est l'un des plus intéressants qu'on connaisse (avec celui d'Amsterdam), et dans un cadre évidemment unique. Abondants souvenirs de la mer, maquettes, documents, cartes marines, figures de

LA CARAVELLE, UN BATEAU MAL FICHU

Cette coquille de noix était lourde, trappue et bien peu maniable. Son tonnage faible transportait peu de marchandises. Petite (à peine 20 m de longueur), elle ne transportait qu'une vingtaine de marins. Haute sur l'eau, elle était instable et sensible aux tempêtes. Et pourtant, elle permit les plus grandes découvertes !

proue, peintures, instruments de navigation, etc. *Llibre del Consolat de Mar,* le plus ancien traité de droit maritime. Magnifique reproduction grandeur nature de la galère royale à la bataille de Lépante.

Lors de ce parcours, vous comprendrez la vie sur les galères au XVI⁰ s (notamment celle de la bataille de Lépante), l'exploration sous-marine, la navigation catalane au XIX⁰ s, le bateau à vapeur et le transport de voyageurs transatlantique. Commentaires intéressants (attention, les numéros ne se suivent pas forcément ; pour vous aider, demandez la feuille en français à l'entrée).

– À la sortie, boutique et bar-resto agréables dans l'un des bâtiments. Quelques tables dehors sous les orangers. Également un petit planétarium, spécialement conçu pour les enfants (ne fonctionne que le week-end).

🍴 *La Paral-lel* (centre C-D-E4-5-6) *:* l'une des plus importantes avenues de la ville. Longée sur la droite à partir du port par un morceau des dernières murailles de la ville du XIV⁰ s. Vers le n° 60, on trouve, un peu à l'écart, le « Montmartre barcelonais » avec le funiculaire Montjuïc, et le « Pigalle barcelonais » avec les boîtes de nuit classiques, strips, shows divers. Même s'il a beaucoup perdu de son lustre, le quartier reste animé et bien des lampions sont encore allumés.

MONTJUÏC (centre A-B-C-D4-5-6)

Une communauté juive aurait habité à la fin du XIV⁰ s au pied de ce qui devint « la montagne des Juifs ». Plus tard, cette colline servit de citadelle avant que l'Exposition universelle de 1929 ne lui donnât son aspect actuel. De nombreux édifices furent alors construits, ou transformés, pour accueillir de merveilleux musées. On y trouve le musée national d'Art de Catalogne, le Musée archéologique, un village espagnol reconstitué, la fondation Miró, ainsi qu'un splendide jardin botanique (entrée payante ; pratiquement toutes les essences d'Espagne y sont plantées). Suffisamment d'activités pour meubler une journée entière, voire deux ! Et puis la vue sur la ville est vraiment prodigieuse.

Le site de Montjuïc était le « centre névralgique » des Jeux olympiques de 1992 (stade, piscines, terrains divers, etc.). La ville en a profité pour aménager des aires de promenade agréables : parc del Migdia (versant sud), jardin botanique (entre le stade et le château), place de l'Europe et château d'eau (sur la voie d'accès à l'Anneau olympique)...

– *Sala Montjuïc* (centre B-C6) : ts les étés, fin juin-début août, ciné en plein air dans la cour du château de Montjuïc, 2-3 fois/sem à 22h. Rens : ☎ 93-302-35-53. ● salamontjuic.org ● Entrée modique : 5 €. Voir plus haut la rubrique « Où voir un spectacle ?... ».

– *Las Fonts de Montjuïc* (centre B3-4) : pl. Carles Buïgas, 1. Ⓜ Espanya. Le long de l'avda de la Reina María Cristina et des escaliers qui montent jusqu'au Palau naciónal. Mai-sept, jeu-dim 20h-23h30, 5 spectacles, d'une durée de 15 mn env, ttes les 30 mn ; le reste de l'année, slt ven-sam 19h-21h. Gratuit. Conçu pour l'Exposition universelle de 1929, un spectacle son et lumière très réussi. Voir aussi plus haut la rubrique « Où voir un spectacle ?... ».

Comment aller à Montjuïc ?

➤ *À pied :* 2 solutions. La plus facile et rapide consiste à gagner la station de métro Espanya et à grimper les marches ou à utiliser les escalators qui mènent au MNAC. Compter 10 mn à peine. La plus sportive est de suivre les différents circuits fléchés depuis le Poble Sec (Ⓜ Paral-lel ou Poble-Sec) ; ils empruntent de beaux jardins paysagers et odorants. Par beau temps, la balade est très agréable.

➤ *Par la route :* le long du port, suivre le passeig de Colom, puis la route qui grimpe à travers les jardins Costa i Llobera (plantés de cactus) jusqu'au mirador del Alcade (point de vue époustouflant). Vous noterez là-haut les pavements artistiques des allées de promenade.

➤ **Le funiculaire :** il part de la station de métro Paral-lel (lignes 2 et 3) et monte jusqu'à mi-hauteur de la colline. De là, on peut gagner rapidement la *Fondation Miró* puis traverser les jardins jusqu'au MNAC. Départs ttes les 10 mn, lun-ven 7h30-22h et le w-e 9h-22h. Il est accessible avec un ticket de métro normal ou la carte *T-10.* Ensuite, un **téléphérique** relie la plate-forme du funiculaire jusqu'au château de Montjuïc : juin-sept, 10h-21h, mars-mai et oct, 10h-19h, nov-fév, 10h-18h ; tarif : 6,50 € l'aller ou 9,30 € l'A/R, réduc moins de 12 ans (cher !).

➤ **Un autre téléphérique** (Transbordador Aereo) relie (en traversant le port) le Miramar à la tour Jaume I et à la tour San Sebastià (dans la Barceloneta). Voir le paragraphe « La Barceloneta » un peu plus bas. Attention, c'est hors de prix !

➤ **En bus :** prendre les bus n°s 50, 55 ou 61 qui passent par la pl. d'Espanya et traversent Montjuïc jusqu'au téléphérique, s'arrêtant au Poble Espanyol, au Parc olympique et à la fondation Miró (mais pas au MNAC, qu'il faudra gagner à pied en 5-10 mn)... *Ttes les infos sur • tmb.net •* La ligne rouge du bus touristique est une autre bonne solution, vous déposant au pied de chacun des sites.

À voir à Montjuïc

⁂ **Fundació Miró** *(fondation Miró ; centre C5) : passeig Miramar.* ☎ 93-443-94-70. • *fundaciomiro-bcn.org* • ♿ *Pour s'y rendre : bus n°s 50 ou 55 au départ de la pl. d'Espanya, ou funiculaire (voir ci-dessus). Mar-sam 10h-19h (21h30 jeu, 20h juil-sept) ; dim et j. fériés 10h-14h30. Fermé lun sf fériés. Entrée : 9 € (inclus dans l'Articket) ; expos temporaires : 4 € ; Espai 13 : 2,50 € ; réduc. Audioguides en français : 4 €.*

Sis au milieu de beaux jardins, les bâtiments à l'architecture moderne, lumineux et blancs, accueillent une superbe collection, unique au monde d'œuvres de Jean Miró, dont il a fait don lui-même. Le fonds permanent est donc assez stable (l'accrochage l'est un peu moins), et des expos d'un excellent niveau consacrées à d'autres artistes sont régulièrement organisées.

On peut y voir la série de trois tableaux *L'Espoir du condamné à mort,* quelques sculptures intéressantes, quelques tapis, une série de dessins d'inspiration enfantine, pleins d'humour, destinés à illustrer l'*Ubu roi* d'Alfred Jarry. La présentation plutôt chronologique permet de retracer la carrière de Miró et de se faire une bonne idée de son immense talent. Les œuvres réalisées entre 1915 et 1930 sont particulièrement fortes.

Au 2e étage, toiles de réaction contre la guerre civile. On trouve aussi au sous-sol une collection permanente d'art contemporain (Tanguy, Léger, Ernst...), en hommage à Miró, et une intéressante série de dessins préparatoires et cahiers d'études. Une vidéo de 15 mn relate la vie et l'œuvre de l'artiste.

N'oubliez pas de faire un petit tour sur la terrasse. Sculptures colorées et pleines d'humour, comme la *Caresse d'un oiseau* ou *Jeune fille s'évadant.* La salle *Espai 13* (supplément) permet également de découvrir de jeunes artistes, couvrant de nombreux aspects de l'art contemporain, comme la vidéo.

|●| ♟ Agréable **cafétéria** sur place.

– En sortant de l'édifice, ne pas manquer, sur la gauche, le petit **jardin de Sculptures** (fermé en cas de pluie), décoré de sculptures et de mobiles originaux dus à de jeunes créateurs. Étonnantes plumes d'oie métalliques plantées dans un carré de graviers, jeu d'ombres et de reflets proche d'un art en cinq dimensions !

⁂ **Museu nacional d'Art de Catalunya** (**MNAC** – *Musée national d'Art de Catalogne ; centre B4) : dans le Palais national.* ☎ 93-622-03-60 ou 76. • *mnac. cat* • Ⓜ *Espanya.* ♿ *Voir ci-dessus pour l'accès au musée. Mar-sam 10h-19h ; dim et j. fériés 10h-14h30. Fermé 1er janv, 1er mai et 25 déc. Prévoir 5 bonnes heures pour la visite intégrale (on vous conseille donc de déjeuner sur place – voir* *un peu plus bas – ; ou, pour les passionnés, de finir la visite le lendemain, puisque le billet est valable 2 j. !). Entrée (valable 2 j. pdt 1 mois) : 8,50 €, expos temporaires et audioguide inclus ; réduc étudiants ; gratuit moins de 16 ans et plus de 65 ans, et pour ts 1er dim du mois, 18 mai, 11 et 24 sept. Billet combiné MNAC + Poble Espanyol : 15 €.*

Le MNAC est aujourd'hui l'un des plus beaux et des plus grands musées du monde, couvrant 1 000 ans d'art en Catalogne, du Xe au XXe s. C'est déjà, en tout cas, **le plus beau musée d'Art roman** au monde et l'un des tout premiers pour le gothique. De la terrasse située devant le musée, point de vue sur les bâtiments de l'Exposition universelle et sur les fontaines lumineuses (plus de 50 combinaisons de jets d'eau). Pour les horaires de ce spectacle gratuit et féerique, se reporter à la rubrique « Où voir un spectacle (opéras, concerts classiques...) ? Où valser ? » dans « Où sortir ? », *Las Fonts de Montjuïc.*

Rez-de-chaussée
➤ **Section romane**
De nombreuses fresques romanes provenant d'une trentaine d'églises catalanes en ruine ont été déposées au musée. Ce sont les fresques originales. Des copies ont été faites et remises sur les murs des églises, la plupart situées dans un petit terroir des Pyrénées catalanes (vallées de La Noguera, de la Valira et du Segre, non loin des sources de la Garonne ; et val de Boí, dont les minuscules églises romanes sont inscrites par l'Unesco sur la liste du Patrimoine mondial). On est tout d'abord frappé par la présentation claire et remarquable, dans un cadre à chaque fois approprié : reconstitutions d'absides, de voûtes et même de chapelles complètes pour mettre en valeur les fresques. Chaque peinture est accompagnée de la photo de l'église, de sa maquette et de sa localisation. Au fil des salles, on suit l'évolution iconographique des grandes représentations médiévales : l'Apocalypse, la *Madre de Deus*, le Christ Roi, l'Enfant Roi... Notez particulièrement, salle 7, le **Pantocrator** (Christ en majesté) provenant de l'**église Saint-Clément-de-Taüll.** Fantastique statuaire en bois : christs, Vierges polychromes, devants d'autels. Collection de bénitiers en céramique, chemins de croix, etc. Une petite partie de cette section est consacrée aux sculptures monumentales : chapiteaux ouvragés, entre autres. Remarquez les statues en marbre blanc, le travail des drapés notamment. Salle 9, fabuleux Jugement dernier, en provenance de l'église *Santa Maria de Taüll.* Dans la salle 10 : une très énigmatique statue de la Vierge, de style orientalisant (yeux clos, peau de couleur miel). La visite de la section romane se termine par **un chef-d'œuvre, Las Pinturas de la sala capitular de Sigena.**
➤ **Section gothique**
Les salles se succèdent avec deux logiques qui se confrontent et parfois s'opposent. Cette tentative de présentation chronologique, avec quelques salles plus thématiques qui mettent en avant un artiste, un style, peut quelque peu déconcerter, mais finalement peu importe. La beauté des œuvres exposées, la puissance des couleurs, la douceur des visages, l'ironie de certains détails, la cruauté de certaines scènes, font que l'on se laisse entraîner, ébloui, surpris, envoûté... Et tant pis si certaines explications (uniquement en catalan, en castillan et en anglais, mais surtout très succinctes) nous laissent parfois sur notre faim. Vous en prendrez de toute façon plein les yeux !
– **Salle 17 :** grandes peintures murales illustrant la conquête de Majorque (1285-1290) par l'armée d'Espagne du roi Jaume Ier.
– **Salle 18 :** au fond à gauche, la statue d'une sainte de 1300 provenant de l'atelier de Saint-Bertrand-de-Comminges (sud de la Haute-Garonne). À côté, la *Lápida de Salomón,* une stèle portant une inscription en hébreu et provenant de l'ancien cimetière juif de la colline de Montjuïc (1306-1307).
– **Salle 19 :** d'un anonyme castillan, une œuvre à l'étonnante modernité, quasi moderniste (1295) !
– **Salles 23 et 24 :** salles consacrées aux retables ; une succession de chefs-d'œuvre, comme celui de *Santa Barbara.*

– **Salles 25 et 26 :** admirez les œuvres de **Jaume Huguet** (1412-1492), éclatantes de couleur et de réalisme. Sans doute le plus grand peintre catalan du Moyen Âge ; pour preuve, le très étonnant *Exorcisme devant la tombe de saint Vincent.* Tout aussi fascinants, les martyres de Bernat Martorell (début XVᵉ s), passé maître dans l'art du supplice ! Remarquez comme les visages de certains méchants ont été griffonnés... Autre chef-d'œuvre, le retable *Els Consellers,* de Lluís Dalmau.

Il faut noter qu'à partir de la salle 27 l'influence de la Renaissance italienne se fait fortement sentir.

– L'orfèvrerie religieuse **(salle 29),** l'art funéraire avec des sépultures remarquablement ouvragées **(salle 30).** Salle très intéressante **(salle 31)** sur la représentation de la Vierge dans la sculpture européenne des XIVᵉ et XVᵉ s : rare en France, la « sainte Génération » (ou « l'Anne Trinitaire ») fait l'objet, en Espagne, d'une dévotion toute particulière, extrêmement populaire. Très touchante, elle représente Anne, Marie et Jésus, tendrement empilés les uns sur les autres. Pour finir, l'art flamand et hispano-flamand **(salle 32).**

– **Salle 35,** la **collection Cambó** (*Llegat Cambó*). Située entre la section Renaissance et baroque et la collection Thyssen-Bornemisza. Elle présente des œuvres de la peinture européenne du XIVᵉ au XIXᵉ s, provenant du legs de Francesc Cambó (1876-1947). Ce riche mécène argentin (d'origine catalane) consacra une partie de sa vie et de sa fortune à acquérir des œuvres de la Renaissance et du baroque. Cette splendide collection compte, entre autres, des tableaux signés El Greco, Cranach, Metsys, Titien, Rubens, Zurbarán, Goya, le Tintoret, Véronèse, Quentin de La Tour ou Fragonard. Excusez du peu !

– **Salle 36 :** consacrée aux fresques d'Annibal Carrache.

– **La collection Thyssen-Bornemisza :** la puissante famille Thyssen-Bornemisza a fait don au musée d'une série d'œuvres (peintures et sculptures européennes), allant de la période gothique au rococo du XVIIIᵉ s. La section des peintures italiennes du *Quattrocento* révèle l'influence de Giotto sur la peinture catalane. Tableaux d'artistes vénitiens du *Settecento,* Canaletto et Tiepolo, ainsi que des œuvres de l'école flamande : Rubens et Ruysdaël.

1ᵉʳ étage : baroque et art moderne

L'art moderne est séparé en deux parties distinctes. La première fait suite à la période baroque, c'est ainsi que l'on glisse d'un siècle à l'autre sans trop s'en rendre compte (c'est d'ailleurs là que l'on cherchera à gagner du temps si l'on sature un peu). On y retrouve la peinture et, dans une moindre mesure, la sculpture catalane des XVIIIᵉ, XIXᵉ et XXᵉ s, et les grands mouvements que sont le néoclassicisme ou le romantisme, sans oublier Fortuny, l'école de Rome, ou encore le réalisme catalan. Le clou de la visite reste évidemment la section dédiée au modernisme qui débute ici et se poursuit, en face, dans une deuxième partie.

– **Salles 39-41 :** les maîtres espagnols du Siècle d'or, comme Zurbarán et ses natures mortes, son *Saint François d'Assise* ou son *Immaculada,* ou encore Velázquez et son *San Pablo.* S'ensuivent des peintures italiennes et espagnoles que l'on sent fortement influencées par l'art flamand alors à son apogée.

– **Salle 42 :** une série de six gravures évoquant la Catalogne au XVIIIᵉ s, dans un esprit délibérément rococo.

– **Salle 43 :** série de toiles retraçant la vie de San Francisco, par Antoni Viladomat.

– **Salles 44-46 :** c'est ici que s'amorce le XIXᵉ s et que l'on s'attaque à ses grands courants ; ici, le style néoclassique et académique avec peintures et sculptures.

– **Salles 47-51 :** voici maintenant le romantisme, l'orientalisme, le style paysagiste, l'anecdotisme... Énorme tableau représentant la *Bataille de Tetuan,* signé Mariano Fortuny (1838-1874).

– **Salle 59 :** plusieurs belles sculptures de **Joan Llimona,** dont les fameuses *Désolation* et *Lecture.*

– **Salles 60 et 61 :** on découvre les peintres barcelonais **Ramon Casas** (1866-1932) et **Santiago Rusiñol** (1861-1931), deux artistes catalans amis d'Utrillo qui avaient aussi connu le jeune Picasso. Ils ont travaillé quelque temps à Montmartre.

De Ramon Casas, autoportrait remarquable d'expression ; délicatesse du *Buste de femme,* à la fois presque dénudé et très pudique ; beau portrait de Montserrat Carbó ; et le comique *Ramon Casas et Pere Romeu sur un tandem,* qui donne une impression de souplesse malgré la géométrie assez stricte des lignes. Ce tableau se trouvait à l'origine au café des *Quatre Gats,* qui doit aujourd'hui se contenter d'une copie. Chez Rusiñol, on note un trait un peu plus marqué, et une plus grande austérité dans les couleurs et les poses des personnages. Remarquez le peintre dans le miroir de *Figure féminine.* Belle succession de plans contrastés dans *Interior de Sitges.*

Toujours au 1ᵉʳ étage (en face) : section d'art moderne (2ᵉ partie)
– Salle 62 et suivantes : ces salles, consacrées aux arts décoratifs, valent la visite à elles seules. On y trouve, en effet, de sublimes éléments de mobilier moderniste. Œuvres de *Josep Puig i Cadafalch* et de *Gaspar Homar...* Mobilier et luminaires provenant de la *casa Amatller.* Et, bien sûr, de Gaudí. On retrouve par exemple un *Sofa de la casa Batlló* ou un joli *Banc de la chapelle Güell de Santa Coloma de Cervelló,* aux lignes simples et élégantes. Les fans de modernisme se réjouiront à la vue des paravents, vitraux, miroirs, bijoux, céramiques, peintures, tableaux...
– Salle 63 : toiles de *Marià Pidelaserra* (1877-1946), une des rares artistes catalanes à avoir aussi bien assimilé le génie de l'impressionnisme, après avoir reçu l'influence de Monet, Pissarro et Sisley. Bustes de Rodin.
– Salles 65-71 : collections consacrées au *noucentisme.* Remarquables tableaux de *Joaquím Sunyer,* et de *Joaquím Torres Garcia,* comme *Vaixell descarregant en el port.* Notez particulièrement la richesse des couleurs, ou encore le portrait de son épouse par Alfred Sisquella. On termine en beauté avec les sculptures d'avant-garde. L'artiste noucentiste Isidre Nonell peint des gitans d'une manière qui offense la peinture classique dite bourgeoise. Lié à tous ces artistes mais plutôt considéré comme le maître du postmodernisme barcelonais, *Joaquím Mir,* dont on peut voir

NOU-QUOI ? NOUCENTISME !

Ce courant est une réaction à l'art visionnaire et exalté de Gaudí, un retour vers la terre et la réalité quand Gaudí aspirait à la légèreté et à la transcendance. Voilà un courant artistique local qui marqua les deux premières décennies du XXᵉ s et qui est à l'Art déco ce que le modernisme est à l'Art nouveau. Il s'inspire de Cézanne et du classicisme méditerranéen, de Puvis de Chavannes aussi, tout en restant fidèle au réalisme de l'entre-deux-guerres.

À VOIR

(salle 66) plusieurs paysages. Également *Casamara* et *Gimeno (salle 69),* deux postimpressionnistes.
– Salle 72 : les œuvres de *Josep Clarà* (né à Olot en 1878, mort à Paris en 1958), sculpteur parmi les plus importants du noucentisme. Essentiellement des personnages féminins. Enfin ! Gaudí vivait comme un vieux garçon sans femmes, et celles-ci n'apparaissent pas dans son œuvre.
– Salle 73 : fragments des fresques de *Xavier Noguès* ayant servi à la décoration du grand magasin *Galeries Laietanes* au début du XXᵉ s.
– Salle 74 : ne pas rater le *Retrato de Joan Torres* peint par *Salvador Dalí* à 16 ans. Dalí lui a mis du cambouis sur le nez et le front.
– Salle 75 : humour et fantaisie chez *Pau Gargallo,* l'un des plus grands sculpteurs du XXᵉ s ! Quand le vide devient volume et qu'une courbe se fait relief...
– Salle 77 : dédiée à *Picasso* avec, entre autres, l'un des portraits de sa femme Dora Maar.
– Salles 78-81 : consacrées au peintre, dessinateur et sculpteur *Juli González,* qui s'installa à Paris au début du XXᵉ s.
– Salle 79 : distincte de la collection du même nom exposée au rez-de-chaussée du musée, la *collection Carmen Thyssen-Bornemisza* (léguée par une autre bran-

che de la famille) présente des peintures de Mariano Fortuny, de Ramon Casas Joaquím Sunyer, de Joaquím Torres-Garcia, de Tàpies et de Joaquím Mir.
– Enfin, toujours au 1er étage, petite section de photographies retraçant la guerre civile ainsi que des scènes de la vie quotidienne en Catalogne. Sans oublier une section numismatique et une autre avec des dessins, des gravures et des affiches.

|●| *Oleum :* *au 1er étage du musée.* ☎ *93-289-06-79. Mar-dim 13h-16h, plus jeu-sam 19h30-23h30. Menu 27 € ; plats 12-25 €.* Un très agréable resto aménagé dans l'une des grandes salles d'apparat du palais. Les marbres à l'antique côtoient les œuvres de Tapiès dans un jeu subtil de miroirs. L'effet est saisissant ! Carte courte mais fraîche et équilibrée. Assiettes savoureuses et joliment dressées. On y déjeune au calme... Idéal pour une pause ! Vue panoramique sur la ville.

🏰 *Castell de Montjuïc* (centre B-C6) : *ctra de Montjuïc, 66.* ☎ *93-256-44-45 ou 93-329-86-53 (Association des amis du château).* ● *bcn.cat/castelldemontjuic* ● *castillomontjuic.com* ● *Au sommet de la butte. Tlj 10h-19h en été, 10h-14h le reste de l'année, mais cela peut varier selon les expos en cours. Accès libre au château ; parfois payant aux expos (env 2 €).* Surtout intéressant pour le panorama. Longtemps propriété de l'État, le *castell* faisait partie, à l'instar de la *Ciutadella* au nord, du dispositif qui permettait de surveiller la turbulente Barcelone. La municipalité de la ville l'a récupéré en 2009, un vrai symbole pour les Catalans ! À terme, il devrait accueillir un musée de la Paix et de la Mémoire, ainsi qu'un Centre d'interprétation du Montjuïc. Un autre projet vise à réhabiliter le Musée militaire qui occupait le bâtiment depuis 1963 et qu'il est question de délocaliser, au grand dam des Barcelonais. En attendant, des expos temporaires y sont régulièrement organisées. Symboliquement, la première, à l'été 2010, était consacrée à Henri Dunant, fondateur de la Croix-Rouge et premier Prix Nobel de la paix.

🏛 *Pavelló Mies Van Der Rohe* (centre B4, 510) : *avda Francesc Ferrer i Guardia, 7.* ☎ *93-423-40-16.* ● *miesbcn.com* ● *Tlj 10h-20h. Entrée : 4,60 € ; réduc ; gratuit moins de 18 ans.* Encore un bâtiment rescapé de la grande Expo universelle de 1929 ! Rescapé ? Enfin presque... Comme la plupart de ses voisins, il fut démonté en 1930. C'est à l'instigation de la mairie que le pavillon fut reconstruit à l'identique, à son emplacement d'origine. Même s'il s'agit d'une copie, l'architecture épurée du pavillon allemand tranche par sa modernité avec les bâtiments environnants, datant pourtant tous de la même année. Le pavillon abrite une fondation chargée de promouvoir l'architecture contemporaine. À réserver aux inconditionnels, et ce d'autant plus que l'espace est vide. Hormis les deux magnifiques chaises « Barcelone » dont le design a, depuis, fait le tour du monde...

🏛 *Caixa Forum* (centre B4) : *avda Marquès de Comillas, 6-8.* ☎ *93-476-86-00.* ● *fundacio.lacaixa.es* ● Ⓜ *Espanya.* ♿ *Tlj 10h-20h (22h sam, 23h mer en juil-août). Fermé 1er et 6 janv, et 25 déc. Gratuit. Visite guidée gratuite du bâtiment chaque 1er dim du mois à 11h.* Entre la fondation *La Caixa* et Barcelone, il s'agit décidément d'une folle passion... Ce mécénat a permis la restauration de l'ancienne usine *Casaromana*. Ce chef-d'œuvre moderniste en brique de l'architecte Cadafalch abrite aujourd'hui ce centre d'art contemporain, ainsi que de remarquables expositions d'art de différentes époques, qu'il s'agisse de photos, de peintures ou de sculptures. Il y a toujours trois ou quatre expos en cours. Ça fait donc plusieurs bonnes raisons de venir.

🚶🚶 *Poble Espanyol* (village espagnol ; centre A-B4) : ☎ *93-508-63-00.* ● *poble-espanyol.com* ● Ⓜ *Espanya. Lun 9h-20h ; mar-jeu 9h-2h ; ven 9h-4h ; sam 9h-5h ; dim 9h-minuit ; horaires spéciaux autour de Noël (et lun-jeu en juin). Entrée : 9,50 € ; 5,60 € 4-12 ans ; réduc ; forfait familles (2 adultes + 2 enfants 4-12 ans) : 20 €. Audioguide : 3 €. Billet MNAC + Poble Espanyol : 15 €. Entrée de nuit : 5,50 €. Plan gratuit. Certains restos fermés lun ; accès aux restos avec résa préalable. Boutiques ouv 10h-20h l'été (18h l'hiver ; 19h au printemps et à l'automne). Accès libre aux boîtes de nuit. Pas mal d'activités pour les enfants (jeux de piste, notamment) en français. Fêtes, spectacles et ateliers divers le dim.*

Cette réplique fidèle de différents monuments espagnols et des principales architectures régionales est un héritage de l'Exposition universelle de 1929.

L'idée du célèbre architecte Josep Puig i Cadafalch était de créer un modèle idéal de village dans lequel seraient représentés des échantillons de l'architecture populaire espagnole. Le résultat fut un village fortifié de 49 000 m^2 à l'intérieur duquel se trouvent une mairie, un monastère, 117 bâtiments, rues et places.

On se croirait un peu chez Disney, mais l'ensemble s'est heureusement patiné avec le temps. Le visiteur est invité à louvoyer des *plazas mayores* castillanes aux ruelles des villages andalous, ou encore à musarder parmi les palais et autres églises... La porte d'entrée est une reproduction de celle des remparts d'Ávila. Au sommet des deux tours, un bar musical très branché *(ouv slt le soir)*, avec des touches du designer Mariscal. Puis un musée d'Art contemporain avec des œuvres de Miró, de Tàpies ou encore de Dalí. Les maisons, qui s'ordonnent autour d'une agréable place centrale, abritent une quarantaine d'artisans, de grande qualité, travaillant sous les yeux des visiteurs. Possibilité d'acheter leur production.

Ne manquez pas l'extraordinaire habileté des souffleurs de verre *(forn de vidre)*. On trouve aussi une *maison du Livre et des Techniques graphiques*, un *musée des Arts et Traditions populaires* et des manifestations folkloriques. Et puis des restos proposant des soirées « folkloriques », avec menus « typiques » et flamenco, des discothèques, un cinéma, un théâtre... Hyper touristique, évidemment, surtout l'été.

🎭🎭 À l'angle de la plaça d'Espanya et de la Gran Vía de les Corts Catalanes, ne pas manquer les anciennes **arènes** de Barcelone *(centre C3)*, habillées de brique et d'azulejos. Construites en 1916, elles voyaient mourir plus de 200 taureaux par an. Désormais, ce sont les portefeuilles qui agonisent, puisque elles ont été réaménagées en un vaste complexe commercial : nombreuses boutiques de marque, 12 salles de ciné, spa et salle de gym... L'architecte de ce bijou n'est autre que Richard Rogers, co-auteur du Centre Pompidou, à Paris. Il a greffé une structure ultramoderne dans le corps de l'arène, et modifié l'extérieur juste ce qu'il faut pour donner à l'ensemble une allure décalée. La coupole qui coiffe le tout est particulièrement impressionnante. Du fort beau travail ! Depuis le toit, panorama jouissif sur la ville. Qui plus est, cet édifice abrite un tout nouveau *musée du Rock*, unique en Europe.

🎭🎭 **Museu del Rock** *(centre C3)* : *pl. Braus, Gran Vía de les Corts Catalanes, 373-385.* ☎ *93-426-50-54.* ● *museudelrock.com* ● Ⓜ *Espanya. Au 4ᵉ étage des arènes. Mar-dim 10h-22h. Prix variable : mar-mer 10h-22h et jeu-ven 10h-16h, 5 € ; jeu-ven 16h-22h et w-e, 9 € ; réduc. Supplément concert de 3 €.* Tout fan de rock qui se respecte se doit d'aller y faire un tour. Ce musée regroupe une tripotée d'objets collectors qui retracent la grande histoire du rock depuis les origines jusqu'aux groupes plus récents et déjà mythiques : le chapeau-feutre de Sinatra côtoie les lunettes de Bono, la guitare de Chuck Berry et celle de Kurt Cobain se font de l'œil, la veste en jean d'Éric Clapton nargue celle, plus voyante, de Michael Jackson époque *Bad*... qui reste cependant plus classe que le caleçon dédicacé par Aerosmith. Et ce n'est que justice si une salle entière est consacrée aux Beatles et une autre aux Rolling Stones. Des bornes interactives permettent de visionner des centaines de clips, et l'expérience « On Stage » permet aux visiteurs de se mettre dans la peau d'un vrai groupe sur une miniscène, avec applaudissements préenregistrés. Le soir, à partir de 19h, concerts variés et *medley* des grands morceaux du genre.

ITINÉRAIRE MODERNISTE

Barcelone sans le modernisme, c'est comme une coupe sans champagne ! Gaudí, Domènech i Montaner, Puig i Cadafalch et quelques autres architectes talentueux ont offert à la belle la plus somptueuse des parures, qui a métamorphosé la vieille capitale catalane en une ville moderne, élégante... et irrésistible ! L'engouement pour cet incroyable style architectural était tel qu'on recense aujourd'hui encore des centaines de sites éparpillés aux quatre coins de la ville. Impossible de tous les visiter, à moins d'être un stakhanoviste du genre. Pour une approche sérieuse, se procurer le kit *La Ruta del modernisme* (voir la rubrique « Musées et sites » dans « Barcelone utile »), qui en détaille 115. Sinon, on vous propose un itinéraire de 3h-3h30 environ, qui a le mérite d'être faisable à pied et de passer en revue les sites principaux (pour des textes plus détaillés, se référer aux chapitres concernés plus bas). Prévoir évidemment plus de temps si vous envisagez de pénétrer dans l'un ou l'autre des monuments.

– Commençons par le maître. Gaudí n'avait que 34 ans lorsqu'on lui confia la réalisation du futur *palau Güell* (zoom E5 ; voir plus haut aussi), situé au 5, carrer Nou de la Rambla. Construit entre 1895 et 1899 en plein Raval (et non dans l'Example, car le propriétaire souhaitait rester à proximité de la maison de famille située sur la Rambla), c'est un immense palais à la façade austère, dont les portes formées d'un arc parabolique et les cheminées étonnantes sont les seuls éléments, depuis l'extérieur, à donner une idée de l'originalité du lieu.

– Puis on remontera la Rambla pour rattraper la carrer Sant Pau, où se situe l'*hotel España,* dont les salons ont été décoré par Lluís Domènech en 1902.

– Retour sur la Rambla pour admirer au n° 77 la *casa Doctor Génové,* d'Enric Sagnier i Villavecchia (1911), et au n° 83 l'*Antiga Casa Figueras,* d'Antoni Ris i Güell (1902 ; *zoom E5, 319*) : les deux arborent une belle décoration moderniste composée de mosaïques colorées et de sculptures. Un peu plus haut, le *mercat de la Boquería* (zoom E4) se distingue par son fameux toit métallique installé en 1914 sur une structure antérieure. Tout proche, au 24, carrer del Carme, on découvre la charmante boutique *El Indio,* dont les décorations caractéristiques datent de 1922.

– Traverser ensuite le Barri Gòtic pour rejoindre l'avinguda Portal de l'Angel et la carrer Montsió (zoom F4), et faire une pause bien méritée au célèbre *Quatre Gats* (zoom F4, *358)*. Dessiné par Puig i Cadafalch en 1895, ce bâtiment orné de fer forgé et de fenêtres aux vitraux polychromes accueillait les agapes du gratin culturel de la fin du XIX° s et du début du XX° s (à l'intérieur, la fameuse toile du tandem de Ramon Casas est une copie : l'originale est au MNAC).

– Traversez la vía Laietana pour vous repaître de la façade géniale du *palau de la Música catalana* (zoom F-G4), réalisé entre 1905 et 1908 par Domènech i Montaner. C'est un festival de sculptures et de mosaïques polychromes délirantes. Notez les deux grosses colonnes percées de petites fenêtres au rez-de-chaussée : il s'agit des caisses d'origine !

– D'ici, direction plein est pour pénétrer dans le saint des saints, l'Eixample. Il rassemble la plus forte concentration d'édifices modernistes, dont la *casa Calvet* (centre G4 ; c/ Casp, 48), le premier immeuble conçu par Gaudí dans l'Eixample (1898), remarquable pour sa façade baroque et ses reliefs évoquant des champignons (clin d'œil au propriétaire, passionné de mycologie).

– Mais c'est à deux pas, sur le passeig de Gràcia (centre F2-3-4), que s'alignent comme à la parade les chefs-d'œuvre les plus emblématiques. Pour se mettre l'eau à la bouche, arrêt aux n°s 2-4 devant la *casa Pons I Pascual* (bâtiment d'inspiration gothique d'Enric Sagnier i Villavecchia, 1891) et au n° 6 devant la *casa Rocamora* (de Joaquin Bassegoda, 1917), reconnaissable à ses toitures colorées.

– Puis on parvient au trio magnifique, plus connu sous le nom de *Manzana de la Discordia (Pomme de Discorde ; centre F3)*, pour éclairer les différentes sensibilités architecturales, et même les oppositions théoriques à l'intérieur d'un courant jugé pourtant relativement homogène. Au n° 35, la *casa Lleó Morera* (1902-1906), de Lluís Domènech i Montaner, qui accueille sur les balcons des sculptures symbolisant le XX° s (des femmes brandissant un gramophone, un téléphone, un appareil photo...). Très moderne ! Au n° 41, la *casa Amatller* (1898-1900) : fenêtres gothiques et toit à redans à la flamande, œuvre de Josep Puig i Cadafalch. On reconnaît d'ailleurs son travail à la sculpture de saint Georges (San Jordi, patron des catalans) et du Dragon, qui orne chacune de ses réalisations. Faire un tour dans le hall, superbe. Les singes au-dessus de la porte de l'ascenseur manient le mortier et le pilon en hommage au propriétaire des lieux, un industriel spécialisé dans le chocolat. À côté, l'incontournable *casa Batlló* (1904-1907), dessinée par Gaudí (voir le texte plus loin).

– En remontant le passeig de Gràcia, petit crochet au 255, carrer Aragó pour découvrir la *fondation Tàpies* (*centre F3* ; voir le texte plus loin), construite par Domènech i Montaner en 1886 afin d'abriter la maison d'édition familiale.

– Retour passeig de Gràcia, avec une halte au n° 66 pour apprécier les influences médiévales de la *casa Vidua Marfà* (Manuel Comas i Thos, 1905), avant de s'enthousiasmer devant la façade fascinante de la *casa Milà* (*La Pedrera*, *centre F2* ; voir le texte plus loin), sans doute l'immeuble le plus connu de Gaudí (1906-1912). Cette falaise aux formes ondulées rappelle une forteresse, impression renforcée par les cheminées coiffées de des heaumes de chevaliers.

– On débouche alors sur Diagonal, émaillée de plusieurs édifices dignes d'intérêt. La *casa Sayrach* aux n°s 423-425 (à gauche ; *centre E1*) est une sublime folie signée par... Sayrach en 1918. Jetez absolument un coup d'œil à travers la porte vitrée : la fantaisie naturaliste est ici poussée à son paroxysme. C'est simple, on se croirait dans le ventre d'une baleine, murs et colonnes rappelant l'ossature de l'animal... Au n° 373, le *palau Baró de Quadras* (Josep Puig i Cadafalch, 1904), réjouissant palais orné de gargouilles, à l'intérieur duquel on découvre un hall et un escalier somptueux (il abrite un centre d'échanges culturels avec l'Asie et le Pacifique ; expos temporaires

UN STYLE ARCHITECTURAL TOUJOURS VIVANT

L'un des aspects les plus étonnants du modernisme est que sa production, loin d'être enfermée dans les musées, est encore utilisée tous les jours. À côté des logements commandés par de riches industriels barcelonais, il y a presque un siècle déjà, on trouve de nombreux commerces qui ont conservé leur caractère et leur architecture moderniste, depuis la pharmacie jusqu'au boulanger... Et le plus insolite est que ces lieux pratiquent toujours, pour la plupart, l'activité pour laquelle ils ont été conçus !

gratuites). Au n° 442, en face, la *casa Comalat* (*centre F-G2* ; Salvador Valeri i Popurull, 1909) avec une façade arrière délirante, carrer de Còrsega, 316. Au n° 416, occupant tout un pâté de maisons, les *Punxes* (ou *casa Terrades*, 1903-1905 ; *centre G2*), dont les plans ont été projetés par Josep Puig i Cadafalch. Aspect massif de château fort baroque avec ses tourelles surmontées de cônes pointus.

– Enfin, sur le chemin de la *Sagrada Família*, terminus de notre balade, jetez un œil sur la *casa Macaya* (1901 ; *centre H1*), passeig Sant Joan, 106, également l'œuvre de Josep Puig i Cadafalch.

L'EIXAMPLE *(L'ENSANCHE ; centre E-F-G-H1-2-3)*

Comme n'importe quelle ville d'origine médiévale, Barcelone était entourée de puissants remparts. En 1854, lorsqu'on se décida enfin à les abattre, les vastes zones de sécurité militaires qui s'étendaient au-delà perdirent du coup leur vocation. Du pain béni pour les urbanistes ! C'est Ildefons Cerdà qui décrocha le gros lot en 1859, et conçut le quadrillage caractéristique de l'Eixample. La nouvelle ville devait compter 550 blocs, organisés le long de rues et d'avenues tirées au cordeau, et coupés à chaque angle. Cela n'avait rien à voir avec une quelconque démarche esthétique : il s'agissait de dégager la vue aux véhicules à une époque où les feux rouges n'existaient pas. Visionnaire ! Quatre artères constituent l'épine dorsale de l'ensemble. D'abord, la Gran Vía de les Corts Catalanes : grande saignée parallèle à la mer, la plus longue voie de la ville. Ensuite, le passeig de Gràcia : le principal axe vertical. Lieu de promenade favori des bourgeois au début du XXᵉ s. Bordé d'immeubles cossus, banques, ambassades, sièges sociaux. Notez ses intéressants bancs-réverbères de pierre et de fer, et ses pavés dessinés par Gaudí. Parallèle au passeig de Gràcia, la rambla de Catalunya et ses restos chic, ses terrasses à l'ombre des tilleuls. Enfin, rompant de façon provocatrice l'ordonnancement régulier de l'Eixample, la Diagonal, comme son nom l'indique, fend le quartier en alignant nombre de bâtiments modernistes, boutiques élégantes, couturiers, boîtes, cafés à la mode...

🐾🐾🐾 ⊘ *Casa Batlló (centre F3) : passeig de Gràcia, 43.* ☎ 93-216-03-06. • ca sabatllo.cat • Ⓜ *Passeig-de-Gràcia.* ♿ *Lun-sam 9h-20h ; dim 9h-14h. Entrée (chère) : 18,15 € (audioguide compris) ; réduc. Attention, louée de temps en temps pour des événements, donc parfois fermée.*
La Casa Batlló est, pour certains, le plus beau, le plus abouti des projets de Gaudí. Construite entre 1904 et 1906 pour un industriel du textile (les héritiers y habitent toujours), c'est un véritable symbole de Barcelone. Ici, c'est un Gaudí plus onirique qui s'exprimerait, en principe, sans faire référence à ses croyances religieuses (ou plus discrètement, car on retrouve tout de même les initiales « IMJ » pour Jésus, « M » pour « Marie » et « J » pour Josef sur la tourelle-échauguette de la façade).
Les interprétations au sujet de la façade extérieure de la casa Batlló ont toujours fait couler beaucoup d'encre. Certains n'y voient que des os (balcons figurant des crânes avec les orifices pour les yeux et le nez). D'autres donnent la priorité aux éléments naturels : les colonnes en bas de l'édifice rappellent des troncs d'arbres, les ondulations des mosaïques en verre et céramique le mouvement de l'océan. Ces vagues, aperçues comme dans un songe, évoqueraient aussi un étang de couleur bleu-vert habité par le dragon (d'où les arêtes et les nageoires) qui sera enfin tué par saint Georges (Sant Jordi, le patron de la ville). D'ailleurs, le sommet de la maison se termine par une sorte de casque hérissé d'écailles qui rappelle la carcasse d'un monstre marin.
Surréaliste, inspirée par la mer et le monde aquatique, cette maison étonnante captivait Salvador Dalí, qui y voyait des affinités secrètes avec son univers artistique. La visite de l'intérieur commence par l'étage noble : l'ancien bureau de Batlló agrémenté d'une cheminée géniale (encastrée dans une alcôve en forme de champignon), le grand salon éclairé par une longue baie vitrée moderne (avec son système de contrepoids pour faciliter l'ouverture), la salle à manger, au plafond orné d'étranges bulbes... Puis on pénètre dans une curieuse cage d'escalier, et l'on monte d'étage en étage, autour d'un puits de lumière tapissé de carrelages en céramique bleue. Bleu comme la mer ! L'ascenseur rétro fonctionne encore. Aucune ligne droite ne vient rompre l'ondulation infinie des lignes. Jeu de courbes et de voûtes « chaînette », arcades en forme de goutte d'eau, spirales végétales, portes et fenêtres dessinées avec les contours d'algues sous-marines. Tout le génie de Gaudí a été de récupérer au maximum la lumière, même dans les parties basses. « Tout est fait pour toucher autant que pour voir. » On notera le superbe travail de menuiserie. Au dernier étage, accès au toit de l'immeuble, occupé par une terrasse où se dressent des cheminées aux formes torsadées et tarabiscotées, surplombant l'avenue. Une merveille, et également un prodige d'intelligence.

🐾🐾🐾 ⊘ *Casa Milà – La Pedrera (centre F2) : c/ Provença, 261 (angle avec le passeig de Gràcia).* ☎ 90-240-09-73. • obrasocial.caixacatalunya.cat • Ⓜ *Diagonal, Provença ou Passeig-de-Gràcia. Mars-oct, tlj 9h-20h (dernière entrée à 19h30) ; nov-fév, tlj 9h-18h30 (dernière entrée à 18h). Fermé 1ᵉʳ et 6 janv, et 25-26 déc. Entrée (accès au toit inclus) : 15 € ; réduc. Inclus dans l'*Articket. *Audioguide : 4 €.* La maison de Gaudí la plus célèbre. D'ailleurs, dans *Profession reporter,* d'Antonioni, Jack Nicholson, le personnage principal de l'histoire, habite la Pedrera, que l'on voit bien dans le film. Construite entre 1906 et 1912 pour le richissime dandy Pere Milà, la Pedrera est désignée par beaucoup de critiques d'art comme une œuvre abstraite, une folie structurelle. Gaudí, qui avait pour l'occasion un budget illimité, a poussé au maximum la rupture du plan de façade et les possibilités plastiques des volumes. Il en résulte une sorte d'immense falaise, aux courbes extraordinaires. Notez l'extraordinaire travail en fer forgé des balcons. Sur le toit-terrasse, on découvre les cheminées (ressemblant étrangement à des casques de guerriers...), les cages d'escalier et les tours d'aération aux formes audacieuses, revêtues de *trencadis* (fragments de céramique). Vue remarquable sur la ville et la Sagrada Família. La maison accueille dans ses combles

LA NATURE COMME SOURCE D'INSPIRATION

*À l'*Espai Gaudí, *plusieurs vitrines illustrent les sources d'inspiration de l'architecte, et, parmi elles, la nature, occupant une place non négligeable. On découvre alors les rapprochements entre l'intérieur d'un coquillage et les formes sensuelles des chaises conçues par Gaudí, ou encore des fruits du caroubier repensés en voluptueux bancs de bois.*

aux fantastiques voûtes paraboliques l'*Espai Gaudí,* une exposition retraçant la vie de l'artiste et expliquant l'évolution de son œuvre, on ne peut plus didactique (brochure en français en vente à l'entrée de l'exposition). Audiovisuel, plans et photos des différentes réalisations de l'architecte, maquettes et explications techniques très précises. Également un diaporama qui, de 1852 à 1926 (dates de naissance et de mort de Gaudí), présente année par année des événements majeurs, souvent liés à l'architecture. L'étage au-dessous abrite un appartement aménagé avec des meubles et des objets de l'époque pour reconstituer le cadre de vie du début du XXe s : chambres, salon, cuisine, et même un débarras bourré d'objets amusants. Tout le 1er étage du bâtiment est occupé par des expos temporaires remarquables *(accès par le 92, passeig de Gràcia ; env 4/an ; gratuites).*

– **Les Nuits de la Pedrera :** *de mi-juin à fin août, ven-sam à partir de 20h30, sur la terrasse du toit de la Casa Milà. Résas au ☎ 902-10-12-12. Billet : 25 €.* Une autre manière d'apprécier l'œuvre de Gaudí, en plein air et en nocturne, en écoutant un bon concert de jazz, verre à la main. En plus, la visite guidée du bâtiment est incluse.

¶¶ **Fundació Antoni Tàpies** *(fondation Antoni-Tàpies ; centre F3) :* c/ Aragó, 255 *(presque à l'angle du passeig de Gràcia).* ☎ 93-487-03-15. ● *fundaciotapies.org* ● Ⓜ *Passeig-de-Gràcia (lignes 3 et 4).* ⚒ *Mar-dim 10h-19h. Fermé 1er et 6 janv, et 25-26 déc. Entrée : 7 € ; réduc ; gratuit 18 mai et 24 sept. Inclus dans l'Articket. Audioguide : 2 €.*

Né à Barcelone en 1923, admirateur de Picasso et de Van Gogh, Antoni Tàpies devient l'ami de Joan Miró, crée une revue d'art et obtient du gouvernement français une bourse qui lui permet de se lancer à fond dans sa peinture, sans interruption. En quatre décennies, il aura exposé dans le monde entier et reçu une bonne vingtaine de prix, dont celui de la paix, décerné par l'ONU. Encensé par les connaisseurs, admiré par ses pairs, Tàpies n'a pourtant pas encore trouvé l'adhésion du grand public, tant son œuvre, avant tout cérébrale, peut paraître déroutante. Avec cette fondation, le nationaliste catalan, chef de file incontesté de la peinture espagnole des 30 dernières années, peut s'asseoir tranquillement sur sa chaise : peu d'artistes ont eu droit, de leur vivant, à leur propre musée ! L'immeuble et le quartier choisis ont également une signification très nette : après le modernisme architectural, Barcelone continue à produire des peintres symbolisant à eux seuls toute la modernité d'une ville pleine de génies créateurs...

Installée dans un splendide immeuble moderniste construit au siècle dernier par l'architecte Domènech i Montaner et inaugurée en 1990, la fondation se distingue de prime abord par son étonnant toit, orné d'un inextricable assemblage de câbles d'aluminium tordus, nuage métallique sur lequel repose une chaise, symbole-clé de l'œuvre de Tàpies ! L'intérieur est à l'avenant : marbre et mezzanine fin de siècle, froideur et dépouillement austère, conçu comme pour mieux faire jaillir des toiles du grand peintre catalan toute la chaleur des couleurs, toute la richesse des matériaux de récupération utilisés. Maître de l'*arte pobre,* l'art pauvre, Tàpies réinvente la vie quotidienne avec des morceaux de bois, une toile épaisse, une poignée de sable, beaucoup de peinture... Dommage que la visite soit aussi courte. Une quinzaine d'œuvres sont exposées, ce qui est un peu décevant même s'il s'agit de la plus importante collection au monde ouverte au public.

La fondation ne se limite cependant pas uniquement aux œuvres de Tàpies, et présente aussi le travail d'autres artistes contemporains (photos, sculptures, peintures, etc.), à l'occasion d'expos temporaires. Les vastes volumes de l'édifice (conçu à l'origine pour abriter la maison d'édition et l'imprimerie de la famille Muntaner) permettent d'en accueillir deux ou trois en même temps. Elle renferme aussi une superbe bibliothèque d'art *(mar-dim 11h-20h, slt sur rdv par tél),* spécialisée dans les civilisations orientales, qui inspirèrent en grande partie la philosophie du maître des lieux.

🦌 ***Museu del Modernismo Català*** *(centre F3, 511) : c/ Balmes, 48.* ☎ *93-272-28-96.* • *mmcat.cat* • Ⓜ *Passeig-de-Gràcia. Lun-sam 10h-20h ; dim 10h-14h. Entrée : 10 € ; réduc. Visite guidée : 2 € de plus.* Inauguré au printemps 2010, ce très bel espace (un musée privé) aménagé dans une ancienne usine textile expose le fleuron de l'art décoratif moderniste catalan. 42 artistes, 350 œuvres, toutes plus belles les unes que les autres, signées Antoni Gaudí, Gaspar Homar, Josep Llimona... Les inconditionnels seront aux anges, les autres trouveront la visite un peu redondante s'ils ont déjà vu d'autres sites modernistes. L'entrée est surtout hors de prix !

🦌 ***Museu Taurí*** *(musée de la Tauromachie ; hors centre par H3) : Gran Vía, 749.* ☎ *93-245-58-03.* Ⓜ *Monumental.* ♿ *Dans les arènes de la pl. de Braus Monumental, à l'angle de Gran Vía de les Corts Catalanes et Marina. Avr-sept, lun-sam 11h-14h, 16h-20h ; dim 11h-13h. Fermé l'hiver. Entrée : 6 € ; réduc.* Toutes sortes de souvenirs pour revivre les grandes heures de la tauromachie : collection d'habits de lumière des toreros les plus célèbres, comme Manolete ou Dominguín, têtes naturalisées de taureaux qui furent particulièrement valeureux au combat, photographies, collection d'affiches. N'oubliez pas de faire un petit tour dans les arènes. Pour les aficionados.

🦌 ***Fundación Francisco Godia*** *(fondation Francisco-Godia ; centre F3) : c/ Diputació, 250.* ☎ *93-272-31-80.* • *fundacionfgodia.org* • Ⓜ *Passeig-de-Gràcia. Tlj sf mar 10h-20h. Visites guidées le w-e à 12h. Entrée : 5,50 € ; réduc.* Cette magnifique demeure (notez l'impressionnant escalier) abrite l'une des plus importantes collections privées d'Espagne, spécialisée dans l'art médiéval (très belles statues polychromes), la céramique (pièces espagnoles du XIVᵉ au XVIIIᵉ s) et la peinture moderne. Également des expos temporaires.

LE NORD ET L'EST DE L'EIXAMPLE
(centre H2-3 et plan d'ensemble)

🦌🦌🦌 Ⓢ ***Basílica de la Sagrada Família*** *(centre H2) : c/ Mallorca, 401.* ☎ *93-208-04-14.* • *sagradafamilia.cat* • Ⓜ *Sagrada-Família ; direct depuis Diagonal.* ♿ *Tlj : oct-mars, 9h-18h ; avr-sept, 9h-20h. Fermé l'ap-m 1ᵉʳ et 6 janv, et 25-26 déc. Les ascenseurs ferment 15 mn plus tôt (2,50 €, mais ça vaut le coup). Visites guidées de 50 mn tlj : avr-oct, en anglais en sem à 11h, 12h et 13h, le w-e à 10h30, 11h30 et 12h30, en castillan en sem à 11h30 et 12h30, ainsi qu'à 10h30 le w-e ; nov-mars, en anglais à 11h et 13h, en castillan à 12h. Entrée : 12,50 € (chère !), 16,50 € avec visite guidée ou audioguide (très intéressant) ; réduc ; gratuit moins de 10 ans. Billet combiné avec la casa-museu Gaudí : 14,50 €, 18,50 € avec visite guidée ou audioguide ; attention, ce billet combiné ne peut s'acheter qu'à la Sagrada Família, et pas* *à la casa-museu Gaudí. CB refusées. Venir tôt, afin d'éviter les heures de pointe où la file d'attente fait tt le tour de l'édifice... ou réserver (voir ci-dessous !).*

Pour éviter les files d'attente démentielles en haute saison, c'est-à-dire dès les premiers week-ends fériés et tout l'été, réservez vos entrées soit sur le site internet (prévoir 1,30 € de plus par personne), soit à n'importe quel distributeur automatique de la banque Caixa, quelques jours plus tôt.

Une partie de la Sagrada Família est inscrite sur la liste du Patrimoine mondial de l'Unesco : la façade de *La Nativité* et la crypte, toutes deux achevées (ou presque) du vivant de Gaudí.
– *Financement :* le financement de ce chantier titanesque, selon le vœu de Gaudí, provient entièrement de dons privés (individuels, associations religieuses ou entreprises), donations charitables, héritages. On peut imaginer aussi que l'Opus Dei et le Vatican ne restent pas indifférents et suivent de près l'avancement des travaux pour un « Temple » somme toute dédié à la gloire de l'Église et de Dieu. Une chose est sûre : pas un euro ne provient du gouvernement de Catalogne, aucune subvention publique n'est accordée par l'État ou l'Union européenne. N'est-ce pas une garantie du sérieux du projet, qui respecte la laïcité et la séparation de l'Église et de l'État ?
– *Querelles d'esthètes :* elles n'empêchent pas de l'admirer en l'état, de rester pétrifié, délicieusement captivé par la créativité architecturale de la façade de *La Nativité* et par la profusion de formes géométriques. Sa richesse en symboles, évoquant les rêves les plus sublimes, annonce le surréalisme. On se demande parfois si Gaudí ne serait pas un revenant inspiré, tombé de la planète Moyen Âge, un génie nostalgique d'une autre époque égaré dans la modernité du XXe s, un visionnaire introverti venu de l'âge des cathédrales pour poursuivre, dans un style très personnel, la grande œuvre exaltée de l'Europe chrétienne de saint Bernard. Les détails abondent, parfois insolites. Notez par exemple cette sculpture surprenante dans le cloître du Rosaire (à droite, lorsqu'on franchit le portail de *La Nativité*), qui représente un diable... offrant une bombe à un anarchiste ! On aime ou on n'aime pas. Picasso, par exemple, n'avait aucune affinité pour l'homme ni pour son œuvre : on dit même qu'il détestait le personnage.

L'édifice fut mis en chantier en 1882 sous la houlette d'un premier architecte, Francesc de Paula Villar. Remercié par le commanditaire 1 an et demi plus tard, il fut remplacé par Gaudí, qui reprit le projet initial... mais pour mieux le bouleverser et le transcender. La première tranche ne fut achevée qu'en 1926. Gaudí, décédé cette année-là, passe le flambeau, et les travaux continuent jusqu'aux débuts de la guerre civile (1936), au cours de laquelle la plupart des plans originaux de Gaudí brûlent lors d'un incendie. Pour ceux qu'étonnerait l'audace de l'architecture (compte tenu du conservatisme de la hiérarchie religieuse

UNE TECHNOLOGIE RÉVOLUTIONNAIRE

L'édifice de Gaudi est né d'un schéma gothique préexistant, transformé au travers d'une série d'inventions structurelles, colonnes inclinées, capables d'absorber les poids et les forces, sans avoir à recourir aux arcs-boutants. Gaudi a voulu que les colonnes se ramifient comme des arbres, en arrivant à la voûte. Elles sont construites avec des matériaux différents selon leur emplacement et le poids qu'elles doivent soutenir.

À VOIR

de l'époque), il faut y voir surtout une riposte de celle-ci à la déchristianisation importante que connaissait la société industrielle naissante et la volonté de l'Église de récupérer l'influence perdue. Une anecdote : l'abondance des dons vers 1893 fut telle que les commanditaires de l'église exigèrent de Gaudí un caractère plus hardi et plus grandiose de l'architecture. Ce qui explique la démesure de la façade de *La Nativité,* la *façade principale,* devenue l'un des symboles de Barcelone.

Le projet final, outre cette façade, comprenait l'édification de deux autres, *La Passion et la Mort* et *La Gloire du Christ,* plus quatre tours par façade symbolisant les apôtres, un arc-boutant central comme un pont suspendu et, pour finir, une grande tour dominant l'ensemble représentant le Sauveur. À partir de 1915, les fonds manquant, Gaudí renonça à son salaire et se lança jusqu'à sa mort dans une véritable fuite en avant. Dès 1940, les travaux reprennent, et l'Église y voit à nouveau, en plein national-catholicisme franquiste triomphant, l'occasion de s'affirmer. Grâce aux maquettes sauvées du conflit, les architectes peuvent reconstituer les plans qui avaient brûlé.

Au début des années 1960, un mouvement contre la prolongation des travaux vit le jour (conduit par Le Corbusier et Miró, entre autres), arguant de l'absence de plans suffisants et des risques de dénaturer l'œuvre existante, voire de la trahir. Les travaux continuèrent cependant et, aujourd'hui, la *façade de la Passion et la Mort* (œuvre assez controversée de Josep María Subirachs), avec ses quatre clochers, est virtuellement terminée, fermant ainsi l'espace intérieur. La polémique n'est cependant pas finie : beaucoup estiment que cette nouvelle façade n'apparaît effectivement que comme une caricature de mauvais goût de l'ancienne et qu'elle lui a fait perdre son identité ! On attend votre avis. Il reste encore une façade à réaliser ; la Sagrada Família sera-t-elle jamais achevée ?

Gaudí lui-même avait estimé que, selon les techniques de son temps, il faudrait deux siècles pour finir l'œuvre...

Les travaux continuent aujourd'hui à bon rythme. Outre l'audace et le génie architectural du lieu, le plus surprenant est d'accomplir une visite touristique dans un édifice en construction. Du jamais-vu dans le monde des monuments ! Imaginez-vous dans la peau d'un touriste du XIIe s visitant le chantier de Notre-Dame de Paris ou celui du temple d'Angkor, tandis que des centaines d'ouvriers et de maçons travaillent comme des fourmis à l'intérieur. La Sagrada Família est un *chantier permanent* rempli d'échafaudages, de grues, de blocs de pierre (porphyre, basalte, granit gris et pierre de Montjuïc). Les plus optimistes espèrent que l'ensemble du Temple sera achevé en 2026. En attendant, l'édifice a été ouvert au culte et consacré par le pape Benoît XVI en 2010, lui donnant ainsi une véritable valeur religieuse et le statut de basilique, alors même que certains craignaient qu'elle ne finisse par devenir « un parc d'attractions ». Si l'intérieur est désormais achevé (cinq nefs longitudinales et trois nefs transversales d'où s'élève une véritable forêt de colonnes arborescentes), il reste à construire encore quatre clochers sur un total de 12, ainsi que la tour lanterne centrale de 170 m, la tour Notre-Dame (125 m) et celles des Quatre Évangélistes, sans compter la façade principale, encore inachevée.

– *Accès aux tours du Temple :* par la façade de la Nativité ou par celle de la Passion. Dans chaque cas, on monte obligatoirement par l'ascenseur (payant), pour redescendre à pied. Du haut des tours, on découvre toute la ville. On passe d'une tour à l'autre par d'étroites passerelles géantes un peu effrayantes, surtout quand le vent souffle.

– *Musée-crypte :* situé au sous-sol du Temple. Très intéressant et même indispensable pour se représenter le projet final. S'y trouvent de nombreux plans, des maquettes (certaines sont même en cours de réalisation pour venir en aide aux architectes actuels) et des photos des différentes étapes de la construction, ainsi que des films et autres explications sur l'œuvre et l'inspiration de Gaudí. À travers une vitre, on aperçoit le *tombeau de Gaudí* dans la crypte (accessible également par l'extérieur de l'édifice). Gaudí passa les 12 dernières années de sa vie dans le Temple, jusqu'à sa mort en 1926, dormant au sous-sol, se nourrissant de noisettes, faisant de temps en temps l'aumône pieds nus dans la rue. Un ascète désargenté mais génial.

– À côté du portail de la Passion, les *escoles* construites en 1909 par Gaudí à la demande de l'association des dévots de saint Josep et qui étaient destinées à l'enseignement des enfants. Par leur simplicité et leur rigueur, tant sur le plan des matériaux utilisés que sur le plan esthétique, les *escoles* suscitèrent l'intérêt de nombreux architectes (dont Le Corbusier). Après plusieurs campagnes de restauration (et même de reconstruction), elles abritent aujourd'hui une exposition permanente sur les techniques architecturales de Gaudí et sur la fonction de la géométrie dans l'élaboration de la cathédrale.

🏛 ⓦ *Hospital de Sant Pau* (plan d'ensemble) : avda Sant A. M. Claret, 167. ☎ 93-317-76-52. • *santpau.es* • Ⓜ *Hospital-de-Sant-Pau. Les grands halls et parties communes sont, bien sûr, accessibles au public. Visites lun-sam sf 1ᵉʳ et 6 janv, et 25-26 déc. Visites guidées : en français à 10h30 ; en anglais ttes les heures 10h-13h ; en catalan à 12h30 ; en castillan à 11h30. Entrée : 10 € ; réduc. ATTENTION, le site est en travaux au moins jusqu'en 2013 : on ne visite donc que quelques pavillons, l'église, l'extérieur du couvent et les jardins.* Érigée au rang de Patrimoine de l'humanité par l'Unesco, cette formidable fantaisie de briques, de faïences et de tuiles vernissées est l'œuvre de Lluís Domènech i Montaner (1912), l'architecte à qui l'on doit également le palais de la Musique catalane. Véritable ville dans la ville, c'est une cité moderniste idéale avec ses rues, ses résidences pavillonnaires, son église... Ce vaste site est d'ailleurs l'ensemble moderniste le plus important d'Europe ! La décoration intérieure n'étant pas en reste, la visite guidée permet de s'introduire (malgré les importants travaux de restauration en cours) dans certains pavillons, ainsi que dans le somptueux bâtiment de l'administration pour admirer de près les créations de Montaner.
– En sortant du hall, incroyable perspective sur la Sagrada Família, que l'on peut rejoindre à pied en descendant par l'avinguda Gaudí.

🏛 ⓦ *Casa Vicens* (plan d'ensemble, *512*) : *Carolines, 22.* Ⓜ *Lesseps. Située dans Gràcia.* Coup d'œil intéressant (pas de visite), car c'est l'une des premières œuvres de Gaudí, construite entre 1883 et 1888. Il recourut ici à de nombreux éléments décoratifs arabes. Le jeune Gaudí avait déjà trouvé son style.

🏛 ⓦ *Park Güell* (plan d'ensemble) : c/ Olot. ☎ 93-213-04-88. Ⓜ Vallcarca. Situé au nord de l'Eixample ; depuis la station de métro Vallcarca, suivre le fléchage : 5 mn à pied, puis escalator alternant avec de belles pentes à gravir à pied (et ça grimpe sec !) ; on arrive alors par l'entrée sud. Plus pratique : bus nᵒ 24 depuis la pl. Catalunya (trottoir côté Corte Inglés), mais attention à vos affaires ! Porte principale c/ Olot. Tlj 10h-21h (20h avr et oct, 19h mars et nov, 18h déc-fév). Fermé certains j. fériés. Gratuit.

Sur les 60 habitations prévues par l'ambitieux projet de ville-jardin, seules deux virent le jour. Dès l'entrée, des pavillons surprennent avec leurs drôles de cheminées en forme de champignons. Destinées à l'origine à la conciergerie de la résidence, ces bâtisses aux lignes pleines de fantaisie inspirées du conte d'Hänsel et Gretel... évoquent plutôt l'univers ondulant d'une B.D. des *Schtroumpfs* ! Ne raconte-t-on pas que Gaudí avait dû, de temps à autre, recourir à certaines productions mycologiques (des champignons hallucino-

PLUS D'ARGENT ? TANT MIEUX !

Voici l'une des étapes obligatoires de votre itinéraire pour découvrir Gaudí. À l'origine de ce parc, on trouve dans les années 1920 le projet ambitieux d'une ville-jardin modèle, commandité par l'industriel Güell et confié à Gaudí. L'argent ayant manqué, l'entreprise resta inachevée et le terrain (avec ce qui avait déjà été réalisé) fut converti en parc municipal... pour le bonheur de tous.

gènes, pour être clairs) plus réputées pour leur capacité à procurer des visions colorées de l'existence que pour leur valeur nutritive ?
Plus surprenant encore est le double escalier, enserrant la fameuse fontaine au dragon polychrome, et menant à ce qui devait être initialement le marché de la

ville-jardin. Forêt de 86 **colonnes doriques,** dont le gigantisme, le mystère pesant, le vide oppressant entre les colonnes, créent une atmosphère étrange et envoûtante. Au niveau supérieur, une grande esplanade se termine par une **balustrade-banquette** en pierre et béton, sinueusement folle, décorée exclusivement d'incrustations de *trencadis* de céramiques, carrelages, vaisselles cassées, matériaux utilisés en combinaisons chromatiques fascinantes. De là, vue superbe et étendue sur Barcelone.

Pour finir, point d'orgue et illustration des capacités géniales de Gaudí à remodeler le paysage : ses galeries préhistoriques, étranges hallucinations de pierre et de terre. Enfin, les plus courageux ne manqueront pas l'ascension de la colline des croix, qui conduit (après une pente ardue) à un point de vue formidable sur la ville.

– *La casa-museu Gaudí se trouve sur la droite, un peu en hauteur, en entrant dans le parc.* ☎ *93-219-38-11.* ● *casamuseugaudi.org* ● *Tlj 10h-20h (18h oct-mars). Fermé 1ᵉʳ janv et l'ap-m des 6 janv et 25-26 déc. Entrée : 5,50 € ; réduc ; gratuit moins de 10 ans. Billet combiné avec la Sagrada Família – à acheter exclusivement à la Sagrada Família – : 14,50 € (18,50 € avec visite guidée ou audioguide à la Sagrada) ; réduc.* Cette charmante petite maison est l'œuvre d'un disciple de l'artiste, Francesc Berenguer. Gaudí y résida pendant 20 ans. Au départ, c'était la maison témoin du projet immobilier ! À voir : quelques superbes meubles provenant des casas Batlló, Calvet et de la Pedrera, ainsi que des portraits, plans et maquettes de projets. Une visite intéressante, mais un peu courte, qui vaut la peine uniquement si on a opté pour le billet combiné avec la Sagrada (rabais conséquent).

SUR LE PORT

Le port est à l'image de Barcelone, en constante transformation. Après l'aménagement du moll d'Espanya, avec la construction du *Maremagnum,* de l'aquarium, du complexe *ciné Imax* (programmation de films en 3D...), l'installation du musée d'Histoire de la Catalogne et la création d'un *World Trade Center*, à la fois centre d'affaires et gare maritime pour les Baléares. L'aménagement du port laisse une large place aux piétons : zones piétonnes ombragées de palmiers, promenades aménagées agrémentées de sculptures (dont le *Cap de Barcelona* – « Visage de Barcelone » – de Roy Lichtenstein, commandée pour les J.O. de 1992) et larges passerelles vers le moll d'Espanya.

⛴ **Las Golondrinas** *(centre E6) : au portal de la Pau, au niveau de la colonne de Christophe Colomb.* ☎ *93-442-31-06.* ● *lasgolondrinas.com* ● Ⓜ *Drassanes. Fermé de mi-déc à fév. 2 circuits au choix : le port en 35 mn (6-7 départs/j. ; 6,80 €, réduc), le port et le littoral en 1h30 (6-7 départs/j. l'été, un peu moins hors saison ; 14 €, réduc). Cette compagnie de vedettes organise des sorties dans le port de Barcelone.*

🍴🔊 **Museu d'Història de Catalunya** *(musée d'Histoire de la Catalogne ; centre G6) : pl. de Pau Vila, 3.* ☎ *93-225-47-00.* ● *mhcat.cat* ● Ⓜ *Barceloneta.* ⏰ *Mar-sam 10h-19h (20h mer) ; dim et j. fériés 10h-14h30. Fermé lun (sf fériés), 1ᵉʳ et 6 janv, et 25-26 déc. Entrée : 4 € ; exposition temporaire : 3 € ; billet expo permanente + temporaire : 5 € ; réduc moins de 18 ans et étudiants ; gratuit moins de 7 ans et plus de 65 ans, et pour ts 1ᵉʳ dim du mois, 23 avr, 18 mai, 11 et 24 sept. À l'entrée, un livret explicatif en français.*

Cet excellent musée occupe depuis 1996 un ancien entrepôt construit en 1901. C'est d'ailleurs un superbe exemple d'architecture portuaire. L'objectif du musée : rien moins que de raconter toute l'histoire de la Catalogne, de la préhistoire à l'après-Franco en passant par la romanisation, la période médiévale riche en rebondissements, l'apparition d'une nouvelle bourgeoisie liée à l'industrialisation et la construction de l'Eixample. La visite aborde tous les aspects de l'histoire, géologique, technologique, sociale, économique, politique... Elle démontre de manière précise le particularisme catalan (culturel, politique...) et explique clairement les relations de rapprochement et d'éloignement au pouvoir espagnol selon les époques. C'est un pari réussi, grâce à une muséographie intelligente particulièrement ludique et interactive : documents audiovisuels et multimédias, reconstitutions grandeur nature (habitat de l'âge du bronze, chapelle, abri contre les bombardements...), maquettes, et toutes sortes d'activités marrantes comme tout. Chaque salle réserve une surprise : on peut moudre du grain comme le faisaient les Celtibères, monter à cheval comme les chevaliers, manipuler un mousquet ou revêtir une armure complète (ne pas essayer de le faire seul, conseil d'un malheureux qui parle d'expérience). Cela aussi fait partie du plaisir de la visite. C'est en résumé une excellente introduction à la découverte de ce pays, donc une visite à faire en famille en début de séjour.

– Également une *médiathèque,* un auditorium, des expos temporaires d'excellente facture, une boutique-librairie, et un resto, tout en haut sur la terrasse, avec une superbe vue sur le port et la ville (☎ 93-221-17-46 ; mar-sam 13h-16h).

🎏 🛎 *Aquàrium* (centre F6) : moll d'Espanya. ☎ 93-221-74-74. ● aquariumbcn. com ● Ⓜ Drassanes ou Barceloneta. Tte l'année, tlj 9h30-21h ; jusqu'à 21h30 les w-e, ainsi que tlj en juin et sept ; et tlj jusqu'à 23h juil-août. Fermeture du guichet 1h avt. Entrée : 17,75 € ; 12,75 € 4-12 ans ; 14,75 € plus de 60 ans. Ce vaste aquarium, surtout connu pour sa section méditerranéenne (la plus complète du monde), propose la panoplie classique d'espèces provenant des quatre coins du globe : bassin méditerranéen donc, mais aussi Australie, Caraïbes, mers tropicales... Mais les murènes, rascasses et autres poissons-clowns ont beau frétiller de la nageoire, ce sont les requins qui attirent les foules. Regroupés dans un immense bassin de 36 m de diamètre, ils se baladent à leur aise au-dessus de deux tunnels vitrés où se recroquevillent les visiteurs. Impressionnant. L'autre attraction majeure, c'est *Planeta Aqua,* où l'on évoque la variété des milieux (mers chaudes, mers froides, l'obscurité des grandes profondeurs) en s'appuyant sur une muséographie ludique : un cachalot qui abrite dans ses entrailles des aquariums bourrés de méduses, un vaste bassin où s'ébattent des raies, un espace dédié aux manchots... Enfin, *Explora* est une section interactive très sympa destinée aux enfants. Également un auditorium.

LA BARCELONETA (centre F-G-H6-7)

Au sud du parc de la Ciutadella, un quartier construit au XVIIIe s par le génie militaire, ce qui explique le plan rigoureux des rues et l'uniformité des immeubles. Longtemps habitée exclusivement par les marins et les pêcheurs, la Barceloneta est aujourd'hui considérée comme un secteur privilégié, un morceau de choix pour ceux qui recherchent la proximité à la fois des transports et de la plage. La population s'est par conséquent panachée, embourgeoisée... sans perdre complètement son caractère populaire. Même si les prix au mètre carré atteignent désormais des sommets et en font l'un des quartiers les plus chers de la ville, on trouve toujours de bons vieux petits bistrots et des magasins d'articles de pêche, le long d'étroites ruelles très méditerranéennes où le linge pend aux fenêtres.

Après avoir parcouru le passeig Joan de Borbó, se diriger vers le *moll dels Pescadors* (marché de poisson en gros). La carrer Almirall Aixada mène ensuite à la *plage de la Barceloneta* (centre H7), où s'étirent de nombreux restos de fruits de mer, avec des terrasses presque sur le sable. Signe des temps et du renouveau du quartier, la pointe de la plage de *San Sebastià* est désormais occupée par l'énorme hôtel de luxe W aux intérieurs dessinés par Starck, et dont la silhouette étincelante se dresse comme un aileron (ou une voile ?) sur l'horizon.

– Au retour, possibilité de regagner le portal de la Pau ou le moll de la Fusta en *golondrina* (bateau-mouche).

– *Transbordador Aereo* (à destination de Montjuïc) : départ de la tour de San Sebastià (centre F7), sur le port, avec arrêt à la tour de Jaume I (près du World Trade

Center). ☎ 93-225-27-18. De mi-juin à mi-sept, tlj 11h-20h ; de mars à mi-juin et de mi-sept au 20 oct, tlj 11h-19h ; en hiver, tlj 10h30-17h45. Billets (chers) : 10 € l'aller simple, 15 € l'A/R. On peut aussi se contenter de grimper dans la tour pour 5 €. Service suspendu si le vent est trop fort ou la météo trop mauvaise ! À éviter si vous avez le vertige (c'est une antiquité !), mais la vue est très belle.

SOUS LES PAVÉS, LA PLAGE !

Tout l'est du quartier de la Barceloneta, après avoir été réaménagé en Village olympique, a été converti en résidences... les pieds dans l'eau. À l'entrée, c'est le port de plaisance : une preuve supplémentaire de la réussite totale des rénovations olympiques. Ensuite, une longue promenade maritime le long des plages (baignades). On se croirait sur la Riviera !

LE POBLENOU *(plan d'ensemble)*

Il fut un temps pas si lointain où le Poblenou faisait partie des mal-aimés. Si les industriels se réjouissaient du rendement de leurs innombrables usines, les élégantes se pinçaient le nez à la simple évocation de ses exhalaisons pestilentielles ! Mais le Poblenou tient enfin sa revanche : d'abord parce que les fabriques ont fermé progressivement, ensuite parce que la flambée de l'immobilier a incité de nombreux Barcelonais à migrer vers ce nouvel Eldorado. Certains entrepôts ont cédé la place à de beaux espaces verts, d'autres ont été reconvertis en lofts et ateliers d'artistes. Quant au littoral, il a profité de l'incroyable processus de rénovation initié par les Jeux olympiques de 1992. Chaque week-end, c'est la foule des grands jours qui arpente ses plages, avant d'aller se perdre dans les rues pittoresques de cet ancien quartier populaire de plus en plus branché.

Ce n'est d'ailleurs pas un hasard si on a choisi de construire à sa lisière l'incontournable *torre Agbar (plan d'ensemble)*, située à l'angle de Diagonal et de la carrer de Badajoz, presque sur la plaça de les Glòries Catalanes. Descendez donc métro Glòries pour en admirer la façade car, malheureusement pour l'amateur d'architecture contemporaine, l'endroit ne se visite pas ! En revanche, éclairé le soir, il a une certaine classe ! Conçu par l'architecte français Jean Nouvel, le bâtiment, organisé autour d'un noyau central qui abrite ascenseurs et autres gaines techniques, se veut écologique, édifié, par exemple, au moyen de matériaux biodégradables. Ses 142 m de haut de forme oblongue, en obus, sont un écho aux flèches de la Sagrada Família et au sanctuaire de Montserrat (dans les proches environs de la ville). Mais ses beaux reflets mordorés, dus aux innombrables facettes de cristal qui la recouvrent, n'ont pas empêché les Barcelonais de la surnommer « le suppositoire » (pour les plus polis !...). C'est également en bordure de cette place que doit ouvrir, fin 2012 si tout va bien, le *Disseny Hub Barcelona,* tout nouveau musée du Design *(plus d'infos sur ● dhub-bcn.cat ●).*

En poursuivant l'avda Diagonal (en tournant le dos à la station de métro Glòries-Catalanes), à 10 mn à pied environ, s'étend le récent *parc central del Poblenou* : un vaste triangle de plus de 5 ha, compris entre l'avinguda Diagonal, la carrer del Marroc et la carrer Bac de Ronda... conçu également par Jean Nouvel. Encadré par une enceinte percée de hublots et croulant sous la végétation, c'est un espace de « lumières et d'ombres », selon l'architecte, où alternent de larges étendues dégagées et des espaces plus couverts.

Mais le véritable cœur du Poblenou palpite tout du long de la *rambla del Poblenou,* plus précisément dans la partie sud, à partir de la carrer de Pere IV. Bordée de bars authentiques dont les terrasses débordent largement sur le terre-plein central, c'est un axe vivant, pittoresque, qui ne manque pas de points d'intérêt insolites (au n° 71, un immeuble surmonté d'un intrigant visage de pierre, au n° 74 bis, le vieux *Club Monopol* qui rappelle le passé associatif du quartier, ou encore la façade caractéristique du Casino...).

Enfin, si l'on rejoint la **carrer de Maria Aguiló** (aussitôt parallèle à la Rambla), on a carrément l'impression d'être en province, avec ses petits immeubles bas, son marché (une grosse halle située au bout de carrer de Pons i Subirà) et ses placettes de charme comme l'adorable **plaça de Prim.** Avec ses maisonnettes blanches et ses arbres aux troncs torturés, on en oublierait presque que nous sommes à Barcelone ! Enfin, après un détour par le surprenant **cimetière du Poblenou** (le premier construit hors la ville, il est surtout célèbre pour ses sépultures modernistes), on parvient à des plages irrésistibles, car nettement plus tranquilles qu'à la Barceloneta.

LE QUARTIER DE GRÀCIA
(centre F-G1 et plan d'ensemble)

Pour ceux qui disposent d'un peu de temps, une belle promenade. Descendre à la station de métro Diagonal pour découvrir cet ancien village absorbé par Barcelone au moment de la réalisation de l'Eixample. Axe principal : Gran de Gràcia jusqu'au métro Lesseps. Les places villageoises et ruelles sont bordées de petits immeubles et de maisons qui n'ont rien perdu de leur charme.
Dans les années 1920, Gràcia était anarchiste. Aujourd'hui, le quartier véhicule toujours une image un peu libertaire. Les rues se nomment ici Fraternité, Liberté ou Progrès, et un marché s'appelle même « Revolución » (Franco ne l'a jamais digéré !). Quatre petites places sympas : de la Vila de Gràcia, del Sol, del Diamant et de la Virreina, à rallier en zigzaguant le nez en l'air, l'humeur vagabonde. Là vit une classe moyenne, héritière du monde ouvrier des années 1930, à laquelle viennent se joindre des jeunes, des étudiants, ainsi que des profs, des intellectuels, des artistes, des écrivains. Bienvenue chez les bobos barcelonais ! Oh, vous ne découvrirez rien d'extraordinaire : une atmosphère, des tranches de vie, des gueules, des p'tits bistrots, des bars recyclés.
Tout au long de la **carrer Gran de Gràcia** (centre F1-2), attardez-vous sur les façades Belle Époque de certains immeubles bourgeois. Entrez dans leurs halls, admirez les luxueuses cages d'escaliers, les ascenseurs rétro, les rampes en fer forgé, etc. Au n° 77, puis au n° 81, notez les balcons, les bow-windows avec vitraux, le vieil ascenseur. Superbe édifice au n° 15, avec des balcons originaux. Ne pas rater, en outre, la fête du quartier aux alentours du 15 août ! Grand moment de liesse authentiquement populaire pendant plusieurs jours.

LE PALAIS ET LE MONASTÈRE DE PEDRALBES
(plan d'ensemble)

¶¶ **El Palau :** avda Diagonal, 686. ☎ 93-256-34-65. Ⓜ Palau-Reial. Musées ouv tlj sf lun 10h-18h. Fermé 1er janv, 1er mai, 24 juin et 25-26 déc. Billet combiné pour les 3 musées : 5 € ; réduc ; gratuit pour ts 1er dim du mois.
Construite dans le style italien du XIXe s entre 1921 et 1929, cette demeure fastueuse, aux murs recouverts de fresques, accueille trois petits musées très intéressants. Les amateurs seront ravis, car les collections y sont très bien mises en valeur. Dans les beaux jardins alentour, en accès libre, les promeneurs dénicheront une jolie fontaine (de Gaudí), un bassin et plusieurs bancs bienvenus pour une pause.
– **Museu de Ceràmica** (musée de la Céramique) : ● museuceramica.bcn.cat ●
♨ Retrace l'évolution de l'art de la céramique sur neuf siècles, depuis le XIe s et les premières pièces réalisées par les Arabes (superbes réalisations mudéjares notamment). Objets décoratifs, vaisselles, ou encore de délicats pots à pharmacie sont présentés par régions géographiques (Valence, Andalousie, Castille, Aragon...). En fin de parcours, intéressantes sections consacrées aux céramiques de Picasso et de Miró, ainsi qu'aux créateurs contemporains.
– **Museu de les Arts decoratives** (musée des Arts décoratifs) : ● dhub-bcn.cat ●
♨ Toute l'histoire des arts décoratifs du Moyen Âge à nos jours, présentée de façon

À VOIR

chronologique : mobilier, tapisseries, mais aussi de nombreux objets d'orfèvrerie religieuse, ou encore une superbe collection de montres-pendentifs du XVIIe s. Une salle est, bien sûr, dédiée au modernisme, époque qui vit la consécration des arts décoratifs.

– *Museu Tèxtil i d'Indumentària :* ● *dhub-bcn.cat* ● Toute la mode du bas Moyen Âge au début du XXe s, présentée dans une pénombre quasi religieuse pour mieux préserver les matériaux délicats : tissus coptes et arabes, vêtements médiévaux, costumes des XVIIe et XVIIIe s, robes du Directoire... Également le modernisme, les années 1930, et même les ultimes tendances avec toute une section réservée aux grands couturiers.

🎋 *Finca Güell (ou pavellons Güell) :* avda de Pedralbes, 7. ☎ 93-317-76-52. ● *rutadelmodernisme.com* ● Ⓜ *Palau-Reial.* Du métro, prendre à droite l'avda Diagonal puis monter l'avda de Pedralbes sur env 150 m. Fermé 1er et 6 janv, et 25-26 déc. Visites guidées sur résa ven-lun 6 € (réduc) ; en anglais à 10h15 et 12h15, en catalan à 11h15, en castillan à 13h15. Places limitées à 25 pers par visite. Ces pavillons, construits de 1884 à 1887 par un Gaudí visionnaire, méritent un détour pour leur magnifique et impressionnant portail, véritable chef-d'œuvre de ferronnerie moderniste : un dragon ailé, squelettique mais non moins menaçant avec sa gueule béante et ses dents acérées, joue les gardiens. La *finca* abrite aujourd'hui une bibliothèque de recherche et n'est accessible au public que dans le cadre des visites. Cela dit, il n'y a pas grand-chose à voir de plus à l'intérieur de la propriété.

🎋🎋 Plus haut, sur l'avenida de Pedralbes (donne dans l'avenida Diagonal), on découvre le *Reial Monestir de Pedralbes :* baixada del Monestir, 9. ☎ 93-256-34-34. ● *museuhistoria.bcn.cat* ● Pour s'y rendre : Ferrocarril de la Generalitat U6 (équivalent de notre RER) ; arrêt Reina-Elisenda, puis 10 mn à pied. Sinon, bus nⁿᵒˢ 63, 22, 64, 78, qui partent, pour certains, de la pl. Universitat ; descendre à l'arrêt Monastir-de-Pedralbes, ou alors 20 mn de marche depuis la station de métro Palau-Reial. Mar-dim : nov-mars, 10h-14h (17h dim) ; avr-oct, 10h-17h (19h sam, 20h dim) ; dernière entrée 30 mn avt. Fermé 1er janv, Vendredi saint, 1er mai, 24 juin et 25 déc. Entrée : 7 € (valable aussi pour les musées de la pl. del Rei) ; gratuit moins de 16 ans, et pour ts dim après 15h. Audioguide en français compris.

Fondé en 1327 par la reine Elisenda de Montcada, quatrième femme de Jacques II d'Aragon, il présente une architecture typique du gothique catalan. Sobre tour octogonale et armoiries sur la façade. À l'intérieur de l'église (ouv 11h-13h), vitraux du XIVe s et tombeau en albâtre de la reine. On retrouve son exact pendant, également en albâtre, de l'autre côté du mur, dans le monastère. On remarque tout de même que la reine est, cette fois-ci, représentée en nonne. Le cloître charmant possède trois rangées de fines arcades superposées, et dessert de façon classique les différentes parties du monastère : cellules (bien conservées), infirmerie, réfectoire... Dans la salle du chapitre, beau vitrail du XVe s et, dans la chapelle Saint-Michel, superbes peintures murales du XIVe s de Ferrer Bassa (influencé par Giotto et l'école siennoise), représentant des scènes de la vie de la Vierge. Très belles cuisines également, recouvertes d'azulejos, et tout confort (le monastère a abrité des religieuses jusqu'en 1983 !). Les autres salles conventuelles abritent généralement des expositions temporaires, ainsi que le trésor (orfèvrerie religieuse, statues, peintures...). Une belle visite, dans un environnement paisible aux allures de village (la place pavée devant le monastère est vraiment pittoresque).

LE TIBIDABO *(hors plan d'ensemble)*

Culminant à plus de 500 m au-dessus de Barcelone, cette montagne couverte de pins et de cyprès est l'une des réserves d'oxygène de la ville, qu'elle protège des vents du nord. Panorama superbe. Par beau temps, possibilité d'apercevoir Majorque et les Pyrénées. D'ailleurs, c'est surtout pour sa vue que vous vous y rendrez. Le parc d'attractions que l'on y trouve ne présente guère d'intérêt (● *tibidabo.es* ●).

même si un petit tour de grande roue n'est pas à dédaigner (c'est tout simplement ébouriffant !). L'église du Sacré-Cœur (un confrère du nôtre) qui coiffe la colline ne vaut pas non plus le déplacement. Sauf peut-être pour l'ascenseur payant qui vous emporte encore plus haut, pour une vue plus grandiose. On découvre ainsi toutes les collines avoisinantes et, par temps clair, Montserrat. Petite laine conseillée, il y a souvent du vent.

Sur place, café et snack pour la pause.

Pour s'y rendre

➤ **Par la route,** délicieuse et sinueuse, qui s'élève doucement. En taxi, du centre : env 12-15 €.

➤ **En transport en commun :** ça dépend de la saison !

– Lorsque le parc d'attractions est ouv (les w-e de mai et en été), pdt les vac de Navidad (Noël, quoi ! 1re com do janv), la Semaine sainte et ts les w-e de l'année, descendre à la station de métro Tibidabo et, sur la pl. Kennedy, en face de la station de métro, prendre le *Tramvia Blau* (« tramway bleu ») ; il vous mène jusqu'à la pl. del Doctor Andreu, d'où un funiculaire vous hisse au sommet du Tibidabo. Pour redescendre, funiculaire, puis de nouveau le tramway bleu. *Tramvia Blau :*

ttes les 15-30 mn (10h-18h05 en hiver ; 10h-20h fin juin-fin sept) ; 2,90 € l'aller, 4,50 € l'A/R. Funiculaire : ttes les 30 mn (tlj 8h45-17h15 l'hiver ; jusqu'à env 21h l'été, voire 23h certains soirs) ; 4 € l'A/R. Plus économique, plus rapide et moins compliqué, le *Tibibús* (☎ 93-415-60-20 ; fonctionne slt lorsque le parc est ouv ; à partir de 10h30, ttes les 30 mn en été ; 2,60 € le trajet),* au départ de la pl. de Catalunya.

– Hors saison, en sem, le moyen le plus simple consiste à descendre à la station de métro Tibidabo pour prendre le bus n° 195 (en face, Avinguda-del-Tibidabo) qui dessert la pl. del Doctor Andreu et son funiculaire (voir ci-dessus). En route, n'oubliez pas de siroter un verre au *Mirablau* (voir « La tournée des boîtes » dans « Où sortir ? »).

🏃🏃 🐾 *Cosmo Caixa (musée de la Science) :* c/ Isaac Newton, 26. ☎ 93-212-60-50. ● cosmocaixa.com ● Ⓜ Avinguda-del-Tibidabo. Accès : par la Ronda de Dalt, entre la c/ del Cister et l'avda del Tibidabo. Bus n° 196 depuis le métro. Mar-dim 10h-20h (ouv aussi lun en été). Fermé 1er et 6 janv, et 25 déc. Entrée : 3 € ; activité : env 2 € ; réduc ; gratuit pour ts 1er dim du mois. Visite guidée possible. Cafétéria : buffet libre env 13 €.

Fidèles à leur réputation de créativité, les architectes catalans ont fait preuve d'une grande audace pour concevoir cet espace ultramoderne au service de la connaissance. Ils ont creusé six niveaux sous la colline de Collserola afin d'y aménager une surface de 50 000 m², tout en respectant l'ancien bâtiment. À l'extérieur, une vaste esplanade lumineuse débouche sur un mirador surplombant la ville de Barcelone. On accède aux niveaux inférieurs par une large rampe hélicoïdale symbolisant le temps (et donc l'évolution), qui s'enroule autour d'un immense tronc d'arbre d'Amazonie, un acaríquara haut de 21 m et vieux de 300 ans. Puis c'est le choc visuel provoqué par une muséographie d'avant-garde destinée à captiver le visiteur, à lui donner la plus belle leçon de sciences naturelles sans jamais l'ennuyer. Car, bien plus qu'un musée, il s'agit en partie de l'équivalent espagnol du Palais de la Découverte à Paris. Les (petits et grands) gamins peuvent toucher à tout, tester, explorer, appliquer en jouant des tas de phénomènes physiques, optiques, sonores, rêver devant les machines sophistiquées... Vraiment ludique ! Quant à la deuxième partie, tout aussi géniale, elle s'intéresse au monde vivant : on s'émerveille devant différents aquariums, on découvre une fourmilière en pleine activité... Et, comme le musée a fait du développement durable et de la protection de la forêt un objectif pédagogique, il a reconstitué un morceau grandeur nature de la *jungle amazonienne,* avec des arbres aux racines puissantes plongeant dans un bassin où évoluent des poissons tropicaux et autres bébêtes curieuses. Enfin, on ne manquera pas le *« mur géologique »* d'une centaine de tonnes montrant le curieux phénomène des strates rocheuses, et la projection du film *Powers of Ten* sur l'infiniment petit et l'infiniment grand. Fondé sur le thème de la multiplication du réel par le chiffre 10, ce documentaire donne le vertige, car il se termine à l'échelle de 100 millions d'années-lumière.

LES AUTRES MUSÉES

Voici, suivant vos goûts et vos fantasmes, le grand choix qui vous reste (tous renseignements disponibles dans les offices de tourisme) : musées de la Médecine, de Géologie, d'Histoire naturelle, de la Zoologie, de la Chaussure, du Théâtre, des Postes, de la Dentelle, de Cire et des... Chars funèbres !

🏃 **Museu FC Barcelona** *(plan d'ensemble) : au stade Camp Nou ; avda Arístides Maillol, 7-9.* ☎ *90-218-99-00.* ● *fcbarcelona.cat* ● Ⓜ *Palau-Reial ou Collblanc. Lun-sam 10h-20h (18h30 oct-début avr) ; dim 10h-14h30. Fermé les j. de match. Entrée (hyper chère) : 22 € ; 16,50 € 6-13 ans ; gratuit moins de 6 ans. Audioguide en français : 3 €.* Pas donné, mais pour ce tarif, les fans pourront descendre les gradins jusqu'à la pelouse (sans la fouler : interdit !), puis découvrir les loges présidentielles (et même boire un coup au bar VIP... moyennant un petit supplément), et enfin jeter un coup d'œil à l'impressionnante tribune des commentateurs sportifs (un vrai nid d'aigle tout en baie vitrée suspendu au-dessus du vide). Si cette partie est très sympa, le musée se révèle pour sa part bien décevant : n'espérez ni reliques ni souvenirs émouvants, vous n'aurez droit qu'à une succession high-tech de vidéos, commentaires audio et autres tables interactives. Intéressant, mais ce n'est pas exactement ce qu'on attendait. Boutique immense en fin de parcours. *Business is business...*

LES PLAGES

⌖ Après le Port olympique *(plan d'ensemble et centre H6)*, les plages de Barcelone s'étendent sur plusieurs kilomètres, le long d'un large trottoir de bois (les plus proches ne sont qu'à 20 mn à pied du Barri Gòtic) ; plages de la Nova Icaria, de Bogatell, de la Mar Bella et de la Nova Mar Bella. Toutes surveillées et bien équipées en douches et sanitaires. Même s'il y a beaucoup de monde, on ne se marche pas trop dessus. Tout le long, on trouve d'honnêtes petits restos servant paellas et tapas à toute heure, à tous les prix. Il y en a même de plus chic, spécialisés en fruits de mer, sur la jetée du port, le moll de Carles I.
– Des trains desservent chaque jour, au départ de la plaça de Catalunya, les **plages du Sud et du Nord** : Castelldefels, Sitges... Une des plages les plus agréables au sud est celle de Castelldefels. Très longue. Bus de la plaça d'Espanya (Ⓜ Espanya). Au nord, le meilleur rapport distance-qualité est **Badalona,** à 25 mn, direction Mataró : longue et large plage derrière un petit bourg rigolo.

LES ENVIRONS DE BARCELONE

SANTA COLOMA DE CERVELLÓ

🏃🏃 ⊕ **Colónia Güell :** ☎ *93-630-58-07.* ● *gaudicoloniaguell.org* ● *En train, depuis Plaça-Espanya, prendre la ligne FGC, Barcelona-Martorell/Igualda/Manresa : trains ttes les 15 mn, trajet 22 mn ; puis suivre la signalisation. En voiture, autoroute C 32 (direction Sitges) jusqu'à la sortie 53, et suivre « Sant Boi » puis « Colónia de Güell » ; mais c'est très mal indiqué, le plus simple reste le train. Lun-ven 10h-19h (17h nov-avr) ; sam et j. fériés 10h-15h. Entrée exposition + église : 6 €. Visite guidée église + Colónia : 10,50 €.*

– *Colónia Güell :* construite à partir de 1890 par Eusebi Güell i Bacigalupi, ce n'est rien d'autre que la cité ouvrière d'une usine textile, aujourd'hui intégrée à Santa Coloma de Cervelló et toujours habitée. L'usine fabriquait principalement du velours, et l'industriel Güell espérait limiter les conflits sociaux en regroupant tous ses employés dans un cadre agréable, doté de tous les services d'une ville classique. Ce type d'organisation se retrouve souvent en Catalogne (et aussi en France, à l'époque de la révolution industrielle), mais la particularité, ici, est que Güell a continué à jouer son rôle de mécène de la culture en dotant sa cité industrielle d'équipements culturels et religieux. L'ensemble cessera de fonctionner en 1973, crise générale de l'industrie oblige. Comme souvent, Güell a fait appel à son architecte favori, Gaudí, pour construire sa cité et en particulier l'église. Il a également engagé d'autres grands architectes catalans (Rubió Bellver et Berenguer i Mestres) pour bâtir les grosses maisons de maîtres, les logements des ouvriers et tous les bâtiments administratifs et collectifs (école, caves...). Les matériaux sont caractéristiques du mouvement moderniste, mâtiné de beaucoup de brique et de fer, typiques de l'architecture catalane populaire. La *colónia* se partage en deux zones, chacune en forme de L : la zone industrielle et la zone résidentielle avec, à l'extrémité de chaque L, deux bâtiments symboliques, la crypte et l'église. Toute la cité se parcourt à pied au fil des grosses bâtisses modernistes : le couvent, les caves, l'école, les logements populaires et l'église, mais les maisons sont toujours habitées et les infrastructures toujours exploitées (l'école en est toujours une, par exemple). Du coup, seule l'église se visite intérieur comme extérieur.

– *L'église :* si le bâtiment est relativement petit, ce bijou moderniste planté au milieu des pins vaut vraiment une visite et, pour bien en comprendre la complexité, le mieux est de suivre une des visites guidées qui permettent de saisir tout l'enjeu technique et architectural de cet endroit hors du commun. La première pierre est posée en 1908, mais tout comme son « Temple », cette église est inachevée : Gaudí abandonne les travaux en 1914 pour des raisons encore méconnues (probablement pour se concentrer sur le chantier de la Sagrada Família), n'ayant construit que le porche et la nef. On retrouve d'ailleurs beaucoup de similitudes techniques avec la Sagrada, comme si cette plus modeste église lui avait servi d'entraînement pour son grand œuvre. L'intérieur est intéressant pour les nombreux vitraux mais aussi pour son mobilier, les bancs et les bénitiers en particulier. Les plans initiaux de Gaudí prévoyaient des tours de 40 m de hauteur et plusieurs étages. Les architectes qui prirent la relève sur le chantier se contentèrent de fermer la nef et de consolider les constructions existantes afin qu'on puisse l'ouvrir au culte, mais aucun n'eut le courage ou l'audace de l'achever...

MONTSERRAT (08699)

À une cinquantaine de kilomètres à l'ouest de Barcelone, tel un nid d'aigle perché à 700 m d'altitude, le monastère de Montserrat constitue un des lieux les plus visités de la Catalogne. Son nom provient de l'aspect « scié » que la montagne prend quand on la regarde d'un certain point de vue. D'un périmètre de 25 km, la masse de roche fièrement dressée culmine à 1 235 m au pic de Saint-Jérôme. Ce curieux massif rocheux se caractérise par de longs monolithes verticaux collés les uns aux autres, conglomérats de galets énormes et érodés, qui prennent des formes animales ou humaines mais toujours fantastiques.

La rudesse de ce paysage est pourtant adoucie par une exubérante végétation qui s'accroche à la roche avec une étonnante vivacité. On y répertorie plus d'un millier de plantes de toutes sortes. Un pareil site ne pouvait pas laisser indifférents les hommes désireux de fuir le vacarme du monde : mystiques et moines en firent leur demeure. Aujourd'hui, les alpinistes chevronnés en ont fait un de leurs rendez-vous préférés. Ils escaladent les parois rocheuses verticales de Montserrat.

Une montagne inspirée

De tout temps, le Montserrat a enflammé l'imaginaire des artistes, et nombre de ses masses rocheuses portent le nom de formes évocatrices (le Moine, la Sentinelle, la Cloche). Les poètes allemands **Schiller** et **Goethe** étaient de fervents admirateurs de ce site. Ce dernier n'a-t-il pas déclaré que « l'homme ne trouvera le bonheur nulle part, si ce n'est dans son propre Montserrat » ? Le musicien **Wagner** s'inspira de ce lieu tourmenté qu'il évoque dans *Parsifal* et *Lohengrin*. L'Autrichien **Stefan Zweig** s'y rendit en 1905 pour le journal *Berliner Tageblatt*. Il qualifia Montserrat de « montagne sacrée », et fut tellement impressionné qu'il jugea le paysage « digne de Zarathoustra et non d'un Parsifal ».

Le Graal et la Vierge noire

Montserrat, c'est aussi un pèlerinage célèbre vers le monastère, construit aux XIe et XIIIe s. Dès le VIIIe s, de nombreux ermitages cernaient la montagne. Selon une légende très connue au Moyen Âge, mentionnée souvent dans le cycle des romans arthuriens, le **Saint-Graal** (calice supposé contenir le sang du Christ) aurait été rapporté de Terre sainte au XIe ou XIIe s, par des chevaliers revenus des croisades qui l'auraient mis « en dépôt » à Montserrat. Qu'est-il devenu, ce célèbre calice qui enflamma l'imagination de tant d'auteurs médiévaux ? La quête du Graal continue ! Avis aux amateurs.

NAZISME ET INCULTURE CRASSE

Himmler était fou d'ésotérisme. Ancien éleveur de poulets, il avait une vision très limitée de l'histoire. Il vint à Montserrat, en 1940, avec une escouade de nazis pour récupérer le légendaire... Saint-Graal. Boire le sang du Christ contenu dans le vase sacré lui aurait permis de gagner la guerre, pensait-il. Dans Indiana Jones et la dernière croisade, *Spielberg évoque cette incroyable quête du Saint-Graal avec des nazis allumés.*

Au cours du XIIe s, une Vierge miraculeuse fut trouvée dans une grotte de la montagne. Dès lors, la renommée du monastère s'étendit loin hors des frontières. Au XVIe s, on développa l'infrastructure pour permettre à un nombre croissant de pèlerins d'y séjourner. C'était sans compter avec le délicat passage des troupes napoléoniennes qui rasèrent le tout en 1811.

Les bâtiments que l'on peut voir aujourd'hui datent du XIXe s et ne présentent aucun intérêt particulier. La guerre civile fut une des périodes les plus noires du monastère : plusieurs moines furent tués, victimes des violences. La paix revenue, la vie religieuse a repris avec une grande vivacité au point de retrouver toute son intégrité en étant l'un des plus virulents foyers de protestation lors de la période franquiste.

Qu'y trouve-t-on ?

Un monastère et une basilique, un musée, un superbe point de vue, de belles balades (superbes spots pour les fanas d'alpinisme), et une ambiance follement pieuse (ou pieusement folle, au choix) pendant le pèlerinage.

Comment y aller de Barcelone ?

En voiture

Passer par le village de Monistrol et grimper par la route de montagne (panneau indicateur). On peut aussi passer par Els Brucs, sortie suivante sur l'autoroute. Remarque : l'accès en voiture est payant (prix du parking : environ 5 € par jour). Vous pouvez également laisser votre voiture à Monistrol-Vila et prendre le train à crémaillère (voir ci-dessous).

En train

➢ *De la pl. d'Espanya.* ☎ 93-205-15-15. • *fgc.cat* • *La bouche d'entrée pour le train se trouve sur la droite de la place en regardant les 2 grandes colonnes de l'entrée de l'expo.* Prendre le train *Ferrocarril FGC* (ligne R5, direction Manresa). En gros, 1 train ttes les heures autour de la demie à partir de 8h30 (retour de Monistrol de Montserrat 9h15-18h15, et parfois jusqu'à 20h15 l'été). Durée : env 1h10. Descendre soit à la station Montserrat-Aeri pour prendre le téléphérique, soit à la station suivante, Monistrol-de-Montserrat, pour prendre le train à crémaillère.

+ *Téléphérique (aeri de Montserrat) :* ☎ 93-237-71-56. • *aeridemontserrat. com* • Sur la ligne *Ferrocaril R5*, descendre à Montserrat-Aeri, puis prendre le téléphérique qui mène au monastère. Fonctionne de l'année : 1er mars-31 oct, départs env ttes les 15 mn 9h40-14h, 14h35-19h ; horaires plus restreints hors saison ; env 9 € l'A/R. Ce téléphérique relie le fond de la vallée de Monistrol au monastère de Montserrat. Il gravit en 5 mn une hauteur de 544 m sur une distance de 1 350 m.

+ *Train à crémaillère :* • *cremallerade montserrat.cat* • Permet d'accéder directement à l'esplanade du monastère. Se prend à la gare de Monistrol de Montserrat (si on arrive en train depuis Barcelone par la ligne *Ferrocaril R5*) ou à la station de Monistrol-Vila (arrêt suivant du train à crémaillère, uniquement valable pour ceux qui arriveraient en voiture car on y trouve un vaste parking gratuit). De Monistrol-Vila : nov-mars, départs ttes les 30 mn (ttes les 20 mn le w-e) 8h35-18h20 ; avr-oct, ttes les 20 mn 8h35-19h15 (20h15 en juil-août). De Monistrol de Montserrat : 1 départ ttes les heures tte l'année. Billet : 7,50-8,50 € l'A/R selon saison (réducs pour les lève-tôt sur les 2 premiers départs). La ligne, longue de plus de 5 200 m, permet de gravir une pente de 548 m en 15-20 mn. Train en très bon état, fabriqué en Suisse.

– Des *billets « combi »* sont en vente exclusivement à la gare de Monistrol-

Vila : par exemple, le « combi » à env 15,50 €, incluant le billet (A/R) avec le train à crémaillère, plus les funiculaires (de Sant Joan et de Santa Cova) et l'accès à l'espace audiovisuel, ou celui à env 32,50 €, qui propose en plus le musée et le déjeuner au self du monastère.

– Ou, beaucoup plus pratique, le *forfait Trans Montserrat* à 23,10 €. Vous pouvez vous le procurer à Barcelone au point de vente *FGC* de la pl. d'Espanya, ou tt simplement à l'office de tourisme de la pl. de Catalunya. Il inclut un billet de métro de Barcelone, un billet de train A/R Barcelone-Montserrat-Aeri ou Monistrol de Montserrat, un billet A/R avec le funiculaire ou le train à crémaillère jusqu'à Montserrat, et l'accès à l'espace audiovisuel. Également la version à 38,50 €, qui comprend, en plus, l'entrée au musée de Montserrat et un repas au self du monastère.

Adresses utiles

🛈 *Informations touristiques :* pl. de la Creu. ☎ 93-877-77-77. • *montserratvl sita.com* • En arrivant au pied du monastère, sur la droite. Tlj 9h-19h55 (18h45 en demi-saison et 17h45 en hiver). Audioguides multilingues : 6 € ; ou billet combiné audioguide + musée + espace audiovisuel : 12 €.

■ *Banque :* à côté de l'office de tourisme. L'été, lun-ven 9h15-14h ; l'hiver, horaires restreints. Distributeur.

Où dormir ?
Où manger ?
Où boire un verre ?

– Pendant les pèlerinages, foule énorme. Renseignez-vous à l'office de tourisme pour les hébergements (☎ 93-877-77-77 ; demandez le central de résas). Ils vous proposeront, entre autres :

⚊ *Aire de camping de Sant Miguel :* accessible slt à pied. Ouv Semaine sainte-1er nov. Réception : 8h-14h, 17h-20h. Env 10 € pour 2 pers et 1 tente. Site exceptionnel en terrasses. Confort basique, mais douches avec eau chaude.

▲ *Refuge de Santa Cecilia :* sur la route qui contourne la montagne, à env 20 mn en voiture du monastère. ☎ 93-835-05-66. Fermé de mi-déc à mi-fév. Env 12,50 €/pers (slt 4,50 € pour les membres). Une adresse extra, vraiment dans le style routard. Le ren-dez-vous des alpinistes. Sobriété, et calme assuré. Pas d'eau chaude. Fait resto.

|●| *Restaurant Abat Cisneros :* sur l'esplanade. Tlj 13h-16h côté resto et 12h-16h côté self-service. Le seul endroit pour manger sur place (prix moyens).

🍸 *Bar del Mirador :* lun-ven 8h45-19h.

À voir

🎯🎯 *La basilique :* tlj 7h30-19h30 (20h30 j. fériés).
Construite au milieu du XVIᵉ s, elle profite d'un beau panorama sur la vallée. À l'intérieur, on découvre une élégante nef bordée par deux étages de chapelles. Pour accéder à la *Vierge noire (tlj 7h30-10h30, 12h-19h30, et jusqu'à 20h30 juil-sept)* qui trône au-dessus de l'autel, sortir de l'église et emprunter la porte de droite. Préparez-vous à faire une queue délirante ! On traverse patiemment une série de chapelles avant de gravir un escalier monumental, composé de hauts-reliefs sculptés. Mosaïques intéressantes représentant des saints. L'escalier étroit mène au chœur où siège la *Moreneta* (Vierge noire), sculpture romane en bois polychrome du XIIᵉ s, posée sur un socle d'argent. Les pèlerins défilent à pas cadencés pour baiser le globe que tient la sainte patronne de la Catalogne. Son visage semble presque triste à force d'être serein. On parvient ensuite à la crypte.
– Ne loupez pas le chœur d'enfants de l'*Escolania* : il s'agit d'une école de musique qui forme de jeunes choristes. On peut les entendre chanter le *Salve Regina* du lundi au vendredi à 13h et le dimanche à 12h, ainsi que du dimanche au jeudi à 18h45 (sauf à Pâques, de fin juin à fin août et à Noël, les jeunes sont en vacances). Durée : environ 10 mn. Messe célébrée en grégorien par des moines tous les jours à 11h.
– Le *cloître* gothique (datant de 1460) est le seul élément rescapé de l'ancienne abbaye.

🎯🎯 *Le musée de Montserrat :* pl. del Monestir. ☎ 93-877-77-77. Lun-ven 10h-17h45 (18h45 l'été) ; w-e 9h30-19h. Entrée : 6,50 € ; réduc. La première partie du musée s'intéresse principalement à la peinture espagnole ainsi qu'aux écoles napolitaine et vénitienne... Œuvres de Bartolomeo Manfredi, superbe *Saint Jérôme* du Caravage, un Greco, un Zurbarán, quelques compositions de Picasso... et une petite section inattendue qui rassemble Pissarro, Sisley, Degas ou encore Monet. Une salle est évidemment réservée à la Vierge de Montserrat, comme il se doit (tableaux, statues...). La deuxième partie propose une collection archéologique éclectique (poteries chypriotes, objets rapportés de Terre sainte, une impressionnante momie de jeune fille au visage débandé...), avant de céder la place à une belle série d'icônes byzantines. Intéressant. Également des expos temporaires.

🎯 *Montserrat Portes Endins :* tlj 9h-18h (19h45 de juil à mi-sept). Entrée : 2 € ; réduc. Un petit espace audiovisuel interactif qui présente les activités quotidiennes des moines.

Balades dans les environs

Montserrat propose un grand nombre de balades qui conduisent aux ermitages disséminés sur les pitons rocheux. Le *Guide officiel de Montserrat,* opuscule payant fort bien fait et disponible sur place dans toutes les boutiques, indique tous les itinéraires, leur durée et leur point de départ.

– Le funiculaire de Sant Joan : *un téléphérique monte depuis le monastère jusqu'au sommet de la montagne. Avr-oct, ttes les 20 mn 10h-17h40 (19h de mi-juil à fin août) ; même fréquence mais slt jusqu'à 16h30 hors saison. Durée : 7 mn. Billet : 7,20 € A/R ; réduc.* Pente de 248 m sur une longueur de 503 m. Du sommet, vue magnifique sur toute la région, jusqu'aux petites collines qui ondulent vers la mer. C'est également le point de départ de l'*itinéraire de Sant Joan* (voir ci-dessous).

➤ **L'ermitage de Saint-Jérôme** (Sant Jeroni) **:** *pour l'atteindre, emprunter le funiculaire de Sant Joan, au bord de la grande place. Durée : 1h aller.* Au sommet, un sentier vous mènera au pic de Sant Jeroni. Panorama extraordinaire.

➤ **L'itinéraire de Santa Cova** est moins fatigant. Les fainéants couperont le fromage en utilisant le funiculaire de Santa Cova, qui raccourcit la balade *(avr-oct, ttes les 20 mn 10h-17h35 ; env 3 € l'A/R).*

➤ **Le chemin des Gouttières :** *4 km. A/R : 1h sans arrêts.*
Départ du parking du monastère de Montserrat et du monument situé en dessous, dédié à Ramon Lull, penseur catalan, par le sculpteur Subirachs. Le haut lieu de Montserrat en Catalogne garde l'empreinte de son mysticisme jusqu'au moindre de ses chemins. Et les Catalans sont très fiers, à juste titre, de leurs artistes. Cette balade est une façon de rendre hommage à la Vierge noire de tous les Catalans en suivant un chemin sur l'art catalan si présent dans ce pays.
Sur la terrasse du parking de Montserrat, plaça dels Apòstols, la vue panoramique est superbe vers les Pyrénées au nord, la mer et le Tibidabo sur Barcelone à l'est – évidemment par beau temps ! Après avoir quitté le monument de l'Échelle de la Raison *(Escala de l'Enteniment),* quelques mètres plus loin sur la route permettent de rejoindre l'indication d'*Els Degotalls,* ou Les Gouttières. Il faut suivre cette direction durant 25 mn pour découvrir de très belles vues panoramiques et plusieurs monuments qui font référence à la vie culturelle et folklorique de la Catalogne. Le chemin aboutit au site du *Magnificat,* décoré de céramiques aux sujets symboliques. À la fin de l'itinéraire se profile la formation rocheuse d'*Els Degotalls* en forme de gouttières, d'où jaillissait une source autrefois.

➤ Notons encore l'*itinéraire de Sant Joan* et celui, très facile, de **Sant Miguel** (45 mn).

– L'été, de nombreux alpinistes « s'essaient » sur les parois de Montserrat. ATTENTION, la roche sédimentaire comporte un mélange de matière dure et de matière friable. Plusieurs sauts de l'ange sont à déplorer.

TERRASSA (08221 ; 173 800 hab.)

À 28 km au nord-ouest de Barcelone, sur la route du monastère de Montserrat, cette grande ville, effervescente et animée, est la deuxième ville universitaire de Catalogne, avec ses 15 000 étudiants. Plusieurs bâtiments industriels ont été reconvertis en salles d'exposition, en édifices publics ou en musées. C'est le cas du *Vapor Aymerich, Amat i Jover,* véritable chef-d'œuvre de l'architecture industrielle moderniste, qui abrite aujourd'hui un passionnant musée de la Science. Ne manquez pas non plus ses superbes églises romanes !

Un peu d'histoire

Terrassa occupa une place importante lors de la révolution industrielle de la fin du XIXᵉ s. Ses usines textiles furent le principal moteur de la vie économique de la ville pendant près d'un siècle. La riche bourgeoisie industrielle laissa le champ libre aux architectes modernistes qui s'en donnèrent à cœur joie, construisant usines et fabriques, mais aussi magasins, logements ouvriers, édifices publics et espaces verts. Vers 1970, la crise économique obligea la plupart des entreprises textiles à fermer leurs portes.

Comment y aller de Barcelone ?

➢ *En voiture :* prendre la C 58 et l'E 9 (C 16). Env 30 mn de route jusqu'à Terrassa.

➢ *En train RENFE :* depuis la gare de Sants ou la pl. de Catalunya, ligne C4 direction Manrésa. Trains ttes les 15 mn env, 50 mn de trajet.

➢ *En métro-train Metro del Vallès (FGC, ligne S1) :* de la pl. de Catalunya. Plusieurs/h, env 40 mn de trajet. *Infos :* ☎ 93-205-15-15.

Il existe un billet groupé train + entrée au musée national de la Science (intéressant uniquement pour ceux qui paient l'entrée plein pot, pas pour les étudiants, qui bénéficient de toute manière un demi-tarif).

Adresses utiles

🛈 *Office de tourisme :* raval de Montserrat, 14. ☎ 93-739-70-19. • *visitaterrassa.cat* • *Hors saison :* lun-ven 9h-14h, 17h-19h ; sam 10h-14h, 17h-20h ; dim 10h-14h. En été : tlj 9h (10h w-e)-14h. Infos générales sur la ville. Accueil sympa et efficace.

🛈 Également un *point d'infos :* à l'entrée du musée national de la Science, rambla d'Ègara, 270. Mêmes horaires que le musée ci-dessous. Très bonnes infos et accueil sympa.

À voir

⋆⋆ *Museu nacional de la Ciència i de la Tècnica de Catalunya* (musée national de la Science et de la Technique de Catalogne) : rambla d'Ègara, 270. ☎ 93-736-89-66. • *mnactec.cat* • ♿ Mar-ven 10h-19h ; w-e, j. fériés et juil-août 10h-14h30. Entrée : 3,50 € ; réduc ; gratuit moins de 7 ans, plus de 65 ans, et pour ts 1er dim du mois.

Le musée occupe les superbes bâtiments d'une usine considérée par certains comme l'une des plus belles d'Europe. C'est au début du XXe s que trois industriels de Terrassa (Aymerich, Amat et Jover) décident de s'associer pour monter une fabrique de textile. Ils en confient la construction à l'architecte Lluís Muncunill i Parellada, et l'inauguration de l'usine a lieu en 1908. Quelques années plus tard, plus de 400 personnes y travaillent à la fabrication de tissus en laine, de la filature à la finition. En 1978, suite à la crise économique, l'entreprise doit fermer ses portes. Le bâtiment est un chef-d'œuvre. La grande nef centrale s'étend sur environ 11 000 m^2, elle est couverte d'arcs et de voûtes en brique soutenus par des piliers en fer. On peut voir aussi les anciennes caves à charbon et la machine à vapeur, le patio et la superbe cheminée haute de 41 m.

Le musée présente des expositions permanentes sur l'énergie (charbon et vapeur, énergies propres, énergie de la planète), l'industrie textile et les transports. Vraiment très bien conçu, vivant et original.

Une grande partie de l'expo est traduite en castillan et en anglais, quelquefois en français. Des jeunes gens sont là pour répondre à vos questions, et certains groupes font des animations, par exemple dans le secteur consacré à la chimie. La visite est aussi intéressante pour les enfants, car très interactive (jeux et CD-Rom). Avant de quitter les lieux, monter au 2e étage (ascenseur à l'entrée) : on a de là-haut une vue superbe sur les toits et l'ensemble de l'usine.

⋆⋆ *Conjunt monumental de les esglésies de Sant Pere* (ensemble monumental des églises de Sant Pere) : dans le parc Vallparadís. ☎ 93-789-27-55. • *terrassa.cat/museu* • En arrivant en train, traverser le centre-ville pour accéder au parc Vallparadís (très agréable). Mar-sam 10h-13h30, 16h-19h ; dim 11h-14h. Fermé lun et j. fériés. Entrée : 3 € ; réduc. Audioguide : 1,50 € Non seulement le parc Vallparadís, en plein centre-ville, offre d'agréables balades (et un lac navigable), mais en plus il est bien pourvu en sites culturels : des restes archéologiques datés du Paléolithique, un château *(castell Cartoixa)* du XIIe s – qui se visite aussi –, mais surtout les trois églises Sant Pere, Sant Miquel et Santa Maria. L'ensemble est toujours en cours de fouilles et de rénovation, mais théoriquement les trois édifices, tous d'architecture médiévale, se visitent. Certaines peintures à l'intérieur datent du haut Moyen Âge, mais on y trouve aussi des œuvres gothiques et romanes. L'église de Sant Pere est renommée pour son très beau retable gothique en pierre. Celle de Sant Miquel est en fait un ancien baptistère du IXe s. Quant à Santa Maria, complètement romane et certainement la plus jolie, elle abrite des fresques murales et un très beau retable du XVe s, ainsi qu'un superbe pavement en mosaïque à l'entrée. Dernière remise en état, la Seu d'Ègara, une basilique du VIIIe s.

– Quelques autres monuments à voir à Terrassa (infos à l'office de tourisme).

SANT SADURNÍ D'ANOIA (9 850 hab.)

Située au bord de l'autoroute AP 7 / E 15 Barcelone-Tarragone, à 25 km au sud-ouest de Barcelone, Sant Sadurní d'Anoia est la ville du *cava*. Dans cette région, on élabore ce vin « à bulles » qui ressemble à s'y méprendre à celui que l'on fabrique en Champagne. Mais on ne peut utiliser le nom champagne, car celui-ci est réservé à un terroir particulier et jalousement protégé ! C'est l'occasion d'aller visiter les caves de Codorníu.

Comment y aller ?

➢ *En voiture :* de Sitges, prendre la direction Vilanova i la Geltrú, Vilafranca, puis Sant Sadurní d'Anoia. De Barcelone, par l'autoroute A 7 (Tarragone-Lleida), sortie 27.

Où manger ?

l●l *Can Quetu :* Tarragona, 25. ☎ 93-891-02-57. *Ouv tlj sf sam soir et août. En sem, menu env 8 € le midi.* Bon accueil. Vente de *cava* dans la cave en face.

À voir

....

🎄 **Les caves Codorníu :** *avda J. Codorníu.* ☎ 93-891-33-42. ● codorniu.es ● *Tlj 9h-17h (13h w-e et j. fériés). Possibilité de faire une visite guidée (suivie d'une dégustation) en français sur résa obligatoire.*
Si vous ne buvez pas une goutte d'alcool, la visite (1h30) est également pour vous. Elle parcourt le magnifique domaine et présente les bâtiments de style médiévalo-moderniste, dont les caves, qui, sur cinq niveaux, peuvent recevoir jusqu'à 100 millions de bouteilles.
Le vin de base, quant à lui, est élaboré avec les cépages macabeo, parellada, xarel-lo et chardonnay. On y ajoute des grains de grenache monastrell pour le rosé. Le vin rosé, de « méthode traditionnelle », est d'ailleurs le seul vin où l'on autorise le mélange de raisin rouge et de raisin blanc. Car le rosé du patron est obtenu avec des raisins rouges qu'on laisse plus ou moins longtemps macérer avec leur peau.
Revenons au *cava*. Une fermentation en cuve d'inox, une autre en bouteille et une petite liqueur d'expédition ; on agite le tout. Et hop ! Prêt à boire.

🎄 Ceux qui ont le temps peuvent également pousser jusqu'au vignoble de Penedès, à *Vilafranca del Penedès* (voir plus loin « Le littoral barcelonais »).

QUITTER BARCELONE POUR LES BALÉARES

EN BATEAU

Depuis la Catalogne, il est possible de se rendre sur les îles Baléares.

■ *Euro-Mer :* 5, quai de Sauvages, CS 10024, 34078 Montpellier Cedex 3. ☎ 04-67-65-95-13 ou 67-30. Fax : 04-67-64-62-44. Résas sur ● euromer. net ● Cette compagnie propose des traversées quotidiennes au départ de Barcelone ou de Valence à des tarifs très compétitifs. Du navire classique (9h de traversée) au ferry rapide (4h30 de traversée), avec véhicules dans les 2 cas. La traversée rapide permet de courts séjours sur les îles. Réduc aller-retour, jeunes, retraités, familles, résas... *Euro-Mer* offre un large choix d'hôtels 3 ou 4 étoiles à des prix très intéressants. *Exclusif :* possibilité de réserver toutes les traversées vers les Baléares et les interîles.

LE LITTORAL BARCELONAIS

Côte largement « touristisée », qui pourtant recèle quelques bonnes surprises. Une liste non exhaustive qui ne vous empêchera pas d'en découvrir d'autres.

SITGES   (08870)   19 900 hab.

À une quarantaine de kilomètres au sud de Barcelone, Sitges n'est pas une énième station balnéaire envahie par le béton, à l'image de nombreuses stations de la Costa Dorada plus au sud, vers Tarragone. Une vieille église sur un promontoire rocheux marque le début d'une longue plage bordée par une agréable promenade plétonne. À l'arrière, un centre-ville historique qui se découvre aisément à pied, au fil des rues et des ruelles bordées de très belles maisons modernistes (les « casas de los Americanos »). Ces *casas* sont des demeures privées édifiées par des Catalans partis faire fortune en Amérique centrale (à Cuba notamment) entre la fin du XVIIIe s et le début du XXe s. Revenus au pays, ces *Americanos* ou *Indianos* (surnommés ainsi par leurs compatriotes sédentaires) investirent une bonne partie de leurs économies dans de superbes maisons. La ville en compte environ 80, objets de visites guidées (renseignement à l'office de tourisme), et leurs styles, allant du néoclassicisme au modernisme en passant par le romantisme, l'éclectisme ou l'Art nouveau, donnent du caractère à la ville.

Ici, on le voit, l'urbanisme est resté à taille humaine grâce à un maire visionnaire qui avait naguère prévu les méfaits du boom immobilier sur le littoral catalan. La ville se prolonge au sud parallèlement à la mer par un quartier verdoyant composé de nombreuses villas ne dépassant pas trois étages. En arrière-plan, la douce ligne des collines pas encore ravagées par les constructions.

Sitges attire aujourd'hui la jeunesse dorée de Barcelone et une importante communauté homosexuelle (plutôt masculine). En témoigne la brochure *Gay Life* offerte par l'office de tourisme, répertoriant une centaine d'adresses aux couleurs de l'arc-en-ciel.

ATTENTION ! Nos lecteurs automobilistes doivent savoir que la municipalité a mis sur pied une affaire florissante : la chasse à l'infraction. Gare aux PV, donc !

UN PEU D'HISTOIRE

La ville resta longtemps tournée vers la mer et l'agriculture, notamment vers la fabrication de vin rouge, de malvoisie et de muscat. Aux XVIIIe et XIXe s, elle devint une enclave du commerce avec l'Amérique. Entre 1836 et 1852, le retour des natifs de la région, les *Indianos*, partis faire fortune en Amérique, donna un nouvel élan à la ville. De belles demeures témoignent encore de cette époque révolue. Mise à la mode à la fin du XIXe s par le peintre moderniste Santiago Rusiñol, la ville fut relancée grâce à des mannequins et *night-clubbers* dans les années 1960.

Arriver – Quitter

En train

🚂 *Gare ferroviaire* (plan B1) : pl. E. Maristany. Rens : ☎ 902-320-320. ● renfe.com ●

➢ *Barcelona-Sants et Barcelona/ Passeig-de-Gràcia* (ligne C2) : très nombreux départs en sem, ttes les 20 mn env, en gros 5h-22h30 depuis Sitges, 5h40-minuit depuis Barcelone. Le w-e, 1er départ de Barcelone 6h, dernier vers minuit, 1er départ de Sitges vers 4h45, dernier vers 22h25 (de toute façon, les fêtards ne rentrent pas avant le petit matin !). Env 40 mn de trajet.

En bus

🚌 *Gare routière* (plan A1) : compagnie *Mon-Bus*, à proximité de l'office de tourisme. ☎ 93-893-70-60. ● monbus. cat ●

➢ *Barcelone* (plaça Universitat, via plaça d'Espanya) : en sem, 4 départs le mat 6h30-9h30 et 4 départs l'ap-m 17h10-18h50 ; sam, 9 départs 7h25-20h55 ; dim, 4 départs 8h25-20h05. Env 55 mn de trajet.

➢ *Barcelone aéroport :* en sem, départs ttes les heures 6h-21h55 ; sam, 9 départs 7h25-20h55 ; dim, 4 départs 8h-20h. Env 40 mn de trajet.

Adresses utiles

🛈 *Office de tourisme Oasis* (plan A1, 1) : Sínia Morera, 1. ☎ 93-894-42-51. ● sitgestur.cat ● En été, lun-sam 9h-20h ; hors saison, lun-ven 9h-14h, 16h-18h30. Plan gratuit de la ville. Organise des visites guidées (sur résa) sur le thème de « la Ruta de los Americanos ».

🛈 *Office de tourisme La Fragata* (plan A2, 2) : passeig de la Ribera. ☎ et fax : 93-811-06-11. En été, tlj 10h-14h, 16h-20h ; en hiver, lun-ven 10h-14h, plus ven-sam 16h-19h.

✉ *Poste* (plan A2) : pl. d'Espanya. ☎ 93-894-12-47.

@ *Sitges PC Centre* (plan A-B2, 3) : c/ Angel Vidal, 2. ☎ 93-811-10-46. En sem 9h30-21h ; sam 10h-14h, 17h-21h ; dim 11h-13h30, 17h-21h30.

■ *Banques, change :* quelques banques pl. Cap de la Vila (plan A2).

■ *Taxis :* ☎ 93-894-35-94 ou 13-29.

■ *Location de vélos* (plan A1, 4) : dans le centro comercial Oasis, local 34. ☎ 93-894-94-58. ● sitgesbike.com ● Env 16 €/j.

Où dormir ?

Campings

� *Camping El Garrofer* (hors plan par A1, 10) : ctra 246a, km 39. ☎ 93-894-17-80. ● info@garroferpark.com ● garroferpark.com ● ♿ À 1,5 km au sud de Sitges et à 900 m de la plage. Bus env ttes les heures de et pour Barcelone (trajet 1h, arrêt Rocamar à 100 m du camping). Fermé de mi-déc à fin janv. Env 28 € pour 2 pers avec voiture et tente (en été). Bungalows 2-5 pers 82-124 €. Wifi. Sur un grand terrain ombragé, un camping bien équipé à défaut d'être charmant, avec resto, piscine, aire de jeux et animations diverses. Bungalows plutôt sympas. Animaux « non dangereux » acceptés... ouf !

⚠ *Camping Sitges* (hors plan par A1, 11) : ctra 246a, km 38. ☎ 93-894-10-80. ● info@campingsitges.com ● campingsitges.com ● ♿ Situé à 2 km du centre de Sitges, vers le sud, et à 700 m des plages. Bus env ttes les heures de et pour Barcelone (trajet 1h, arrêt Camping-Sitges). Ouv de mars à mi-oct. En été, résa indispensable min 10 j. à l'avance. Env 26,50 € pour 2 pers avec tente et voiture (en été). Bungalows 2-4 pers 61-140 € selon confort. Wifi. Un grand terrain plat de 160 emplacements ombragés. Bon accueil francophone. Équipements classiques et propres : piscine, resto, supermarché, aire de jeux, pétanque...

SITGES

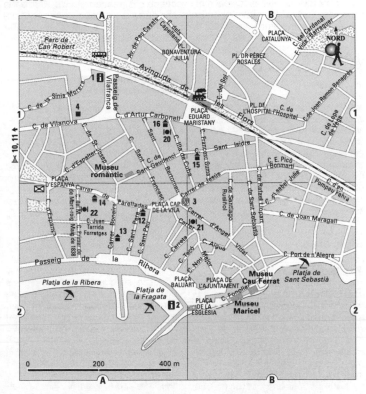

■ Adresses utiles

🛈 1 Office de tourisme Oasis
🛈 2 Office de tourisme
 La Fragata
@ 3 Sitges PC Centre
 4 Location de vélos

⚠ 🏠 Où dormir ?

 10 Camping El Garrofer
 11 Camping Sitges

 12 Hostal R. Parellades
 13 Hostal Bonaire
 14 Hotel Madison Bahía
 15 Hotel Romàntic
 16 Hotel Liberty

|●| Où manger ?

 20 Casa Raimundo
 21 Izarra
 22 El Pescadito

LE LITTORAL BARCELONAIS

Prix moyens

🏠 Hostal R. Parellades *(plan A2, 12) :
c/ Parellades, 11.* ☎ *93-894-08-01.*
● *hostalparellades@hotmail.com* ● *Doubles avec sdb 50-60 € ; pas de petit déj,
nombreux bars à proximité.* Dans une
rue piétonne et commerçante. On aime
bien cette maison ancienne, haute de
plafond, avec son petit salon frais en été
et sa terrasse ombragée surplombant
une ruelle. Chambres très simples
mais impeccables. Excellent rapport
qualité-prix-accueil.
🏠 Hostal Bonaire *(plan A2, 13) : c/
Bonaire, 31.* ☎ *93-894-53-26.* ● *info@
bonairehostalsitges.com* ● *bonairehos
talsitges.com* ● *Doubles avec sdb et AC*

45-80 €. Wifi. Petit hôtel situé dans une rue tranquille à 150 m de la mer, modeste voire un brin défraîchi mais propre. Les chambres (petites, et même minuscules pour les individuelles) donnent sur la rue ou sur un minipatio assez sombre.

🛏 *Hotel Madison Bahía (plan A2, 14) :* c/ Parellades, 31-33. ☎ 93-894-00-12. ● *info@hotelmadisonbahia.com ● hotel madisonbahia.com ● Doubles avec sdb, AC, TV et téléphone 52-85 € selon saison ; petit déj inclus en hte saison.* Dans une rue piétonne du quartier ancien, un petit hôtel vieillissant installé dans une ancienne demeure revue sans nuance, dommage. Chambres simples, avec ou sans balcon, donnant sur la rue (animée mais pas bruyante) ou sur l'arrière.

Plus chic

🛏 *Hotel Romàntic (plan B1, 15) :* San Isidre, 33. ☎ 93-894-83-75. ● roman tic@hotelromantic.com ● hotelroman tic.com ● &. Ouv Semaine sainte-oct. Résa conseillée. Doubles 88-133 € selon saison et confort (avec ou sans sdb, avec ou sans balcon), petit déj inclus.* Wifi. Trois villas du XIXe s (propriété naguère d'un riche Catalan qui avait fait fortune à Cuba) composent cet hôtel sis dans une jolie rue paisible du centre historique. Impossible de ne pas succomber au charme de cette maison, même si les chambres restent relativement modestes au regard du lieu. Beaux carrelages anciens, quelques tableaux, sculptures et meubles raffinés dans les couloirs, élégant bar américain, et surtout un superbe jardin ombragé par des palmiers et autres grands arbres.

🛏 *Hotel Liberty (plan A1, 16) :* c/ Illa de Cuba, 45. ☎ 93-811-08-72. ● info@liber tyhotelsitges.com ● libertyhotelsitges. com ● &. Doubles 68-136 € selon confort (avec ou sans terrasse) et saison, petit déj inclus.* Wifi. Une vraie réussite, savant mélange de déco raffinée (expositions temporaires au bar) et de grand confort moderne. Toutes les chambres disposent d'un balcon ou d'une terrasse, frigo, TV satellite écran plat, lecteur DVD, téléphone, set pour le

thé. Esprit cocooning recréé par les charmants proprios anglais. Certaines chambres donnent sur un ravissant jardin où l'on prend le petit déj en été. Une adresse aussi délicate que délicieuse, parmi nos préférées.

Où manger ?

|●| *Casa Raimundo (plan A1, 20) :* c/ Illa de Cuba, 39-41. ☎ 93-894-35-16. &. Fermé dim soir et lun. Menus env 11 € le midi en sem (excellent rapport qualité-prix), 22-25 € le soir ; carte 25-30 €.* Deux salles classiques, avec poutres au plafond et tableaux aux murs. Ici, la cuisine vient de Galice, goûteuse et bien faite. La *parrillada de pescado y marisco* n'est pas donnée mais délicieuse. Belle carte des vins : c'est le dada du patron.

|●| *Izarra (plan B2, 21) :* c/ Major, 22. ☎ 93-894-73-70. Fermé vac de Noël. Menu 8,50 € le midi en sem ; repas env 18 €.* Digestif offert sur présentation de ce guide. Petit resto basque sans esbroufe et chaleureux, aux murs tapissés de photos du pays et chisteras en tout genre. Les habitués s'installent à l'une des 3 tables pour un repas simple et copieux, ou au bar pour un *vino de la casa* accompagné de délicieuses tapas d'une fraîcheur remarquable.

|●| *El Pescadito (plan A2, 22) :* c/ Marqués Montroig, 4. ☎ 93-894-74-79. Repas 15-25 €.* Grande salle dans la pure tradition catalane, toujours bondée et volubile, où l'on savoure des *raciones* classiques ou des plats plus consistants sans se ruiner. Excellentes fritures de poiscaille en particulier. Quelques tables en terrasse sur une rue piétonne animée, surtout le soir.

Où boire un verre ?

🍸 Le soir, les bars de la *calle 1 de Maig* (plan A2 ; rebaptisée *calle Pecado*, « rue du péché »... tout un programme !) et de la *calle Illa de Cuba* (plan A-B1) font le plein jusqu'à pas d'heure. Les hommes qui préfèrent les hommes apprécieront l'ambiance des *bars de la carrer Sant Bonaventura* et de la *calle Bonaire.*

À voir

🕴 *Museu Cau Ferrat (plan B2) :* c/ de Fonollar, 8. ☎ 93-894-03-64. ● sitges.cat ●
ATTENTION, fermé pour rénovation au moins jusque mi-2012. Ancienne résidence
du peintre et écrivain Santiago Rusiñol (1861-1932), qui l'a léguée à la ville avec ses
collections : œuvres de Ramon Casa, Picasso, Miguel Utrillo, et deux tableaux du
Greco.

🕴 *Museu Maricel (plan B2) :* au même endroit que le museu Cau Ferrat. ATTEN-
TION, *fermé pour rénovation au moins jusque mi-2012.* Expose une belle collection
d'art médiéval, des œuvres d'artistes locaux depuis le romantisme jusqu'au XXe s,
ainsi que des objets marins. Au rez-de-chaussée, sculptures de nus joliment mises
en scène dans une superbe pièce vitrée ouvrant sur la mer.

🕴 *Museu romàntic (plan A1) :* c/ Sant Gaudenci, 1. ☎ 93-894-29-69. *Mar-sam
9h30-14h, 15h30-18h30 (16h-19h juil-sept) ; dim 10h-15h. Entrée : 6,40 € ; réduc.*
Une demeure néoclassique du XVIIIe s où vécut une famille de riches propriétaires
catalans. À voir, notamment, la *collection Lola Anglada,* qui propose une belle sélection de jouets et de poupées des XVIIe, XVIIIe et XIXe s en peau, en carton ou en
porcelaine, en provenance de toute l'Europe. Également une large collection de
luminaires en tout genre, du chandelier à la lampe à gaz.

🏖 *Les plages :* une dizaine de petites plages, délimitées par des digues, s'étirent
sur les 3 km du front de mer. Les allergiques au maillot devront marcher 15 mn vers
l'est (après l'église) pour rejoindre la plage *dels Balmins.*

Fêtes

– *Carnaval de Sitges :* en fév. Parades gays avec toute l'exubérance qu'on leur
prête. Celles des dimanche et mardi sont les plus intéressantes.
– Les férus de rallyes motos et automobiles assisteront aux défilés de rutilantes
Harley Davidson et voitures d'époque : *rallye de Cotxes d'Època* (1er dim de mars)
et *rallye de Motos antigues* (mi-oct).
– *Festivitat de Corpus, Catifes de Flors :* en juin. Magnifiques tapis de fleurs dans
les rues, exposition d'œillets (claveles).
– *Festival international de Théâtre* (Sitges Teatre internacional, STI) : *début juin.*
Déplace des artistes d'un peu toute la planète (des Biélorusses à Peter Brook...).
Les prix flambent, mais les amateurs de comédie sauront apprécier quelques bel-
les créations.

VILAFRANCA DEL PENEDÈS

À 24 km au nord de Sitges et à 55 km au sud-ouest de Barcelone, dans une
vaste plaine fertile traversée à l'époque romaine par la vía Augusta, Vilafranca del Penedès est aujourd'hui encore un nœud de communications.
Elle est surtout réputée pour être la capitale du Haut Penedès (*Alt Penedès*
en catalan). Le Penedès produit 90 % du *cava* d'Espagne. Au cœur du premier terroir viticole de Catalogne, cette ville de taille moyenne dévoile quelques monuments anciens, situés dans son centre historique, autour de la
basilique Sainte-Marie, comme le palais du Roi *(palau Reial),* qui abrite un
petit musée du Vin.

Comment y aller ?

➢ **En voiture :** de Sitges, suivre la jolie petite route C 15B, qui traverse la ligne des collines de l'arrière-pays. De Barcelone, suivre l'autoroute A 7 Barcelone-Tarragone, puis emprunter la sortie 28 ou 30.

➢ **En train :** liaisons avec Barcelone (pl. de Catalunya ou Sants), avec la ligne C4. En sem, 2-4 trains/h selon les heures, slt 1 train/h le w-e. Env 55 mn de trajet et 6,40 € l'A/R. Mais pour atteindre les caves *Torres,* il vous restera encore 4 km...

À voir

Les caves Torres : *finca El Masel, 08739* **Pacs del Penedès.** ☎ 93-817-74-87. ● *torres.es* ● *À 4 km à l'ouest de Vilafranca del Penedès, sur la route de Sant Martí Sarroca, panneau sur la gauche. Visite guidée (1h30, parfois en français) lun-sam 9h15-16h45, dim et j. fériés 9h15-13h. Entrée : 6,10 €, dégustation comprise ; réduc.* La visite commence par la projection d'un montage audiovisuel sur l'histoire de la maison *Torres.* Les visiteurs embarquent ensuite dans un petit train qui s'arrête dans le *tunel de las Estaciones,* où est expliqué le cycle des saisons et leur influence sur la vigne (30 odeurs et parfums de synthèse flottent dans l'air : bois brûlé, fleur d'oranger...). On découvre alors les différentes étapes de la vinification jusqu'à la mise en bouteilles (usine sur place), sans oublier la grande cave *(bodega Josefa)* où sont entreposés des milliers de tonneaux en chêne. Ce bois provient à 50 % de France (Nevers, Vosges) et le reste de Virginie ou de Hongrie.
Un grand vin naît et se fait à la maison, telle est la devise de Miguel Torres, propriétaire et P.-D.G. des caves *Torres,* considérées comme la plus grande et la plus moderne maison de vin d'Espagne.

LES GUIDES DU ROUTARD
2012-2013

(dates de parution sur **routard.com**)

France

Nationaux

- Les grands chefs du routard
- Nos meilleures chambres d'hôtes
  en France
- Nos meilleurs campings
  en France
- Nos meilleurs hôtels et restos
  en France
- Nos meilleurs produits du terroir
  en France
- Tourisme responsable

Villes françaises

- Lyon
- Marseille
- Nantes et ses environs
- Nice

Paris

- Environs de Paris
- Junior à Paris et ses environs
- Paris
- Paris à vélo
- Paris balades
- Paris la nuit
- Paris, ouvert le dimanche
- Paris zen
- Restos et bistrots de Paris
- Le Routard des amoureux
  à Paris
- Week-ends autour de Paris

Régions françaises

- Alsace (Vosges)
- Ardèche, Drôme
- Auvergne
- Berry
- Bordelais, Landes, Lot-et-Garonne
- Bourgogne
- Bretagne Nord
- Bretagne Sud
- La Bretagne et ses peintres
- Champagne-Ardenne
- Châteaux de la Loire
- Corse
- Côte d'Azur
- Dordogne-Périgord
- Franche-Comté
- Guadeloupe, Saint-Martin, Saint-Barth
- **Isère, Hautes-Alpes et stations des
  Alpes-Maritimes (mai 2012)**
- Languedoc-Roussillon
- Limousin
- Lorraine
- Lot, Aveyron, Tarn
- Martinique
- Nord-Pas-de-Calais
- Normandie
- La Normandie des impressionnistes
- Pays basque (France, Espagne), Béarn
- Pays de la Loire
- Picardie
- Poitou-Charentes
- Provence
- Pyrénées, Gascogne et Pays toulousain
- Réunion
- **Savoie Mont Blanc (avril 2012)**

Europe

Pays européens

- Allemagne
- Andalousie
- Angleterre, Pays de Galles
- Autriche
- Baléares
- Belgique
- **Budapest, Hongrie (mars 2012)**
- Catalogne (+ Valence et Andorre)
- Crète
- Croatie
- Danemark, Suède
- Écosse
- Espagne du Nord-Ouest (Galice,
  Asturies, Cantabrie)
- Finlande
- Grèce continentale

- Îles grecques et Athènes
- Irlande
- Islande
- Italie du Nord
- Italie du Sud
- Lacs italiens
- Madrid, Castille (Aragon et Estrémadure)
- Malte
- Norvège
- Pologne
- Portugal
- **République tchèque, Slovaquie
  (mars 2012)**
- Roumanie, Bulgarie
- Sardaigne
- Sicile
- Suisse
- Toscane, Ombrie

LES GUIDES DU ROUTARD
2012-2013 *(suite)*

(dates de parution sur **routard.com**)

Villes européennes

- Amsterdam et ses environs
- Barcelone
- Berlin
- Bruxelles
- Florence
- Lisbonne
- Londres
- Moscou, Saint-Pétersbourg
- Prague
- Rome
- Venise

Amériques

- Argentine
- Brésil
- Californie
- Canada Ouest
- Chili et île de Pâques
- Équateur et les îles Galápagos
- États-Unis Nord-Est
- Floride
- Guatemala, Yucatán et Chiapas
- Louisiane et les villes du Sud
- Mexique
- New York
- Parcs nationaux de l'Ouest américain et Las Vegas
- Pérou, Bolivie
- Québec, Ontario et Provinces maritimes

Asie

- Bali, Lombok
- Birmanie (Myanmar)
- Cambodge, Laos
- Chine
- Inde du Nord
- Inde du Sud
- Istanbul
- **Israël, Palestine (mai 2012)**
- Jordanie, Syrie
- Malaisie, Singapour
- Népal, Tibet
- **Sri Lanka (Ceylan ; mai 2012)**
- Thaïlande
- Tokyo, Kyoto et environs
- Turquie
- Vietnam

Afrique

- Afrique de l'Ouest
- Afrique du Sud
- Égypte
- Kenya, Tanzanie et Zanzibar
- Maroc
- Marrakech
- Sénégal, Gambie
- Tunisie

Îles Caraïbes et océan Indien

- Cuba
- Guadeloupe, Saint-Martin, Saint-Barth
- Île Maurice, Rodrigues
- Madagascar
- Martinique
- République dominicaine (Saint-Domingue)
- Réunion

Guides de conversation

- Allemand
- Anglais
- Arabe du Maghreb
- Arabe du Proche-Orient
- Chinois
- Croate
- Espagnol
- Grec
- Italien
- Japonais
- Portugais
- Russe

Et aussi...

- G'palémo (conversation par l'image)

NOS NOUVEAUTÉS

ISRAËL, PALESTINE (mai 2012)

Enfin un guide *Israël, Palestine* ! Malgré les apparences, les conditions d'une paix durable semblent enfin se dessiner dans la région. De chaque côté, on découvre des opposants à la haine et au racisme. Partout, des gens de bonne volonté, plus proches les uns des autres qu'on ne le pense. Ils font entendre leur volonté de paix. D'une façon assourdissante. Voici un guide qui permet de découvrir une région dont les identités sont si fortement imbriquées... outre les lieux branchés, les hébergements pour tous les budgets, les gastronomies (tant de plats typiques et délicieux en commun), les cultures... Et puis aussi, de Tel-Aviv à Ramallah, des endroits inouïs. Une vraie mosaïque passionnante et foisonnante qui compose cette Terre sainte... trois fois sainte.

SRI LANKA (Ceylan ; mai 2012)

Montagnes verdoyantes, plantations de thé peignées comme un dimanche, cascades impressionnantes et villages de bout du monde. Des pluies chaudes, des lumières fortes, des forêts primaires... En guise de bienvenue, le sourire des enfants et la robe safran des moines qui colorie ce décor. Répondant au vert de la nature, le bleu des lagons, tout simplement. Les Anglais avaient le nez pour découvrir les lieux paradisiaques, ils ont laissé ici l'empreinte de petits cottages où il fait bon séjourner pour vivre en harmonie avec ce décor. Il est temps de redécouvrir ce paradis. Sri Lanka en a terminé avec la guerre civile et le tsunami. Soyez les premiers à en rouvrir les portes.

Dénicheur de talents !

18.⁵⁰ €

- ▶ Plus de 600 adresses avec des photos
- ▶ Plein de menus à moins de 30 €

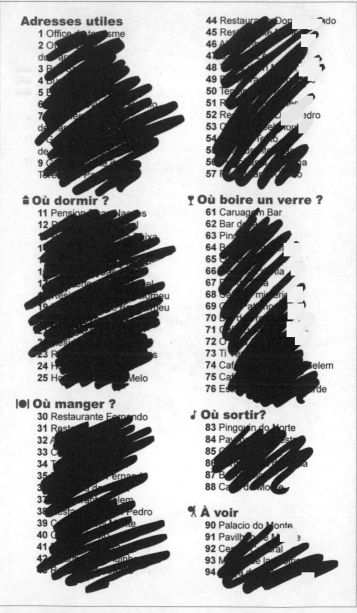

Adresses utiles

1 Office de tourisme
2 O...
du...
3 B...
4 B...
5 B...
6 ...
7 ...
de...
9 C...
Tore...

44 Restaurante Don...ndo
45 Res...
46 A...
47 ...
48 T...
49 ...
50 Ter...
51 R...
52 Re...edro
53 C...or
54 ...o
55 ...
56 ...a
57 R...a

⌂ Où dormir ?

11 Pension...Nac...es
12 ...
...Melo

61 Caruage...Bar
62 Bar de...
63 Pinc...
64 B...
65 C...
66 ...la
67 ...a
68 Ge...mi...eri...
69 C...no
70 B...
71 C...
72 O...
73 Ti...
74 Caf...elem
75 Caf...
76 Es...rde

⚇ Où boire un verre ?

|●| Où manger ?

30 Restaurante Fernando
31 Rest...
32 A...
33 C...
34 T...
35 ...
...ernan...
37 ...lem
38 ...Pedro
39 C...te
40 C...
41 ...
42 ...

♪ Où sortir?

83 Pingouin do Monte
84 Pav... ...est...
85 C...
86 ...a
87 B...
88 Ca...Mo...e

⚘ À voir

90 Palacio do Monte
91 Pavilh...e M...e
92 Ce...ral
93 M...e la...n...
94 ...e...

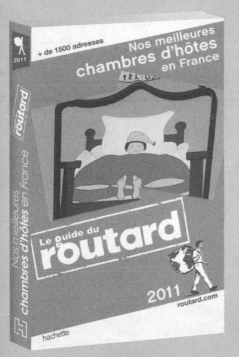

"Qui **sauve un enfant,** sauve le **monde**"

Pour nous soutenir, vous pouvez envoyer vos dons à :

**La Chaîne de l'Espoir
96, rue Didot
75014 Paris**

COMITÉ DE LA CHARTE
don en confiance

La chaîne
de l'espoir

www.chainedelespoir.org

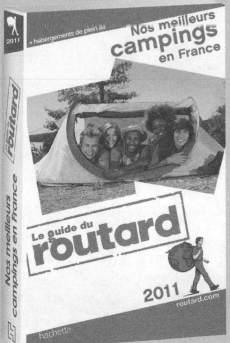

FAITES-VOUS **COMPRENDRE**
PARTOUT DANS LE MONDE !

5.⁰⁰ €

LOOk!

Le guide du routard

Disponible sur iPhone

Pour vous faire comprendre partout dans le monde !

Achetez l'application sur l'App Store 2,99 €

routard assurance light
Voyage de moins de 8 jours
exclusivement en Union Européenne

AVi
INTERNATIONAL
L'Assurance Voyage

RÉSUMÉ DES GARANTIES*	MONTANT MAXIMUM DES GARANTIES
RAPATRIEMENT MÉDICAL	Illimité
VOS DÉPENSES (chirurgie, hôpital)	7 500 €
BILLET GRATUIT DE RETOUR DANS VOTRE PAYS	Billet gratuit de retour si vous êtes hospitalisé plus de 7 jours
RAPATRIEMENT DU CORPS (Frais réels)	Sans limitation
FRANCHISE DE 30 € PAR SINISTRE POUR LES FRAIS MÉDICAUX	
CAUTION PÉNALE	7 500 €
HONORAIRES D'AVOCATS	1 500 €
VOLS / PERTE / ACCIDENTS / INCENDIE (pendant toute la durée de votre voyage)	
- Vêtements, objets personnels pendant toute la durée de votre voyage à l'étranger	500 €
- Dont appareil photo et objets de valeurs	250 €

* Nous vous invitons préalablement à souscription à prendre connaissance de l'ensemble des Conditions générales sur www.avi-international.com ou par téléphone au 01 44 63 51 00 (coût d'un appel local).

Pour tous voyage hors Union Européenne ou de plus de 8 jours souscrivez au tarif
"ROUTARD ASSURANCE"

À partir de 4 personnes souscrivez au tarif
"SPÉCIAL FAMILLE"
(maximum 7 personnes / jusqu'à 60 ans)

assurance **marco polo**
VOYAGES & TOUR DU MONDE

Pour un voyage de plus de 2 mois souscrivez à
L'ASSURANCE "MARCO POLO"

PRINCIPALES EXCLUSIONS* (commune à tous les contrats d'assurance voyage)
- Les conséquences d'évènements catastrophiques et d'actes de guerre,
- Les conséquences de faits volontaires d'une personne assurée,
- Les conséquences d'événements antérieurs à l'assurance,
- Les dommages matériels causés par une activité professionnelle,
- Les dommages causés ou subis par les véhicules que vous utilisez,
- Les accidents de travail manuel et de stages en entreprise (sauf avec les Options Sports et Loisirs, Sports et Loisirs Plus),
- L'usage d'un véhicule à moteur à deux roues et les sports dangereux : surf, rafting, escalade, plongée sous-marine (sauf avec les Options Sports et Loisirs, Sports et Loisirs Plus).

Pour plus d'informations : Tél. : 01 44 63 51 00*
Fax : 01 42 80 41 57- www.avi-international.com

routard assurance light
Voyage de moins de 8 jours
exclusivement en Union Européenne

INTERNATIONAL
L'Assurance Voyage

BULLETIN DE SOUSCRIPTION

❏ M.   ❏ Mme   ❏ Mlle

Nom : I__I__I__I__I__I__I__I__I__I__I__I__I__I__I__I__I__I__I__I__I__I__I__I__I__I__I__I__I__I__I

Prénom : I__I__I__I__I__I__I__I__I__I__I__I__I__I__I__I__I__I__I__I__I__I__I__I__I__I__I__I__I__I

Date de naissance : I__I__I / I__I__I / I__I__I__I__I (jusqu'à 65 ans)

Adresse de résidence : I__I__I__I__I__I__I__I__I__I__I__I__I__I__I__I__I__I__I__I__I__I__I__I__I

I__I__I__I__I__I__I__I__I__I__I__I__I__I__I__I__I__I__I__I__I__I__I__I__I__I__I__I__I__I__I

Code Postal : I__I__I__I__I__I

Ville : I__I__I__I__I__I__I__I__I__I__I__I__I__I__I__I__I__I__I__I__I__I__I__I__I__I__I__I__I__I

Pays : I__I__I__I__I__I__I__I__I__I__I__I__I__I__I__I__I__I__I__I__I__I__I__I__I__I__I__I__I__I

Nationalité : I__I__I__I__I__I__I__I__I__I__I__I__I__I__I__I__I__I__I__I__I__I__I__I__I__I__I__I

Tél. : I_____I Portable : I_____I

Email : I_____I@I_____I

Pays de départ : I__I__I__I__I__I__I__I__I__I__I__I__I__I__I__I__I__I__I__I__I__I__I__I

Pays de destination principale : I__I__I__I__I__I__I__I__I__I__I__I__I__I__I__I__I__I__I__I

Date de départ : I__I__I / I__I__I / I__I__I__I__I

Date du début de l'assurance : I__I__I / I__I__I / I__I__I__I__I

Date de fin de l'assurance :   I__I__I / I__I__I / I__I__I__I__I I = I__I__I jours
(Calculer exactement votre tarif en jour selon la durée de votre voyage)

COTISATION FORFAITAIRE (Tarifs valable jusqu'au 31/03/2012)

❏ De 1 à 3 jours	8,25 € TTC
❏ De 4 à 5 jours	8,80 € TTC
❏ De 6 à 8 jours	9,90 € TTC
TOTAL À PAYER = I__I__I__I__I € TTC	

PAIEMENT

❏ Carte Bancaire (Visa / Eurocard / Mastercard / American Express)   Expire le I__I__I / I__I__I

N° I__I__I__I__I__I__I__I__I__I__I__I__I__I__I__I__I__I__I__I   Cryptogramme I__I__I__I

❏ Chèque (sans frais en France) à l'ordre d'AVI International à envoyer au 106-108, rue la Boétie 75008 Paris

❏ Je reconnais avoir pris connaissance et accepté l'ensemble des dispositions contenues dans les conditions générales Pass'port Sécurité Routard Assurance ou Séniors, disponibles sur le site www.avi-international.com, avec lesquelles ce document forme un tout indivisible.

❏ Je déclare être en bonne santé et savoir que toutes les conséquences de maladies et accidents antérieurs à ma date d'assurance ci-dessus, ne sont pas assurés, ni toutes les suites et conséquences de la contamination par des MST, le virus HIV ou l'hépatite C. Je certifie ne pas prévoir de traitement à l'étranger et ne pas voyager pour des raisons médicales.

❏ Je dispose d'un droit d'accès, de modification, de rectification et de suppression des informations me concernant figurant dans les fichiers d'AVI International dans les conditions prévues par la loi n° 78-17 du 6 janvier 1978 modifiée en contactant AVI International par courrier ou mail. Je reconnais que ces informations sont destinées à l'assureur, à AVI et à leurs partenaires pour les besoins de la gestion du contrat.

Date : I__I__I / I__I__I / I__I__I__I__I   SIGNATURE :

* Coût d'un appel local.

INDEX GÉNÉRAL

2 (La) ♫ 145
5 Rooms (The) 🛏 113
7 Portes ﴾⚫﴿ 124
41° (Tickets Bar) ﴾⚫﴿ 🍸 118

A

ABBA-Back Packers Youth
    Hostel 🛏 104
ACC – Associació Ceramistes
    de Catalunya 🏵 148
AGBAR (torre) 184
Agua ﴾⚫﴿ 130
Agut ﴾⚫﴿ 122
Aire ♫ 143
AJUNTAMENT ✻ 153, 157
Alberg Palau 🛏 103
Albergue de la juventud
    Kabul 🛏 102
Alberguest – Alternative
    Creative Youth Home 🛏 104
Alberguinn Youth Hostel 🛏 105
Amaltea ﴾⚫﴿ 127
AMATLLER (casa) 174
America 32 B & B 🛏 114
AMPLE (carrer) 153
AMPLE (espace cultural) ✻ ... 164
Ana's Guest House 🛏 113
Andreu ﴾⚫﴿ 123
ÀNGEL (plaça de l') 153

Ánima ﴾⚫﴿ 125
ANTIC MERCAT
    DEL BORN 161
Antic Teatre (L') 🍸 137
ANTIGA CASA
    FIGUERAS ✻ 166, 174
Antilla BCN Latin Club ♫ 143
ANTONI TÀPIES
    (fundació) ✻✻ 175, 177
Apartaments Unló 🛏 106
AQUÀRIUM ✻✻ 183
ARC DELS TAMBORETS
    (carrer de l') 161
ARDIACA (casa de l') 152
Arena ♫ 143
ARÈNES (les) ✻✻ 173
Art Escudellers 🏵 148
ASES (carrer des) 161
ATAÜLF (carrer) 153
Atril (El) ﴾⚫﴿ 123
Auditorium ∞♫ 146
AVINYÓ (carrer d') 153

B

Backpackers BCN
    Casanova 🛏 104
Backpackers BCN
    Diputació 🛏 104
BADALONA (plage) 188
BANYS NOUS (carrer) 156
Bar Almirall 🍸 139

Bar Cañete ﴾⚫﴿ 🍸 118
Bar Central ﴾⚫﴿ 126
Bar del Convent 🍸 137
Bar del Pi 🍸 135
Bar Jardí 🍸 134
Bar Lobo ﴾⚫﴿ 🍸 118
Bar Mariatchi 🍸 ♪ 368

Bar Muy Buenas ▼ 138
Bar Pinotxo |●| 126
Bar Ra |●| ▼ 126
Bar Velódromo |●| ▼ 120
Barcelona City Hotel
  Universal ⌂ 112
Barcelona Mar Youth
  Hostel ⌂ 103
BARCELONETA (la) 183
BARCELONETA (plage de la) ... 183
BARÓ DE QUADRAS
  (palau) 175
BARRI GÒTIC (Barrio
  Gótico) 150
BARRI SANT ANTONI 166
BARRI XINO
  (Barrio Chino) 162, 164
Báscula (La) |●| 124
BATLLÓ (casa) ⚷⚷⚷ 175, 176
BCN Design ⌂ 113
Bellamia – Gelateria
  Italiana ♥ 133
BERENGUER EL GRAN

(plaça) 153
Bikini ♫ ♪ 145
Bilbao (Le) |●| 130
BISBE IRURITA (carrer del) 152
Bliss ▼ 135
Bon Mercat ▼ 134
Bonic Barcelona ⌂ 108
Bonobo (El) ▼ ♪ 141
BOQUERÍA (carrer de la) 156
BOQUERÍA (La ; mercado
  San Josep) ⚷⚷⚷ 163
Boquería (La ; mercado
  San Josep) ⊛ 133, 146
BORN (El) 158
BORN (passeig del) 161
Bosc de les Fades (El) ▼ 135
Botafumeíro |●| 131
Botifarrería de Santa
  María (La) ⊛ 147
Botiga Barça ⊛ 149
Boulangerie Baluard ⚲ 133
Boutiques de fringues ⊛ 149
Bulevard Rosa ⊛ 148

C-D

Caelum ⚲ ⊛ 132, 147
Café Babel ▼ 135
Café d'Estiu ▼ 134
Cafè de l'Academia |●| 122
Cafè de l'Òpera ▼ 135
Café del Sol ▼ ♪ 141
Café Pastis ▼ ♪ 139
Café Sant Pere |●| ▼ 137
CAIXA FORUM ⚹ 172
Cal Pep |●| 124
Cal Pinxo |●| 129
Cala del Vermut |●| ▼ 116
CALL MAYOR (le) 153, 157
CALVET (casa) 174
Camping El Vedado ⚐ 115
Camping Masnou ⚐ ⌂ 115
Camping 3 Estrellas ⚐ 115
Can Cargol |●| 128
Can Culleretes |●| 122
Can Lluis |●| 125
Can Maño |●| 129
Can Paixano |●| ▼ 120
Can Punyetes |●| 130
Cangrejo (El) ♫ ▼ 142
CANONGES (cases dels) 152

Caracoles (Los) |●| 122
Carballeira |●| 124
Carmelitas ▼ 138
Casa Beethoven ⊛ 149
Casa Camper ⌂ 111
Casa Colomina ⊛ 147
Casa de Marcelo (La) ⌂ 109
Casa Leopoldo |●| 126
CASTELLDEFELS
  (plage de) 188
CATEDRAL ⚷⚷⚷ 150
CCCB (Centre de Cultura
  contemporània de
  Barcelona) ⚹ 163
CDLC ♫ 145
Center Ramblas ⌂ 103
CENTRE DE CULTURA
  CONTEMPORÀNIA DE
  BARCELONA (CCCB) ⚹ 163
CENTRO D'INTERPRETACIÓ
  DEL CALL ⚹ 157
Cervecería Catalana |●| ▼ 119
Cherpi |●| 131
Chiringuitos de la plage
  del Bogatell (Los) ▼ ♪ 140

Christian Escribà ☎ 133
Cinc Sentits |●| 128
CIUTADELLA (parc de la) 162
CIUTAT (carrer de la) 153
Ciutat Comtal |●| ☥ 120
Club Catwalk ♫ 145
Club Soul ♫ ☥ 146
Cocoon Barcelona ≙ 105
CODORNÍU (caves ;
Sant Sadurní d'Anoia) 195
COLOM (mirador de) ♜ 162
COLÒNIA GÜELL ♞♞ Ⓢ 188
Colonials ☸ 147
COLONNES ROMAINES ♜ ... 156
COMALAT (casa) 175
Comerç 24 |●| 124
Concha (La) ☥ ♪ 139
Condonería (La) ☸ 149
Confitería (La) ☥ ♪ 138
Copetín (El) ☥ ♪ 138
COSMO CAIXA ♞♞♞ 187

Cova Fumada (La) |●| ☥ 120
Crema Canela (La) |●| 121
Cremeria Toscana ♥ 132
Cremeria Toscana
Muntaner ♥ 133
Cuines Santa Caterina |●| 123
Custo ☸ 149
Daily Flats ≙ 106
D Boy ♫ 144
Denit ≙ 108
Desigual ☸ 149
Dietrich Gay Teatro
Cafe ☥ ♪ ♫ 140
DIOCESÀ (museu) ♞♞ 155
Disques d'occasion ☸ 149
DISSENY HUB (DHUB ;
musée du design) ♜ 159
DOCTOR GÉNOVÉ (casa) 174
Dolça Herminia (La) |●| 121
Drac Café ☥ 137
Duo by Somnio ≙ 112

E-F

EIXAMPLE (l' ; l'Ensanche) 175
EIXAMPLE (le nord et
l'est de l') 178
EL BORN 158
EL RAVAL 162, 164
En Ville |●| 126
Encants (Els ; puces) ☸ 148
ENSANCHE (l' ; l'Eixample) 175
Envalira |●| 131
Equity Point – Centric ≙ 103
Equity Point – Gothic ≙ 103
Equity Point – Sea Youth
Hostel ≙ 104
Espai Sucre |●| 125
ESPAÑA (hotel) 174
Etapes |●| 128

Euskal Etxea |●| ☥ 117
FIGUERAS
(antiga casa) ♜ 166, 174
Fira (La) ♫ ☥ 143
Fogons de la Barceloneta
(Els) |●| ☥ 120, 129
Foire aux antiquités ☸ 148
Foire aux livres ☸ 148
Fonda (La) |●| 122
Fonts de Montjuïc
(Las) ∞ 146, 167
Formatgeria La Seu |●| ☥ 116
FRANCISCO GODIA
(fundación) ♜ 178
Fratello ♥ 133
Fresc Co |●| 127

G

Ganiveteria Roca ☸ 148
GAUDÍ (casa-museu) 182
Gavina (La – Gràcia) |●| 131
Gavina (La – sur le port) |●| ... 128
GENERALITAT
(palau de la) ♜ 153, 156
Gispert ☸ 147
Glaciar ☥ ♪ 136

GODIA (fundación
Francisco) ♜ 178
Golfo de Bizkaia |●| ☥ 117
Golondrinas (Las) ⚓ 182
GOUTTIÈRES (chemin des) ... 193
GRÀCIA (quartier de) 185
Gran Café (El) |●| 122
GRAN DE GRÀCIA (carrer) 185

Grand Théâtre Liceu ∞ 146
Granja (La) ☞ 132
Granja Dulcinea ☞ 132
Granja M. Viader ☞ 132
GÜELL (colónia) ⚒ 188

GÜELL (finca ; pavellons
  Güell) ⚒ 186
GÜELL (palau) ⚒⚒⚒ 165, 174
GÜELL (park) ⚒⚒⚒ 181

H-I-J-K-L

Harlem Jazz Club ♟ ♪ 141
Herboristería del Rei ✿ 147
HÈRCULES (carrer) 153
HOSPITAL (carrer) 165
Hostal BCN Port ☖ 114
Hostal Benidorm ☖ 110
Hostal Fernando ☖ 107
Hostal Girona ☖ 112
Hostal Layetana ☖ 108
Hostal New York ☖ 103
Hostal Oliva ☖ 112
Hostal San Remo ☖ 112
Hostal Sol y K ☖ 107
Hostal-residencia
  Lausanne ☖ 108
Hostal-residencia
  Rembrandt ☖ 107
Hostel One Barcelona
  Centro ☖ 105
Hotel Axel ☖ 113
Hotel Banys Orientals ☖ 110
Hotel California ☖ 109
Hotel Cantón ☖ 108
Hotel Chic & Basic ☖ 110
Hotel Chic & Basic Tallers ☖ 111
Hotel 54 ☖ 114
Hotel Ciutat Vella ☖ 111
Hotel Curious ☖ 111
Hotel Granvía ☖ 113
Hotel Jardí ☖ 109
Hotel Peninsular ☖ 110

Ikastola ♟ 141
INDIO (El) 174
Inside Barcelona ☖ 106
Instinto ✿ 149
Iposa |●| ♟ 118
Irati |●| ♟ 116
ITINÉRAIRE GOTHIQUE 152
ITINÉRAIRE MODERNISTE ... 173
Jamboree-Tarantos ♟ ♪ ♫ ... 137,
                                  142
Jamonísimo ✿ 147
Jardí (El) ♟ 138
Jazz Hotel ☖ 111
Kaiku |●| 129
Kasparo |●| ♟ 118
LACAPELLA ⚒ 166
Laie ♟ @ ✿ 140
Laie Café ♟ 137
Lenin Hostel ☖ 112
Libentia |●| 128
Lilipep |●| 123
LITTORAL BARCELONAIS
  (le) 197
LLEDÓ (carrer de) 153
LLEÓ MORERA (casa) 174
Llibreria Altaïr ✿ 100
Llibreria Selvaggio ✿ 148
LLIBRETERIA (carrer) 154
London Bar ♟ ♪ 139
Luz de Gas ♫ ♟ 143

M-N

MACAYA (casa) 175
MACBA (museu d'Art
  contemporani de
  Barcelona) 163
Madame Jasmine ♟ 139
Magnífico (El) ✿ 147
Mam I Teca |●| 125
Mamainé ♟ ♪ 138
Manual Alpargatera (La) ✿ 149

MANZANA DE LA
  DISCORDIA 174
Marché aux timbres et pièces
  de monnaie ✿ 148
Margarita Blue ♟ ♪ 135
MARE DE DÉU (església) 156
MARÈS (museu
  Frédéric-) ⚒⚒ 155
MARIA AGUILÓ (carrer de) 185

Marisquería La Paradeta |●| 124
Marsella ⅄ 139
Mediterranean Youth
   Hostel ⌂ 104
Merca Vins |●| 121
MERCÈ (església de la) 153
Merendero de la Mari |●| 129
Métro Disco ♫ 144
MIES VAN DER ROHE
   (pavelló) ✻ 172
MILÀ (casa ; la
   Pedrera) ✻✻✻ 175, 176
MILANS (carrer de) 153
Mirablau ♪ ⅄ 145
Miramelindo ⅄ ♪ 138
MIRÓ (fundació) ✻✻✻ 168
MNAC (museu nacional d'Art
   de Catalunya) ✻✻✻ 168
MONTCADA (carrer de) 161
MONTJUÏC 167
MONTJUÏC (castell de) ✻ 172
MONTJUÏC DEL BISBE
   (carrer) 153
MONTSERRAT 189
MONTSERRAT
   (basilique de) 192
MONTSERRAT (musée de) 192
MONTSERRAT PORTES
   ENDINS 192
Moog ♫ 145
Mundial Bar |●| 123
MUSÉE D'ART RELIGIEUX 155
MUSEU BARBIER-
   MUELLER DE ART
   PRECOLOMBÍ ✻✻ 159
MUSEU CAU FERRAT
   (Sitges) ✻ 201
MUSEU D'ART CONTEMPO-
   RANI DE BARCELONA
   (MACBA) ✻✻ 163
MUSEU D'HISTÒRIA

DE CATALUNYA ✻✻ 182
MUSEU D'HISTÒRIA DE
   LA CIUTAT (MUHBA) ✻✻ ... 154
MUSEU DE CERÀMICA 185
Museu de l'Embotit
   (El) |●| ⅄ 118
MUSEU DE L'ERÒTICA ✻ 163
MUSEU DE LA
   XOCOLATA ✻ |●| 132, 161
MUSEU DE LES ARTS
   DECORATIVES 185
MUSEU DEL ROCK ✻✻ 173
MUSEU FC
   BARCELONA ✻ 188
MUSEU FRÉDÉRIC-
   MARÈS ✻✻ 155
MUSEU MARICEL
   (Sitges) ✻✻ 201
MUSEU MARÍTIM ✻✻ 166
MUSEU NACIONAL D'ART
   DE CATALUNYA
   (MNAC) ✻✻✻ 168
MUSEU NACIONAL DE
   LA CIÈNCIA I DE LA
   TÈCNICA DE CATALUNYA
   (Terrassa) ✻✻ 194
MUSEU PICASSO ✻✻✻ 160
MUSEU ROMÀNTIC
   (Sitges) ✻ 201
MUSEU SENTIMENTAL 155
MUSEU TAURÍ ✻ 178
MUSEU TÈXTIL I
   D'INDUMENTÀRIA 186
MÚSICA CATALANA
   (palau de la) ✻✻✻ 158, 174
Neri Restaurant |●| ⅄ 116
New York ♫ 142
Nitsa Club ♫ 145
Nou Candanchú |●| ⅄ 131
NOVA (plaça) 152

O-P

O'Gràcia ! |●| 131
Oleum |●| 172
Olivé (L') |●| 128
One (The) ♫ 144
Opium Mar ♫ 145
Organic |●| 126
Otto Zutz Club ♫ 143

Paco Meralgo |●| ⅄ 119
Palacio del Juguete ⊛ 148
Palau de la Música
   catalana ∞ 146
PARAL-LEL (la) ✻ 167
PEDRALBES
   (El Palau) ✻✻ 185

PEDRALBES (Reial Monestir de) 🎬🎬 186
PEDRERA (la ; casa Milà) 🎬🎬🎬 175, 176
Penelope 🎵 144
Pensió Alamar 🏠 106
Pensió 2000 🏠 109
Pensión Aris 🏠 107
Pensión Canadiense 🏠 108
Pensión Europa 🏠 107
Pensión Francia 🏠 109
Pensión Lourdes 🏠 109
Pensión Mari-Luz 🏠 106
Pensión Sant Domènec 🏠 107
Pepita (La) 🍽 120
Pescadors (Els) 🍽 130
PESCADORS (moll dels) 183
PETRITXOL (carrer de) 🎬 156
PI (plaça del) 🎬 156
PICASSO (museu) 🎬🎬🎬 160

Pineda (La) 🍽 🍷 116
Pipa Club 🍷 🎵 138
Pitin Bar 🍷 🎵 137
Pizzeria San Marino 🍽 121
Pla de la Garsa 🍽 124
Pla dels Angels 🍽 125
PLAGES (les) 188
PLAGES (les ; Sitges) 201
POBLE ESPANYOL 🎬🎬 172
POBLENOU (cimetière du) 185
POBLENOU (le) 184
POBLENOU (parc central del) 184
POBLENOU (rambla del) 184
PONS I PASCUAL (casa) 174
PORT (le) 182
Premier 🍷 140
PRIM (plaça de) 185
PUNXES (les ; casa Terrades) 175

Q-R

Quatre Gats 🍷 135, 174
Quimet & Quimet 🍽 🍷 119
Rabipelao 🍷 136
Raïm 🍷 141
RAMBLA (la) 🎬🎬🎬 162
RAMBLA (quartier de la) 162
RAVAL (El) 162, 164

RAVAL (rambla del) 165
Razzmatazz 🍷 🎵 142
REI (plaça del) 🎬🎬 154
REIAL (plaça) 🎬🎬 164
RIBERA (quartier de la) 158
ROCAMORA (casa) 174

S

Sagardi 🍽 🍷 117
SAGRADA FAMÍLIA (basílica de la) 🎬🎬🎬 178
SAINT-JÉRÔME (ermitage de) 193
Sala Montjuïc 🎞 146, 167
SALVADOR DALÍ ESCULTOR 🎬🎬 156
SANT ANTONI (Barri) 166
SANT FELIP NERI (plaça) 153
SANT JAUME (plaça) 153, 156
SANT JOAN (funiculaire de) 193
SANT JOAN (itinéraire de) 193
SANT JUST (plaça) 153
SANT MIGUEL (itinéraire de) 193

SANT PAU (hospital de) 🎬🎬 181
SANT PAU DEL CAMP (església) 🎬 165
SANT PERE (conjunt monumental de les esglé-sies de ; Terrassa) 🎬🎬 194
SANT SADURNÍ D'ANOIA 195
SANTA CATERINA (mercat de) 159
SANTA COLOMA DE CERVELLÓ 188
SANTA COVA (itinéraire de) 193
SANTA CREU (ancien hospital de la) 166
SANTA LLÚCIA (església) 152
SANTA MARÍA DEL MAR

(basílica) 👯👯👯 161
Santa Marta |●| 129
SANTS JUST I PASTOR
  (església de) 🎭 157
SAYRACH (casa) 175
Schilling 🍷 136
SCULPTURES (jardin de) 168

Semproniana |●| 128
Senyor Parellada |●| 125
SETBA-ZONA D'ART 🎭 164
Sidecar 🍷 🎵 🎵 137, 142
Síncopa 🍷 🎵 136
SITGES 197
SYNAGOGA 🎭 157

T

TapaÇ 24 |●| 🍷 119
TÀPIES (fondació
  Antoni) 👯🎭 175, 177
TAPINERÍA (carrer de la) 153
Taverna Can Margarit |●| 127
Taverna La Llesca |●| 130
TEMPLARIS (carrer dels) 153
TERRASSA 193
Terrassa (La) 🏠 110
Terrazza (La) 🎵 144
Tete (La) |●| 🍷 135

The One 🎵 144
TIBIDABO (le) 186
Tickets Bar (41°) |●| 🍷 118
TIMÓ (carrer del) 153
Tio Che (El) 🍦 133
TORRES (caves ;
  Pacs del Penedès) 202
TRAGINERS (plaça dels) 153
Travels Solutions 🏠 106
Txacolín |●| 🍷 117
Txapela |●| 🍷 120

U-V-W-X-Z

Ultramarinos |●| 🍷 🎵 139
Universal (L') 🎵 🍷 143
Urban Suites (The) 🏠 114
Urbany Hostel 🏠 105
Valhalla 🍷 🎵 139
Venta (La) |●| 131
Venus Delicatessen |●| 🍷 135
VICENS (casa) 🎭 181
VIDUA MARFÀ (casa) 175
VIEILLE VILLE (la) 164
Vila Viniteca (La) 🕸 147
VILADECOLS (baixada de) 153
VILAFRANCA DEL

PENEDÈS 201
Vinateria del Call |●| 121
Vinçon 🕸 148
Vinya del Senyor (La) |●| 🍷 117
Virreina 🍷 117, 141
Wah-Wah 🕸 149
Xampanyet (El) |●| 🍷 117
Xe-Mei |●| 127
Xiringuito Escriba |●| 130
Xurrería 🥐 132
Z : eltas 🍷 140
ZOO (le) 🎭 162
Zoologic |●| 🍷 127

OÙ TROUVER LES CARTES ET LES PLANS ?

• Barcelone (plan
  d'ensemble) 94-95
• Barcelone (centre),
  plan détachable .... recto
• Barcelone (zoom),

  plan détachable .... verso
• Barcelone (plan des
  transports en commun),
  plan détachable .... verso
• Sitges 199

Les **Routards** parlent aux **Routards**

Faites-nous part de vos expériences, de vos découvertes, de vos tuyaux.
Indiquez-nous les renseignements périmés. Aidez-nous à remettre l'ouvrage à jour.
Faites profiter les autres de vos adresses nouvelles, combines géniales... On adresse
un exemplaire gratuit de la prochaine édition à ceux qui nous envoient les lettres les
meilleures, pour la qualité et la pertinence des informations. Quelques conseils cependant :
– Envoyez-nous votre courrier le plus tôt possible afin que l'on puisse insérer vos
tuyaux sur la prochaine édition.
– N'oubliez pas de préciser l'ouvrage que vous désirez recevoir.
– Vérifiez que vos remarques concernent l'édition en cours et notez les pages du
guide concernées par vos observations.
– Quand vous indiquez des hôtels ou des restaurants, pensez à signaler leur adresse
précise et, pour les grandes villes, les moyens de transport pour y aller. Si vous le
pouvez, joignez la carte de visite de l'hôtel ou du resto décrit.
– N'écrivez si possible que d'un côté de la lettre (et non recto verso).
– Bien sûr, on s'arrache moins les yeux sur les lettres dactylographiées ou correctement écrites !
En tout état de cause, merci pour vos nombreuses lettres.

Les Routards parlent aux Routards :
122, rue du Moulin-des-Prés, 75013 Paris

e-mail : *guide@routard.com*
Internet : *routard.com*

Le Trophée du voyage humanitaire ROUTARD.COM
s'associe à VOYAGES-SNCF.COM

Ils ont aidé à la création d'un poste de santé autonome au Sénégal, à la reconstruction
d'un orphelinat à Madagascar... Et vous ?
Envie de soutenir un projet qui favorise la solidarité entre les hommes ? Le Trophée du
Voyage Humanitaire Routard.com est là pour vous ! Que votre projet concerne le
domaine culturel, artisanal, écologique, pédagogique, en France ou à l'étranger, le
Guide du routard et Voyages-sncf.com soutiennent vos initiatives et vous aident à les
réaliser ! Si vous aussi vous voulez faire avancer le monde, inscrivez-vous sur
● *routard.com/trophee* ● ou sur ● *tropheesdutourismeresponsable.com* ●

Routard Assurance *2012*

Routard Assurance et Routard Assurance Famille, c'est l'Assurance Voyage Intégrale.
Dépenses de santé et frais d'hôpital pris en charge directement sans franchise jusqu'à
300 000 € + caution + défense pénale + responsabilité civile + tous risques bagages et
photos. Assurance personnelle accidents : 75 000 €. Très complet ! Tarif à la semaine
pour plus de souplesse. Tableau des garanties et bulletin d'inscription à la fin de chaque *Guide du routard* étranger. Pour les départs en famille (4 à 7 personnes), demandez le bulletin d'inscription famille. Pour les longs séjours, contrat Plan Marco Polo
« spécial famille » à partir de 4 personnes. Pour un voyage éclair de 3 à 8 jours dans
une ville de l'Union européenne, bulletin d'inscription adapté dans les guides villes
avec des garanties allégées et un tarif « light ». Également un nouveau contrat Seniors
pour les courts et longs séjours. Si votre départ est très proche, vous pouvez vous
assurer via Internet ● *avi-international.com* ● ou par fax : 01-42-80-41-57, en indiquant
le numéro de votre carte de paiement. Pour en savoir plus : ☎ 01-44-63-51-00.

Photocomposé par JOUVE – 45770 Saran
Imprimé en Italie par L.E.G.O. S.p.A - Lavis (Tn)
Dépôt légal : janvier 2012
Collection n° 13 - Édition n° 01
24/5287/8
I.S.B.N. 978-2-01-245287-9